D1261759

Wayne W. Dyer

THE SKY'S THE LIMIT

DÉVELOPPEZ À L'INFINI VOTRE POTENTIEL HUMAIN

DR WAYNE W. DYER

Auteur de

VOS ZONES ERRONÉES

THE SKY'S THE LIMIT
DÉVELOPPEZ À L'INFINI VOTRE POTENTIEL HUMAIN

Traduit de l'américain
par
Edouard Barsamian

Editions de Mortagne

Titre original
The Sky's the Limit
by Wayne W. Dyer

Édition
Les Éditions de Mortagne
250, boul. Industriel, bureau 100
Boucherville (Québec)
J4B 2X4

Diffusion
Tél.: (514) 641-2387
Téléc.: (514) 655-6092

Tous droits réservés
© Copyright 1980 by Wayne W. Dyer
Traduction française
Les Éditions de Mortagne
© Copyright Ottawa 1982

Dépôt légal
Bibliothèque nationale du Canada
Bibliothèque nationale du Québec
Bibliothèque Nationale de France

4e trimestre 1988

ISBN: 2-89074-282-2

3 4 5 6 7 - 88 - 98 97 96 95 94

Imprimé au Canada

À la mémoire d'Abraham H. Maslow — qui a été le premier à étudier le pouvoir de tout homme à accéder à la grandeur.

À Cynthia Page Subby — qui a particulièrement inspiré la réalisation de cet ouvrage.

Table des matières

Introduction : quelle est votre limite ?

1 / Du SZE à sans limites

Il vous est permis d'être parfait   23
Maladie, santé et supersanté : L'exemple médical .   25
La psychologie en tant que médecine :
    La méthode pathologique   28
De la panique à la maîtrise
    — et les étapes intermédiaires   31
— La panique   32
— L'apathie   33
— La lutte   35
— L'adaptation   36
— La maîtrise   39

Qui peut devenir une personne sans-limites
    Et tout d'abord, pourquoi sommes-nous ici ? . . .   43

SZE, Zen et Muga : L'art de vivre dans le présent .   46
— Anticiper sur le futur : Ce cercle vicieux   48
— Transcender le passé   49
— Faire ses bagages   51
— SZE, Zen et Muga   52

Vivre dans le présent 55
— La survie : Refoulé vers le présent 55
— La normalité :
   Vivre quelquefois dans le présent 57
— L'engagement 59

2/ Les faux maîtres

Caractéristiques des personnalités autoritaires 71
— L'intolérance de l'ambiguité 71
— La pensée dichotome 75
— L'inflexibilité de la pensée 77
— L'antiintellectualisme 81
— L'antiintrospection 85
— Le conformisme et la soumission 86
— La répression sexuelle 90
— L'ethnocentrisme 93
— La paranoïa 100
— L'antifaiblesse 102
— Le culte du pouvoir 109
— Le totalitarisme superpatriotique 113
Archie Bunker : Le modèle autoritaire 120

3/ La pensée autoritaire transcendante

La pensée dichotome 130
La pensée holistique 136
La pensée Sans-limites 139
La transition vers la pensée Sans-limites :
— fusion des dichotomies 143
— Masculin/Féminin 144
— Fort/Faible 148
— Enfantin/Mûr 149
— Civilisé/Barbare 151
— Corps/Esprit 153
— Conscient/Inconscient 155
— Sécurisé / Insécurisé 159
— Professeur/Étudiant 163

Travail / Jeu 166
— Amour / Haine 174
— Bon / Mauvais 179
Patriotique / Antipatriotique 183
— Nous / Ils 187

4 / *Soyez d'abord un bon animal*

Fiez-vous à vos instinct animaux 194
Neuf façons d'être un bon animal 206
— Les fonctions corporelles 206
— Manger 211
— Boire 214
— Respirer 216
— Dormir 218
— Guérir 223
— S'exercer et jouer 225
— Le sexe 229
— Flâner, voyager, explorer 235

5 / *Redevenez un enfant*

Comment aimez-vous les enfants? 248
Rester enfant ou être enfantin? 253
L'absurdité de remettre votre
  satisfaction personnelle à plus tard 255
Surmonter votre mauvaise éducation 262
La fontaine de Jouvence se trouve en vous 269
Sept chemins mènent à la fontaine 270
— Riez! 270
— Réintroduisez la fantaisie dans votre existence . 274
— Soyez un peu fou! 280
— Soyez spontané 282
— N'ayez pas peur de commettre des erreurs 286
— Acceptez le monde tel qu'il est 289
— Soyez confiant 295

6 / *Fiez-vous à vos signaux intérieurs*

De l'extérieur vers l'intérieur 310
Parvenir à une véritable honnêteté
    envers soi-même 313
  — Les origines du leurre de soi 315
  — Le chemin vers l'honnêteté envers soi-même . . 318
L'esprit créateur et vos signaux intérieurs 322
Les stratégies pour vous fier
    à vos signaux intérieurs 325
  — Les pilules, l'alcool, le tabac
    et les « drogues sociales » 328
  — Les codes vestimentaires en vue du prestige . . . 329
  — Les guides de l'étiquette
    et les codes du savoir-vivre 331
  — Les normes externes du goût 332
  — Les messages publicitaires 334
  — Les bureaucraties 335
  — Les notes et les rangs 338
  — Le statut familial 343
  — Votre psychologie 345
  — Les figures et les lois de l'autorité 349
  — La religion organisée (dans certains cas) 350

7 / *Respectez vos besoins supérieurs*

Vos besoins supérieurs servent d'instincts 359
Vos besoins supérieurs et comment les satisfaire . 361
  — L'individualité 361
  — Le respect 365
  — L'appartenance 368
  — L'affection et l'amour 371
  — Le travail significatif 378
  — La récréation et la détente 383
  — L'esprit créateur 386
  — La justice 391
  — La vérité 395
  — La beauté 397

Les besoins supérieurs et inférieurs :
Mettre le tout en perspective 399

8 / *Cultiver un sentiment de résolution et de compréhension*

Pourquoi la plupart des gens n'ont pas
un véritable sentiment de résolution :
« Le centimètre critique » 408
À la poursuite d'un sentiment de résolution 411
Accepter le changement
comme un mode de vie 414
L'importance de l'espoir
et de la confiance personnels 420
Ne pas craindre votre propre grandeur 422
Considérer toute vie comme sacrée 425
Le sentiment ultime d'une mission 429
Quelques stratégies personnelles pour
acquérir un sentiment de résolution
et d'honnêteté 431
Neuf questions pour vous aider à atteindre
votre propre honnêteté envers vous-même . . . 439

9 / *Gagner à cent pour cent du temps*

L'absurdité d'avoir des gagnants
aux dépens des perdants 453

La façon de devenir un gagnant à cent pour cent.
1. PENSER comme un gagnant cent pour cent
du temps. 459
2. SE SENTIR comme un gagnant cent pour cent
du temps. 461
3. SE COMPORTER comme un gagnant cent pour cent
du temps. 464

Annexe: de névrosé à sans limites
Tableau des aptitudes et des comportements. . . . 473

Quelle est votre limite?

De temps à autre vous entendrez une personne, qui se voit offrir un troisième, un quatrième ou un cinquième verre à un cocktail, s'exclamer, «Non, merci, j'ai atteint ma limite.»

Quand vous buvez de l'alcool, c'est certes une remarque intelligente à faire. À moins, bien entendu, que vous ayez un penchant particulier pour les excès de boisson, ou pour soumettre votre corps et votre esprit à des abus, pour votre bien, connaissez votre limite d'alcool et ne la dépassez jamais!

Mais fréquemment, quand on vous présente un troisième, un quatrième ou un cinquième verre de la coupe de la vie (et la vie nous l'offre immanquablement, que nous en soyons conscients ou non), nous nous disons en notre for intérieur, «Oh, non, je ferai bien de m'en abstenir. Je crois que j'ai atteint ma limite.» Ainsi j'ai entendu un jour, un baby-sitter crier à un enfant débordant de vie, qui se déplaçait à travers la maison plus rapidement qu'elle n'était capable de le suivre : «Arrête immédiatement de te surexciter! Cesse d'être aussi heureux! Tu sais que chaque fois que tu es à ce point heureux, tu fais une chute et tu te fais mal.»

Le but de cet ouvrage est de faire reconnaître à chacun, qu'en ce qui a trait au bonheur, à la croissance, à la créativité, au talent constructif dans la société — à tout ce qui a de la valeur à vos yeux comme être humain — il n'y a littéralement pas de limites à ce que vous pouvez accomplir.

Il va de soi que si vous voulez faire quelque chose qui n'est à la portée d'aucun homme — si vous voulez pouvoir sauter d'une falaise (sans l'aide d'un delta-plane) et voler — vous n'en aurez pas le loisir. Mais ce livre traite également de la possibilité de devenir tout ce qu'un être humain a la latitude de devenir — et, en outre, d'être ce que vous vous désirez être, en opposition avec ce que les autres ou la société dans son ensemble, exigent que vous soyez.

Quand j'ai pris la décision, il y a plusieurs années, de cesser d'écrire des manuels qui ne seraient lus que par une poignée de professionnels, et de commencer à écrire des ouvrages qui seraient à la portée de tous, j'envisageais un programme en quatre phases pour aider les gens à atteindre les plus hauts niveaux de bonheur et de contentement qui leur étaient accessibles. Je croyais à cette époque, comme je le crois encore aujourd'hui, que la plupart des gens souffrent, sans nécessité, de misères dans la vie, parce qu'ils ne savent pas comment dominer leurs émotions et qu'ils ont été amenés à croire une quantité d'inepties psychologiques. Par exemple, que « personne n'est réellement sain psychologiquement : tout le monde est pour le moins légèrement névrosé, » ou encore « vos problèmes personnels sont le produit de traits de caractère profondément enracinés quelque part loin dans votre passé, et il vous faudra plusieurs années de psychanalyse pour les déterrer ».

J'ai écrit *Vos zones erronées* en mettant l'accent sur la manière de vous défaire d'un comportement ou de pensées négatifs et sur la manière de réfléchir raisonnablement à la façon de vous « prémunir » contre la névrose, si vous le désirez. Mon second livre, *Tirez vous-même les ficelles*, a entrepris de démontrer point par point comment vous devez agir envers les gens qui tentent de vous manipuler ou de vous opprimer — des gens qui ne se sont peut-être pas libérés de leurs propres zones erronées et qui, pour cette raison, croient qu'ils ne peuvent démontrer leur propre valeur que par leur aptitude à vous donner des ordres.

Étant donné que le fait de vous laisser prendre au piège des autres, qui cherchent une victime, équivaut dans un sens à n'importe laquelle des zones erronées dont il est question dans *Vos zones erronées*, nous devons amalgamer l'image de la personne qui s'est libérée de ses zones erronées personnelles avec celle de la personne qui tire ses propres ficelles, et ainsi produire l'image de la personne entièrement sans zones erronées, ou *SZE*.

Cependant, même quand j'eus commencé à travailler sur *Vos zones erronées*, je songeais déjà à l'ultime ouvrage pour l'individu, qui lui enseignerait comment progresser bien au-delà de l'état d'être *SZE* tel que c'est défini dans les deux premiers livres. La vie, c'est bien plus que d'apprendre comment affronter vos problèmes et vous comporter envers les manipulateurs en puissance, comment maîtriser vos émotions et acquérir de l'assurance. Chaque être humain sur cette planète est fondamentalement et intrinsèquement capable d'atteindre des «hauteurs vertigineuses» de bonheur et de contentement. Pour la grande majorité des gens, le principal obstacle pour ce faire semble être la peur, la peur que ces hauteurs vont leur donner le vertige au lieu d'ancrer leurs pieds plus solidement dans le sol, ce qui en fait se produit — ainsi que vous le verrez dans les pages qui suivent.

Il semble qu'il existe une crainte très répandue dans notre société, de voler trop près du soleil, de vouloir acquérir trop et, par conséquent, de perdre ; de devenir trop heureux et, ensuite, de choir. Ce phénomène ne touche pas seulement les individus, mais englobe la race entière. Quand nous considérons la faculté dont jouit l'humanité de vivre en paix, en harmonie, de façon productive, et même dans la joie, et qu'ensuite, nous observons le monde tel qu'il est, la comparaison est pathétique. Mais enfin, pourquoi la race humaine s'est-elle mise dans cette situation ? Pour la simple raison que les individus sont demeurés aveugles à leurs propres possibilités illimitées, et se sont évertués à ce qui est « traditionnellement » attendu d'eux, à s'intégrer dans des structures sociales qui perpétuent le gâchis dans lequel la majeure partie du monde se trouve.

«Le ciel... votre seule limite» est peut être un cliché, et on en a certainement abusé pendant toutes ces années : «Le ciel... votre seule limite aux économies réalisées sur les voitures d'occasion vendues chez Johnny.» Mais les plus vieux clichés et expressions toutes faites de notre langue contiennent généralement la plus grande part de vérité, si nous les plaçons

15

dans leurs contextes véritables. Et si nous y réfléchissons sérieusement, « Le ciel... votre seule limite » se révèle le *plus véridique* quand nous l'appliquons aux potentialités des êtres humains. Si vous y réfléchissez, les mystères de l'univers (à quelle hauteur se situe le ciel ?) sont bien peu de choses comparés aux mystères de la vie.

Qui est donc cet être vivant qui, au cours de ces quelques milliers d'années, est sorti en rampant des cavernes pour créer les théories de la relativité, pour donner tout d'abord un nom au ciel, pour explorer l'univers et même pour démontrer qu'aucune machine conçue selon un système logique — aucun ordinateur conçu par l'homme — ne pourrait jamais égaler la créativité mathématique du cerveau humain ?

Ainsi, la prochaine fois que vous observerez le ciel, déconcerté et émerveillé, souvenez-vous que vous avez en vous de bien plus grands mystères encore. La seule différence est que le ciel n'a pas la faculté de penser à lui-même, ni celle de choisir son propre futur.

Cet ouvrage constitue à bien des égards un tournant décisif de ma vie. Je souhaite qu'il constitue également un tournant décisif pour vous. Il expose le comment et le pourquoi du *développement humain total*, un programme qui enseigne comment penser, ressentir et se comporter afin de vous permettre de transcender votre moi « moyen » ou « normal » et vous transformer en une personne que vous n'aviez jamais rêvé de devenir jusqu'à ce jour. Dans les pages qui suivent, je vous inciterai à adopter des valeurs humanistes et un style de vie humaniste qui non seulement vous apporteront la joie de vivre chaque jour de votre propre existence, mais procureront au monde la direction créative et imaginative qui lui est nécessaire pour en faire un endroit plus humain et plus parfait pour nous tous, aujourd'hui, et pour ceux qui nous suivront.

Pour identifier ce tournant décisif, pour donner un nom à cette personne que chacun de nous peut devenir s'il le veut, j'ai inventé une nouvelle expression. J'appelerai cette personne qui transcendera son moi « moyen » ou « normal » et concrétisera les plus grandes potentialités de sa vie, *sans-limites*, pour souligner que cette personne n'accepte point de limites artificielles ou fausses.

La personne *SZE* (sans zones erronées) et la personne Sans-limites sont en fait les deux côtés d'une même pièce de monnaie. Vous ne pouvez pas devenir une personne Sans-Limites sans avoir tout d'abord éliminé vos zones erronées, et quand vous les aurez éliminées, si vous êtes une personne *SZE*, vous êtes déjà en voie — ou du moins sur le point — de vous assurer une vie de liberté totale. Dans ce sens, *SZE* et « *SANS-LIMITES* » peuvent être alternés dans leur usage. Mais quand j'utilise « *SZE* », c'est généralement pour faire allusion à « l'oiseau avant son envol » — à la personne qui a éliminé ses zones erronées, mais n'a pas encore vraiment mis ses nouvelles ailes à l'épreuve. Quand je mentionne « Sans-Limites » c'est surtout de ceux qui ont déjà pris leur essor dans l'azur infini dont je parle.

Je souhaite que vous trouviez ce livre passionnément *original*, non pas uniquement parce qu'il révèle des choses inédites, mais dans le sens plus vaste qu'il abonde de pensées qui toucheront des cordes sensibles en vous et vous aideront à créer votre propre optique toute neuve de vous-même et du monde.

Mais pour qu'un ouvrage soit réellement original, il doit avoir ses racines profondes dans ce que l'auteur considère être la pensée la plus vitale et féconde du passé.

Des amis philosophes me disent que c'est Aristote qui le premier pensa à définir les choses vivantes non pas en fonction de ce qu'elles sont à un moment donné, mais en fonction de leurs *potentialités*, ou ce qu'elles pourraient devenir naturellement et quand elles sont en *pleine forme*, ce qui, à mon avis, est l'image que nous devrions tous avoir de nous-mêmes — tout en admettant qu'à tout moment nous sommes dans la meilleure forme qu'il nous est possible d'être à ce moment précis! (Il vous est permis d'être parfait!)

Il est regrettable que l'idée d'explorer la potentialité illimitée que l'humanité possède à atteindre la grandeur ne soit guère dominante dans la société contemporaine, et par conséquent les «racines» de ce livre prennent naissance dans les œuvres de quelques penseurs extraordinaires et atypiques plutôt que dans les nombreux écrits de ceux qui appartiennent

17

au « mouvement » de ce qui est considéré aujourd'hui comme de la psychologie et de la philosophie.

Parmi les penseurs sérieux qui ont influencé mon propre développement, de loin le plus important était feu le Docteur Abraham Maslow, qui a consacré la majeure partie de sa vie à l'étude de ce qu'il a appelé « l'auto-actualisation » ou les plus hauts niveaux d'existence ou d'évolution accessibles à l'humanité. Maslow a décrit les qualités qui distinguent les gens auto-actualisés des autres en s'efforçant de créer ce qu'il a nommé une Psychologie de l'être. J'ai adopté ou adapté un certain nombre des qualités « auto-actualisées » de Maslow pour donner naissance à l'image de la personne Sans-Limites, et j'ai dédié cet ouvrage à sa mémoire en raison de mon énorme admiration pour son esprit novateur.

Maslow voulait observer l'humanité dans un contexte différent. Il était en faveur d'étudier les grands réalisateurs et d'apprendre par leur exemple, plutôt que de restreindre la psychologie à l'étude de la maladie et des faibles réalisations, et de finir par considérer l'humanité uniquement du point de vue de ce qui peut mal tourner pour la psyché humaine. Maslow croyait dans la grandeur de l'humanité. Il en est de même pour moi.

Les efforts consacrés à la recherche et à la réalisation de ce livre ont eu pour but de rendre les œuvres de Maslow et d'autres âmes sœurs dans les sciences humanistes beaucoup plus accessibles et acceptables pour tous. Je suis de l'opinion que tout le monde peut atteindre un haut niveau de développement humain, peut en fait devenir auto-actualisé, une personne Sans-Limites, s'il ou elle s'en donne la peine. Cela se résume aux choix que vous êtes disposé à faire. Nul n'est supérieur aux autres par nature, et par conséquent, quiconque le désire peut faire de « grands choix » et même atteindre la grandeur en tant qu'être humain.

En écrivant ce livre, j'ai mis l'accent sur le comment ainsi que le pourquoi de devenir une personne Sans-Limites. Bien trop souvent, les chercheurs psychologiques font défaut quand arrive le moment de fournir des précisions aux gens sur ce qu'ils doivent faire pour accéder aux plus hautes sphères de la réalisation et du contentement humains. C'est sans restriction que l'on spécule et philosophe, mais l'*exploration* proprement dite est insuffisante quand il s'agit de déterminer où nous voulons aller et comment y parvenir. Je me suis efforcé de combler cette «lacune de l'exploration» en écrivant ce livre. Bien que j'ai beaucoup appris en lisant Maslow et d'autres encore et que j'ai essayé, dans un sens, de traduire en une terminologie accessible à tous ce que les explorateurs précédents m'ont enseigné, j'ai essentiellement présenté ce que je sais comme étant vrai non pas en raison de ce que j'ai lu, mais parce que je me suis consacré à *le vivre chaque jour moi-même*. J'ai vu comment on pouvait vivre *entièrement* dans le présent, et je sais que c'est possible.

À bien des égards, ce livre va au-delà des frontières traditionnelles de la psychologie et s'aventure dans le domaine de la philosophie. Que cela ne vous effraie point, car je ne considère pas comme de la philosophie l'obscur charabia dont se servent les académiens qui, de nos jours, se font appeler des philosophes. Vous pouvez déduire du simple fait que vous n'ayez jamais rien entendu d'un philosophe contemporain, qu'aucun d'entre eux n'a jamais rien eu à vous dire, que la philosophie académique doit être une discipline tombée en désuétude — du moins pour le monde. La triste réalité c'est que la philosophie académique de ces trente ou quarante dernières années s'est égarée dans l'analyse de la grammaire et la construction des systèmes logiques, se préoccupant des questions technologiques et scientifiques à l'exclusion de la recherche humaniste de la sagesse qui lui a donné naissance en tout premier lieu. Si les «philosophes» sont mécontents qu'un conseiller humaniste comme moi empiète sur leur territoire, ils ne doivent s'en prendre qu'à eux-mêmes pour avoir négligé les secteurs de ce territoire, que je m'efforce de cultiver. En ce qui me concerne, la «philosophie» conserve sa signification première — c'est la recherche de l'ultime sagesse humaine, et *quelqu'un* doit l'entreprendre. En vérité, je me considère avant tout comme un *philosophe pratique* et seulement accessoirement comme un psychologue. Depuis les grands existentialistes comme Kierkegard, Sartre et Heidegger, personne ne s'est préoccupé de savoir *ce que c'est que d'être humain*, et même les existentialistes ont rarement aperçu les sommets élevés que les gens peuvent atteindre, se concentrant plutôt sur le pessimisme et l'absurdité de l'existence.

Les « philosophes » d'aujourd'hui sont tellement absorbés à disséquer la logique ou à essayer de démontrer qu'un arbre existe ou n'existe pas, bien qu'aucun d'entre eux ne se donne la peine de le regarder, qu'ils n'offrent aucune aide à l'être humain qui doit affronter les arbres et les forêts de sa propre vie.

Cet ouvrage est présenté comme un cours de philosophie pratique sur la manière d'être pleinement humain. Au cœur de ma philosophie se trouve la conviction que vous pouvez vous-même vous motiver et opter pour la grandeur même si vous ne l'avez jamais fait auparavant. En nous abstenant d'utiliser un jargon psychologique et philosophique académique et en lui substituant un langage empreint de bon sens, nous pouvons dissiper le mystère entourant la compréhension de notre propre potentialité unique pour devenir pleinement humain et vivre heureux au jour le jour. C'est uniquement parce que certains des mots et des phrases qui décrivent les gens auto-actualisés, ont défié le traitement du «langage ordinaire» par les érudits que beaucoup d'entre nous, gens ordinaires, avons fini par croire qu'une existence Sans-Limites était hors de notre portée.

Si vous avez lu *Vos zones erronées* et *Tirez vous-même les ficelles*, et s'ils vous ont été utiles et ont contribué à votre édification, je suis convaincu que vous ne manquerez pas de voir que ce livre est leur enchaînement naturel et qu'il est fondé sur leurs prémisses. Il n'est cependant pas nécessaire d'avoir lu ces ouvrages pour comprendre celui-ci; toutes les fois que c'était nécessaire, j'en ai emprunté des sujets et des idées afin de les élaborer plus en profondeur ici.

Dans les deux autres livres comme dans celui-ci, j'ai mis par écrit tout ce que j'ai appris jusqu'à ce jour sur la manière de vivre avec une intensité optimum, de ressentir au plus haut point l'exaltation personnelle et d'éprouver des joies suprêmes, alliées à un réel sentiment de détermination et de mission, qui donneront à votre existence un sens qu'elle n'avait peut-être jamais connu auparavant.

Nous éprouvons tous de la gratitude envers ceux qui

nous aident à vivre notre vie à un rythme plus puissant, plus rapide. J'aspire à être un de ceux qui contribuent à rendre votre vie, à l'exemple de la mienne, *totalement active* tous les jours sans exception. Je désire que tous ceux ou toutes celles qui lisent ces lignes, ou viennent écouter mon message, en profitent pour se rapprocher d'un pas de leur pleine humanité. Je souhaite que chacun rejette ses barrières «psychologiques» intérieures et aperçoive clairement ce qui était précédemment dissimulé : que *vous puissiez devenir tout ce que vous choisissez pour vous-même*. Si je peux vous aider à vous en rendre compte par vous-même, mon propre sentiment d'accomplir une mission sera satisfait encore davantage.

J'ai mentionné plus haut que j'avais commencé à écrire des livres populaires avec à l'esprit un *programme en quatre parties* pour le Développement Humain Total. *Avec Le ciel... votre seule limite*, mon programme qui traite de l'individu adulte tel qu'il ou qu'elle s'apparente avec le moi, les autres et la société, est achevé, à présent, Cependant, mon programme dans son ensemble n'est qu'au trois-quart terminé. Le «dernier quart critique» consistera en un ouvrage consacré à l'application des principes d'une existence SZE / Sans-Limites à l'éducation des enfants.

Il est en effet possible d'élever les enfants d'une manière telle à maximiser leur humanité totale. Ils n'ont aucun besoin de souffrir des «maladies de l'esprit» traditionnelles dont la plupart des gens héritent, dans notre culture. D'élever les enfants de façon à ce qu'ils fonctionnent pleinement et vivent de manière créative est une possibilité des plus réelles, et la réalisation d'un ouvrage qui couvre ce sujet sera mon prochain et dernier projet dans cette série de livres. Rien n'est plus important pour moi ou pour nous que le legs d'une santé mentale et la foi dans la potentialité illimitée des êtres humains, que nous transmettons aux générations futures. Mais il est entendu que nous ne pouvons pas les léguer avant de les avoir saisis pour nous-même.

Prenez plaisir à lire ce livre. J'ai joui de chaque minute consacrée à y réfléchir, aux recherches qu'il exigeait, aux entrevues à son sujet et à sa réalisation. S'il vous communique le même enthousiasme pour la vie que j'ai éprouvé pendant ces derniers mois, nous allons tous bientôt prendre notre envol de concert.

WAYNE DYER

Lors de sa visite à Diogène, Alexandre Le Grand ayant demandé au célèbre philosophe s'il désirait quelque chose : « Oui, répondit le Cynique, que tu t'ôtes de mon soleil. » Peut-être un jour saurons-nous comment intensifier la créativité. Jusque là, ce que nous avons de mieux à faire pour les hommes et les femmes à l'esprit créateur, c'est de nous ôter de leur soleil.

JOHN W. GARDNER
Self-renewal

1/ *Du SZE à Sans-limites*

IL VOUS EST PERMIS D'ÊTRE PARFAIT

Plusieurs années auparavant, lors d'une émission nationale de télévision à laquelle je participais, une femme me posa une question qui, à en juger par son ton méprisant, avait pour but de me rabaisser. «Dites-moi, dit-elle quel sentiment éprouve-t-on à être parfait? »

Cette femme, comme beaucoup d'autres gens, semblait estimer que c'était une sorte de péché que de se considérer comme parfait — que vous deviez être insatisfait de vous-même et toujours vous efforcer de vous conformer à l'idée que quelqu'un d'autre se fait de la perfection qui, bien entendu, se révèle toujours inaccessible. Elle s'imaginait aussi probablement que ce qui est parfait doit être à jamais immuable — qu'une personne « parfaite » ne changera ou ne se développera jamais. En fait, elle devait penser que seul Dieu est parfait, d'où sa conviction que c'était, de ma part, un horrible péché d'orgueil que d'affirmer, d'une manière aussi péremptoire, que j'étais arrivé à la conclusion que vous deviez accepter de vous considérer comme parfait si vous vouliez un jour réaliser votre pleine potentialité comme être humain.

Je me souviens d'avoir répondu à cette femme: «Il est absolument naturel de se considérer comme parfait. Ce sentiment n'a rien de commun avec la vanité, ni la pensée que vous êtes sans pareil, ou le manque de motivation pour votre croissance future».

Vous savez que l'océan est parfait. Il en est de même pour les fleurs, le ciel, votre chat et tout ce qui touche la nature. Ils sont aussi parfaits qu'il leur est possible de l'être même s'ils changent constamment. Le ciel est différent de ce qu'il était une heure auparavant, mais il n'en est pas moins parfait. Votre chat ne cesse de changer, mais il est toujours tout aussi parfait. Vous pouvez vous développer, changer, et être différent de mille manières, et demeurer néanmoins une créature parfaite. L'essence de votre perfection réside dans votre aptitude à vous observer vous-même, à accepter que ce que vous voyez est parfait à ce moment précis, et ensuite de vous métamorphoser en un être entièrement différent, *tout en restant parfait*. Il est ironique que nous considérions les animaux comme étant parfaits et que nous nous refusions cette même qualité pour nous-mêmes.

Vous êtes une créature aussi parfaite qu'il était possible de créer sur cette planète, ne vous y trompez pas. Vous êtes l'aboutissement de plusieurs milliards d'années d'évolution, de l'œuvre du Créateur et de toutes les autres influences qui vous ont façonné à votre venue sur terre. Physiquement, vous ne pouvez être mieux que vous ne l'êtes déjà. Votre corps et votre esprit — si vous voulez faire la distinction entre les deux — sont jusqu'à présent, les modèles de la nature les plus parfaits pour assurer la survie et la perfection des espèces humaines sur terre. Vous ne devriez jamais cesser de vous émerveiller de vos propres potentialités.

D'être parfait signifie que vous devez vous regarder avec de nouveaux yeux. Cela signifie pour vous de *pénétrer au cœur même de la vie*, plutôt que de traîner toujours en marge de la vie, convaincu que vous n'êtes pas encore assez bien pour chasser le gros gibier. Cela signifie que vous êtes rempli du plus grand respect pour votre propre humanité et votre potentialité illimitée comme être humain. Cela signifie *vous donner à vous-même toute latitude pour vous développer et atteindre les sommets les plus élevés que vous puissiez concevoir*. Dans ce sens, vous avez le pouvoir d'être parfait. Vous pouvez vous considérer comme une création accomplie — sans que vous ayez à vous vanter devant les autres ou prouver quoi que ce soit à d'autres — si vous cultivez le genre de stabilité, de confiance et de sentiment de fierté intérieure dont je vais parler dans les pages qui suivent, pendant que vous vous accordez un sauf-conduit pour un accomplissement humain total.

MALADIE, SANTÉ ET SUPERSANTÉ : L'EXEMPLE MÉDICAL

Si vous prenez l'exemple médical pour traiter les maladies dans votre culture, vous réaliserez que la plupart des médecins opèrent entre le point A et le point B sur le continuum ci-dessous.

A	B	C
•	•	•
Maladie	« Santé normale »	« Supersanté »
Traitement médical	Médecine préventive	Initiative individuelle

Le point A représente une maladie exigeant des soins médicaux — qui se traduiront par le rétablissement de la santé normale de l'individu ou par une maladie chronique ou par la mort. Le point B représente une absence de symptômes de maladie ou ce que nous appelons « une santé normale ».

Pratiquement toute la médecine dans notre culture se concentre sur le traitement et la guérison des maladies. Entre les points A et B, vous trouverez toutes les maladies dont souffre l'humanité et un programme quelconque pour traiter chacune d'entre elles. Nous sommes hantés par la pensée de trouver les moyens de guérir les maladies, d'amener les gens au point B.

Entre le point B et le point C, que j'ai désigné comme la « Supersanté », se situe le territoire fertile pour la « médecine préventive » qui englobe aussi bien la vaccination des gens que le brossage de leurs dents, l'orientation vers des exercices physiques réguliers et une nutrition bien conçue, les précautions pour éviter que les travailleurs ne respirent les poussières d'asbeste et de charbon, et enfin les problèmes d'environnement tels que la pollution ou l'épuisement de la couche d'ozone entourant la terre.

Il existe, naturellement, de nombreux praticiens et autres

qui préconisent ou pratiquent la médecine préventive et une petite mais, espérons, croissante minorité qui veut élargir le domaine pour y incorporer tous les aspects de notre vie qui contribuent aux maladies, et qui comprennent aussi bien les facteurs physiques et mentaux que ceux de l'environnement. Quelques-uns parmi eux commencent sérieusement à se pencher sur les possibilités qu'offrent les méthodes et la médecine behavioristes pour apprendre aux gens à réfléchir, ressentir et se comporter d'une façon saine dès les débuts de leur existence. Mais même ceux qui veulent intensifier l'usage de la médecine préventive sont peu nombreux et quelque peu méprisés par les autorités constituées. Les tranquillisants, les anti-dépresseurs et les drogues de toutes sortes sont aujourd'hui les favoris de la médecine. L'abus de quelques-unes de ces drogues a fait l'objet de maints rapports du gouvernement des États-Unis et d'une très vaste publicité de la part des médias. Ce qui n'empêche nullement les médecins de prodiguer les ordonnances par centaines de millions chaque année. Le nombre d'interventions chirurgicales qui sont faites inutilement est alarmant et bien documenté. Néanmoins, la pratique des traitements médicaux entre les points A et B se poursuit inlassablement, et il en sera ainsi jusqu'au moment où la masse des gens commencera à s'y opposer.

Rares sont ceux qui ont pensé à intervenir entre les points B et C, en entreprenant l'étude des personnes qui sont en très bonne santé, vigoureuses, heureuses, comblées, libres de toute dépendance à l'égard des drogues, et ainsi de suite, et en s'efforçant de déterminer leurs caractéristiques, et découvrir leurs «secrets de supersanté».

Ceci peut être dû dans une large mesure au fait que la «supersanté» est une question de choix et d'initiative individuels. Si vous avez commencé à faire de la course à pied, de la natation, du tennis ou toute autre sport parce que votre médecin vous a averti de la nécessité de perdre du poids, de prendre soin de votre cœur ou de développer la capacité de vos poumons, ça c'est une chose — c'est de la médecine préventive pour conserver une santé normale. Vous pouvez être toutefois contrarié de devoir consacrer du temps à votre exercice — corvée et passer la majeure partie du temps à vous demander si vous ne devriez pas plutôt entreprendre un autre genre d'activité.

Mais si vous pratiquez tous les jours des exercices «de façon naturelle» simplement parce que vous aimez le faire, que vous aimez garder le contact avec votre corps et *ses* capacités stupéfiantes à renvoyer avec brio une balle de tennis ou à courir quinze kilomètres, ou parce que l'idée de ne pas pratiquer votre sport favori ne vous effleurerait même pas la pensée, la question est alors totalement différente. Ce qui constitue une corvée pour autrui, est un plaisir pour vous et vous n'allez pas vous en priver, même provisoirement, uniquement parce que vous croyez avoir rétabli à présent, votre « santé normale ». La différence entre un exercice satisfaisant et libre de tout conflit et un exercice « corvée », est difficile à évaluer quand il s'agit de la santé physique, mais quand votre santé mentale est en cause (et qui sait où s'arrête la santé physique et où commence la santé mentale ?), c'est la différence entre la personne « normale » et celle « Sans-Limites ».

Quand suffisamment de gens auront atteint le stade où ils réfléchiront par eux-mêmes et refuseront que les médecins leur préparent simplement des ordonnances pour des drogues, quand il s'agit de contrôler les «crises d'anxiété», seulement alors «de A à B et le retour constant» cessera d'être la norme de la santé physique dans notre culture. Une personne SZE est déjà consciente que c'est elle seule, et non une pillule, qui peut guérir son anxiété, et par conséquent, elle cherchera dans son for intérieur, et non point à l'extérieur, les solutions à son anxiété. L'intérêt particulier de pratiquer la médecine entre les points B et C réside dans le fait que les médecins traitants demandent aux gens d'arrêter de penser et de vivre comme des malades. Cela signifie d'inculquer aux patients la volonté d'acquérir la supersanté, d'être responsables de leur corps, plutôt que de renforcer leurs maladies par l'usage des moyens externes, tels que les drogues, comme méthode exclusive de traitement.

LA PSYCHOLOGIE EN TANT QUE MÉDECINE : MÉTHODE PATHOLOGIQUE

Le domaine de la psychologie, qui traditionnellement a été considéré essentiellement comme un complément de la branche «traitement» de la médecine, opère également entre les points A et B sur son propre continuum, qui se présente comme suit :

A		B		C
•		•		•
Maladie mentale		«Normalité»	De *SZE* à Sans-Limites	
Psychose; le danger envers soi-même et les autres.	Névrose débilitante; partielle-ment mais «en-dessous de la moyenne».	«Névrotique» mais surtout fonctionnelle «moyenne».	Santé men-tale; Sans zones erro-nées et tirant ses propres ficelles «au-dessus de la moyenne».	Supersanté mentale. Le ciel... Votre seule limite₁
Traitement intensif; drogues, admission dans un établisse-ment.	Psychothé-rapie ou autre traite-ment; dro-gues, etc.	Psychothéra-pie «recom-mandée» pour tous.	Maîtrise de soi; aucun traitement nécessaire, mais «recom-mandé».	Auto-actualisa-tion; aucun traitement n'est requis.
Panique	Apathie	Lutte	Adaptation	Maîtrise

Pratiquement toute la recherche sur le comportement humain a été réalisée par l'étude des gens qui ont des symptômes situés entre les points A et B, qui les font fonctionner au-dessus du niveau moyen ou «normal» de leurs sociétés. Avec l'exception particulière de quelques « rebelles » tels que Maslow, les psychologues se sont traditionnellement concentrés sur les symptômes névrotiques, sur l'éclat dépressif et ont considéré l'absence de maladies psychologiques cliniques comme un signe de «normalité». Ils ont beaucoup insisté sur la lutte à soutenir, mais passé sous silence ou presque com-

28

ment arriver au but. Ils soutiennent que les gens doivent constamment faire des efforts pour améliorer leur état plutôt que de les considérer comme étant en bonne santé tels qu'ils sont.

Leur profession, comme d'ailleurs l'ensemble de la société, semble obsédée par l'avenir et dresse des plans à long terme. Nul ne prête attention au présent ou à la manière d'en jouir. L'accent porte uniquement sur la nécessité d'être «bien adapté» aux choses telles qu'elles sont, d'être «normal» ou «moyen». La faculté innée de *chaque* être humain à connaître la grandeur ne reçoit pratiquement aucune attention. La psychologie étudie ceux qui ont le plus de symptômes, et crée ensuite une théorie expliquant pourquoi les gens se comportent comme ils le font en considérant *l'absence de ces symptômes cliniques* comme l'objectif idéal pour chacun. Les psychologues se concentrent sur ceux qui se débrouillent, qui évitent les ennuis et qui fonctionnent (bien que la paix intérieure puisse leur faire défaut) et les citent en exemples que chacun devrait égaler. L'étude des êtres humains comporte d'autres dimensions plus excitantes et plus importantes. Pourquoi ne pas plutôt choisir ceux qui sont les plus grands réalisateurs, les plus heureux, les plus créateurs, constructifs et productifs parmi les êtres humains, pour voir ce que nous pouvons apprendre d'*eux* avant de faire des généralisations sur ce qui est possible pour l'un ou l'autre d'entre nous? Leur exemple serait d'une aide précieuse pour formuler des suggestions dont chacun pourrait tirer profit. Cela constituerait certes une manière positive d'aborder la psychologie, et pourtant une telle conception semble rencontrer une résistance systématique. Maslow fit appel à l'étude de la grandeur au cours de sa recherche sur l'auto-actualisation, mais nonobstant le fait que certaines de ses contributions aient été des plus importantes, aujourd'hui on ne tient pratiquement pas compte de ses suggestions, en partie parce qu'il n'existe pas de «données statistiques rigoureuses» pour étayer ses conclusions. Mais le fait est qu'il *ne peut pas y avoir de «données satistiques rigoureuses»* qui soient applicables à l'étude de la grandeur humaine. Il est en principe impossible de prédire où, de dire comment le génie, l'imagination ou la créativité va apparaître dans le monde. *Il n'est pas possible de trouver une formule* pour élaborer des théories originales ou créer des œuvres d'art originales. Avant tout, il serait absurde de vouloir se servir d'instruments de mesure ou de calculs scientifiques pour étudier la potentialité humaine. Bien sûr, on peut généraliser sur le genre d'éducation, d'instruction et d'environnement que cultivent les personnes SZE, les genres d'influences, d'attitudes et de *choix* qui créent les personnes Sans-Limites. Mais ces jugements sont profondément *subjectifs*, reposant comme ils le font sur une tentative pour comprendre le processus de la pensée des «grands cerveaux», et Maslow a abordé le problème de la seule manière logique possible, en faisant preuve de «bon sens» pour interpréter ce qu'il lisait, entendait, éprouvait et voyait — la même méthode que j'utilise dans cet ouvrage. Néanmoins, les spécialistes des sciences humaines d'aujourd'hui sont rarement disposés à s'aventurer au-delà des domaines d'étude où les «conclusions» peuvent être *quantifiées*, où tout peut être chiffré et présenté sous forme de tableaux et de graphiques. Ce qui leur permet de continuer à faire leurs études, à inscrire un oui ou un non dans les espaces vides de leurs questionnaires, à obtenir des fonds, à rédiger leurs projets de recherche et à les faire publier dans des revues académiques pour l'édification d'autres chercheurs. Si tous les gens sont uniques, et s'ils changent constamment tous les jours sans exception, alors tout ce qu'il nous reste à dire au sujet de n'importe laquelle des conclusions de recherches humaines est qu'elle s'appliquait à un groupe d'individus donné, ce jour en particulier, et compte tenu de la tendance naturelle des êtres humains à être différents et à changer, il est alors peu probable que les mêmes résultats soient obtenus si l'on venait à répéter l'étude. Les dits «spécialistes» n'aident aucunement les gens à changer et à devenir des personnes plus heureuses et efficaces. À la place, semblables en cela à beaucoup de leurs homologues de la profession médicale, ils sont à jamais ballottés entre les points A et B, n'osant guère croire qu'il existe réellement un point C.

Il n'est nullement nécessaire que vous tombiez dans le piège qui consiste à tracer la courbe de votre «progrès dans la vie» uniquement entre la «normalité» et quelque chose de pire. Si vous êtes psychologiquement «normal» soit, en d'autres mots, que vous vous adaptez à la vie aussi bien que n'importe quelle autre personne, pourquoi ne pas vous situer *entre* les points B et C, et tout bonnement oublier de vous demander si vous êtes plus malade aujourd'hui qu'hier, ou comment vous vous comparez par rapport à tous les autres individus qui choisissent d'être malheureux et névrosés? Vous pouvez désormais vous regarder avec d'autres yeux même si les professions qui traitent du comportement humain ne cessent d'étudier exclusivement ce qu'ils considèrent comme une maladie chez autrui, sans jamais se préoccuper de *ce qui est possible pour l'humanité au mieux*, et même si la «science du comportement humain» n'entreprend jamais rien pour vous venir en aide. Nul besoin pour vous d'attendre que les bureaucrates au sein de la profession comblent leur retard. N'hésitez plus à vous regarder, ainsi que votre vie, de façon originale et excitante afin que chaque instant de votre vie sur cette planète vaille la peine d'être vécue.

DE LA PANIQUE À LA MAÎTRISE — ET LES ÉTAPES INTERMÉDIAIRES

À travers le bas du tableau qui figure dans la dernière section, vous lirez :

Panique	Apathie	Lutte	Adaptation	Maîtrise

Il existe de nombreuses manières d'évaluer votre «état de croissance» courant. L'une consiste à estimer à quel point vous êtes prêt à affronter les problèmes ou les situations que vous rencontrez dans la vie quotidienne — allant du normal au potentiellement agréable ou joyeux jusqu'au tragique. La progression ci-dessus est une méthode bien connue pour mesurer la santé mentale. C'est essentiellement une échelle qui comporte cinq phases, sur laquelle vous pouvez déterminer la façon dont vous réagirez typiquement dans la gamme complète des situations dans votre vie.

Panique

Les gens sont pris de panique quand ils ont à faire face à des problèmes et se sentent impuissants à les résoudre. La panique se manifeste par une course sans but, un manque de confiance dans la manière dont vous allez réagir dans une situation donnée ; par des réactions imprévisibles, auxquelles on ne peut se fier, envers vous-même.

Supposez que vous vous trouviez avec un pneu plat en pleine nuit au milieu de la campagne, et que vous n'ayez jamais changé de pneu auparavant. Votre première réaction pourrait être un mouvement de panique. Il est possible que vous vous contentiez d'avoir une crise de larmes, ou que vous sortiez de la voiture et marchiez de long en large autour d'elle. Vous pourriez avoir une crise de nerfs, hurler des obscénités dans l'obscurité, à votre pneu ou au clou sur la route. Vous employez beaucoup d'énergie, mais uniquement en colère, en frustation, en confusion et en conflit, au lieu de la consacrer à résoudre le problème.

Les soldats qui sont pris de panique en pleine bataille se mettent parfois debout et s'avancent vers une volée de balles. La plupart des gens qui ont été hospitalisés dans des cliniques psychiatriques pour leur propre protection s'y trouvent parce que leur vie psychique est dans un état de panique totale et on peut craindre qu'ils se fassent mal à eux-mêmes ou aux autres. Leur comportement ne peut être ni contrôlé, ni prévu.

Nous sommes tous gagnés par la panique, à un moment ou l'autre de notre existence, surtout quand nous devons affronter un environnement étranger et des problèmes que nous n'avons jamais eu à résoudre auparavant. De la durée et de la fréquence de notre *panique* dépendra le fait d'être complètement paralysé.

Si vous vous cognez un orteil au milieu de la nuit, vous vous précitez dehors en hurlant, sautillez autour de la maison sur un pied pendant quelques minutes, peut-être même martelez-vous les murs à coups de poing, cela se rapproche de la panique, mais ce n'est pas sérieux (en fait, il s'agit d'une réaction normale) car vous ne restez pas paralysé devant un problème qui demande une action de votre part. Vous ne pouvez pas changer le fait que vous vous êtes cogné l'orteil, tout ce que vous pouvez faire c'est d'attendre que la douleur se calme.

Si, par ailleurs, vous continuez toujours à hurler trois semaines plus tard, sans savoir vous maîtriser, en accusant votre famille d'avoir délibérément déplacé les meubles pour que vous cogniez votre orteil, si vous vous battez encore contre les objets et les gens longtemps après que la douleur a disparu, il est alors temps que vous soyez admis dans un hôpital psychiatrique, car votre panique a duré trop longtemps et a empiré.

Il y a des gens qui passent leur vie à éprouver un sentiment de panique qu'il s'agisse de leur travail, de leurs rapports avec les autres, de leurs difficultés financières et de nombreux autres sujets d'inquiétude. Ils se débattent péniblement d'un problème à l'autre, ne sachant jamais très bien quoi faire ou comment ils vont réagir, leurs entrailles bouillonnant comme un tourbillon. Si vous vous retrouvez sur cet échelon le plus bas, vous n'ignorez alors pas que vous ne pouvez vous déplacer que dans un sens — vers le haut.

L'apathie

L'apathie décrit une condition où vous êtes impuissant à vous mouvoir, incapable de toute initiative. Dans cet état, soit vous demeurez immobile ou vous êtes entraîné «le long du chemin que vous suiviez précédemment», ou sur le chemin où d'autres vous dirigent ou vous poussent. Sur le plan de la résolution du problème, l'apathie suit souvent une crise de panique. Du point de vue émotif, elle est généralement solidaire de la dépression ou de l'ennui. Si l'état dépressif est chronique et profond, ou si l'ennui est « existentiel » — c'est-à-dire que l'ennui n'est pas dû à une situation ou à une activité particulière, mais englobe l'ensemble de l'existence — il peut mener à la psychose et au suicide. Sören Kierkegaard a capté la nature de l'ennui existentiel dans *Either / Or* :

Rien ne m'intéresse. Cela ne me dit rien de monter à cheval, car c'est un exercice trop violent. Cela ne me dit rien de marcher, car la marche est trop fatigante. Cela ne me dit rien de me coucher, car je devrai soit rester allongé, et cela ne me dit rien, ou me lever à nouveau et cela ne me dit rien non plus. Summa Summarum : Absolument rien ne m'intéresse.

La dépression et l'ennui se traduisent par un manque d'initiative dans tous les domaines, par un comportement passif tel que de rester au lit ou chez soi à ne rien faire et à s'apitoyer sur soi-même. Nombreux sont les individus et les relations qui sont atteints d'apathie. Dans un cas extrême, un homme et une femme, qui ont eu des disputes violentes, haineuses, quotidiennement pendant vingt ans, continueront à rester ensemble parce que de part et d'autre, ils ont peur d'entreprendre quoi que ce soit car enfin il y a une certaine « sécurité » (sous forme de prévisibilité) dans le fait de savoir qu'il y aura une dispute à trois heures trente de l'après-midi, et le monde dans son ensemble a fini par prendre un aspect tellement sombre qu'ils ne peuvent pas s'imaginer qu'un changement puisse faire une réelle différence. Ils ne peuvent pas imaginer une existence sur un plan plus élevé.

L'apathie est de loin plus dangereuse et douloureuse que la panique, pour une personne moyenne ou «normale». Quand vous êtes privé d'action, vous êtes condamné au style de vie le plus déprimant que l'on puisse imaginer. Vous végétez et vous vous détériorez. La plus grande cause de tensions et de pressions sur l'organisme humain provient non pas d'un changement de travail ou d'environnement, ni même d'un divorce ou d'un décès, mais plutôt de *vivre jour après jour dans une atmosphère de relations non résolues*, ne sachant pas où vous allez, mais éprouvant une dépression chronique à l'égard de votre vie. L'apathie vous fait bouillonner dans votre for intérieur. Elle jette un voile gris sur l'ensemble du monde.

Si vous êtes plongé dans un état d'apathie, toute mesure ou toute action que vous entreprendrez contribuera à apaiser le trouble. Pour en revenir au pneu plat en pleine campagne : quand vous aurez fini de hurler, quand vous aurez donné un coup de pied dans la voiture, maudit le clou sur la route et donné libre cours à votre colère, vous deviendrez peut-être apathique pour un temps. Il se peut que vous vous assoyiez sur le sol et marmonniez tout seul. Peut-être retournerez-vous à la voiture et ruminerez-vous sur votre infortune.

Naturellement, si votre apathie dure trop longtemps, le pneu ne sera jamais réparé — mais vous savez aussi qu'en demeurant apathique vous n'allez rien résoudre, ainsi vous passez à la phase suivante de la santé mentale sur l'échelle à cinq échelons.

La lutte

Lutter signifie soit être aux prises avec quelqu'un ou quelque chose soit consacrer de sérieux efforts ou de l'énergie à faire quelque chose. Dans l'un ou l'autre cas, la lutte doit être orientée dans une certaine direction et vers un certain objectif. Cela signifie d'essayer d'atteindre un but, que ce soit d'éliminer vos zones erronées ou d'assurer votre sécurité financière. La lutte ne se traduira pas forcément par un succès, mais du moins une action est entreprise, ce qui est de loin préférable à être pris de panique ou d'apathie.

Par ailleurs, nombreuses sont les personnes pour qui la lutte est le mode d'existence prédominant et qui passent toute leur vie à combattre mais sans jamais aboutir. La lutte chronique ou compulsive suggère la poursuite et l'orientation vers le futur, quasiment sans trêve. Il est vraisemblable que pour finir vous passerez constamment d'une tâche à l'autre, sans jamais pouvoir jouir du moment présent. Et cela parce que vous vous concentrez sans cesse sur l'objectif suivant et passez la majeure partie de votre vie à éprouver un sentiment d'insatisfaction. Beaucoup de personnes adultes et de jeunes adultes souffrent sérieusement d'un besoin compulsif de lutter, ou «Maladie de la précipitation». Il s'agit de «Qu'est-ce qui fait courir Sammy?» et cela consiste à courir derrière *quelque chose qui se dérobe toujours à vous.*

À intervalles réguliers dans votre vie, il faut que vous sachiez être ici, présent et capable de jouir du moment. Mais pour certains, c'est une chose impossible. Certains lutteurs sont même incapables de jouir de leurs vacances; ils sont beaucoup trop occupés à penser à ce qu'ils ont laissé derrière eux ou à ce qu'ils doivent faire en rentrant pour pouvoir revenir, et ils font des plans pour les vacances de l'année suivante.

Retournons au pneu crevé en rase campagne. Peut-être êtes-vous las de broyer du noir et êtes-vous revenu au coffre arrière de la voiture. Vous l'ouvrez et trouvez le pneu de rechange et le cric, mais vous ne savez pas comment vous servir du cric, ni changer de roue. Vous parcourez quelques centaines de mètres à la recherche d'une maison ou de quelqu'un pour vous donner un coup de main. Très vite, vous revenez en arrière car il n'y a ni maisons, ni lumières en vue et, de toute manière, vous n'aimez pas parler à des étrangers. Il est possible que vous ne trouviez ni maison, ni téléphone dans cette direction, sur dix kilomètres. Vous essayez la direction opposée, mais sans plus de succès.

Vous revenez à la voiture. Il se peut que vous soyez à nouveau gagné par la panique ou l'apathie. Peut-être sortirez-vous le cric et la roue de secours et, pour un bref instant, vous essayerez de comprendre les instructions du manuel. Vous y renoncerez aussitôt de crainte de placer le cric au mauvais endroit ou de mal remonter la roue. Vous luttez — vous ne résolvez rien, mais vous luttez et c'est déjà un grand pas en avant, aussi insuffisant soit-il, bien sûr. La lutte peut se transformer en adaptation et même en maîtrise, ou elle peut retomber dans l'apathie ou la panique, ou encore elle peut devenir un mode de vie en elle-même. C'est votre choix.

L'adaptation

« Adaptation » signifie faire des progrès, ne pas laisser les événements vous paralyser, et devenir une personne «bien adaptée», ce qui semble être le but recherché par la plupart des parents et des professeurs dans le monde. Mais «adaptation» a une deuxième association encore plus pertinente à nos fins, avec laquelle ceux qui connaissent la scie à ruban seront familiers. La scie à ruban est «une scie en forme de ruban tendu dans un cadre en U, utilisée pour découper des formes compliquées dans le bois», et dans ce cas-ci, «s'adapter» correspond à «façonner... à s'adapter à la forme d'un autre élément » — se modeler à une forme déjà existante, ou s'adapter à un modèle déjà établi. Dans le domaine de la psychologie, «s'adapter» a toujours été l'équivalent de se conformer au statu quo — de se façonner à l'image de ce que vous devriez être selon les normes d'une société «moyenne » ou «normale». Si cela signifie d'abandonner certains de vos espoirs, de vos rêves, de vos aspirations secrètes, si cela correspond à *se résigner à voir certaines parties essentielles de vous-même amputées dans le processus*, il est alors considéré que « la vie est ainsi faite », que c'est la rançon d'un « succès » conventionnel.

Vous le remarquerez fréquemment dans les bulletins scolaires : « Sally est une petite fille bien adaptée. Elle s'intègre sans peine au groupe d'enfants de son âge. Elle n'a pas de problème avec ses études et elle s'entend très bien avec les autres enfants. » Autrement dit, « Elle apprend à être comme tout le monde et s'apprête à suivre la masse sans jamais causer d'ennuis à quiconque. »

Pour en revenir une fois encore au pneu à plat et à votre attitude : si vous vous adaptez à la situation, il n'est pas nécessairement vrai que vous réussirez à réparer le pneu immédiatement, mais au moins vous ne serez pas paralysé ou excessivement bouleversé à ce sujet.

Vous serez peut-être pris de panique, ou serez apathique ou lutterez en vain pendant quelque temps, ou vous déciderez de commencer à vous adapter immédiatement. Vous aurez peut-être déjà raisonné dès les premières minutes, « Eh bien, il n'y a personne dans les environs, c'est une route tellement déserte qu'il est improbable que quelqu'un vienne avant plusieurs heures, et si je lis juste les instruction sur le cric et m'y conforme soigneusement, il y a des chances que je saurai comment m'y prendre avant que quelqu'un ne vienne m'aider. » Ou encore, votre décision peut être la suivante, « Je risque beaucoup trop de mal faire le travail ; je vais juste allumer mes clignotants de secours et attendre patiemment que quelqu'un s'arrête et vienne à mon aide. Je dormirai toute la nuit dans la voiture s'il le faut. » Et enfin, vous pouvez aussi décider de marcher dans l'une ou l'autre direction jusqu'à ce que vous trouviez de l'aide, quitte à parcourir trente kilomètres.

Quelle que soit votre décision, si vous ne faites « que vous adapter«, votre décision concordera probablement avec ce qu'une société « normale » attend de vous dans une telle situation. Si vous êtes un jeune homme qui n'a jamais changé de pneu auparavant, vous vous ferez peut-être un point d'honneur à ne pas chercher de l'aide, à vous débrouiller par vous-même. Si on vous offre de l'aide, vous pourriez même la refuser. Si vous êtes une femme qui a toujours considéré que de changer les pneus était un travail d'homme, vous n'essayerez probablement même pas de résoudre le problème par vous-même ; vous irez à la recherche d'un homme pour vous aider ou attendrez qu'il en vienne un (tout en craigant de faire une mauvaise rencontre).

Vous pouvez être tellement bon pour vous adapter que vous n'avez essentiellement pas de zones erronées en ce qui concerne cette situation. Si quelqu'un vous offre une aide constructive, vous l'accepterez avec gratitude et bonne grâce ; sinon, vous vous débrouillerez, en lisant les instructions et par tâtonnements, pour faire vous-même le travail. Vous pouvez aussi décider que, « Je ne suis pas pressé, je suis fatigué, la nuit est belle — je vais dormir dans la voiture pendant quelque temps, et m'occuperai du pneu plus tard si personne ne vient à mon aide entretemps. »

Je n'ai aucune objection à ce qu'on apprenne à s'adapter, mais je ne considère pas l'adaptation comme étant le plus haut ou le meilleur niveau d'existence pour l'être humain.

Bien trop souvent, l'adaptation est considérée comme étant le sommet de l'échelle de la potentialité humaine, quand en fait, elle se trouve encore à une grande distance du véritable sommet — si « sommet » il y a.

Fréquemment, dans le passé, on vous a mentionné qu'il fallait apprendre la *manière de s'adapter*. Les psychologues aux États-Unis, pour la plupart d'entre eux, parlent sans cesse d'enseigner aux gens la manière *de faire face* à leurs problèmes — c'est-à-dire « de les contourner selon les méthodes conventionnelles de l'adaptation. » Bien qu'il soit de loin préférable de savoir s'adapter que le contraire, l'adaptation pure et simple est encore très éloignée de la maîtrise de, ou véritable contrôle sur vous-même et les situations qui se présentent dans votre vie, et encore plus loin de l'accomplissement réel, qui comporte un changement, non pas une adaptation.

Dans le sens psychologique le plus vaste, qui englobe l'ensemble de votre vie, pourquoi devriez-vous apprendre uniquement la manière de vous adapter ou de faire face aux problèmes ou aux maux de ce monde ? Adaptation signifie faire des progrès, ne pas laisser les choses vous paralyser et devenir une personne «bien adaptée», ce qui semble être l'objectif que la plupart des parents, des enseignants, des dirigeants politiques et autres personnages d'autorité de ce monde, ont pour nous.

Même si vous avez une faculté unique d'adaptation, que vous êtes à cet égard de loin supérieur à quiconque immobilisé par la panique, l'apathie ou la lutte, même si vous êtes le Président des États-Unis, de General Motors ou de Harvard, il esiste un plus bel endroit au soleil, un endroit où vous pourriez vous trouver tous les jours si vous vous donnez la peine de le rechercher et vous sentez capable d'y demeurer.

La maîtrise

Mesdames, Messieurs, vous voilà à destination. Maîtrise signifie être le maître de votre propre destinée — car vous êtes l'unique personne qui décide comment vous allez vivre, réagir et ressentir dans pratiquement toutes les situations que vous connaîtrez dans la vie.

La maîtrise est le thème directeur de cet ouvrage : la transition entre une existence *SZE* et Sans-Limites. Quand vous aurez entièrement lu ce livre et maîtrisé son contenu d'une manière qui rend sa philosophie applicable à *votre propre vie*, vous devriez pouvoir passer un temps considérable à l'échelon le plus élevé de l'échelle.

Je ne veux pas dire qu'une personne se situera toujours sur le plan de la maîtrise, ou à n'importe quel autre niveau de l'échelle illustrée plus haut, dans tous les domaines de la vie. Au cours de notre existence, nous basculons toutes les mille fois entre la panique et la maîtrise, et le meilleur menuisier ou sculpteur sur bois du monde peut être un père médiocre, tandis que « le père le plus formidable du monde » peut, dans son for intérieur, être dans un état de désespoir chronique en raison de sa profession, de son mariage ou pour toute autre raison. Mais dépendante de nos zones difficiles ou prometteuses données, notre aptitude à nous en occuper efficacement sera plus ou moins élevée. D'être une personne de *SZE* à Sans-Limites signifie que plus de temps est consacré à la maîtrise, moins de temps à n'importe lequel des niveaux inférieurs de l'échelle, dans plus de domaines de votre existence. Les gens totalement Sans-Limites seraient alors entièrement maîtres de leur propre mondes émotionnels. Selon Maslow, de telles personnes sont très rares, mais elle *existent*. Maslow pensait que la personne auto-actualisée, ou selon moi, la personne *SZE* / Sans-Limites, *devrait être rare* sur notre planète. Il croyait en effet que «nombreux sont ceux qui entendent l'appel, mais peu sont élus» ; que seul un *type spécial de personne* pouvait acquérir ce que j'ai appelé la *maîtrise totale* de la vie.

Sur ce point, je ne suis pas de l'avis de Maslow. Je crois que *n'importe qui* peut refuser d'avoir des réactions paralysantes devant certaines situations ou problèmes. Et qu'eux seuls, et non une force mystique de l'hérédité, du signe astrologique du soleil ou de la psychologie personnelle, sont responsables de la manière dont ils pensent, et par conséquent, de ce qu'ils ressentent.

Faisons un dernier retour à la scène du pneu à plat, où vous faites à présent preuve de maîtrise. Même si vous n'avez jamais eu de pneu crevé auparavant, vous ne croyez pas que c'est une raison pour que vous ne puissiez changer le pneu aujourd'hui. Vous savez que vous y parviendrez. Bien qu'il y aura un peu de tâtonnement, cela promet également des émotions fortes et de l'aventure pour apprendre par soi-même à faire quelque chose de nouveau, quelque chose que vous aimeriez savoir faire sur-le-champ la prochaine fois que vous aurez un pneu à plat. Vous êtes absolument confiant que vous pouvez vous rendre maître de cette situation, car vous avez une grande foi en vous-même. Vous n'avez pas le temps de vous apitoyer sur votre propre sort ou d'avoir des craintes que vous ne saurez faire face à la situation. Vous savez que le manuel du propriétaire se trouve dans la boîte à gants, avec des illustrations détaillées. Vous êtes en bonne voie.

Les défis sont l'étoffe de la vie. Ils doivent être accueillis à bras ouverts. Naturellement, une personne Sans-Limites ne va pas s'exclamer : «Hourra ! J'ai un pneu crevé, et c'est pour moi un défi amusant.» Si quelqu'un qui sait comment changer une roue vient à passer et offre son aide, personne ne s'exclamera, «Allez-vous en, je désire me débrouiller tout seul.» La personne *SZE* acceptera l'aide avec bonne grâce et gratitude. Il en sera de même pour la personne Sans-Limites. La seule différence c'est que la personne *SZE*, ou qui s'adapte, quittera peut-être l'endroit en disant, «Eh bien, n'était-ce pas gentil, j'aurais pu me trouver dans un fameux pétrin,» après être probablement resté assis au bord de la route, prêtant très peu attention pendant que l'étranger changeait le pneu, causant aussi aimablement que possible — tandis que la personne Sans-Limites aurait soit demandé à l'étranger de *lui montrer comment changer le pneu* ou observé attentivement son travail de façon à *savoir comment le faire lui-même la fois suivante.*

La maîtrise est le niveau d'existence où vous êtes par rapport à votre vie, à votre destinée, dans la position d'un maître artisan — non, d'un *maître artiste* — *par rapport à sa création.*

La maîtrise est un niveau que nous pouvons tous atteindre et cela beaucoup plus fréquemment que nous ne le pensons. Cet ouvrage vous indique comment acquérir la maîtrise au sein de votre propre monde, plutôt que de vous contenter de moins. Il vous explique comment agir pour obtenir ce que vous désirez et ressentez réellement dans votre for intérieur, au lieu de vous en tenir au familier ou à l'ordinaire, en demeurant aux échelons inférieurs de l'échelle. Il vous demande d'avoir confiance en vous-même et de prendre des risques. Cet ouvrage expose enfin la seule façon dont une personne Sans-Limites peut parvenir au succès — en poursuivant l'objectif qui est le plus important pour lui.

Henry David Thoreau l'a défini comme ceci : «S'il avance avec confiance dans le sens de ses propres rêves et efforts, pour mener la vie qu'il a imaginée, il connaîtra un succès inespéré en temps normal.»

QUI PEUT DEVENIR UNE PERSONNE SANS-LIMITES?

De nombreuses sommités dans le domaine du comportement humain ont fait usage de leurs propres terminologies pour décrire les plus hauts niveaux de l'évolution des émotions humaines, et parmi elles l'homme que j'admire le plus dans ma profession, Abraham H. Maslow. Maslow s'est servi du mot « auto-actualisation » pour décrire ceux qu'il considérait les plus hautement évolués sur le plan de la santé mentale. Carl Rogers a fait mention des gens « qui fonctionnent pleinement » ; la conception d'Éric Fromm était celle de la « personne autonome. » David Riesman a parlé de « l'homme guidé de l'intérieur » et Carl Jung, de la « personne individuée ». Les caractéristiques que chacun de ces érudits attribue à ce que j'ai appelé la personne Sans-Limites, se chevauchent dans une forte mesure, mais un désaccord total règne sur les détails et leurs écrits sont muets sur la *manière dont un individu peut atteindre ces niveaux.*

Ainsi que je l'ai dit plus haut, mon désaccord fondamental avec la conception de Maslow sur la grandeur humaine de la « personne auto-actualisée » se limite juste à *qui* peut parvenir aux échelons plus élevés de l'échelle humaine. Maslow laisse entendre que l'état « d'évolution complète » est réservé à une catégorie très spéciale d'êtres d'élite. L'expérience acquise durant ma propre vie, ainsi que ma profession « d'assistance », m'ont démontré que toute personne est capable d'atteindre son propre « niveau le plus élevé d'évolution. » Je suis convaincu que si vous désirez réellement parvenir à un état d'existence supérieur tous les jours de votre vie, vous pouvez vous y prendre très systématiquement, et il n'existe par une raison au monde pour que vous ne réussissiez pas. Vous *ne devez pas* nécessairement être une « personne spéciale » qui a eu la chance d'avoir hérité de gènes auto-actualisés, pour être une personne *SZE* ou Sans-Limites. Je crois fermement que tout être humain qui vit sur cette planète a une aptitude innée à vivre sa vie d'une manière gratifiante et spontanément passionnante. N'importe qui peut se libérer de toutes pensées et de tout comportement infructueux et évoluer en une personne qui vit pleinement ses journées. Somme toute, *une santé physique et mentale d'un niveau élevé est à la portée de quiconque se donne la peine d'en faire son objectif*, et nul n'a une meilleure chance de devenir plus auto-actualisé ou de fonctionner plus pleinement que son prochain.

Vous pouvez cesser de vous répéter que vous n'êtes pas en mesure de changer votre façon d'être parce que vous avez « toujours été ainsi ». Vous n'avez nul besoin de vous dire que vous ne pouvez pas vraiment vous changer ou qu'il est pratiquement impossible pour vous de parvenir à un état d'existence plus élevé parce que vos habitudes sont solidement enracinées. Vous *pouvez tenter d'atteindre* l'objectif que vous vous êtes fixé en essayant, au jour le jour, d'adopter la *philosophie de la vie* qui devrait vous procurer au plus haut degré contentement et bonheur, quelles que soient les circonstances ou les problèmes que vous avez rencontrés jusqu'à ce jour.

ET TOUT D'ABORD, POURQUOI SOMMES-NOUS ICI?

Pour une raison ou pour une autre, nous sommes dans une telle confusion! Nous nous sommes convaincus que notre véritable but dans la vie est de nous efforcer de surpasser tous les autres et de poursuivre inlassablement des objectifs qui restent obstinément hors de notre portée. Nous voyons partout des gens qui poussent, luttent, s'inquiètent et font de la vie un jeu qui consiste à acquérir des biens ou une position sociale plutôt qu'un contentement intérieur. Dans notre société contemporaine, il semble que le but dans la vie soit de fixer des objectifs orientés vers l'avenir, déterminés de l'extérieur — faire plaisir aux parents ou obtenir des bonnes notes dans les bulletins, des diplômes des universités «connues», des titres «ronflants» et des avancements, des prix, de l'argent, trois voitures, deux téléviseurs, des ouvre-boîtes électriques et, enfin, un pécule pour les vieux jours. Personne ne semble jamais *réussir*. Nous sommes tous tellement occupés à courir après des objets extérieurs d'un genre ou de l'autre qu'il ne nous reste plus de temps pour jouir de la vie.

Et tout d'abord, pourquoi sommes-nous ici? C'est la première question que vous allez vous poser si vous décidez de poursuivre une philosophie de la vie qui changera réellement la manière dont vous vivez.

Souvenez-vous que rien ne peut vous forcer à être ici. Ainsi que d'innombrables suicides l'ont démontré, si vous voulez vous supprimer sur-le-champ, ni les autorités, ni aucune «loi contre le suicide», ni aucun prédicateur parlant sans arrêt du caractère sacré de la vie, ne pourront vous empêcher de le faire. «Être ou ne pas être, voilà la question», et que vous vous en rendiez compte ou non, vous y répondez dans un sens tous les jours, simplement en ne vous donnant pas la mort.

Mais : «... J'ai placé devant vous la vie et la mort, la bénédiction et la malédiction; par conséquent, choisissez la vie...» (Deutéronome 30:19). Pour moi, cela signifie beaucoup plus que «Ne vous donnez pas la mort» ou «Apprenez à survivre.» Cela veut dire d'opter pour la vie dans toute sa glorieuse richesse et sa potentialité illimitée, de la choisir pour *ce qu'elle est en vérité*, le miracle le plus incroyable de l'univers.

«Par conséquent, choisissez la vie...» Il y a là un illogisme enivrant. Si quelqu'un vous disait : «J'ai placé devant vous des carottes et des épinards; par conséquent, choisissez les carottes», vous pourriez répondre, «Ça n'a pas de sens», et vous auriez raison. Il manque une «petite prémisse» à cet argument — comme, par exemple, que les carottes sont meilleures que les épinards, chose que vous devrez accepter tout d'abord, avant d'accepter la conclusion.

Mais supposez que l'on vous dise au lieu de cela «J'ai placé devant vous des carottes sautées dans du beurre et des épinards bouillis dans de l'essence.» Après ça, il serait superflu que la serveuse ajoute en outre, «Je recommande les carottes»; néanmoins, si elle vous disait, «Par conséquent, choisissez les carottes», votre réponse pourrait être, «*vous pouvez en être sûre!*».

Et il en est de même avec «par conséquent, choisissez la vie». Un être humain ne doit connaître que la différence entre la vie et la mort, chose que *seules les personnes adultes semblent capables d'oublier*, pour savoir ce qui est mieux. Le véritable sens du passage de la Bible, pour moi, c'est que *seuls les adultes ont le choix* entre la vie et la mort. Nous sommes les seuls êtres sur terre capables de nous dire : «Certaines vies ne valent tout simplement pas la peine d'être vécues; comme, par exemple, la mienne; par conséquent, je choisis la mort.»

Mais avec cette responsabilité supplémentaire pour la conscience humaine adulte vient un avantage encore plus grand, car *une dimension a été ajoutée à notre aptitude à apprécier la vie*. Le sens profond du passage de la Bible pourrait être que «Seul vous êtes en mesure de comprendre la véritable différence entre la vie et la mort, car vous seul avez une vague idée des pleines potentialités de la vie. *L'avenir de toute vie sur terre a été placé entre vos mains.* Par conséquent, choisissez la vie. »

Il y a relativement peu de gens au monde qui commettent un suicide physique directement, consciemment et «de propos délibéré». Ce sont ceux-là qui, atteints de psychose ou non et quelles que soient leurs raison (dont certaines pourraient même être valables, me semble-t-il), se sont posés la question « Et tout d'abord, pourquoi sommes-nous ici ? », arrivant ensuite à la conclusion que, «En ce qui me concerne, je n'ai plus aucune raison valable. » Mais, tout en étant le seul à pouvoir répondre, «Absolument aucune raison », vous êtes également capable de répondre, «Toutes les raisons du monde! » — *et de découvrir plus de raisons de choisir la vie que n'importe quel être dans l'univers* (à ma connaissance). Ainsi si vous êtes en train *de vous tuer à petit feu* ou savez dans votre for intérieur que vous *ne vivez pas vraiment* (vous vous sentez comme un «mort vivant»), vous ne choisissez peut être pas la mort, à vrai dire, mais *vous ne choisissez pas non plus réellement la vie.* En fait, vous êtes «en équilibre» comme un bateau sur les récifs, quelque part entre la panique et la lutte, et à la prochaine marée haute vous ne savez pas si vous allez rester à flot ou sombrer.

Et tout d'abord, pourquoi sommes-nous ici? Si vous optez pour la créativité, vous pouvez trouver des raisons à l'infini. Or, puisque vous avez déjà choisi de vivre (vu que vous êtes toujours ici), commençons par une simple philosophie — la plus simple version que je puisse offrir de la philosophie de la vie proposée. Admettons que le véritable but de l'existence soit, en premier lieu, de faire le voyage de la vie le plus agréablement possible, en n'opprimant personne et en entreprenant des tâches qui feront de cette planète un meilleur endroit où vivre pour ceux qui s'y trouvent maintenant et ceux qui nous y suivront après notre départ.

Cela peut sembler une tâche énorme, mais comme philosophie de la vie je ne crois pas que ce soit «trop ambitieux» pour *n'importe* quel être humain, et la clé en est *l'introduction de la joie dans votre propre existence.* Un éducateur éminent, Nevitt Sandford, a dit à ce sujet : « Sur l'échelle des valeurs humaines, j'accorde la priorité à la jouissance de la vie et je le justifie en disant que si vous ne savez pas comment jouir de la vie, vous deviendrez un fardeau pour autrui. »

SZE, ZEN et MUGA : L'ART DE VIVRE DANS LE PRÉSENT

Anticiper sur le futur : ce cercle vicieux

Si vous êtes réellement décidé à évoluer d'un état d'existence *SZE* à celui Sans-Limites durant votre vie, vous devrez réévaluer soigneusement la manière dont vous employez le nombre limité de vos jours. Si vous poursuivez sans répit les symboles ou les jalons dont les gens « normaux » se servent pour évaluer le « succès » dans la vie (et le symbole du $ prédomine), en remettant sans cesse à plus tard votre joie de vivre *telle qu'elle s'offre à vous maintenant* et en espérant « vivre réellement » un jour lointain, *il n'y aura jamais un présent dans lequel vous vivrez réellement!*

« Anticiper sur le futur » peut devenir la plus destructive des habitudes. Le présent est toujours entièrement absorbé à faire des plans pour un avenir qui ne se réalise presque jamais. Si vos efforts tendent à accumuler suffisamment de richesses pour vous permettre d'être heureux à jamais, le bonheur vous échappera perpétuellement. La poursuite elle-même deviendra le seul but de votre vie. Si cette poursuite est réellement ce qui vous motive, aussitôt que vous aurez atteint l'objectif monétaire initial, vous allez simplement hausser la première mise sur vos espérances et vouloir plus d'argent.

Si vous vous êtes fixé comme but dans la vie, l'argent, les prix, la reconnaissance par vos pairs ou l'une quelconque d'une multitude de ce que j'appelle les récompenses « extérieures » que la société s'efforce constamment de vous vendre, vous êtes condamné à courir éternellement après le « succès » — ce qui engendre, pratiquement parlant, tous les maux « névrotiques » modernes, comprenant l'anxiété intense, la tension nerveuse, l'hypertension, les ulcères, les dépressions, les inquiétudes, les migraines, les crampes, les tics, les maladies de cœur et les traumas émotifs tels que des rapports familiaux peu satisfaisants, un style de vie indolent, un manque d'amour dans votre vie, et ainsi de suite à satiété.

L'anticipation sur le futur est véritablement une de ces zones erronées sociales massives qui contaminent notre culture. La personne SZE peut prendre plusieurs initiatives pour transcender l'anticipation et commencer à vivre dans le présent. La première consiste à admettre sans restriction que le *présent est le seul temps dont vous disposez réellement.* Cette vérité semble tellement fondamentale, tellement simple, et pourtant bien peu nombreux sont ceux qui vivent dans le présent. Jusqu'au jour où on aura inventé les « machines à explorer le temps » dans la science-fiction, personne ne sera vraiment en mesure de s'échapper du présent pour aller vivre à une autre époque, mais si vous laissez constamment votre esprit vagabonder sur toute la « carte du temps », soit en regrettant ou en vous sentant coupable au sujet du passé, soit en étant anxieux concernant l'avenir, vous pouvez littéralement passer toute votre existence *in absentia* — absent, et même aliéné de la seule époque dans laquelle vous pouvez « réellement vivre ».

Henry David Thoreau a dit « La majorité des hommes vivent une existence de calme désespoir. » Ceci peut être encore plus vrai de la fin du vingtième siècle que ce ne l'était du dix-neuvième. S'il en est ainsi, cela signifie que le cercle vicieux qui en est la cause, appelé le mal I.F.D. (Idéalisation, Frustation, Démoralisation) par Wendel Johnson dans *People in quandaries*, se répand parmi nous — et il en est de même pour notre besoin de comprendre comment cela fonctionne et comment s'en évader.

47

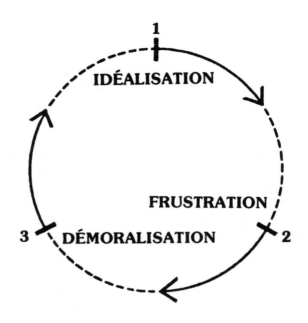

1

IDÉALISATION

FRUSTRATION

3 **DÉMORALISATION** **2**

Au point 1 sur le cercle, nous trouvons la propension à *idéaliser* l'avenir; à croire que si ceci ou cela se produisait, l'avenir deviendrait subitement tellement différent et tellement meilleur que le présent. «Tout va être merveilleux quand j'irai danser vendredi prochain; quand je me marierai; quand j'aurai de l'avancement; quand nous aurons notre premier enfant; quand nous aurons notre nouvelle maison; quand je recevrai cette gratification; quand nous partirons enfin en vacances; quand nos amis viendront nous rendre visite; quand ils partiront; quand j'aurai terminé mes examens; quand j'aurai enfin obtenu mon divorce» ; et ainsi de suite, toujours à anticiper un événement futur et à sacrifier le moment présent en faisant des plans, en supposant, en espérant, en souhaitant, en rêvant de « circonstances futures dorées ».

À mesure que le cercle progresse vers le point 2, le résultat prévisible est la *frustration*. Le futur ne répond presque jamais à votre idéalisation. Par conséquent, aussitôt qu'il devient le présent, il est «ruiné». «La danse n'était pas vraiment tellement fantastique; la remise des diplômes était une corvée; la lune de miel s'est terminée aussitôt après la céré-

48

monie du mariage ; j'ai dépensé la gratification avant même de l'avoir reçue ; les vacances furent ennuyeuses et j'avais hâte d'en voir la fin. »

Le troisième point sur le cercle désigne la *démoralisation* que vous ressentez chaque fois que le futur devient le présent et «vous déçoit». Il peut s'ensuivre une longue et profonde déception ou, si celles-ci sont devenues monnaie courante pour vous, vous pourriez très vite passer à un «état de résignation» en essayant de vous convaincre de ne plus tant espérer de la vie, à l'avenir. Quoi qu'il en soit, quelle sera votre prochaine démarche? Vous vous remettrez à idéaliser l'avenir et tout recommencera de plus belle. Vous aboutirez alors purement et simplement à une vie de calme désespoir. La seule manière de sortir de ce piège, qui paralyse les individus par millions, est de redresser le cercle et de vous remettre à vivre pleinement votre vie dès *aujourd'hui*.

Transcender votre passé

Bien que cela puisse sembler trop péniblement évident pour en parler, il n'en reste pas moins vrai que *le passé est révolu* et, quel que soit l'événement qui s'est produit à *cette époque-là*, il ne se reproduira plus jamais, et vous ne pourrez jamais le recapter.

Toutes les fois que vous vous trouvez paralysé dans le moment présent en raison d'un incident qui s'est produit dans le passé, vous pâtissez inutilement de votre propre fait. Pour transcender votre passé, votre premier geste sera de *renoncer* à votre attitude vis-à-vis de ce passé qui vous paralyse aujourd'hui. Cela comporte un changement d'attitude envers le présent plutôt qu'une tentative pour effacer artificiellement les événements de votre véritable passé.

Si vous êtes disposé à oblitérer le présent en vous complaisant dans le passé, en regrettant les occasions perdues ou en évoquant les «bons vieux jours», en déplorant le fait que «les temps changent tellement», ou en souhaitant de pouvoir revivre vos années de jeunesse, vous ruinerez constamment votre présent. Mais si vous êtes déterminé à renoncer au passé chaque fois qu'il vous empêche de penser, de ressentir ou de vous comporter effectivement dans le présent, « votre passé » passera rapidement dans la perspective SZE / Sans-Limites.

J'aimerais souligner que « renoncer » ne signifie pas renier ses souvenirs ou essayer d'oublier une chose apprise qui peut vous rendre plus heureux et plus efficace dans le présent. J'ai déjà cité des legs de sagesse — philosophie et poésie — d'un passé proche et éloigné de l'humanité qui, à mon avis, méritent indiscutablement d'être préservés car ils contiennent des vérités qui peuvent mettre en relief la beauté latente de notre existence actuelle. Mais *ce dont* je vous parle est de vous débarrasser *sans plus tarder* de celles des attitudes apprises qui vous empêchent de fonctionner de façon efficace et heureuse aujourd'hui.

Si, par exemple, un être aimé venait à disparaître, il serait normal que vous éprouviez temporairement du chagrin. Aussi indescriptiblement déchirante que votre perte puisse être, le monde vous rappelle la différence insondable entre la vie et la mort, et c'est un message dont vous devez tenir compte. Vous êtes tenu d'endurer momentanément cette souffrance ; de ne pas l'éprouver serait inhumain, de ne pas l'extérioriser se traduirait pour vous par une catastrophe psychologique.

Mais si vous continuez indéfiniment à vous accrocher à ce chagrin, et si vous ne vous persuadez *jamais* de le laisser s'estomper, pour continuer à vivre maintenant, dès lors vous vous condamnez à vivre à tout jamais dans le passé — une réaction qui aura obligatoirement un *effet contraire*. Votre chagrin ne peut pas ramener votre cher disparu ; il ne peut que purifier votre tristesse d'avoir perdu cette personne, et au mieux vous amener à vous reconsacrer encore plus profondément à la vie.

De même, si vous admettez que vous avez mal agi à une certaine occasion, que vous avez par négligence ou sans raison fait du tort à une autre personne, vous pouvez assurément présenter des excuses, exprimer vos sentiments de regret pour avoir agi ainsi.

Mais si vous laissez de perpétuels regrets, remords, persécution envers vous-même vous empêcher de fonctionner *maintenant*, si vous persistez indéfiniment dans votre sentiment de culpabilité et de bouleversement pour quelque chose qui appartient au passé, vous faites alors preuve d'un comportement improductif. Votre sentiment de culpabilité ne va certes pas améliorer votre vie. Vous pouvez apprendre de vos erreurs, faire le vœu de les éviter à l'avenir et continuer à vivre dans le présent.

Faire ses bagages

Les circonstances passées de votre propre vie peuvent exercer une influence bénéfique puissante sur votre existence, ou elles peuvent constituer un obstacle et vous empêcher de vivre pleinement dans le présent; cela dépend entièrement de la manière dont vous allez *les utiliser maintenant*.

La triste réalité est que la psychologie depuis Freud a considéré le passé des gens presque exclusivement sur le plan des influences destructives. Un thérapeute peut passer des mois et même des années avec un patient à essayer de déterrer les traumas tombés dans l'oubli, à déterminer comment ses parents se sont comportés à son égard pendant son enfance pour qu'il soit aussi névrosé, et ainsi de suite. Naturellement, pour beaucoup de gens cette méthode peut être extrêmement valable, bien qu'on puisse souhaiter que les psychologues fussent aussi bons à aider les gens à surmonter les influences destructives de leur passé qu'ils le sont à les découvrir.

Mais, comme c'est souvent le cas avec le «modèle médical» du traitement psychologique, cette façon de procéder ne révèle qu'une moitié de l'histoire. Supposez qu'il s'avère que votre père était inflexible, autoritaire, excessivement sévère, et que vous puissiez établir que certaines de vos «zones erronées» actuelles sont dues à son influence. Il est évident que vous devez extirper ces zones de votre conscience. Mais allez-vous finalement éprouver de la rancune envers votre père pour avoir été «la cause de vos problèmes» — lui reprocher de ne pas avoir été «parfait»? Finirez-vous par *le* tenir responsable des choses que vous seul pouvez changer? Votre ressentiment peut devenir une zone erronée en lui-même — une source de reproches et d'hostilité dont vous *et* lui serez les victimes.

Et, tout aussi important mais presque *jamais* mentionné, *qu'avez-vous reçu de votre père qui fut d'une valeur réelle?*

Peut-être vous amenait-il souvent à la pêche, vous a-t-il appris à pêcher, et que vous aimez pêcher jusqu'à ce jour. Vous souvenez-vous de votre père avec amour et reconnaissance quand vous faites allégrement une randonnée le long d'une rivière dans la forêt?

Peut-être son «inflexibilité» allait-elle jusqu'à un attachement absolument intransigeant à l'honnêteté personnelle, et qu'il «vous l'a inculqué avec force». Certains de vos amis d'enfance se trouvent peut-être en prison, à l'heure qu'il est, parce qu'ils ont cédé à la tentation d'ignorer un peu trop la loi ou de tricher un tantinet aux cartes, mais vous *savez* que cela ne vous «arrivera jamais à vous» car, pour une raison ou pour une autre, de telles tentations ne vous passent jamais par l'esprit. Votre honnêteté fondamentale est une source de fierté dans votre vie; vous payeriez un prix élevé pour la préserver, et que Dieu vienne en aide à quiconque la met en doute ou l'attaque, car ils foncent à tête baissée contre une solide forteresse.

Cependant, qui vous a montré comment bâtir cette forteresse?

Dans cette évocation rétrospective, il s'agira de réunir et de chérir *toute la sagesse, la vérité et la beauté, toutes les sources d'inspiration, que l'histoire de votre propre vie vous a léguées,* si vous voulez vraiment devenir une personne Sans-Limites. D'où allez-vous retirer une philosophie de la vie créative, qui suscite l'inspiration, sinon du réservoir de sagesse que vous avez accumulé durant votre propre expérience de la vie?

L'action de transcender votre passé peut commencer en admettant que ce qui est fait est fait et en renonçant à ces «fixations» qui vous incitent à recréer imaginairement les conditions du passé et vous éloignent du *présent,* mais elle atteint son point culminant quand vous «faites vos bagages» — rassemblez de votre passé tout ce que vous avez réellement envie de prendre avec vous. De «faire vos bagages» jusqu'au présent, le parcours n'est pas long.

SZE, *Zen et Muga*

L'art de vivre pleinement le moment présent est rarement observé dans notre culture. À vrai dire, nous n'avons même

52

pas un mot courant ou une expression descriptive pour l'art de vivre entièrement dans le présent. Les philosophes existentialistes se sont servis du concept de *caractère immédiat* de Kierkegaard pour décrire l'état dans lequel vous êtes *en contact direct avec votre présent* — un état d'enfance dans lequel *rien ne s'interpose dans* votre appréciation du moment présent, rien (allant des regrets du passé aux espérances idéalistes concernant l'avenir) ne « s'entremet » entre vous et le présent dans lequel vous vivez. Mais bien trop souvent ce « caractère immédiat » est associé avec un état *puéril* dans lequel vous n'êtes pas conscient du monde plus vaste autour de vous. On considère que quand vous passez de l'enfance à l'âge adulte, vous perdez à tout jamais l'état « d'innocence », cette joie enfantine du « caractère immédiat » et ne le retrouvez jamais réellement.

Si nous admettons que nous pouvons tous « vivre dans le présent » et décidons de chercher des exemples concrets de la manière de cultiver un tel art, nous devrons nous tourner vers d'autres cultures qui ont étudié cette question beaucoup plus en profondeur que nous. Pour la personne qui est résolue à vivre maintenant, une courte incursion dans le Zen peut constituer le pont idéal pour arriver à vivre dans le présent.

La personne *SZE* va parvenir à cette paix intérieure que l'étudiant ZEN recherche, de la direction diamétralement opposée. Tandis que le ZEN dépend d'une instruction d'esprit à esprit de *maître à étudiant* pour arriver au satori, « le réveil » (ou conscience totale du moment présent), *SZE* parvient au même but sans compter sur un maître autre que lui-même pour vous guider.

Le Zen est censé procurer à l'individu une tranquillité mentale absolue. Il y a quelque temps, un article paru dans le magazine *Newsweek*, « L'art japonais du moment », discutait un exemple de la manière dont ce pays cultive la vie entièrement dans le présent : la cérémonie ancienne du thé, appelée *chanoyu*.

Pendant un moment, il n'existe plus rien dans la vie à part la sensation du bol et du thé. Ce que le buveur de thé ressent en réalité se résume par le mot japonais éternel MU. Au sens propre, MU signifie « néant » ou « zéro », mais il a une connotation bien plus vaste — une concentration fixe et intense sur la tâche ou le plaisir immédiat. Toute distraction est exclue. Dans cet « état zéro, » l'esprit se concentre uniquement sur ce que la personne fait. C'est précisément cette aptitude à se concentrer, à donner de la valeur à chaque seconde, chaque pouce, chaque touche de pinceau ou trait de plume, qui caractérise le succès des Japonais dans tous les arts.

Abraham Maslow a décrit la culture japonaise fondée sur le Zen comme étant beaucoup plus hautement évoluée dans l'art de vivre le moment présent que les cultures occidentales. Il a utilisé le mot japonais MUGA pour décrire la conscience totale du moment présent, et il en a fourni la définition suivante :

> Il (MUGA) s'agit de l'état dans lequel vous faites ce que vous êtes occupé à faire, absolument sans réserve, sans penser à quoi que ce soit d'autre, sans la moindre hésitation, sans critique ou doute ou inhibition, d'aucune sorte. C'est un acte pur, parfait et entièrement spontané sans aucun blocage quel qu'il soit. Cela n'est possible que quand le moi est transcendé ou oublié. *

De parvenir à l'état muga dans n'importe quelle activité humaine vous procurera un sentiment de paix intérieure et de satisfaction personnelle que vous n'avez peut-être jamais connu auparavant. Si vous pouvez apprendre à concentrer toutes vos pensées présentes sur un match de tennis, une course de fond, une expérience sexuelle, un concert, une entreprise créative ou le travail de votre vie, vous constaterez que vous ressentez une joie, une extase (« vous tenant en dehors de vous-même ») que vous n'avez peut-être jamais crue possible.

Le muga, soit vivre totalement dans le moment présent, ne consiste pas à effectuer un exercice mental compliqué, et n'exige pas une formation spécialisée dans le Zen ou toute

* Maslow, *The Farther Reaches of Human Nature* (Viking Press, 1971), p. 243.

54

autre discipline. Il consiste uniquement à renoncer aux attitudes et aux comportements qui ont un effet contraire et qui vous ont empêché de jouir des moments présents *pendant quelques-uns de ces moments chaque jour*. L'ensemble du processus qui consiste à pénétrer dans le présent commence par l'abandon du passé et de l'avenir en faveur du présent, pour le plus grand nombre possible des expériences de votre vie.

VIVRE DANS LE PRÉSENT

La survie : refoulé vers le présent

Notre vie est d'une grande fragilité. Que nous le voulions ou non, nous pouvons brusquement passer de vie à trépas à tout moment, inopinément. Des milliers de personnes meurent chaque année dans des accidents de voitures. Selon toute probabilité, vous avez des amis ou des connaissances qui sont morts subitement d'une crise cardiaque, ou qui ont une maladie dans sa phase terminale et n'ont plus que six mois à vivre. Vous avez peut-être été les témoins de la mort amèrement ironique de gens qui semblaient avoir une longue vie pleine de promesses devant eux.

Si quelque chose peut nous faire apprécier *le fait de vivre maintenant, quand la vie s'offre effectivement à nous*, c'est bien la comparaison entre la *fragilité de la vie individuelle* telle qu'elle est décrite plus haut et le *génie de la survie qui semble inspirer notre espèce dans son ensemble*. Or, il s'avère que *l'aptitude à survivre de la race humaine semble dépendre de la capacité de certains individus à vivre totalement dans le moment présent quand leur vie est menacée*.

Terrence des Près a relaté dans *Le survivant : une anatomie de la vie dans les camps de la mort*, quelques-unes des plus horribles expériences vécues par des êtres humains — les expériences des Juifs dans les camps d'extermination nazis de la Deuxième guerre mondiale. Bien que nos problèmes de tous les jours puissent être très réels pour nous, nous ne sommes pas ordinairement soumis à la torture physique, ni à des obscénités morales destinées à nous faire abandonner tout espoir pour nous-mêmes. Mais nous avons la possibilité d'apprendre comment vivre dans le présent, de ces personnes courageuses qui ont survécu dans des conditions qui ont tué presque tous ceux qui ont pénétré dans ces camps.

La conclusion de Des Près sur la manière dont *quelques-uns ont survécu* c'est :

> Seul un retour radical et empreint de défi à une vie élémentaire pouvait les tenir en vie dans un univers sombre, mort ; minute après minute, jour après jour, mois après mois, année après année. Le temps s'arrêta (les cycles menstruels cessèrent) ; le lieu perdit toute signification ; l'esprit se referma pour sa propre défense.

Quand votre aptitude à maintenir votre propre vie est mise à l'épreuve, votre réaction naturelle et spontanée est d'affronter les événements un jour, une minute ou une seconde à la fois. Le passé et l'avenir n'existent plus. Le présent constitue votre seule base de survie. Des Près écrit avec éloquence au sujet de ceux qui ont survécu à l'holocauste, sur les être humains qui étaient traités comme du bétail en chemin vers l'hécatombe, mais qui auparavant étaient soumis à des années de torture :

> Le survivant a survécu uniquement en raison de sa capacité à vivre. Réduit à l'état de protozoaire, il lutta contre la mer. Il endura la souffrance car, rejeté radicalement à la base biologique de la vie, il trouva que la vie avait du bon. Il vécut moment après moment dans un état de lutte élémentaire, se concentrant sur toute aide même infiniment petite qu'il pouvait glaner pour exister : une main secourable quand il tombait, un manteau offert par quelqu'un qui en possédait deux, une tête de poisson, un bol de soupe de haricots, un petit rayon de soleil du matin sur un brin d'herbe entrevu durant l'appel, les selles, un mégot de cigarette, un repos d'une minute sur le bord de la route. Ce n'était pas là des consolations extraordinaires, ni une sorte de Zen pour survivants. Elles représentaient des millisecondes de lucidité dans une obscurité sans fin.

56

Il semble que ceux qui n'ont pas survécu quand ils en avaient encore la possibilité furent ceux qui étaient incapables de se réfugier au niveau réellement primitif du présent, et étaient par conséquent impuissants à trouver que la vie avait du bon ou à continuer à la retenir.

La normalité : vivre quelquefois dans le présent

Si vous désirez vraiment savoir ce que vivre dans le présent signifie, entièrement absorbé par ce qui se passe à l'instant précis, tâchez donc d'observer des bambins. Un petit enfant peut suivre un insecte pendant dix minutes, indifférent à tout ce qui n'est pas la forme, la couleur et les mouvements fascinants de l'insecte. Dès qu'il est las de poursuivre l'insecte, l'enfant peut se mettre à jouer avec un de ses camarades et puis, lancer des pierres contre un arbre. Quoi qu'il fasse, il est toujours entièrement absorbé par le présent. Cette même fascination à se trouver dans le présent est à notre portée à tous, car chacun de nous a un enfant et un survivant au plus profond de lui-même.

Nous avons tous connu ce que nous appelons «des moments enchantés» durant notre vie d'adulte — des moments dont nous nous souvenons comme extatiques, sereins, enchanteurs, glorieux, parfaits; des états de consécration totale au présent. Les «moments enchantés» de certaines gens se produisent ordinairement lors des rencontres érotiques; d'autres peuvent éprouver de l'enchantement lors d'un concert, d'une conférence ou d'une expérience athlétique. D'autres encore connaîtront leur expérience suprême en construisant une nouvelle chambre de récréation, en se promenant dans les bois ou en ayant des conversations avec des personnes intéressantes. Plusieurs femmes m'ont confié avoir eu leur expérience muga la plus intense lors d'un accouchement, ou en tenant leur nouveau-né pour la première fois. Des artistes m'ont dit qu'ils peignaient parfois pendant des heures avec une fascination ne visant qu'un but — d'être totalement absorbés dans leur travail. Et enfin, d'autres ayant des débouchés créatifs bien établis racontent comment ils peuvent travailler douze heures, soit devant une machine à coudre à créer un nouveau vêtement, ou à écrire un poème ou un livre.

Chacun de nous, au moins à une occasion, a été absorbé à un tel point par ce qu'il faisait qu'il a perdu toute notion de date, d'heure, de lieu et de toute mesure quantitative de « là où nous nous trouvions ». Nous avons transcendé le temps pour un moment. Une réaction typique lors d'une expérience muga, est que quand nous nous rendons compte du temps qui s'est « réellement » écoulé, nous en restons confondus car nous *n'avions aucune notion du temps qui passait*. Les heures écoulées avaient semblé des minutes. Nous étions tellement absorbés par le présent que nous avions littéralement transcendé le temps et l'espace.

Nous sommes tous conscients de ce que le retour à une concentration totale dans le présent signifie. L'ennui est que malgré que nous ayons tous eu l'occasion de « vivre quelquefois dans le présent », la plupart d'entre nous avons trop rarement eu cette expérience durant notre vie adulte. La transition du *SZE* à l'existence Sans-Limites signifie (a) de cultiver l'art de vivre dans le présent jusqu'à ce que nous soyons capables de passer à l'état *muga à volonté*, et (b) de le faire de plus en plus fréquemment, pour des périodes de plus en plus longues. J'aimerais souligner ici que « vivre dans le présent » ne veut pas dire que l'on doive renoncer entièrement à faire des plans d'avenir, mais peut-être faudra-t-il les réduire au strict minimum, ou même supprimer tout plan qui n'est en réalité qu'une futile anticipation sur le futur. Vous pouvez avoir une expérience *muga* dans le *présent*, en préparant vos vacances, un projet de travail ou littéralement tout ce que vous vous réjouissez à l'avance d'entreprendre. Aussi longtemps que nous « n'avez pas à cœur » que l'avenir vous réserve une expérience prédéterminée ou idéalisée, mais que vous prenez plutôt plaisir à faire des plans (en étudiant les dépliants d'une agence de voyages, en vous renseignant sur des nouveaux endroits de tous genres, en décidant ceux que vous aimeriez visiter) pour le plaisir que cela vous procure — une *expérience dans le présent*, et non un « pari » que vous faites anxieusement sur l'avenir avec le temps qu'il vous déplait d'employer maintenant — vous pouvez éprouver de la satisfaction dans le moment présent même en faisant des plans.

Mais le fait d'apprendre la méthode pour passer à l'état

muga à volonté et multiplier les expériences *muga* dans leur vie, exigera de la plupart des gens un effort considérable de rééducation de soi et un changement radical des pensées et des attitudes.

L'engagement

La mise en pratique ou l'engagement, pour ce qui est de vivre dans le présent, en constitue le stade final. Les existentialistes français avait un mot pour le décrire : *engagé*. Cela veut dire que vous êtes engagé dans quelque chose qui a une telle signification profonde pour vous que plus vous accepterez de vous y consacrer profondément, plus vous permettrez d'être créatif dans sa recherche, plus vous rassemblerez de vos ressources intérieures pour «y travailler,» plus vous vivrez dans le présent.

Durant ma propre vie, j'ai réalisé que *mon travail* — mes consultations, mes livres, mes cours, mes conférences publiques au nom de ce que je considère être l'ultime en santé mentale — a été l'influence la plus constante, la «puissance motrice», dans mon propre combat personnel pour devenir une personne Sans-Limites.

Plus loin dans le livre, je parlerai davantage de l'importance que la signification et l'intention ont dans la vie Sans-Limites. Mais, pour le moment, je désire souligner que de vivre dans le présent, en ce qui concerne votre travail, votre carrière, votre profession, votre «vocation», ou peu importe comment vous voulez appeler les activités que vous *exercez* quotidiennement, est *habituellement* (pas toujours) essentiel à la réalisation de l'état Sans-Limites dans votre vie. Autrement dit, si vous n'avez pas trouvé le moyen d'être heureux dans votre profession, il est vraisemblable que vous connaîtrez l'ennui, les frustrations, la dépression. Vous avez peut-être trouvé un moyen de «compenser» le manque de signification qui caractérise votre emploi de neuf à cinq en découvrant un but, un sens et un *engagement* dans l'activité qui occupe vos heures de loisir.

Votre *violon d'ingres*, qui consiste en une occupation qui n'a rien en commun avec votre profession, qui vous éloigne de votre activité principale et qui vous procure de la joie ou de

la satisfaction, tel qu'un passe-temps favori, un travail bénévole à temps partiel ou n'importe quoi qui vous plaise. Robert
Frost, un des plus grands poètes Sans-Limites de ce siècle, a
exprimé de façon remarquable l'idéal de combiner ce qu'on
aime faire avec « ce qu'on fait effectivement ».

> Que cède qui veut à leur séparation,
> dans la vie leur union est mon but
> *mon violon d'ingres et ma profession*
> comme mes deux yeux deviennent un pour ma vue.
> Seulement quand l'amour et le besoin sont réunis,
> et le travail un passe-temps aux enjeux mortels,
> l'acte est-il à jamais réellement accompli
> pour l'amour de l'avenir et du Ciel. *

Il est évident qu'il n'est pas donné à tous d'avoir la chance
de trouver exactement l'emploi qu'ils ou elles désirent. Vous
pouvez aimer les animaux et souhaiter obtenir un emploi d'as-
sistant chez un vétérinaire, mais tous les vétérinaires à cinquante kilomètres à la ronde peuvent déjà avoir à leur service
tout le personnel dont ils ont besoin. Vous devrez peut-être
vous « contenter » de faire un autre genre de travail, du moins
temporairement. Si vous optez pour cette solution, pouvez-
vous vous permettre d'accomplir une tâche à l'égard de
laquelle vous n'éprouvez que du ressentiment, en anticipant
sur le futur et le travail que vous voulez *réellement* faire un
jour?

Non, bien sûr — mais, heureusement, l'association de la
profession et du violon d'Ingres et la réalisation de l'engagement dans votre travail dépendent autant de votre aptitude à
aimer ce que vous faites, qu'elles le font de votre aptitude à
faire ce que vous aimez : si vous avez suffisamment cultivé
l'art de vivre dans le présent, vous pouvez *trouver* une signification, un attrait et un sentiment de contentement dans tout
travail que vous entreprenez.

«Two Tramps in Mud Time» les mots en italiques sont de l'auteur.

Pourquoi un de ces boueux est-il constamment maussade, cogne les poubelles aussi brutalement, et répand les ordures dans le caniveau, tandis que le second est toujours agréable, soigné et vous dit : « C'est fascinant de voir ce que les gens peuvent jeter ; l'archéologue qui fera des fouilles dans le terrain de décharge d'ici un millénaire va vraiment s'amuser à essayer de comprendre de quoi il s'agit », ou encore, « Saviez-vous qu'un nouveau centre de recyclage pour boîtes et bouteilles, va s'ouvrir à quelques rues d'ici ? ». Les ordures, les camions, le patron et le salaire sont les mêmes pour tous les deux et ainsi, je vous laisse décider pourquoi l'un d'eux est heureux et constructif et l'autre, misérable et destructif.

Bien que l'engagement dans notre profession soit le cœur même de l'art de vivre dans le présent pour la plupart de nous et, pendant des siècles, a conduit une multitude d'êtres à créer nos plus grandes œuvres d'art, à faire nos plus grandes découvertes scientifiques, à devenir nos humanitaires les plus marquants, la personne Sans-Limites a la faculté de s'engager totalement dans pratiquement *tout* ce qu'il ou elle entreprend, qu'il s'agisse de réparer des chaussures ou d'aller sur la lune.

J'ai dit plus tôt que SZE et Zen s'approchent de « vivre dans le présent » de deux directions diamétralement opposées. Cela provient en partie du fait que la personne SZE ne compte sur aucun « maître » pour lui montrer le chemin, mais elle se fraie plutôt son propre chemin. Mais peut-être plus important encore, le Zen compte sur des *évasions périodiques hors du monde* pour parvenir à l'état muga, contrairement à la personne Sans-limites qui se repose sur un *engagement encore plus total dans le monde* pour atteindre le même état.

Cela ne veut pas dire que la paix intérieure, le délassement et la force qui découlent de la méditation Zen ne peuvent pas être ramenés au monde ; ils peuvent l'être et le sont, produisant des résultats très sains. Il est probable que si l'expérience *muga* telle que je l'ai présentée, est dénuée de sens pour vous, et si vous avez des difficultés à vous imaginer (ou vous souvenir) ce que vivre dans le présent signifie, alors de faire appel au Zen, Yoga ou à d'autres arts orientaux pour cultiver le *muga* peut vous procurer la pénétration et les sentiments qui vous sont nécessaires pour traverser le pont qui

61

mène à la vie Sans-limites. Mais à mon avis, le Zen ne constitue qu'un des ponts dont on dispose pour arriver à vivre dans le présent, et comme philosophie, il est loin de là où nous désirons nous rendre — de retour dans le monde, dans toute sa gloire.

Engagement : la richesse du concept s'étend de la pensée des existentialistes au phénomène de l'accouchement.

Un moment critique de la dernière phase de la grossesse est connu comme «l'engagement», soit le moment où le bébé cesse de flotter librement dans l'utérus et où sa tête s'engage dans le pelvis de la mère, dans la position d'accouchement. La sage-femme sait alors qu'une nouvelle vie va bientôt émerger dans le monde.

C'est ainsi que j'envisage réellement «l'engagement» : vous cessez de flotter librement dans l'utérus et placez votre tête dans une position qui mène vers un monde entièrement nouveau qui est sur le point de se révéler à vous. Vous vous préparez à pénétrer dans ce monde avec les yeux émerveillés du nouveau-né et la sagesse accumulée de votre état d'adulte. L'engagement signifie que vous allez *vivre dans le présent avant d'en être conscient.*

Pour mettre en évidence le pouvoir pratique de l'engagement dans la vie quotidienne : n'avez-vous jamais eu un rhume où vous toussiez, vous éternuiez, vous deviez constamment vous moucher, mais qu'à la même époque vous aviez quelque chose de très important à faire? Que s'est-il passé?

Votre corps a mis votre rhume en position d'attente pendant que vous remplissiez votre engagement. Peut-être alliez vous faire de la plongée sous-marine pour la première fois, ou deviez-vous passer un examen qu'il vous était impossible de remettre. Aussitôt l'engagement terminé, votre rhume est revenu. Le nez a recommencé à couler, les yeux à larmoyer, et ainsi de suite. Mais pendant toute la durée de votre engagement, vous n'avez eu aucun des symptômes d'un rhume. Pour quelle raison?

Avez-vous jamais remarqué combien vous vous sentez fatigué quand vous devez faire quelque chose qui ne vous plaît pas, et que vous ne pensez même pas à la fatigue quand vous êtes extrêmement absorbé par un projet qui vous passionne ? Vous pouvez continuer jour après jour en vous contentant de très peu de sommeil quand vous repeignez ou retapissez votre maison, vous écrivez un livre important, vous apprenez à piloter un avion, ou que vous voyagez dans une nouvelle contrée intéressante. Et pourtant, vous vous sentez épuisé dès que vous devez entreprendre un projet fastidieux. Quelle en est la raison ?

Je crois que la réponse est très élémentaire : quand vous vous consacrez à une tâche créative dans la vie, vous n'avez pas le temps de vous sentir malade ou fatigué. De la même façon, quand vous êtes occupé, actif et vivez dans le moment présent, le temps semble passer trop rapidement ; il est clair qu'il ne reste pas de temps pour des dépressions ou de l'anxiété. Vous êtes libre de tous soucis bien que le « cadre » de votre vie est peut-être tout aussi réel. Chaque fois que je donne une consultation à une personne qui souffre de dépression, je découvre que le remède est immanquablement une activité qui lui donne entière satisfaction. La solution ultime ne consiste pas à rabâcher l'enfance de cette personne, ni à blâmer ses parents ou d'autres personnes pour ses problèmes, mais à l'aider à accomplir un plus grand engagement dans la vie. Les personnes actives ont rarement le temps d'avoir des problèmes émotionnels inhibiteurs. Il est évident que d'être *trop* actif peut devenir une maladie, mais le message essentiel ici c'est que le fait de vivre dans le présent est le plus puissant antidote contre les dépressions ou les troubles émotionnels, qui ait été créé, et *l'aptitude à vivre dans le présent est essentiellement un talent d'aptitude*, qui doit être cultivé tous les jours de votre vie.

Par exemple, si vous attendez dans une longue file de voitures pour prendre de l'essence, en colère contre les pénuries d'essence et devenant de plus en plus furieux contre les cheiks du Moyen-Orient, les conspirations des compagnies pétrolières et les maladresses de la bureaucratie à Washington, vous allez alors *choisir* d'utiliser le moment présent d'une façon peu rentable, qui aura un effet contraire. Si vous y êtes obligé, vous ne pouvez pas faire autrement que de rester dans la file devant la pompe à essence, mais *la décision sur la manière de le faire* dépend entièrement de vous. Pouvez-vous employer le temps de façon productive, à faire votre correspondance, à lire un bon livre, à discuter avec les autres dans la file du problème de modifier notre genre de vie pour éviter de devenir l'otage des puissances du pétrole dans le monde? Ne trouvez-vous donc pas *un* moyen de tirer profit plutôt que de souffrir de cette situation?

Durant ma campagne personnelle pour cultiver l'art de vivre dans le présent, j'ai découvert que l'augmentation de la fréquence de mes propres expériences muga pendant ces dernières années avait, dans une large mesure, dépendu de mon empressement à renoncer aux manières traditionnelles que les autres auraient voulu·que j'adopte pour vivre ma vie. J'ai constaté que plus je m'accordais de liberté pour expérimenter ce qui était important à mes yeux, plus mes périodes muga se prolongeaient.

En sport, je suis beaucoup plus capable de me concentrer entièrement sur ce que je fais si je chasse tout le reste de mon esprit — le bureau, le livre, le client que je dois voir dans la matinée. Pour pouvoir consacrer des heures à un match de tennis chaudement disputé, un brûlant après-midi d'été, sans me soucier de la température «étouffante», de l'humidité, de ma transpiration, de ma fatigue ou de toute autre interférence, il a fallu que je me dise: «Ça me laisse indifférent que *quelqu'un* pense que je devrais me trouver à mon bureau à deux heures de l'après-midi, ce jeudi 3 août, uniquement parce que c'est un 'jour de travail'.» Plus je m'accorde la liberté de jouer avec énergie et d'être totalement absorbé par le jeu, plus je transcende le temps et l'espace et vis entièrement dans le présent et plus je suis conscient que j'apprends à vivre dans le présent.

Par ailleurs, quand la personne suivante entrera dans mon cabinet, je serai certainement mieux en mesure de ne plus penser au match de tennis et de me concentrer uniquement sur son cas, sans répéter dans mon for intérieur, «Si seulement je n'avais pas commis cette erreur, j'aurais pu gagner la seconde manche», ou «Je parie que je peux battre ce type la prochaine fois.»

Et quand viendra le temps de me remettre à écrire, je pourrai également compter sur mon aptitude à m'asseoir toute une journée devant la machine à écrire, ayant perdu toute notion de l'heure, sans ressentir la fatigue, la faim, l'ennui ou toute autre distraction ; à me mettre simplement à écrire ce que j'estime qu'il est important que je dise.

Plus je me permets de vivre dans le présent et d'en jouir sans me sentir coupable ou d'avoir le besoin de passer un jugement sur n'importe quelle autre époque, le mieux je me sens en ce qui concerne la qualité de tout mon travail. Je ne m'inquiète pas de ce que les critiques pensent de mon travail, et comme j'écris, en premier lieu, pour ma propre satisfaction et, ensuite, parce que j'ai le privilège de procurer du plaisir à certains de mes lecteurs, je suis pleinement satisfait. Par exemple, je sais en mon for intérieur que même si personne ne lisait ce que j'écris, ce que j'ai à dire est suffisamment important à mes yeux pour justifier le fait de le formuler et de le préserver pour moi-même. La joie que j'éprouve à écrire pendant des heures constitue déjà une récompense en soi. D'être rémunéré pour écrire, de savoir que les lecteurs améliorent la qualité de leur vie en raison de ce que j'écris, d'être sur la liste des succès de librairie et ainsi de suite, sont des avantages inattendus — «des accidents possibles» qui découlent du fait que je vis le moment présent de la manière qui me semble la plus judicieuse.

À vrai dire, la façon dont le titre de ce livre a été décidé fut le résultat d'une des expériences muga les plus directes de ma propre vie.

Il y a de cela quelque temps, j'ai fait une ascension en montgolfière. Deux heures s'écoulèrent dans ce qui me parut cinq minutes, tandis que nous flottions haut dans les airs, au gré des vents. Entre l'infini du ciel au-dessus de nous, tout autour de nous, et la solidité de la bonne terre verdoyante au-dessous de nous, partageant cette expérience avec une personne que j'aime, je me retrouvai plus pleinement dans le présent que je ne l'avais jamais été.

Plusieurs mois plus tard, alors que je réfléchissais au titre et au thème définis de ce livre, j'avais envisagé aussi bien «Il vous est permis d'être parfait» que «Être un gagnant à cent pour cent du temps», et quand un ami me suggéra «Le ciel… votre seule limite», j'en tombai aussitôt amoureux — je suis sûr que c'est parce que ce titre rendait l'inspiration de «vivre dans le présent» que j'avais eue dans le ballon.

J'espère que vous êtes à présent prêt à faire votre propre ascension en ballon, à *vivre dans le présent* : à accepter le fait que la maîtrise de votre vie a toujours été et se trouve toujours entre vos mains.

2 / Les faux maîtres

Vous seriez vraiment déconcerté d'apprendre que vous êtes passé du concept de la maîtrise à celui de la *fausse maîtrise* ou *autoritarisme*, mais mes études sur les moyens de parvenir à l'auto-actualisation et mes propres expériences sur les chemins de la vie m'ont enseigné que l'obstacle le plus tenace qui sépare la normalité d'une vie Sans-Limites est l'autoritarisme, qui sévit tellement dans la société contemporaine.

La majorité des gens croient réellement savoir ce qu'est une personne autoritaire. Le stéréotype est celui d'un être dominateur, habituellement un mâle, qui exige une obéissance aveugle de tous ceux qu'il peut contraindre par la menace à accepter son autorité; un individu agressif, intolérant, plein de morgue, arrêté dans ses opinions, borné, déraisonnable. Nous pensons immédiatement à un individu du genre de Hitler comme l'autoritaire archétype.

Il y a certes une part de vérité dans ce stéréotype, mais ce n'est qu'en surface et seulement une infime partie de l'histoire. La définition que le dictionnaire nous donne de l'être «autoritaire» est (1) relatif à ou partisan de la soumission aveugle à l'autorité; (2) relatif à ou partisan de la concentration du pouvoir entre les mains d'un dirigeant ou d'une élite qui n'est pas constitutionnellement responsable envers le peuple.

De tout cela, il ressort que le type du «père autoritaire» décrit ci-dessus n'est véritablement un autoritaire que s'il reçoit ses propres valeurs, opinions et «directives» *d'une autorité qu'il accepte à son tour comme plus élevée que lui-même à* laquelle *il* obéit aveuglément — que ce soit le président, le général, l'église, le patron ou simplement les normes pratiquées par la société. Ainsi, quelle que soit la force avec laquelle le type du «père autoritaire» affirme la justesse évidente, indiscutable de ses opinions, la façon dont il prétend être son propre maître chez lui, ou de n'importe quoi d'autre, en vérité il projette son identité hors de lui-même, sur la grande autorié incontestable à laquelle il a fait un serment d'allégeance totale.

Pareille fausse maîtrise peut être relativement inoffensive ou peut être extrêmement dangereuse. En Allemagne de l'époque nazie, Hitler n'était pas du tout l'autoritaire : les autoritaires étaient ceux des Allemands qui le suivirent aveuglément et rendirent le totalitarisme possible en premier lieu. Par conséquent, le type du «père autoritaire» est exactement le contraire de ce qu'il semble être ; c'est une personne qui n'a pas réellement confiance en elle-même, dont l'égo est faible, qui souffre d'un peu de paranoïa, et s'accroche à *son* image d'autorité comme le nourrisson sans défense s'accroche à sa mère.

Et le « père autoritaire » ou « l'autoritaire actif » est, selon toute évidence, seulement la moitié — ou moins de la moitié — de l'image. *Il n'est rien sans ceux qui le suivent aveuglément* — les passifs, les soumis et (du moins, jusqu'à récemment) leurs homologues stéréotypiquement féminins, ceux qui acceptent tous ses ordres et ne mettent jamais en doute ce qu'il « pense », les enfants ou les employés ou les connaissances dont il peut commander les pensées. La « mère autoritaire », « l'épouse traditionnelle », celle qui, au sein des sociétés les plus autoritaires, peut être même considérée comme la propriété de son mari, peut sembler être dans sa soumission l'opposée du père autoritaire, mais cela ne la rend pas moins autoritaire, dans quelque sens que ce soit. Il faut être à deux pour danser le tango, et de nombreux maillons sont nécessaires pour faire une chaine autoritaire.

De tout ce qui précède, il devrait être évident qu'une personne «autoritaire» n'est pas nécessairement une personne qui a de l'autorité. En réalité, une personne peut être autoritaire justement parce qu'elle accepte que la société lui impose des limites artificielles, et passe ensuite ses frustrations sur les autres. D'être « autoritaire » est généralement considéré comme une mauvaise chose car on restreint, étouffe, domine les autres. Ce qui est moins souvent remarqué c'est que les effets sont les mêmes sur « l'autoritaire original » et que tous les participants à une restriction, un étouffement ou une domination sont autoritaires au même degré.

J'ai dit plus haut, qu'à mon avis, l'autoritarisme qui sévit était l'obstacle le plus tenace d'une vie Sans-Limites dans notre société. Tout observateur vigilant de la société peut clairement constater que bien peu de gens réfléchissent par eux-mêmes, mais certains spécialistes des sciences humaines ont estimé que *jusqu'à soixante-dix-sept pour cent des gens dans notre culture* (la civilisation occidentale) *font preuve de plus de qualités autoritaires que non-autoritaires*, sur une base quotidienne.

Cela n'est pas surprenant étant donné que les statistiques parallèles indiquent généralement que nous sommes dans un état de santé mentale abominable. Je crois que le taux extrêmement élevé de cas d'états dépressifs chroniques, de « dépressions nerveuses, » de désunions de familles, de suicides, d'alcoolisme, de dépendance à l'égard de la drogue, d'ulcères, d'hypertension, de tension nerveuse et d'autres maladies apparentées au mental, est dans une large mesure la conséquence de frustrations internes et de l'ennui que l'autoritarisme engendre. En tant qu'être humain, vous avez été créé pour penser par vous-même. Votre esprit se révoltera avec angoisse, vos émotions seront régies par le poids des chaînes mentales, si vous ne vous accordez pas la latitude d'utiliser à pleine capacité et de façon illimitée votre faculté de penser. Vous finirez par faire des reproches aux autres quand les choses iront mal. L'ironie du sort veut que nous soyons plus rapides à reconnaître nos propres défauts chez les autres, et vous blâmerez très vite l'autoritarisme d'autres personnes (serment d'allégeance envers les différentes Grandes Autorités Incontestables) pour les problèmes du monde — et vous ne saurez pas comment établir des rapports avec un être vraiment libre-penseur, si vous en rencontrez un.

En réalité, c'est le libre et sérieux penseur que vous seriez le plus rapide à critiquer comme autoritaire, car il a l'audace, la prétention ou autre, de fonder sa position dans la vie, essentiellement sur son propre jugement. (Sur quelle autorité fondez-vous votre opinion ? *Uniquement sur la vôtre ?* Eh bien, cela ne signifie pas grand-chose !)

Si l'autoritarisme est une immense zone erronée sociale comme je crois que c'est le cas, nous devons à tout prix le transcender avant que nous soyons en mesure de façonner une société SZE, avant même de pouvoir réaliser nos plus grandes potentialités sur une grande échelle, en tant qu'êtres humains. Mais comme toujours, la solution part de vous, l'individu, et afin de vous aider à évaluer votre propre degré d'autoritarisme, il serait intéressant d'analyser plus en profondeur la psychologie des autoritaires de tous les genres.

Pendant les années 1940, un groupe de sept spécialistes des sciences humaines ayant à leur tête T.W. Adorno termina une étude monumentale sur la psychologie de l'autoritarisme. Les résultats furent publiés en 1950, en deux volumes intitulés *The authoritatian personality*, avec environ mille pages de recherches, de questionnaires et de tableaux statistiques, et une multitude de conclusions techniques décrivant les traits de personnalité que les chercheurs trouvèrent associés à l'autoritarisme, dont ils fournirent une définition très proche de celle que j'ai donnée ci-dessus. La lecture d'un recueil aussi vaste de renseignements est ordinairement réservée à des cours universitaires en sociologie, mais vu l'importance de son contenu pour nous tous, le grand public, je vais le résumer et l'interpréter dans les lignes qui suivent.

Ce qui est important, à mesure que vous lirez sur l'autoritarisme, c'est de déterminer la fréquence avec laquelle vous manifestez des traits autoritaires et de vous demander si l'autoritarisme n'est pas en réalité l'élément prédominant de votre personnalité. Il serait également instructif pour vous d'employer les descriptions suivantes de la personnalité autoritaire comme une sorte de guide pour vous aider à déterminer ce que vous aimeriez changer en vous-même, et ce que vous devez à tout prix modifier en vous pour pouvoir devenir une personne Sans-Limites.

CARATÉRISTIQUES DES PERSONNALITÉS AUTORITAIRES

En résumant plus de mille pages d'une recherche en profondeur sur les personnalités autoritaires, entreprise par T.W. Adorno et d'autres auteurs, et en associant leurs conclusions avec mes propres observations, j'ai réalisé que les traits suivants révélaient une personnalité autoritaire.

L'intolérance de l'ambiguité

Un des traits dominants des personnes autoritaires est le besoin que toutes choses leurs soient expliquées de façon précise avant qu'ils ne se sentent à l'aise. À moins que chaque question ne reçoive une réponse nettement affirmative ou négative, quelle que soit la complexité de la question, elles sont en proie à une certaine anxiété. Par conséquent, les êtres autoritaires sont très peu tolérants envers les gens qui travaillent dans les domaines intrinsèquement ambigus — les philosophes, les artistes, les penseurs sociaux ou politiques. Ils insistent pour savoir exactement où ils vont dans la vie et quand, et se sentent menacés par tout ce qui est mystérieux, inconnu et inconnaissable. Ils s'accrochent souvent à la sécurité qu'offre l'habitude, et craignent souvent de quitter leur emploi ou de cesser leurs relations avec quelqu'un, non pas parce que ce ne serait pas dans leur intérêt, mais en raison de l'état d'incertitude où ils se trouveraient et qui serait trop menaçant à supporter.

Étant donné que l'intolérance de l'ambiguité comporte un besoin irrésistible de certitude, qu'elle soit fausse ou non, cela conduit les gens à avoir une vie de la même manière. Les personnes autoritaires ont tendance à se considérer comme des *perfectionnistes*, mais cela n'est vrai que dans le sens superficiel où elles veulent que les choses soient faites d'une certaine façon, et non pas dans le sens supérieur où elles aident à créer une meilleure manière de vivre pour tous. Ainsi, les gens autoritaires sont aisément bouleversés et, en fait, souvent paralysés quand les choses ne vont pas à leur gré, ou que leur autorité (quelle qu'elle soit) leur dit comment les choses devraient aller. Un des dictons favoris des personnes autoritai-

71

res est probablement « Une place pour chaque chose, et chaque chose à sa place. » Elles n'arrivent pas à se faire à l'idée que dans cette vie, peu de choses ou de gens restent très longtemps à la place où elles aimeraient qu'ils demeurent.

L'intolérance de l'ambiguïté se manifeste au sein de la famille quand l'être autoritaire actif, habituellement le père, insiste pour que chacun obéisse à toutes ses règles, tout le temps. Même quand la famille joue à un jeu « pour s'amuser », le membre autoritaire interrompt de façon typique le jeu pour signaler les moindres infractions aux règlements, selon son interprétation, et la majeure partie du « temps de jeu » se passe à faire des vérifications dans le manuel des règlements.

Dans les rapports entre parents et enfants, les parents qui ne tolèrent pas l'ambiguïté imposent souvent des espérances peu réalistes à leurs enfants, leur demandant, « Que comptes-tu faire quand tu seras grand ? » même quand ceux-ci n'ont que cinq ans. Fréquemment des disputes éclatent concernant les travaux ménagers dans la maison et plus particulièrement « votre chambre » car tout ce qui est en désordre ou qui ne se trouve pas à sa place, constitue une ambiguïté qui ne peut être tolérée. Après tout, un intérieur ne peut être rangé que d'une seule façon, et quand il n'en est pas ainsi, il y a lieu de réagir avec hostilité.

Les parents qui ont ce penchant autoritaire exigent souvent la « perfection » de leur enfants à l'école, et leurs enfants apprennent souvent à l'exiger d'eux-mêmes, mais la « perfection » se limite à obéir à la lettre aux professeurs, à obtenir les meilleures notes aux examens, à ne pas poser des questions difficiles ou provocatrices aux professeurs, à lire des romans sous le pupitre quand les cours deviennent trop ennuyeux ou monotones, ou à s'interroger pourquoi l'école doit être aussi passionnante, en premier lieu. Ces mêmes enfants apprennent à leur tour à imposer des demandes tout aussi excessives à eux-mêmes, à leurs parents et aux autres membres de la famille et, finalement, à leurs propres enfants.

Ceux qui se trouvent haut placés sur l'échelle de l'intolérance de l'ambiguïté doivent souvent organiser tout à l'avance, que ce soient les vacances ou les budgets financiers, jusqu'au dernier sou, de même que la manière de disposer les sous-vêtements dans le tiroir. Partir en vacances sans réserver d'avance les chambres, ou sans un itinéraire minutieusement préparé, provoque des ravages internes qui peuvent causer des ulcères à défaut de trouver une solution. Les personnes autoritaires veulent savoir à l'avance ce qu'elles vont faire, et cela doit être confirmé à tout prix. En outre, elles imposent rapidement un tel besoin de certitude à tous ceux qui les entourent, et à ceux qui tolèrent davantage l'ambiguïté, elles répètent constamment des phrases comme celles-ci, « Pourquoi n'organisez-vous pas mieux votre vie ? Si vous rangez chaque chose à sa place, vous saurez exactement où trouver ces choses quand vous en aurez besoin. Vous allez regretter de ne pas être mieux organisé. »

Qu'il s'agisse de s'habiller et de soigner sa toilette dans un style «perfectionniste» ou d'organiser un intérieur jusqu'au moindre détail, d'imposer à tous des normes «d'ordre» ou d'avoir toujours le besoin d'établir un plan, les êtres autoritaires ont presque tous une mentalité de « comptable », ce qu'ils appliquent à chaque acte de la vie quotidienne. Ils considèrent le «registre» de la vie non pas comme un journal où abondent les souvenirs d'expériences enrichissantes, mais comme un grand livre comptable avec des colonnes pour l'actif et le passif. Leur objectif dans la vie est de se placer du côté de l'actif du grand livre, sur le plan des valeurs sociales conventionnelles, et d'éviter toute erreur qui puisse les placer dans la colonne du passif. Bien que l'autoritatisme se traduise par des intérieurs, des vacances, des écoles, des vies, des carrières, des retraites, et ainsi de suite, «ordonnés», il vous laisse très peu l'occasion de jouir des choses que vous avez, quand vous les possédez effectivement. Cela exclut également toute aventure saine, exploration et spontanéité.

L'union sexuelle est un bon exemple : les personnes autoritaires la considèrent comme un acte programmé d'avance avec un scénario précis dont il ne faut pas dévier, plutôt qu'un moyen d'exprimer leur amour. Elles sont rarement intéressées par les préludes charnels, ou les étreintes tendres après «l'accouplement». Typiquement, l'orgasme est leur seul objectif (surtout les hommes), et elles ont tendance à être exigeantes en ce qui concerne la «propreté» du corps, au point parfois de prendre une douche avant et après. Elles ne voient souvent aucune raison de considérer l'accouplement comme autre chose « que ce qu'il est censé être » — un moyen de reproduire l'espèce, ou encore un moyen de libérer une énergie sexuelle « inutile ».

Au travail, l'intolérance de l'ambiguité se révèle quand les êtres autoritaires sont en contact avec d'autres personnes qui ressentent moins le besoin d'une « certitude » constante qu'eux-mêmes. Ils insistent pour savoir exactement ce que leurs collègues font, quels sont leurs objectifs et comment ils comptent les réaliser. Ils peuvent être terriblement importuns et extrêmement inflexibles dans les conseils qu'ils donnent aux autres. Les plus extrêmes parmi eux peuvent même mettre leur propre objectifs personnels sous forme de graphiques avec des intervalles de cinq ou dix ans. Ils doivent faire semblant ou essayer d'être sûrs de savoir où ils seront à l'âge de vingt-cinq, de trente-cinq, de quarante-cinq ans, et ainsi de suite. Ils sont dans tous leurs états dès qu'ils se sentent incapables d'observer le programme qu'ils se sont fixés, et la simple pensée de ne pas se soucier de là où ils seront dans un certain nombre d'années est une chose inconcevable pour eux.

Un après-midi où je me promenais le long de la plage, je fis la rencontre d'un homme qui m'avait reconnu lors de mon passage à la télévision. Il me salua et me demanda où j'allais. Je lui répondis que je n'avais pas de but. Je faisais simplement une marche sur la plage.

« Mais jusqu'où allez-vous marcher ? » demanda-t-il.

« Je n'en sais absolument rien, lui dis-je. Je vais marcher jusqu'à ce que je n'en ai plus envie. »

« Mais encore, vous devez certainement avoir une idée si vous allez vous rendre jusqu'à la jetée ou ailleurs », insista-t-il.

« Absolument aucune idée », lui répondis-je.

Il avait l'air perplexe, comme si l'idée d'une promenade sans but sur la plage n'avait pas de sens pour lui et que je me moquais de lui. Comment peut-on faire une marche sans savoir où on va, combien de temps cela prendra, et la distance que l'on va parcourir dans la journée. Il pensait vraiment que je lui racontais des histoires, que je ne voulais pas lui dire la vérité, au lieu de lui expliquer en toute franchise mes intentions. Il refusait de comprendre qu'il est normal parfois de ne pas avoir de but ; qu'à l'occasion, de faire quelque chose pour le simple plaisir de le faire est plus sain que de tout organiser jusqu'au moindre détail, en prenant note de vos «progrès» à chaque pas du chemin, et en comparant sans cesse vos « réalisations» avec des exploits précédents dans des domaines aussi divers que la marche sur une plage, la lecture, la natation ou les relations sexuelles.

La pensée dichotome

Une dichotomie est essentiellement le partage d'un certain groupe de choses en deux séries qui s'excluent mutuellement : la division d'une classe scolaire en garçons et filles, d'un groupe de nombres entiers en pairs et impairs, et ainsi de suite. Il est évident qu'un usage approprié des dichotomies est essentiel à la pensée et à la langue : sans elles, nous serions totalement incapables de raisonner. De façon moins évidente, l'abus ou l'usage *incorrect* des dichotomies, qui caractérise les êtres autoritaires, constitue un des plus grands périls pour la pensée véritable, la communication significative et la compréhension mutuelle, dans notre culture.

C'est cet abus systématique, *cette contrainte à diviser tout et tous en groupes qui s'excluent mutuellement* — bon/mauvais, bien/mal, ami/ennemi, — et de «passer» simplement sans tenir compte des subtilités, des restrictions, ou même des erreurs flagrantes qui peuvent intervenir, que j'ai cataloguées comme «la pensée dichotome».

Par cela je veux dire que la personne autoritaire *permet à ses pensées d'être régies par le besoin de dichotomiser à tout prix*, au lieu de se servir de la dichotomie comme d'un outil de la pensée qui ne convient qu'à certains travaux déterminés.

La «pensée dichotome» peut être considérée comme une excroissance de l'intolérance de l'ambiguïté. Là où il s'agit de gens et de questions humaines complexes, la pensée dichotome constitue une « hâte de juger » qui, sur-le-champ, enlève toute chance à l'individu autoritaire d'accroître ses propres sagesses et connaissances et contribue à aliéner ceux qu'il a mis en opposition avec lui-même.

Voici un exemple de la pensée dichotome : si vous considérez que l'homosexualité est un mode de vie parfaitement valable pour les adultes consentants qui le choisissent, la personne autoritaire déduira vraisemblablement que vous tentez de promouvoir l'homosexualité pour tous. Vous y êtes soit favorable ou opposé ; l'être autoritaire ne vous laissera pas le choix de faire des réserves ou d'un «terrain intermédiaire». En général, il se réserve le droit de vous dire en des termes on ne peut plus clairs ce que vous «pensez vraiment», et rien de ce que vous direz ne modifiera sa détermination à vous placer dans un camp ou l'autre.

Les personnes autoritaires sont habituellement les plus dures envers leurs proches. Si un membre de la famille s'avise, par exemple, de demander s'il n'y aurait pas certains avantages à libéraliser les lois sur l'avortement ou à assouplir certaines lois sur les drogues, la personne autoritaire pourrait très bien avoir la réaction suivante «Vous êtes soit en faveur, soit contre l'avortement ; lequel est-ce ? » ou « Si vous voulez que la marihuana soit rendue légale, vous devez alors également soutenir la légalisation de l'héroïne ou des drogues dures. »

La conclusion c'est que les gens autoritaires n'ont pas de place dans leur philosophie pour les solutions intermédiaires, ou pour se mouvoir dans les zones grises où pratiquement toutes les activités humaines se situent.

De même, vous entendrez les personnes autoritaires émettre les opinions suivantes : tous les juifs sont d'habiles hommes d'affaires ; tous les noirs ont du rythme ; tous les asiatiques sont rusés ; tous les jeunes sont bagarreurs ; cette génération va mal tourner ; toutes les femmes sont rouées ; tous les hommes ne pensent qu'au sexe.

Il est vraiment absurde de vouloir cataloguer «tout» le monde, dans n'importe quel groupe, comme étant une chose plutôt qu'une autre. Si, de façon typique, vous vous lancez dans la pensée dichotome et vous efforcez de l'imposer aux autres, il est grand temps que vous commenciez à vous inquiéter de l'autoritarisme qui se manifeste «sous votre propre toit».

Inflexibilité de la pensée

Les personnes autoritaires sont non seulement intolérantes de l'ambiguité et souvent dichotomes dans leur façon de penser, mais elles sont aussi excessivement inflexibles dans leur manière de percevoir le monde et, par conséquent, leurs espérances autant pour elles-mêmes que pour les autres. Dans ce sens, les gens autoritaires opposent une très forte résistance au changement, et se sentent menacés par toute perturbation à l'ordre des choses telles qu'ils les connaissent.

« L'inflexibilité de la pensée » a de multiples significations, mais pour les personnes autoritaires cela comporte généralement une mauvaise grâce à nourrir des pensées qui sont en conflit avec leurs propres idées préconçues. Si quelqu'un s'adresse à l'homme autoritaire — en particulier le type «actif» ou le «père autoritaire» typiquement mâle — avec des opinions qui sont en contradiction avec les siennes, il est susceptible de devenir bruyant, plein d'indignation, incrédule, méprisant. Il peut lever la voix et essayer d'intimider. La dernière chose qu'il fera sera d'écouter, d'évaluer et d'être prêt à changer son point de vue si cela semble justifié. Il lui est pratiquement impossible d'admettre qu'il est dans son tort ou qu'il a appris quelque chose d'autrui ; ce serait reconnaître la faiblesse de son propre ego et son manque d'une confiance en soi véritable. Vous n'entendrez jamais le type du «père autoritaire» déclarer : «Eh bien, vous pourriez avoir raison sur ce point». Il se mettra plutôt sur la défensive, en s'exclamant peut-être : «Je n'arrive pas à croire que telle soit votre opinion. Pour quelqu'un qui est soi-disant intelligent... ».

L'inflexibilité de sa pensée peut même amener la personne autoritaire à avoir recours à des insultes personnelles, au ridicule et même à la violence physique. Une discussion rationnelle et constructive est pratiquement impossible avec n'importe quel type de personne autoritaire. Le dialogue n'est jamais une occasion plaisante ou stimulante d'apprendre quelque chose de nouveau ou de connaître une manière différente de voir les choses. Ce n'est jamais un *effort mutuel en vue d'un accord*, à commencer par un respect réciproque. C'est généralement aussi superficiel et précipité que «l'acte sexuel autoritaire » — un accouplement hâtif et sans tendresse que, si vous êtes assez malin ou maligne, vous éviterez.

Pour une personne SZE, ce qui est le plus pénible en ce qui concerne les gens autoritaires est leur inaccessibilité : *la plupart du temps, il est littéralement impossible de communiquer avec eux.* Je connais d'innombrables familles où les enfants seront unanimes à dire, « Mon père est un type bien dans son genre, mais je suis incapable de lui parler de politique », ou « Ma mère est une femme formidable, mais dès que j'essaye d'aborder le sujet du sexe — rien à faire. »

Des régions entières de la pensée deviennent taboues dès qu'une personne autoritaire intervient. Une personne sensée n'a besoin d'être insultée, intimidée ou méprisée qu'une seule fois pour dire : « Je n'ai que faire d'une telle attitude. Il ne faut pas réveiller le chat qui dort. » Ainsi, la *seule façon* dont les êtres autoritaires pourraient devenir « accessibles », la seule façon dont ils pourraient *éventuellement* changer ou mûrir, sera quand ils admettront l'existence de leurs propres problèmes et prendront d'eux-mêmes l'initiative pour y remédier.

Un jour, une jeune fille vint me consulter, au bord de la crise de nerfs, car son père l'avait traitée de putain. J'invitai son père à venir me voir pour discuter de la question avec moi et sa fille. Il vint mais plein de rancœur à la pensée qu'il y eut quoi que ce soit à discuter, et je me rendis rapidement compte qu'il serait impossible de raisonner avec lui aussi longtemps que sa fille assisterait à l'entretien. Je compris qu'elle avait reçu un appel téléphonique d'un jeune homme que son père considérait comme un « indésirable ». Il insistait obstinément que sa fille devait arrêter de fréquenter « ce genre d'individu », bien qu'il n'eut jamais rencontré le jeune homme en question pour pouvoir passer un tel jugement. À l'époque, je n'étais pas en mesure de dire s'il se basait sur des rumeurs au sujet du garçon, s'il agissait ainsi par paranoïa pour la « pureté » de sa fille, ou s'il faisait un éclat pour une toute autre raison. Il ne démordait pas de son avis que quiconque mettait en doute sa décision inflexible devait être en faveur de la prostitution des mineures, du mauvais traitement des enfants, de la pornographie, des maladies vénériennes et de quantité d'autres plaies sociales.

J'avais déjà pu constater que sa fille était loin d'être une personne de mœurs légères. Je réalisai aussi que le père avait une idée tellement stricte de celui avec qui sa fille pouvait sortir qu'il n'éprouvait aucun remords à la réduire au désespoir en l'insultant, uniquement parce que le garçon ne répondait pas fidèlement à *son* image préconçue. Finalement, je demandai à la jeune fille de me laisser seul avec son père. Ce dernier se calma tant soit peu, mais sa façon de penser inflexible était tellement ancrée en lui que je me trouvai dans l'impossibilité de l'en faire dévier. J'arrivai à la conclusion qu'il *n'entendait* même pas les opinions que sa fille ou quiconque d'autre pouvait avoir sur n'importe quel sujet; qu'il était « sourd par choix », un être archi-autoritaire, et que la seule façon d'aider sa fille était de lui apprendre à ne pas se laisser émouvoir par les noms répugnants dont les autres pouvaient l'appeler, même quand c'était proféré par une personne comme son propre père.

La conclusion ironique de ce cas particulier fut que trois ans plus tard, la jeune fille quitta le foyer paternel, à l'âge de dix-neuf ans, et épousa « l'indésirable », qui venait d'obtenir son diplôme d'un collège, avec mention très bien, et entrait à l'université. Il s'avéra que la désapprobation du père à l'endroit du garçon provenait uniquement de préjugés religieux et ethniques. La famille de la jeune fille était « chrétienne », et le garçon était juif. Jusqu'à ce jour, le père refuse de parler à son beau-fils ou à sa propre fille.

L'inflexibilité dans la plupart des individus autoritaires se prolonge profondément de la « pensée » dans les habitudes et le comportement. De façon typique, ils ne liront qu'un genre d'éditorial dans le journal, celui qui exprime des opinions qui concordent déjà avec les leurs. Ils s'abonnent aux mêmes revues année après année, sans que jamais la pensée les effleure de prendre connaissance des articles dans les périodiques qui ont des vues divergentes. Ils retourneront perpétuellement au même restaurant et commanderont le même menu soir après soir. Ils n'ont probablement jamais goûté à des plats grecs, orientaux, mexicains ou d'autres spécialités « ethniques, car c'est étranger et ils sont convaincus qu'ils ne les aimeront pas ».

L'inflexibilité de l'habitude s'étend aussi d'ordinaire à la vie sexuelle des personnes autoritaires : elles ont tendance à avoir des rapports à la même heure et toujours de la même manière ou jusqu'à un point où, l'ennui aidant, elles y renoncent tout simplement.

L'inflexibilité des gens autoritaires est *menacée par les changements, quels qu'ils soient*. Les personnes autoritaires votent en règle générale pour des titulaires et deviennent à leur tour, durant leur propre vie, des «titulaires». Elles ne se résolvent pas facilement d'aller vivre dans d'autres régions du pays «ne sachant pas à quoi s'attendre». Fréquemment, elles s'obstinent à ne pas changer de poste, en dépit du fait que leur travail ne soit guère plus qu'un exercice quotidien pour elles, car elles craignent les changements qu'un avancement, un transfert dans une autre ville ou même un choix professionnel entièrement nouveau pourraient entraîner. Souvent, elles détestent leur travail et plutôt que de faire un examen de leurs propres attitudes elles rejetent la responsabilité sur leur patron, les autres travailleurs, leur firme, la nouvelle génération ou tout autre bouc émissaire qui leur vient à l'esprit. Elles n'échappent pas à l'ennui, comme n'importe qui d'autre, ce qui ne les empêche pas de s'accrocher à ce qu'elles font en attendant leur montre en or, espérant que la retraite leur apportera un soulagement.

Il est vrai que les «gens autoritaires à la retraite» peuvent être encore plus odieux que ceux qui travaillent, car ils ont une tendance à se mettre en colère contre tous ceux qui, dans leur optique, sont responsables de leur dénuement, de leur manque de motivation, d'émotions fortes ou de plaisirs dans leurs vieux jours. Ils sont souvent furieux contre leurs propres enfants pour leur manque d'enthousiasme à les visiter, bien que pour les enfants une telle visite puisse sembler comme plusieurs semaines passées dans une tombe avec un vendeur d'encyclopédies arrogant. Ils en veulent à la jeune génération de les tenir à l'écart quand, en fait, c'et leur propre inflexibilité qui fait le vide autour d'eux, chassant les jeunes comme les vieux. Et ils ne semblent pas réaliser que leur propre façon de penser inflexible est à l'origine de leur détresse. Ils peuvent éprouver du plaisir à être maussades et, à vrai dire, ils se réjouissent à la perspective de leurs propres frustations. Ils peuvent chercher des raisons de se plaindre, « être heureux » quand il se produit un désastre ou une nouvelle crise de l'énergie vient alimenter leurs antagonismes les plus chers.

L'inflexibilité des êtres autoritaires est un mal qui trouve sa source dans la pensée et se répand à tous les aspects de leur existence. Ils sont contaminés, eux et tout leur entourage, par l'ennui, l'angoisse et la dépression. Les êtres autoritaires croupissent dans leur routine bien que détestant la monotonie de leur existence. Ils refusent cependant de risquer l'interruption de leur sentiment d'ennui car ils craignent le changement et, par ailleurs, ils reprochent au monde de ne pas changer pour se conformer à leur vieille conception éculée de ce qu'il devrait être.

Anti-intellectualisme

En accord avec leur intolérance typique de l'ambiguité, leur pensée dichotome et leur inflexibilité, les personnes autoritaires se méfient généralement des « intellectuels », surtout de ceux qui de fait gagnent leur vie comme penseurs. Les êtres autoritaires mettent souvent en doute tout ce qu'ils ne peuvent pas « voir de leurs propres yeux », et sont purement et simplement intimidés par les philosophes, les psychologues, les artistes, les professeurs et tous ceux qui gagnent leur vie grâce à une activité intellectuelle.

Les personnes autoritaires sont promptes à rabaisser les gens qui lisent des revues professionnelles, assistent à des conférences, à des pièces de théâtre ou vont à l'opéra, ou encore donnent la préférence aux programmes de discussions à la télévision. La remarque typique en fait une bande de communistes (de libéraux au cœur tendre, de cérébraux, de rats de bibliothèques). « Ils ne savent pas de quoi ils parlent quand il s'agit du monde réel. »

Quand les êtres autoritaires sont honnêtes avec les autres, quand ils ne se sentent pas menacés — par exemple, lors d'un interview — souvent ils admettent qu'ils éprouvent une admiration secrète envers ceux qui ont de l'érudition. Presque tous les parents autoritaires désirent envoyer leurs enfants à l'université, mais acceptent rarement que les enfants reviennent à la maison et commencent à agir comme s'ils savaient tout mieux que leurs parents (bien que c'est soi-disant la raison pour laquelle les parents les ont envoyés à l'université en tout premier lieu). C'est très courant de voir les parents autoritaires se vanter des exploits académiques ou intellectuels de leurs enfants, mais uniquement si ces exploits indiquent un « succès » conventionnel dans la foire d'empoigne établie (« ma fille était la première de sa classe à la faculté de droit ») et jamais en cas de rébellion contre l'ordre établi.

Vu que les activités artistiques sont considérées comme hasardeuses du point de vue carrière, et que l'*art comporte naturellement de l'ambiguïté au plus haut degré*, vous entendrez rarement un parent autoritaire déclarer, « Je suis tellement heureux, ma fille a décidé qu'elle désirait devenir peintre (écrivain, sculpteur, productrice, artiste de musique rock, etc.). »

Mettant un instant de côté le risque propre aux carrières artistiques, examinons d'un peu plus près le rapport entre l'intolérance de l'ambiguïté de la personne autoritaire ainsi qu'il a été discuté précédemment, son anti-intellectualisme et son sentiment de malaise avec l'art et la poursuite d'une carrière artistique.

L'intolérance de l'ambiguïté chez les personnes autoritaires veut dire qu'elles désirent d'une façon compulsive que tout langage qu'elles entendent ou lisent *ne signifie qu'une seule et unique chose* qui soit claire et facilement identifiable. Cela rappelle la mentalité d'une comptable pour qui « 12 500 dollars dans un compte d'épargne » n'a qu'une signification. Mais réfléchissez à la beauté de la poésie de Shakespeare comme, par exemple, « Être ou ne pas être, voilà la question... » ou de Keats : « La beauté est vérité, la beauté de la vérité, c'est tout ce que vous savez sur terre, et tout ce qu'il vous est nécessaire de savoir. » La vérité *et* la beauté de ce langage résident précisément dans le fait que ces poèmes prennent une *signification différente à chaque lecture*. Ils contiennent de telles vérités universelles, ou tant de « sagesse concentrée », qu'ils sont vrais d'un nombre *infini* de façons. Un milliard d'êtres différents au cours d'innombrables générations, dans les plus diverses situations imaginables, peuvent acquérir une édification d'une telle poésie. Une personne peut lire et relire ces simples mots, en attendre une nouvelle inspiration, une nouvelle compréhension de la vie. Envisagez la perspective de lire maintes et maintes fois les poèmes qui suscitent le plus d'inspiration au monde et celle d'en faire autant avec un grand livre comptable et vous saisirez ma pensée.

Ainsi *l'usage artistique du langage* est fonction de la *fertilité de son ambiguïté* — c'est-à-dire, de son aptitude à révéler une certaine vérité, à découvrir une certaine beauté, de mille façons différentes à toutes sortes d'individus différents.

Il en est de même d'une grande peinture, photographie, symphonie, construction ou toute autre œuvre d'art, ainsi que, du moins selon de nombreux penseurs, des grandes œuvres de la philosophie et d'autres disciplines intellectuelles. Ainsi, Martin *Heidegger* dit que

la multiplicité des significations est l'élément au sein duquel toute pensée doit se mouvoir afin d'être strictement une pensée. Illustrons cela : pour un poisson, les profondeurs et les étendues de ses eaux, les courants et les étangs paisibles, les couches chaudes et froides constituent l'élément de sa multiple mobilité. Si le poisson est privé de la plénitude de son élément, s'il est entraîné sur le sable sec, il ne peut plus que frétiller, se convulser et mourir. Par conséquent, nous devons toujours rechercher la pensée, et le fardeau de penser, au sein de l'élément des multiples significations, sinon tout nous demeurera inaccessible. *

Mais si l'art et la pensée sont fonctions de la *fertilité de l'ambiguïté*, ainsi qu'il est décrit ci-dessus, et comme l'être autoritaire inflexible à la pensée dichotome est *intolérant de l'ambiguïté* de façon compulsive, il n'est pas étonnant qu'il ne sache que faire de toute pensée *ou* art originaux. En somme, l'être autoritaire, mettant en doute son propre jugement, a tendance à se méfier de quiconque s'aventure dans la fertilité subtile et complexe de l'art ou de l'intellectualisme.

---

* Heidegger, *What is called thinking*, Fred D. Wieck et J. Glenn Gray, trans. (Harper & Row Torchboods, 1968), p. 71.

La réaction autoritaire typique en présence d'un intellectuel ou d'une personne hautement cultivée, sera de l'éviter. Naturellement, il peut exister des raisons légitimes pour les personnes sensées d'éviter certains «intellectuels» : il y a de nombreux individus autoritaires parmi les universitaires et d'autres ayant des diplômes et des titres ronflants. Non seulement les personnes autoritaires de cette catégorie sont rarement des chefs de file dans leurs domaines — ce sont généralement des membres dévoués d'une certaine «école de pensée», suivant aveuglément l'enseignement de l'un ou l'autre «grand homme» — mais elles sont prédisposées à l'une des maladies autoritaires les plus odieuses, le snobisme intellectuel. Les snobs intellectuels sont en vérité tellement anxieux concernant leur propre valeur personnelle qu'ils doivent se *dissimuler derrière* des diplômes et des titres et prétendre que les diplômés universitaires, les «gars studieux» ou les «érudits» sont *plus intelligents* que ceux qui gagnent leur vie par d'autres moyens.

C'est naturellement absurde. Une personne qui a la compétence nécessaire pour réparer un poste de radio ou un moteur, alterner des récoltes, faire l'élevage de bétail, ou n'importe lequel des milliers de métiers, peut être tout aussi intelligente que quelqu'un qui peut résoudre des équations du second degré ou réciter des auteurs classiques.

«L'érudition puisée des livres» n'est censée cultiver qu'un genre d'intelligence, et pour moi, les plus grands «intellectuels» ont été ceux qui se sont instruits essentiellement par *l'action*.

Naturellement, ils devaient s'imprégner de la littérature dans leurs domaines avant de pouvoir «être coude à coude» avec les générations précédentes et faire progresser le «point des connaissances» dans leurs sphères, mais les types Sans-Limites, comme Ralph Waldo Emerson, Henry David Thoreau, Albert Einstein et Georges Bernard Shaw, *transcendent* tous ceux qui y sont allés avant eux en *accédant au monde pour y mettre leurs idées à l'épreuve*. Ils étaient autant travailleurs que penseurs, et ils étaient brillants car ils avaient surmonté la pensée dichotome qui dit qu'une personne doit être soit un travailleur *soit* un intellectuel. Quel que soit votre travail, 'vous pouvez être brillant dans ce que vous faites si vous en êtes convaincu, mais d'avoir un doctorat de 3e cycle ne prouve pas *du tout* qu'une personne est capable de penser ; par ailleurs, de ne pas avoir eu une éducation du niveau secondaire ne vous empêche aucunement de penser « brillamment ».

Vue sout cet angle, la personne autoritaire avec trois diplômes universitaires est aussi antiintellectuelle que celle qui n'a jamais dépassé la classe de troisième.

Anti introspection

Outre qu'elles sont antiintellectuelles, les personnes autoritaires ont une tendance à l'antiintrospection : elles évitent d'examiner en elles-mêmes les motivations de leur propre comportement. Elles refusent de s'interroger pour connaître les raisons de leurs actes et, de façon typique, elles rejettent sans jugement toute possibilité d'amélioration personnelle qui leur permettrait de mieux se connaître. Elles sont susceptibles de considérer la psychothérapie, la méditation, le Yoga et d'autres méthodes pour se connaître soi-même, non seulement comme une perte de temps, mais peut-être une conspiration par l'un ou l'autre culte s'efforçant de « conditionner » toute une population. Elles manquent tellement d'assurance qu'elles n'osent pas s'exposer à l'influence du psychiatre, du professeur de yoga ou de n'importe lequel des autres « drôles d'oiseaux ».

Ce qu'elles craignent en réalité c'est de changer d'opinion, de devoir admettre qu'elles n'ont pas toujours eu raison au sujet de tout (ou, plutôt, que la grande autorité incontestable qu'elle se sont choisies n'a pas toujours eu raison). Elles savent en leur for intérieur qu'elles se sont soumises une première fois, et sont loin d'être sûres qu'elles ne récidiveront pas.

L'antiintrospection est encore un autre de ces « angles morts » autoritaires — dans le cas présent, cela entraîne le refus de s'observer dans le miroir, psychologiquement parlant. Les êtres autoritaires refusent de voir ce qui se passe en eux-mêmes, car ils ont fini par devenir totalement dépendants des systèmes de soutien externes pour se convaincre de leur propre valeur comme êtres humains. Ils sont vraiment convaincus que leur valeur est de réaliser et d'accumuler encore davantage. Bien qu'ils puissent souvent répéter qu'ils veulent sortir de la foire d'empoigne que leur existence est devenue, ils refusent d'admettre que *la seule porte de sortie s'ouvre vers l'intérieur*, que le premier pas en direction de l'extérieur consiste à affronter les troubles et les craintes internes qui les empêchent de prendre les risques qu'il faut courir pour s'évader de la routine qu'ils méprisent tant. Ils sont conscients que ce qu'ils font ne les rend pas heureux, que d'entretenir des rapports basés sur des explosions émotives ou une absence de tendresse, est déplaisant, mais ils ne s'engageront pas dans la voie interne pour y remédier. Ils s'obstineront à placer toutes leurs espérances et leurs reproches pour tout ce qui se produit, au dehors, en se servant de n'importe qui ou de n'importe quoi pour justifier leur sentiment d'être pris au piège. Jusqu'au moment où l'être autoritaire commencera à s'interroger afin de déterminer ce qui en lui le condamne à un style de vie autoritaire, il n'a pas la moindre chance de changer.

Conformisme et soumission

Il est particulièrement ironique que les gens qui font preuve d'un comportement autoritaire classique se classent toujours très haut dans les domaines du conformisme et de la soumission. Selon Adorno, «Le conformisme est l'une des plus importantes expressions de l'absence de concentration interne». Il veut dire par là que les gens autoritaires sont motivés, pratiquement régis, par des opinions et des forces sociales en dehors d'eux-mêmes; ils sont faibles dès qu'il s'agit de se fier à leurs propres jeux de valeurs, de croyances, d'instincts indépendants. Ils trouvent qu'il est plus facile et plus réconfortant de s'adapter à des normes imposées que de chercher en soi-même les clefs qui guideront leur propre existence. Il semble par conséquent tout naturel à ces gens de se soumettre à l'autorité établie et aux modes de comportement conventionnels. Quoique les personnes autoritaires sachent assurément faire beaucoup de bruit au sujet de nombreuses questions, elles s'écartent rarement des «lignes» établies, préconditionnées sur n'importe quel sujet, et elles font appel à la tradition et «à la façon dont nous avons toujours fait les choses» comme raisonnement de leur conformisme. «Eh bien», raisonnent-elles,«si vous vous efforcez de créer votre propre style de vie, non seulement vous allez prendre un risque puisque vous faites une expérience qui n'a jamais été tentée auparavant (l'inconnu), mais toute la société conventionnelle se dressera contre vous.» L'excuse dont les personnes autoritaires se servent trop souvent pour forcer les autres à se conformer à la «tradition» c'est que tant d'autres gens sont si autoritaires qu'ils rendront la vie pratiquement insupportable à l'innovateur, qui regrettera d'avoir essayé de s'opposer au système en tout premier lieu. Quand on en arrive aux actes ou, comme les psychologues l'appellent, «au comportement», l'être autoritaire est de façon typique très soumis à l'autorité, très influençable et crédule, particulièrement à la propagande et à la tromperie, en contraste avec l'individu plus autonome qui conteste l'autorité et refuse d'accepter les choses telles qu'elles sont uniquement parce qu'une autorité d'une institution décrète qu'elles devraient l'être.

Le conformisme et la soumission se remarquent tout d'abord dans l'attitude des êtres autoritaires envers leurs propres parents. Chez les êtres autoritaires, le concept du parent comme personnage à l'autorité absolue est sacré. Ce qui explique la difficulté qu'ils éprouvent à exprimer des critiques ou du ressentiment envers leurs propres parents d'une manière, quelle qu'elle soit, qui pourrait aboutir à une saine réadaptation des rapports parent/enfant, et ils ne tolèrent pas non plus d'avoir de telles réactions de leurs propres enfants. L'autorité du parent est considérée comme une rue à sens unique, où le parent est digne de respect uniquement parce qu'il ou qu'elle est un personnage d'autorité et que les personnages d'autorité doivent être incontestables car la contestation d'une seule autorité est considérée comme la contestation de toute autorité, tout ordre et toute «civilisation». Les rapports autoritaires entre les enfants et leurs parents ne se transforment jamais en amitié, en respect mutuel et en tolérance, mais gardent le caractère d'une lutte constante entre un soi-disant subalterne et un dictacteur.

Cette vue totalitaire de la parenté se perpétue bien au-delà de l'enfance. Même des adultes, des gens soi-disant mûrs, ont souvent des difficultés à exprimer franchement leurs sentiments envers leurs parents. Pour les gens autoritaires, cette scission existera leur vie durant car, à leur point de vue, le conformisme est la clef du rôle des parents auprès de leurs enfants. La question qui semble impossible à résoudre est, naturellement : « À quel ensemble de valeurs devons-nous nous conformer ? ».

Les gens autoritaires sont enclins à constamment citer des personnalités d'autorité au cours de leurs discussions ou de leurs explications quant à la raison de leur façon de penser et, en règle générale, elles sont soumises devant les personnalités d'autorité dans leurs rapports quotidiens avec ces dernières. Par exemple, un concierge autoritaire acceptera ce qu'un médecin lui dira au sujet de la médecine — qu'il le comprenne ou non — tout comme il s'attend à ce que tout le monde accepte ce qu'il dit au sujet de son propre travail, que les gens le comprennent ou non.

J'ai travaillé avec de nombreux clients pour qui le conformisme et la soumission sont des modes de vie prédominants. Beaucoup de femmes ont appris de leurs parents autoritaires que la seule façon pour une femme de se comporter, est d'acquiescer à tout ce que les éléments mâles de la population, principalement le mari et le père, leur disent. Les femmes qui ne se conforment pas à ce stéréotype sont souvent cataloguées, pour une raison ou pour une autre, de névrosées — d'agressives, de réactionnaires féministes, de « gouines » ou de « castrées » — par les mâles autoritaires. Aussi longtemps que la femme accepte de se plier à cette exigence et de se montrer soumise, elle n'a aucune difficulté à « s'entendre » avec les hommes autoritaires. Lors de mes consultations, je pense toujours qu'il est important que j'aide les gens à résister au conformisme automatique à n'importe quoi, car cela porte sérieusement atteinte à la dignité humaine fondamentale d'une personne en plaçant toute autre autorité à un niveau plus élevé que la sienne. Ceci est tout aussi vrai pour les enfants, les épouses, les maris, les employés dominés que pour autrui : si vous ne savez pas penser par vous-même, si vous êtes incapable d'être autrement que conformiste et soumis, vous resterez alors crédule pour toujours, un esclave à tout ce qu'une personnalité d'autorité vous dictera.

Rien ne peut vous obliger à *toujours obéir à la loi*. Si les lois sont immorales, elles doivent être contestées et désobéies. En outre, quand les personnalités d'autorité abusent de vous, vous n'êtes nullement forcé de suivre leurs ordres. Si quelqu'un insiste pour que vous deveniez exactement semblable aux autres pour être un bon membre de votre famille ou de votre société, il est absolument essentiel que vous refusiez de vous conformer, et que vous vous fassiez la réputation d'une personne ayant sa propre dignité et son respect de soi.

J'ai eu un jour une discussion avec un agent de police de New Mexico, dont le travail consistait à dresser des contraventions pour excès de vitesse aux conducteurs qui dépassaient la vitesse de quelques kilomètres par heure au milieu du désert, où personne n'habitait à quatre-vingt kilomètres à la ronde et où ne passait une voiture que tous les quinze minutes. Il admit volontiers qu'aucune vie n'était mise en danger par ceux qui faisaient des excès de vitesse de huit à dix kilomètres par heure, qu'il s'agissait d'une loi stupide, qu'il opprimait en fait les gens au lieu de veiller à la sécurité routière, et que c'était une pratique méprisable : l'état se servait de lui uniquement pour tendre un piège de police pour contrôle de vitesse, où des bénéfices pouvaient être réalisés sur les « visiteurs » venant des autres états en imposant une limite de vitesse ridiculement basse. Malgré cela, il se « rendait au travail » tous les jours et se dissimulait au bas d'une colline où la plupart des conducteurs ne se donnaient pas la peine de freiner pour se conformer au petit panneau qui, soudainement et sans raison, proclamait « Limite de vitesse 80 km/h ».

Quand je suggérai à l'agent qu'il pouvait refuser d'exécuter une telle tâche, ou essayer de faire modifier la loi, ou se plaindre aux autorités supérieures, il se contenta de sourire et dit qu'il ne faisait que son travail, qu'il ne *lui* incombait pas d'édicter les lois ou de décider comment les appliquer. Il se soumettait à une loi injuste et en était conscient, mais il ne pouvait être question pour lui de la contester, de la défier ou de refuser de l'imposer aux autres.

Vous pouvez être un homme ou une femme, un enfant

ou un adulte, noir ou blanc, riche ou pauvre, ou à un niveau intermédiaire, et facilement tomber dans le conformisme et la soumission à l'autorité comme choix de vie. Personne n'a le monopole lorsqu'il s'agit de rejeter sa liberté humaine fondamentale. En fait, tous, à une époque ou à une autre de notre vie, nous penchons pour le conformisme et la soumission. Ce qui est important est de vous en rendre compte au moment où vous le faites, de vous demander si c'est vraiment ce que vous désirez et, dans la négative, d'adopter de nouvelles stratégies pour vous débarrasser de *l'habitude* de vous conformer et de vous soumettre, qui est peut-être la marque centrale de l'être autoritaire.

Christian Bovee, le rédacteur et auteur américain du dix-neuvième siècle, a un jour écrit : « *Il n'y a pas pire tyran que la coutume et aucune liberté là où ses décrets ne trouvent pas de résistance.* » Si vous devez vous reposer sur le conformisme et la soumission comme ressources essentielles de stabilité, vous êtes alors vraiment l'esclave d'un tyran qui demeure en vous, vous allez entraver la liberté des vôtres que vous prétendez aimer, et réduire à néant toute chance de sauvegarder votre propre indépendance.

La répression sexuelle

Les personnes autoritaires sont de façon typique mal à l'aise devant leur propre sexualité. En raison même de leur attitude à cet égard, elles voient partout ou presque de la pornographie. Ainsi que je l'ai déjà mentionné, elles ont une attitude superficielle en ce qui concerne les rapports sexuels : une attitude orientée vers l'acte seul ou l'orgasme, ce qui les conduit à vouloir «le faire» le plus vite possible «pour le finir». Elles vivent constamment avec le sentiment que le *sexe est beaucoup trop prédominant* dans le monde d'aujourd'hui, que l'on insiste trop sur la sexualité. Elles peuvent critiquer vivement les programmes d'éducation sexuelle dans les écoles, mais d'une manière voilée et méprisable elles parlent constamment de sexe. Elles poursuivent souvent très égoïstement leurs «exutoires» sexuels, considérant leur «partenaire» comme un outil ou une victime.

Il existe de profondes contradictions dans l'attitude et le

comportement sexuels des êtres autoritaires. Le «père autoritaire», bien qu'il se sentira toujours menacé quand sa fille est «en butte» à son égard, aura par contre tendance à encourager son fils à «avoir de temps à autre des amours charnels» car cela contribuera à en faire *un homme*. Les mâles autoritaires semblent eux-mêmes avoir de nombreuses liaisons en dehors du mariage, mais ils témoignent aussi peu de tendresse envers les «autres femmes» que dans leur propre mariage — ils ne permettraient jamais à leur épouse de prendre les mêmes «libertés» qu'ils s'accordent à eux-mêmes (d'où l'expression «tromper sa femme ou son mari»). Je pense que c'est essentiellement parce qu'ils sont, en leur for intérieur, tellement conscients de l'insatisfaction de leur épouse dans leurs rapports sexuels qu'ils sont terrifiés que celle-ci ne les quitte pour le premier homme qui saura *assouvir* leurs désirs au lit.

Le mâle autoritaire peut soigner son image de masculinité agressive et s'inquiéter en particulier comment ses partenaires le classent, pour ses prouesses amoureuses, sur l'échelle traditionnelle de la masculinité, prouesses dont il se vante constamment. Mais ses vantardises ne concernent que ses *conquêtes* sexuelles, marques sur le tableau des femmes qu'il a conquises — tout cela pour dissimuler le fait qu'il ne retire aucune satisfaction réelle de ses activités sexuelles.

Le sujet du sexe quitte rarement l'esprit de l'être autoritaire. Des hommes comme des femmes, vous entendrez sans cesse des allusions, des sous-entendus sexuels et de stupides références avilissantes au sexe qui se glissent dans les conversations de tous les jours. Vous entendrez alors les contradictions; ils sont outragés de la façon dont le sexe s'infiltre dans les programmes télévisés, la publicité, les films, les livres et tout le reste.

Les personnes autoritaires voient d'habitude le sexe là où il n'est pas. Si un membre du sexe opposé leur témoigne de l'amitié, elles en concluent aussitôt qu'on leur fait une «proposition». Elles connaissent toujours les «raisons cachées» des actes de chacun, qui ne peuvent naturellement être que sexuelles. Elles s'imaginent que quand quelqu'un se montre amical à l'égard d'une personne du sexe opposé, ils couchent ensemble, ou sont sur le point de le faire, ou désirent le faire.

Les types du « père autoritaire » seront les premiers à vous sermonner combien la pornographie est immorale, mais aussi les premiers à aller voir furtivement des films pornos ou à se procurer des films amateurs du même genre pour une réunion entre hommes.

Les effets extrêmes de la répression sexuelle « du père autoritaire » étaient illustrés dans le film *Joe*, tourné vers le début des annnées 1970, quand la révolte de la génération de Woodstock battait son plein. Joe était obsédé par les perversions des jeunes « dopés » de cette génération, particulièrement par leurs orgies, leurs expériences sexuelles extravagantes. Et comme cela arrive souvent avec les pères autoritaires refoulés et répressifs, il était l'heureux père d'une adolescente qui quitta la maison pour se joindre à « l'opposition ». Mais à mesure que le film se déroulait, il devint évident que Joe était avant tout obsédé par le désir de participer aux libertés sexuelles défendues. Son dégoût sous-jacent n'était pas réellement à l'égard de la jeune génération de mœurs légères, mais pour lui-même car il était privé de ce qui leur procurait autant de plaisir. L'attitude de phallocrate autoritaire typique de Joe le conduisit tout d'abord à participer à des « orgies défendues » avec les compagnes de sa fille. Ensuite, poussé à la folie par sa propre culpabilité d'avoir transgressé les frontières sacrées de la moralité sexuelle « standard » et résolu à supprimer pour toujours « cette culture étrangère, menaçante » de la surface de la terre, il prend son fusil et se livre à un carnage dans la commune de « hippies » voisine. Parmi les corps, il retrouve enfin le cadavre de sa propre fille. Cette histoire est aussi vieille que le temps : l'homme qui tua sa fiancée par jalousie, le général qui dut raser le village pour le sauver. Mais chaque fois qu'une jeune fille doit être « supprimée » pour sauvegarder sa « pureté », vous pouvez être sûr qu'un être autoritaire (qu'il soit mâle ou femelle) tient l'arme meurtrière, et que son propre refoulement ou sa culpabilité sexuelle, ajoutée à son aptitude à reprocher à tous, mais jamais à lui-même. « l'immoralité sexuelle extravagante » du monde, va appuyer sur la gâchette.

L'ethnocentrisme

Cette expression sociologique singulière signifie que vous êtes concentré sur des préjugés envers votre propre groupe ou culture ethniques ; elle comporte une forte tendance à évaluer et à catégoriser les autres en fonction de vos propres valeurs plutôt que de leur reconnaître le droit à leurs valeurs ethniques ou culturelles. Toute la recherche sur la personnalité autoritaire désigne l'ethnocentrisme comme la qualité la plus commune parmi celles de l'autoritarisme, et à beaucoup de points de vue, c'est la plus dangereuse des qualités autoritaires, car elle est la plus capable de mener à la violence entre individus, entre groupes ethniques, culturels ou raciaux, ou entre nations entières.

Dans la vie quotidienne, vous entendrez constamment les gens autoritaires rabaisser d'autres personnes, non pas en raison de leur comportement ou de leurs actes dans des domaines donnés, mais uniquement parce « qu'elles ne sont pas semblables à nous ». Les gens autoritaires sont bourrés de préjugés ethnocentriques à l'égard de pratiquement tous et tout ce qui n'appartient pas à « leur groupe ». Il y a autant d'insultes et de catégories avilissantes qu'il y a d'autres groupes à juger : chintoque, métèque, macaroni, négro — la liste est longue. Les gens qui ont une pigmentation de peau, des croyances religieuses, des goûts alimentaires et vestimentaires différents, sont jugés non pas sur la manière dont leur comportement et leurs coutumes les servent, mais en termes strictement comparatifs et les résultats sont toujours les mêmes : « ces gens » sont cinglés, immoraux, stupides, paresseux, cupides, bizarres, inférieurs. Et le contraire est aussi vrai : quiconque appartient au groupe des personnes autoritaires est automatiquement persona grata, il (ou elle) sera accepté et défendu à tout prix, le premier à être engagé, le dernier à être licencié, et ainsi de suite, quels que soient ses mérites personnels propres.

Quand nous préjugeons d'autres cultures en fonction de la manière dont elles se comparent avec la nôtre, et que nous nous présentons comme porte-étendard de la civilisation, nous sommes enclins à envoyer des « missionnaires » dans le monde pour que les infidèles nous ressemblent davantage —

93

ou pour nous servir de leur «infériorité» comme une excuse pour les dominer, les exploiter, même les conquérir, ce qui s'est produit avec les Indiens Américains. Vous entendrez les personnes autoritaires déclarer des choses comme celles-ci : «Tous ces peuples d'Afrique ne sont pas «civilisés» et manquent de motivation pour s'améliorer eux-mêmes. Regardez donc leur culture. Ils n'ont aucune industrialisation, aucune technologie — ils vivent encore au quinzième siècle.» Ce genre d'être autoritaire ne prend jamais en considération les avantages dont ces peuples bénéficient à vivre près de la terre, ou ne remarque pas que la schizophrénie, l'anxiété, la pollution, le cancer, l'hécatombe des autoroutes et de nombreux autres aspects destructifs de notre «grande culture industrialisée» ne font même pas partie de l'existence de ces peuples. Par contre, les gens autoritaires peuvent tirer la conclusion que ces sauvages arriérés n'apprécient pas suffisamment leurs diamants, leur aluminium, leurs autruches ou leurs arbres, et ce dont ils ont réellement besoin, c'est une société américaine qui prendrait le tout en charge pour leur «apprendre comment s'y prendre» — c'est-à-dire, comment extraire les diamants et l'aluminium, tuer les autruches pour leurs plumes et abattre tous les arbres pour en faire des meubles.

Au sein des familles, les formes les plus évidentes d'ethnocentrisme se manifestent quand les parents tentent de convaincre leurs enfants de se conformer à «la manière dont notre famille a toujours fait les choses», ou à la manière dont les choses étaient faites dans la mère patrie, ou à la manière dont les catholiques, les protestants, les juifs, les musulmans, etc., sont censés faire les choses, ou à la manière dont les Italiens, les Lithuaniens, les Irlandais, les Japonais, etc., sont censés faire les choses. Il n'y a certainement pas de mal à avoir une certaine fierté ethnique, à trouver votre héritage fascinant et à vouloir en apprendre davantage à ce sujet, et à préserver ce qu'il a de bon à vos yeux. Mais les histoires sur ce que l'ethnocentrisme inflexible peut faire à un enfant ou à une famille sont trop nombreuses et souvent trop horribles pour les passer sous silence. Plusieurs années auparavant, les journaux publièrent le cas typique d'une adolescente et de son petit ami qui se suicidèrent en sautant du toit d'un bâtiment de New

York parce que les parents de la jeune fille, en raison d'une tradition inflexible (j'ai oublié laquelle, mais cela ne fait aucune différence), lui avaient interdit de fréquenter le garçon — malgré que toutes ses amies en faisaient autant — car ce n'était pas ainsi que cela se passait dans leur contrée d'origine. Ils la gardèrent pratiquement emprisonnée dans sa chambre jusqu'au moment où elle en devint folle.

Les effets de l'ethnocentrisme des parents sont rarement aussi extrêmes, mais nous connaissons tous des familles où une jeune fille a décidé qu'elle voulait épouser quelqu'un d'un milieu ethnique, religieux ou parfois même géographique ou politique différent et où ses parents autoritaires l'ont reniée, refusant d'adresser la parole à leur propre enfant pour le restant de leurs jours. Ou encore, ils ont été tellement sévères et menaçants, au point de lui faire rompre avec celui qu'elle aimait profondément pour lui faire épouser un homme de «son propre groupe».

Une chose à laquelle on prête peu attention c'est que les enfants, les adolescents et les jeunes adultes sont eux aussi capables d'être hautement ethnocentriques à leur propre manière. Si une jeune adolescente attend, par exemple, de ses parents qu'ils soient «à la page» et «modernes», c'est-à-dire «qu'ils agissent beaucoup plus comme les jeunes de *ma* sous-culture» — deviennent amateurs de musique rock, apprennent la danse disco, se vêtent de blue-jeans, etc. — et accable ses parents de son mépris pour leurs valeurs, leurs croyances et leur style de vie «rassis, vieux jeu», cela peut causer autant de ravages et d'éloignement que si l'ethnocentrisme provenait des parents. Les jeunes gens peuvent être incroyablement autoritaires, que leurs parents le soient ou non — ce qui n'a rien de surprenant car, avec l'autoritarisme qui sévit tellement dans notre société, ils peuvent «l'apprendre» presque partout. Et, comme tous les êtres autoritaires, ils sont pratiquement impossibles à atteindre ou à raisonner, surtout quand il s'agit de leurs propres parents. Peut-être perdront-ils avec le temps ce trait de caractère, bien que cela semble très improbable — à moins que davantage de personnes adultes le perdent et en particulier, leur ethnocentrisme, donnant ainsi aux enfants de *tous* un nombre croissant d'exemples de tolérance à suivre.

Dans l'ensemble de la société américaine, le racisme a évidemment été la forme d'ethnocentrisme la plus répandue, envahissante et destructive, et j'ose espérer que ses effets, depuis l'époque de l'esclavage à nos jours, sont suffisamment connus de nous tous pour que je n'aie pas besoin de les relater ici en détail. J'aimerais m'appesantir brièvement sur la manière dont l'ethnocentrisme en général, et le racisme en particulier, cadrent avec le phénomène plus vaste de la *pensée et du comportement antiminorités*, un mal de notre culture qui favorise l'éloignement entre toutes sortes de « minorités » et de « majorités ».

Il ne s'agit pas uniquement d'une simple question raciale. Les minorités politiques, par exemple, ont beaucoup de difficultés à se faire reconnaître dans ce pays. À moins que vous soyez un démocrate, un républicain ou un soi-disant indépendant (non engagé) — si vous êtes membre d'un petit parti ou que vous tentez de former un nouveau « troisième parti » — les gens autoritaires, dont le groupe culturel principal est devenu non pas leur groupe ethnique ou racial, mais simplement la grande majorité (silencieuse) américaine, réagiront à votre égard d'une manière typiquement ethnocentrique — vous êtes un cinglé, un communiste, un réactionnaire ou n'importe quelle autre étiquette qui vient le plus rapidement à l'esprit. La façon la plus commune de rejeter les opinions politiques d'une minorité est de les cataloguer d'ultra-« conservatrices » ou — « radicales », « d'extrême droite », « d'extrême gauche » et d'appeler ceux qui ont ces opinions « un autre Hitler », ce qui donne immédiatement à la majorité autoritaire l'excuse non seulement de ne tenir aucun compte du mérite des opinions de la minorité, parfois au point de harcèlement ou de violence ouverte.

Ceci n'est qu'un seul exemple ; vous verrez les positions antiminoritaires des gens autoritaires dans pratiquement tous les domaines de l'expérience humaine. Malgré le fait que chacune des opinions professées par la Grande Majorité ait pris naissance chez une minorité — par exemple, l'idée que les États-Unis devraient déclarer leur indépendance de la Grande

Bretagne et écrire leur propre constitution — les gens autoritaires ne se joignent jamais à une minorité à moins qu'un grand nombre d'autres personnes ne l'aient fait en premier.

Vers le début et le milieu des années 60, l'opinion de la majorité était fortement en faveur de la guerre au Vietnam ; «l'opinion autoritaire» était que tout bon Américain soutiendrait aveuglément les décisions du gouvernement américain. Mais avec le passage des années 60 aux années 70, quand les longs et exténuants efforts de la minorité opposée à la guerre furent couronnés de succès, il devint de bon ton d'être contre la guerre et de reconnaître la folie d'une nation occidentale qui essaye d'imposer sa volonté sur un pays tellement différent du sien. C'est alors que la masse autoritaire suivit le mouvement et même approuva les livres et les films contre la guerre, qui montraient l'horrible vérité sur cette intervention *ethnocentrique* insensée. Il est, à présent, aussi difficile de trouver quelqu'un qui ne prétende pas qu'il ou elle était opposé (e) à la guerre depuis le début, que de trouver une personne en France vivant à l'époque de l'occupation allemande, pendant la Seconde guerre mondiale, et qui n'était pas un membre de la résistance (en dépit du fait qu'un grand nombre de citoyens français collaborèrent avec les envahisseurs). C'est d'ailleurs un autre trait de caractère des êtres autoritaires pour qui la Grande majorité américaine a remplacé le groupe strictement ethnique comme le foyer de l'ethnocentrisme : ils sont enclins à développer des souvenirs qui leur conviennent très bien. Ceci est partiellement une fonction d'un autre trait autoritaire, *l'incapacité à admettre que l'on a eu tort au sujet de quelque chose*, ou le talent de *dissimuler le fait qu'on n'est pas sans défaut*.

Il est facile d'être en faveur de quelque chose quand tout le monde, sauf un minuscule «groupe marginal» ou minorité, se prononce en sa faveur, et la personne autoritaire choisit la solution de facilité même pour les choses les plus insignifiantes. Par exemple, quand quelques jeunes gens commencèrent à porter les cheveux longs pendant les années 60, les gens autoritaires furent unanimes à ridiculiser cette «allure efféminée». Dix ans plus tard, quand les cheveux longs devinrent à la mode pour la majorité des hommes, ces même individus autoritaires firent soudain pousser leurs cheveux de plus en plus longs et payèrent quinze dollars une coupe de cheveux pour avoir ce qui était autrefois une «allure efféminée», exécutée avec la même perfection que leurs épouses avaient jadis exigée.

Cette volonté à toujours se trouver du côté de la majorité pour pratiquement tout, donne naturellement la mesure de la mésestime que la plupart des êtres autoritaires éprouvent pour eux-mêmes. De l'aveu de tous, il est dangereux du «point de vue pratique» de contester les normes établies par la société et de se lancer dans une nouvelle direction. Quiconque manque de confiance en soi va rester en arrière pour observer la direction dans laquelle se dirige le gros du troupeau, prenant ensuite grand soin de se tenir au *centre*, où le paysage n'est peut-être pas aussi grandiose et où vous pourriez être bousculé ou avoir vos orteils écrasés régulièrement, mais au moins vous vous trouverez dans le lieu le plus sûr possible. À moins, bien entendu, que le troupeau ne soit pris de panique et, dans sa majorité, soit précipité de la falaise par les «masses», auquel cas seuls ceux qui se trouvent sur les flancs sont susceptibles de survivre — pour devenir les dirigeants de la génération suivante.

Examinez les grands événements de l'histoire américaine récente : le mouvement des droits civiques, le mouvement contre la guerre, le mouvement des droits de la femme ou toute autre lutte dans laquelle les opinions de la minorité étaient ridiculisées par la majorité, au début. Les préjugés que les gens autoritaires nourrissent à l'égard des minorités et les contraintes en faveur de la majorité qui en découlent, sont les expressions de la mentalité de ses «partisans». Ils seront adversaires de l'avortement, si la plupart des gens le sont ; ils ne soutiendront pas la réforme politique locale à moins que leurs voisins le fassent ; ils veulent savoir ce que tout le monde pense avant de s'engager eux-mêmes sur la réforme fiscale, l'énergie nucléaire, l'Amendement pour l'égalité des droits ou n'importe quoi d'autre.

À la lumière de ce qui a été dit jusqu'ici sur la personnalité autoritaire, il n'est pas surprenant que l'ethnocentrisme, que ce soit le genre traditionnel où les blancs expulsent tous les noirs du « centre sacré » de la société, ou vice-versa selon la race qui est au pouvoir, ou le genre moderne, quand « la majorité » devient le groupe ethnique central pour beaucoup de gens, ce qui donne lieu au rejet de *toutes* les opinions des minorités par la société, prenne racine dans les coutumes de *n'importe quelle société avec laquelle la personne ethnocentrique juge bon de s'identifier.* En fait, la racine grecque du mot est *ethnos,* dont l'une des définitions est « un groupe de parents dans une organisation tribale et de clan » ; — en opposition avec *demos.* Si on consulte le dictionnaire il y est dit que *demos* est la racine de « démocratie », dont les gens autoritaires ne parlent que du bout des lèvres ;... « les gens du commun, la populace, » correspondant pratiquement à l'étrange idéal que tous les hommes sont créés égaux et que vous ne devez jamais juger personne pour une raison superficielle, ethnocentrique.

Il ne fait aucun doute que, dans ce pays libre, c'est votre droit constitutionnel de refuser de penser si tel est votre désir. Vous pouvez vous cantonner « en sécurité » auprès de la majorité et, peut-être même avec un air suffisant, admonester ceux qui expriment les opinions impopulaires des minorités. Mais le monde ne sera amélioré que par ceux qui sont disposés à suivre leur propre conscience, même s'il n'est pas populaire de le faire.

Approchant de la fin du vingtième siècle, il est temps que nous nous débarrassions de la règle autoritaire de l'*ethnos* — la règle sociale tribale qui exige qu'il y ait un chef avec vingt rangs ou classes de la société sous lui — et installions le *demos* au centre de la société Sans-limites ; que nous acceptions l'idée que nous tous, le peuple, sommes censés trouver une manière de vivre ensemble dans la paix et la prospérité sur cette terre, mais que la seule manière pour nous de le faire est de laisser les écailles ethnocentriques tomber de nos propres yeux.

Souvenez-vous que les « sorcières » brûlées au bûcher, l'esclavage, les gladiateurs, l'exécution des malades mentaux, le sacrifice humain et de nombreuses autres pratiques que nous avons abolies aujourd'hui, étaient jadis choses courantes du fait qu'elles étaient acceptables et sanctionnées par la majorité. Ce ne sont pas les personnalités autoritaires de ce monde qui éloignèrent de nous de tels fléaux. Nous avons atteint les voies humanitaires uniquement parce que quelques personnes Sans-limites étaient disposées à prendre des positions importunes et à constituer des groupes minoritaires qui, en définitive, ont transformé le monde pour le mieux, pour nous tous.

La paranoïa

C'est peut-être parce qu'ils nourrissent tellement d'illusions de supériorité sur les autres et que, dans leur for intérieur, ils ont le sentiment que les autres doivent les considérer de la même manière, que les gens autoritaires ont tendance à être paranoïde — à souffrir de la manie de la persécution. Il leur est très difficile de faire confiance aux gens et, de façon typique, ils ont une piètre opinion de l'humanité en général, convaincus que tout le monde veut réellement du mal à tout le monde, que « vous devez toujours être sur vos gardes et rouler l'autre type avant qu'il ne vous roule ».

Le manque de confiance fondamental des êtres autoritaires, envers eux-mêmes et les autres, les rend méfiants à l'égard de tous les individus qu'ils rencontrent, redoutant ceux qui donnent l'impression de vouloir les influencer. Leur première question sera : « Quel avantage cette personne essaye-t-elle d'obtenir de moi dans cette affaire ? ». Mais leur paranoïa, qui est le produit de leur imagination excessive et non fondée sur la réalité, et qui donne lieu à une angoisse inutile, ne peut évidemment pas les aider à devenir plus efficaces à protéger leurs propres intérêts. En réalité, cela peut les rendre plus crédules dans certaines situations, étant donné que les gens qui *veulent* réellement les duper discernent leur manque de respect de soi et trouvent souvent le moyen de l'exploiter pour faire d'eux leur victime — plus précisément, ils les flattent et les attrapent par leur coquinerie. Se rendant compte qu'ils se sont faits « rouler une fois de plus » (mais sans savoir pourquoi), ils deviennent de plus en plus paranoïdes — un cercle vicieux qui, dans les cas extrêmes, aboutit à la panique, les hallucinations et même à la psychose clinique.

Toutefois, le plus souvent, quand la paranoïa mène à la

100

psychose, c'est parce que les personnes autoritaires ne peuvent pas admettre qu'elles sont «à blâmer» ou responsables de *tout* ce qui n'a pas réussi ou a mal tourné dans leur vie, et doivent par conséquent jeter le blâme sur quelqu'un d'autre. La leçon qu'elles en tirent à chaque fois, est qu'à l'avenir il faut faire beaucoup moins confiance, et cela se traduit par une plus grande méfiance, une paranoïa croissante ; sur cette voie, cela ne peut aboutir qu'à un hôpital psychiatrique.

Cependant, même pour alimenter la paranoïa relativement légère de la majorité des individus autoritaires, il est nécessaire pour eux d'imaginer une multitude d'ennemis au-dehors, des conspirations de tous genres. Les groupes de protestation sociale reçoivent des fonds secrets des Russes ; les espions sont partout ; les grandes compagnies pétrolières se sont liguées avec les cheiks arabes pour nous voler ; la famille de noirs qui veut emménager plus loin dans la rue, travaille pour une supersociété géante ; et ainsi de suite. Naturellement, les sentiments de persécution qui animent l'être autoritaire ne lui font pas éprouver une plus grande sympathie ou le désir d'aider ceux qui sont véritablement persécutés, ou la détermination de mettre complètement fin à la persécution ; ils mènent simplement à un état de manque de plus en plus profond, et dans les spirales sans cesse rétrécissantes de la paranoïa.

Les personnes autoritaires qui se situent au haut de l'échelle de la paranoïa mettront constamment leurs amis et les membres de la famille en garde pour qu'ils «soient prudents», ce qui va à l'encontre de la spontanéité et du naturel. Ils apprennent à leurs enfants à se méfier de tous, et ils inculquent la paranoïa aux membres de la famille en racontant des histoires terribles sur ce qui peut arriver en étant franc ou en faisant confiance à des gens que vous ne connaissez pas.

Une image paranoïaque du monde ne nous aidera pas à faire de ce monde un meilleur endroit où vivre. Il est vrai que nous pouvons tous installer de meilleures serrures sur nos portes, adopter une attitude de « bouche consue » à l'égard de ceux que nous ne connaissons pas bien, et peut-être nous protégerons-nous ainsi dans une certaine mesure de certaines calamités — mais si nous pratiquons la philosophie des

« serrures solides », en définitive, nous engendrerons simplement une plus grande méfiance les uns envers les autres.

Si vous considérez que tous ceux que vous côtoyez sont des ennemis en puissance, vous vous isolez de la vaste majorité des gens qui sont sincères, dignes de confiance et fascinants à connaître. Si vous apprenez comment reconnaître et vous occuper efficacement des véritables oppresseurs en puissance, vous aurez alors suffisamment confiance en vous-même pour être accessible à des personnes et à des idées nouvelles. D'après mon expérience, si vous vous conduisez avec dignité et refusez simplement de vous laisser rouler par les quelques fourbes ou escrocs qui croisent votre chemin, et si vous affrontez franchement ce genre de personnes, elles n'insistent généralement pas et recherchent ailleurs des victimes sans défense.

Mais la grande majorité des gens que je rencontre ne sont pas le moins du monde intéressés à me dépouiller ou à abuser de moi et cela doit être également vrai pour la plupart de ceux que vous connaissez. Ainsi, si vous vous méfiez toujours des motifs des autres, si vous croyez qu'il y a partout des « microbes qui causent des maladies », et que le monde est un endroit hostile, inhospitalier, *c'est vous seul qui faites le nécessaire pour que vos pires craintes se matérialisent*, et la seule chose que votre paranoïa vous apportera seront des réactions encore plus hostiles de la part des autres, des sentiments plus paranoïdes en vous-même, et toute une vie de scepticisme et de crainte irraisonnée. Comme toujours, c'est à vous de choisir.

L'antifaiblesse
Ainsi qu'il est dit dans la dernière section, les êtres autoritaires endossent rarement la responsabilité de leurs propres erreurs — mais, par un tour ironique de la psychologie, ils seront parmi les premiers à rendre les autres responsables de tout ce qui leur arrive, que les autres soient vraiment responsable ou non.

Jésus répondit : « Un homme se rendait de Jérusalem à Jéricho, et il rencontra des malfaiteurs, qui le dépouillè-

102

rent et le maltraitèrent, et le laissèrent à demi-mort. Par hasard, un prêtre voyageait sur cette route ; et quand il le vit, il passa à côté de lui et poursuivit son chemin.
Vint aussi à passer un lévite, qui le vit et continua son chemin. Mais un Samaritain qui voyageait, vint sur les lieux ; et quand il le vit, il éprouva de la compassion, et il alla auprès de lui et soigna ses blessures, versant dessus de l'huile et du vin... »*.

Aux termes de cette parabole, la personne autoritaire est le prêtre ou le lévite qui se dit, « Cet homme fait simplement le mort ; si je me rapproche de lui, il bondira sur moi et me dévalisera » (paranoïa) ou « Si j'étais blessé, s'arrêterait-il pour me prêter secours ? » ou encore « Je ne suis pas médecin ; supposons que je fasse une erreur et que ce type me poursuive en justice pour tout ce que je possède » ou n'importe laquelle d'un grand nombre d'autres excuses mesquines pour poursuivre leur chemin, sans s'arrêter. Cette attitude se résume à «chacun pour soi» comme philosophie de la vie — la philosophie de la «survie des plus forts» connue comme le Darwinisme social qui fondamentalement dit: « Ceux qui sont incapables de survivre par leurs propres moyens dans ce monde compétitif, ne devraient pas être choyés et protégés ; leurs échecs sont le moyen dont la nature se sert pour éliminer les maillons les plus faibles de la chaîne de l'évolution humaine. »
Les personnes autoritaires ont une tendance à s'opposer à toute forme d'assistance sociale — à s'indigner quand des gens sont au chômage uniquement parce qu'ils sont handicapés ou incapables de travailler pour toute autre raison ou ne peuvent pas trouver d'emploi. Elles peuvent être parfaitement conscientes qu'il existe une «récession», que le chômage a atteint un tel pourcentage de la main-d'œuvre, mais malgré cela elles n'admettront toujours pas qu'en raison de conditions économiques indépendantes de la volonté du gouvernement, pour huit, dix, douze pour cent de la main d'œuvre, il n'y a pas d'emplois disponibles.

---

*Luc 10:30-34

C'est seule la mentalité «antifaiblesse» complusive de l'être autoritaire, sa capacité à s'illusionner, qui lui permet d'accuser tous les chômeurs d'être *opposés* à tout travail, et parfois d'aller aussi loin que de prétendre que ceux qui sont incapables de trouver du travail *préfèrent* en réalité, être au chômage plutôt que d'avoir un moyen significatif de contribuer à la société et d'éprouver le sentiment qu'ils fournissent leur part d'effort. Je le répète encore : certes, il existe parmi nous des «tricheurs de l'assistance sociale», tout comme il existe quelques escrocs parmi les cadres supérieurs des sociétés commerciales. Mais neuf fois sur dix, la personne maltraitée, ensanglantée de l'autre côté du chemin a été la victime d'une agression et mérite qu'on lui tende une main secourable.

L'individu autoritaire antifaiblesse persiste cependant à imputer l'inflation, les impôts élevés, les prix exorbitants de l'essence, les rues sales et tous les maux sociaux imaginables au système d'assistance sociale qu'il voit omniprésent dans notre culture. «Les gens ne devraient pas recevoir quelque chose pour rien, avec l'argent des contribuables ; les gens qui n'ont pas d'emploi devraient recevoir une aide financière de leur famille, ou ils devraient être en mesure de trouver un moyen de subvenir à leurs propres besoins» sont des commentaires autoritaires antifaiblesses typiques.

Poussant cette tendance antifaiblesse à l'extrême, les personnes autoritaires peuvent critiquer avec virulence l'utilisation des fonds réservés à l'éducation, pour des programmes destinés aux arriérés et aux malades mentaux ; elles tendent à considérer l'enseignement spécialisé et la rééducation professionnelle des gens sérieusement handicapés, ou l'assistance sociale sous toutes ses formes, comme un «vol organisé camouflé en charité» dont elles ne devraient pas faire les frais. Elles peuvent s'opposer à l'utilisation de l'argent provenant des impôts pour aider les personnes âgées, en dépit du fait que ces dernières aient pu trimer toute leur vie pour contribuer à l'ensemble de la société.

Les individus autoritaires ne sont nullement enclins à accorder leur aide aux faibles car, pour eux, *faiblesse équivaut à vice* ; les parias de la société sont seuls responsables de leur situation — pour ne pas avoir réussi à pénétrer au centre du troupeau — et sont dangereux parce qu'ils peuvent être désespérés (ils peuvent être en proie au désespoir justement parce que ce sont des parias).

La mentalité antifaiblesse envahit le foyer des êtres autoritaires, où le fils «faible» qui n'est pas sportif, qui étudie trop, écrit des vers ou se consacre à d'autres activités aussi peu «viriles», est méprisé par son père autoritaire. Un fils est censé «se battre pour défendre» son image de masculinité, faire ses preuves comme homme sur le champ de bataille de la vie. Les «sports avec contact», tels que le football ou le hockey, ont la préférence sur les sports moins violents comme le tennis, même s'ils sont beaucoup plus susceptibles de causer des blessures qui seront la source d'ennuis plus tard dans la vie, et le père autoritaire est celui que vous verrez «assoifé de sang» sur la ligne de touche; et si son fils de neuf ans reçoit une blessure douloureuse lors d'une partie de baseball et commence à pleurer, il est plus soucieux de le faire taire que de voir à la gravité de la blessure. Bien entendu, les filles sont censées être «fortes» à leur manière, mais comme les êtres autoritaires sont enclins à se raccrocher de façon inflexible aux stéréotypes sexuels traditionnels, la pression antifaiblesse sera exercée principalement sur les garçons.

Un aspect particulièrement destructeur de la prévention en faveur des forts peut être observé dans la manière dont les sports d'enfants ont été pris en charge par les parents autoritaires qui, non seulement, ont tué tout entrain par une discipline excessive, mais s'en sont servi pour imposer aux jeunes participants leur mentalité antifaiblesse.

Jadis, avant que ne furent imposés un aussi grand nombre de programmes sportifs formels, les enfants se réunissaient dans une cour d'école ou sur un terrain vague, formaient des équipes et le match commençait. Il était entendu que tous ceux qui venaient là avaient une chance de jouer. Personne ne leur disait : « Oh, Jimmy, tu n'es pas assez bon. Rentre chez toi.» Quand les enfants étaient trop nombreux, ils contournaient les «règles» et formaient des équipes de baseball de dix à onze joueurs, ou jouaient à tour de rôle quelques parties de football en touche. Bien entendu, une partie sur deux était le témoin d'une dispute, et ensuite ils se disputaient pour savoir s'ils allaient ou non se disputer toute la journée ou jouer au baseball. Mais les enfants résolvaient seuls leurs problèmes et apprenaient quelques leçons précieuses sur la manière d'arriver à une entente entre eux, sans qu'un adulte n'intervienne et ne tranche « leurs différends » pour eux.

À la fin du match, ils rentraient tous chez eux et oubliaient les buts marqués. Le lendemain, ils revenaient sur le terrain pour jouer un nouveau match, sans surveillance, l'égalité des équipes et le plaisir du jeu étant assurés par le processus du choix des équipes. Les joueurs les plus faibles étaient naturellement choisis les derniers et devaient parfois jouer comme ailiers droits, mais s'ils s'amélioraient suffisamment, la fois suivante ils étaient choisis les *avant*-derniers (tout un plaisir). et *ils étaient toujours choisis*. Jamais on ne leur disait qu'ils étaient inférieurs uniquement parce qu'ils n'étaient pas aussi doués que certains des autres, ou qu'ils mûrissaient plus lentement, et ainsi de suite.

Vinrent alors les parents autoritaires qui ruinèrent tout. Les enfants ne forment plus leurs équipes, tous les jours. Les personnes adultes les affectent en permanence à des équipes, leur font porter des uniformes coûteux et des accessoires de fantaisie. Ils sont astreints à faire des exercices et subissent un entraînement (sous les « vociférations ») impitoyable. Les gosses n'ont plus le loisir de se disputer : toutes les décisions sont prises par l'arbitre et si vous vous disputez avec lui, il vous expulse du jeu. Les personnes adultes se tiennent au courant des matchs perdus et gagnés et, plus tard, elles rappellent aux enfants qu'ils ont déjà perdu quatorze fois pendant la saison et se trouvent en dernière place, et que gagner n'est pas seulement tout, mais c'est la *seule* chose qui compte, et ainsi de suite. Ils ont des « normes » qui leur rappellent comment ils se comparent par rapport aux autres, et l'implication est telle que si vous faites partie d'une « équipe faible », vous devriez en avoir honte.

Les joueurs considérés les plus faibles par les entraîneurs adultes n'ont plus l'occasion de jouer. Comme consolation, ils peuvent recevoir des uniformes pour leur assiduité à l'entraînement, et ils peuvent participer à l'un ou l'autre match pour un « tour de batte », ou à un jeu ou deux quand le match est déjà pratiquement gagné ou irrémédiablement perdu. Mais soit qu'ils ne bougent pas de leurs bancs et finissent par avoir un complexe d'infériorité, soit qu'ils deviennent «manager» ou « porteur d'eau », ou qu'ils ne réussissent à « s'intégrer » à aucune des équipes et sont définitivement mis au ban du sport et de la compagnie de leurs amis. S'ils osent assister à un des matchs, ils ont alors devant eux le spectacle des parents autoritaires (qui se sont mutuellement décernés des distinctions de toutes sortes comme récompense de tout ce qu'ils ont fait pour améliorer les sports d'enfants) montrant leur véritable visage, hurlant contre les joueurs de l'autre équipe, proférant des obscénités aux arbitres, encourageant leurs petites «étoiles » à « tenir bon » ou à « aller sur le terrain et faire en sorte que nous soyons fiers de toi ».

Une personne interviewée pour ce livre m'a récemment confié : « Le jour où *aucune* des équipes de baseball de la Ligue des jeunes ne m'a accepté fut un des plus misérables de mon enfance. Je ne me faisais aucune illusion sur mes chances de devenir un grand joueur de baseball », poursuivit-il. « J'ai mûri lentement, et je n'étais pas un très grand sportif à l'âge de dix ans, mais j'aimais jouer, et tous mes amis faisaient partie de notre groupe. C'était l'année où la Ligue des jeunes prit naissance dans notre ville, et je suppose que je n'ai pas su ce qui m'arrivait jusqu'au jour où les entraîneurs donnèrent lecture de toutes les listes, et mon nom ne figurait sur aucune d'elles. Je rentrai, sidéré, chez moi, laissant tous les camarades qui avaient été admis et riaient en se donnant mutuellement de grandes claques dans le dos, sachant que mon été était en ruine, et je ne savais pas pourquoi eux avaient été acceptés et moi pas.

« J'ai pleuré des heures durant. Heureusement, mes parents montrèrent une grande compréhension à mon égard et furent réellement indignés que *quiconque* puisse être exclu des sports d'enfants (et mon père était entraîneur de football et de lutte à l'université!). Ils me dirent, 'Écoute, si ces adultes sont à présent en charge des sports et que c'est ainsi qu'ils vont diriger les choses, il vaut mieux que tu n'en fasses plus partie.' Sur le moment, j'ai pensé qu'ils essayaient de me remonter le moral, je n'ai réalisé que quelques années plus tard à quel point ils avaient raison. »

Ce qui est intéressant à noter c'est que ce non-sportif de dix ans devint huit ans plus tard, un excellent nageur, capitaine de son équipe de lacrosse au lycée privé et gardien de but de l'équipe de football. « Mais, dit-il, ensuite, durant de longue années j'ai détesté le baseball. »

Pour une raison ou pour une autre, cela semblait tellement plus raisonnable de laisser les enfants diriger leurs propres jeux. Ils étaient assez sages pour n'exclure personne, ne pas se lamenter sur les échecs du passé, jouer de leur mieux et ensuite oublier le jeu aussitôt terminé, et ne pas juger leurs camarades uniquement sur la manière dont ils jouaient. La fille que vous aviez choisie en dernier pour l'équipe de ballon racontait encore les meilleures blagues ou était la première à trouver un compromis équitable aux contestations. («Oh, refais-le tout simplement! Personne ne l'a réellement remarqué. ») C'est aussi elle qui fut la plus bruyamment acclamée quand finalement, un jour, elle réussit à envoyer le ballon hors du terrain.

Les enfants semblent savoir instinctivement que d'être «faible» d'une façon ou d'une autre est parfaitement acceptable, et que si vous permettez à quelqu'un de jouer, de travailler et d'essayer de s'améliorer, il va naturellement acquérir un nouveau savoir-faire et une nouvelle confiance, qui vont de pair. Ils sont conscients (jusqu'au moment où on «les force à l'oublier») que personne n'est tenu de se cantonner à son banc, que vous n'avez pas autant besoin d'entraînement, d'uniformes et d'accessoires de fantaisie pour pouvoir vous amuser. Ils savent cela et vous pouvez les aider à le prouver en «délogeant» votre mentalité antifaiblesse et en la bannissant là où elle appartient, c'est-à-dire «hors du jeu» — le vôtre *et* le leur.

La véritable mesure de la conscience d'un pays, n'importe lequel, est la manière dont il traite ceux qui sont moins favorisés que «la majorité», incapables de «se joindre à l'équipe» sans une aide extérieure. Si nous adoptons tous une mentalité autoritaire antifaiblesse, toute notre grandeur potentielle comme nation s'éclipsera à jamais.

Il est certainement *beaucoup plus efficace* et judicieux d'aider les gens à apprendre à s'aider eux-mêmes que d'adopter des programmes conçus pour favoriser la sujétion perpétuelle à un argent qui n'est pas encore gagné, si ce n'est parce que — à mon avis — faire un travail important, être *un membre qui contribue à la culture*, constituent un besoin humain fondamental. Aucune personne qui est saine d'esprit n'est véritablement heureuse que s'il ou elle fait réellement «partie de l'équipe,» et de même, expulser une personne de «la ligue» est un excellent moyen de promouvoir les maladies mentales.

Chacun de nous peut faire quelque chose, et bien que cela pourrait demander des dizaines de milliers de dollars pour soigner et équiper un homme gravement handicapé afin de l'aider à faire ce qu'il peut, ou pour subvenir aux besoins d'une mère seule élevant des petits enfants (peut-être en contribuant aux garderies d'enfants afin que la mère puisse aller travailler, si nécessaire — et si elle est en mesure de trouver un emploi), il est bon de savoir que nous n'avons pas «détourné la tête en passant».

Le culte du pouvoir

L'autre face de la pièce antifaiblesse est le culte typique que l'être autoritaire a pour le pouvoir, sans se soucier de la manière dont le pouvoir est utilisé. Par exemple, certains êtres autoritaires sont susceptibles de posséder (ou de désirer) de grandes voitures puissantes, même si légalement ils ne peuvent pas dépasser les quatre-vingt-dix kilomètres à l'heure sur toutes les routes du pays et que ces machines sont connues pour être des goinfres d'essence. Ils sont plus enclins (comme la plupart semble l'être) à vouer un culte à *l'argent* comme la mesure fondamentale du pouvoir dans notre société (ce qui pourrait être vrai), ils désirent le symbole de standing le plus cher, le plus luxueux dans une voiture, pour montrer qu'ils possèdent beaucoup d'argent. S'ils ne peuvent pas se permettre une Rolls Royce ou une Cadillac, ils vous diront combien leur voiture actuelle coûte, quelle bonne affaire ils ont faite en l'achetant, combien elle est confortable, combien elle est économique question d'essence, ou tant d'autres choses que nous ne tenez pas particulièrement à savoir.

Un être autoritaire en visite au Barrage Hoover sera plus intéressé à connaître la quantité de béton utilisée, son épaisseur et sa hauteur, le tonnage d'eau contenu et le nombre de kilowatts d'électricité produits, qu'impressionné par la beauté des eaux qui s'écoulent par-dessus le barrage, des fleurs qui poussent au-dessous ou des poissons qui foisonnent dans le lac à l'arrière du barrage. Il sera plus impressionné par le fait qu'un politicien ait obtenu quatre-vingt-sept pour cent des votes lors des élections que par tout ce qu'il représente, et encore plus impressionné par le fait que son beau-frère ait une fortune évaluée à 2.3 millions de dollars plutôt que par le fait qu'il ait été accusé de fraude fiscale.

Il n'est pas surprenant que dans l'esprit des gens autoritaires *argent et puissance* se confondent compte tenu du fait qu'ils sont, ce que j'ai qualifié, «extérieurement motivés», recherchant compulsivement des mesures en dehors d'eux-mêmes pour entériner leur propre valeur- et que pourrait-il y avoir de plus visible et mesurable que l'argent pour mesurer votre valeur?

«Cette peinture a coûté quatre cent dollars,» la personne autoritaire est-elle susceptible de vous déclarer avant même que vous ayez posé la question. « Ce tapis vaut une fortune, mais je l'ai eu à un très bon prix. Nous avons dépensé deux mille dollars pour nos vacances, mais cela en valait la peine car nos voisins en ont dépensé quatre mille et ils n'ont pas eu un guide pour les accompagner durant le tour! Vous voyez là-bas, notre fille Jenny? Son éducation nous coûte vingt mille dollars, mais c'est le salaire qu'elle gagnera dès la première année en sortant d'université. »

Les références à la «valeur en dollars» s'appliquent à presque tout, mais une grande estime pour les dollars et la richesse est un indice infaillible que vous parlez à un être autoritaire qui accorde peu de valeur à la satisfaction interne et une valeur suprême à l'or, aux dollars et à toute chose dont la valeur est déterminée, en définitive, par des forces ayant leur source en dehors de lui-même.

Le culte autoritaire du pouvoir englobe souvent l'idolâtrie

des personnages historiques «puissants», souvent des «hommes militaires» : Alexandre le Grand, Napoléon Bonaparte, Georges Patton et parfois même Adolphe Hitler, se classent parmi ceux qui sont les plus admirés par les «archiautoritaires». Les militaires et la police sont souvent considérés comme les éléments les plus importants de la société par les personnes autoritaires qui, de façon typique, vous diront que la police a les «mains liées» et que les militaires sont beaucoup trop contraints par les branches civiles du gouvernement. L'accent sacré du pouvoir s'étend même aux dirigeants élus du gouvernement. Les gens autoritaires croient volontiers qu'un bon citoyen doit *toujours* respecter *le pouvoir* de ceux qui sont en fonction — le gouverneur, le Président ou tout autre dirigeant. Cela fait ressortir la tendance générale des gens autoritaires vers le conformisme et la soumission.

Le rôle joué par la police et les militaires dans la société peut être idolâtré par les personnes autoritaires, mais le véritable objet de leur ferveur est le pouvoir que les militaires détiennent. Les gens autoritaires vénèrent la puissance des armes et des munitions et, en accord avec leur paranoïa, ils soutiennent énergiquement le droit de tous les citoyens à s'armer. En conséquence, ils s'opposent naturellement au contrôle des pistolets et des armes à feu en général. Ils sont partisans d'utiliser sans exception tous les types d'armes lors d'un conflit. Ce sont les premiers à préconiser l'utilisation des armes nucléaires («Brûlez la cime des arbres» au Vietnam, «Atomisez l'Ayatollah»), et les premiers à réclamer à cor et à cri l'augmentation des budgets militaires aux dépens des priorités domestiques ou humanitaires. Ils prennent souvent grand plaisir aux histoires de guerre, que ce soit dans des livres ou des films, ou vécues par eux-mêmes s'ils ont fait la guerre dans des groupes de combat ou autrement. Pour un être autoritaire, la glorification de la guerre comme preuve de la puissance d'une nation est plus importante que de dénoncer la guerre comme preuve que l'humanité a atteint le niveau le plus bas dans ses efforts pour résoudre ses litiges.

De façon typique, les gens autoritaires sont également remplis du plus grand respect pour les grands personnages de l'histoire comme Andrew Carnegie et John D. Rockefeller, qui se sont faits une renommée en accumulant une richesse et une puissance immenses, qui surent atteindre le faîte de l'establishment et imposer leur volonté à la multitude des gens. Rarement disposés à prendre les risques nécessaires pour accumuler eux-mêmes une grande influence ou puissance, une des caractéristiques les plus universelles des gens autoritaires est de vivre de fantasmes sur les puissants et les riches.

Aucun être humain ne devrait se considérer meilleur qu'un autre uniquement parce qu'il a amassé une fortune ou de l'autorité. L'histoire du monde a montré à maintes reprises qu'il est dangereux pour une société d'avoir des individus qui possèdent une trop grande puissance. Je suis convaincu que la principale raison pour laquelle aucun dictateur ou militaire n'a réussi à saisir le pouvoir aux États-Unis c'est parce que nous avons les traditions profondes d'une nation dont les citoyens refusent de vénérer le pouvoir comme tel, et aussi parce que notre Constitution prévoit la séparation de l'équilibre des pouvoirs comme la garantie qu'aucune personne ou branche du gouvernement ne deviendra trop puissante. Mais on ne pourra nous rappeler assez souvent que notre liberté dépend de notre aptitude à préserver à tout prix ces traditions; qu'elles sont menacées de génération en génération, et que si nous les perdons nous ne pourrons nous en prendre qu'à nous-mêmes. Si, comme je le crois, l'autoritarisme prend de l'ampleur dans notre société, parallèlement à une intensification du culte aveugle du pouvoir, actuellement la plus grande menace pour notre liberté provient, non pas des puissances étrangères ou des minorités politiques de l'intérieur, mais des dangers d'un culte excessif que la plupart d'entre-nous rendons au pouvoir.

Nous sommes tous humains! Aucun être sur terre ne possède les pouvoirs surnaturels qui l'élèveraient en valeur au-dessus de vous ou d'un autre — ni le général à quatre étoiles, ni le Président, ni le richissime financier, ni la super-vedette du spectacle.

Au cours des nombreuses émissions télévisées et radiophoniques auxquelles j'ai participé durant ces dernières années, j'ai rencontré plusieurs centaines de ces personnes que nous avons baptisées des «super-vedettes», et cela dans tous les domaines mais plus particulièrement dans le monde du spectacle. Déjà, j'avais su de tout temps que personne n'était supérieur aux autres, et en venant en contact direct avec des super-vedettes, j'en ai eu la confirmation de façon assez dramatique. Chaque super-vedette a sa part de complexes, de tics, de chair de poule, d'insécurité, de craintes, d'angoisses, d'inquiétudes, de problèmes et des autres sentiments auxquels tous les êtres humains doivent faire face quotidiennement. Les écrans de cinéma et de télévision, semblables aux vastes écrans de l'histoire, ainsi que toute notre presse, ont tendance à nous montrer les « super-vedettes » plus grandes qu'elles ne le sont en réalité, mais en personne les plus riches comme les plus puissantes d'entre elles ne sont pas différentes de vous ou de moi dans leur apparence, leur manière de penser et de parler, ou leurs réactions devant la vie. Bien que certaines s'illusionnent qu'elles nous sont supérieures parce qu'elles portent des vêtements chers, conduisent des voitures de luxe, vivent dans des hôtels particuliers, peuvent engager et licencier à volonté des centaines de personnes, contrôlent une chaîne de journaux ou élaborent la politique étrangère des États-Unis, elles ne peuvent cependant dissimuler leur vraie humanité. En personne, sans le maquillage et les projecteurs judicieusement disposés, loin des scènes de l'histoire ou des caméras de télévision et de cinéma, sans les objectifs grand-angulaires et autres accessoires, ce sont des gens tout simples semblables à nous. Les uns sont plus autoritaires, les autres le sont moins — certains jours, dans certaines situations. Souvenez-vous en et vous serez en bonne voie de vous défaire de tout culte du pouvoir qui a pu insidieusement s'emparer de vous.

Le totalitarisme superpatriotique

Tout ce qui a été dit dans ce chapitre désigne d'une façon ou d'une autre le *totalitarisme* comme la plaie sociale ultime que l'autoritarisme est en mesure d'engendrer.

En réalité, le totalitarisme ne peut exister que si la population compte un nombre suffisant de personnes autoritaires pour créer les liens de domination nécessaires (« des chaînes autorité — soumission ») entre un dirigeant (ou des dirigeants)

113

politique central et le peuple, qui permettraient au(x) premier(s) de gouverner la nation.

Dans le cas du totalitarisme politique classique, qui est représenté dans les temps modernes par les dictatures fascistes, et longtemps auparavant par les monarchies absolues, le dirigeant totalitaire affirme être le représentant ou même l'incarnation de l'un ou l'autre dieu ou «esprit national» plus grand que lui-même. Que les dirigeants totalitaires croient ou non à leurs propres mythes, l'idée que les êtres humains que les personnes autoritaires considèrent comme leur Grandes autorités incontestées sont mieux que de «simples humains» est intrinsèquement séduisante. Le fait d'être uniquement humain n'est pas suffisant pour eux ; la «désorganisation» par l'absence d'une autorité centrale et d'une place déterminée pour chacun dans la hiérarchie sociale est une chose contrariante ; par contre, il est réconfortant de croire qu'ils sont associés à un être «surhumain» ou «immortel» même dans une faible mesure, en raison de leur proximité relative à l'Autorité centrale.

Dans les temps modernes et dans notre culture, le *super-patriotisme* a été sumultanément un trait prédominant d'individus qui se classent très haut sur les autres échelles des caractéristiques autoritaires et, je crois, le trait-d'union pour un nombre croissant de personnes entre l'autoritarisme individuel et le totalitarisme politique. Comme tel, le superpatriotisme peut constituer la menace la plus sérieuse que nous ayons à affronter durant les années à venir. La personne qui cherche à devenir un tyran peut aisément se déifier comme l'incarnation de la démocratie, de l'intérêt national ou de la défense nationale, comme il peut aussi bien prétendre qu'il est la progéniture du Dieu Soleil. Mais de nos jours, vous réalisez que la plupart des êtres «archiautoritaires» (ceux qui se classent le plus haut sur toutes les échelles autoritaires, dans presque tous les secteurs de leur vie) tendent à être les plus fervents adeptes de «Mon pays — qu'il ait tort ou raison» — l'essence même du super-patriotisme. Bien que ce concept soit dangereux et qu'il ait causé la mort d'une multitude de gens en combattant dans des guerres injustes tout autour du globe, depuis le commencement des temps, la personne autoritaire, qui refuse de mettre l'autorité du gouvernement en question (surtout en temps de «crise nationale»), accusera toute personne en désaccord avec le gouvernement de subversif et d'*antipatriotique* — ne se souciant pas de son pays! Les personnes qui défient l'autorité en exerçant leurs droits constitutionnels pour faire des démonstrations publiques — des étudiants qui marchent sur Washington pour protester contre les guerres ou l'incorporation, les femmes qui revendiquent leurs droits, les minorités «qui ne savent pas se tenir à leur place» — ne se voient jamais attribuer le mérite d'être *profondément attachés* à leur pays au point de prendre des engagements et même des risques pour l'améliorer. En ce qui concerne les êtres autoritaires, toute entreprise en vue de changer le pays est une tentative pour le détruire, et le devoir de tout citoyen est d'obéir aux autorités, sans jamais se demander si celles-ci mentent, volent, piétinent les droits des gens ou abusent de leur position. On ne conteste tout simplement pas les personnes «hautement placées», non pas parce qu'elles n'ont pas parfois *besoin* d'être contestées pour remplir convenablement leurs fonctions, mais parce qu'il ne fait pas partie du «programme» des êtres autoritaires de sortir de leur circuit interne de conformisme et de soumission. Tout comme le «mari autoritaire» ne croira pas que sa femme l'aime réellement à moins qu'elle ne lui permette d'être le monarque absolu chez lui, de même la personne autoritaire ne croit pas que l'on puisse *réellement aimer son pays* à moins de suivre aveuglément les ordres de ses dirigeants. Pour eux, le *véritable* amour du pays se témoigne en chantant l'hymne national plus fort que les autres, en hissant le drapeau plus haut que les autres, en rabaissant davantage les pays «étrangers» et en étant à tout instant prêt à aller à la guerre pour défendre le drapeau et la République qu'il représente, «la terre des hommes libres et le foyer des hommes braves».

Mais remarquez : l'hymne national que les êtres autoritaires chantent aussi fort *se termine par une question*. Il ne dit point : «La Bannière étoilée flotte toujours sur la terre des hommes libres et le foyer des hommes braves.» En réalité, il pose aux générations futures de vrais patriotes deux questions philosophiques empreintes d'espoir : des questions que nous tous comme «bons citoyens» devrions nous poser : La liberté, qu'est-ce donc? La bravoure, qu'est-ce donc?

En Allemagne nazie, soit-disant une citadelle de haute érudition et de civilisation avancée, la nation toute entière fut grisée à l'idée que le «Führer était leur lien divin et ferait d'eux une race supérieure». Les Allemands auraient dû alors pouvoir se dire, et peut-être même que certains le firent, «Nous faisons cela pour la gloire personnelle d'Adolphe Hitler — vous savez, ce type qui était autrefois un peintre en bâtiment — car nous avons décidé à l'unanimité que c'est la seule personne dans tout le pays que nous désirons rendre puissant et célèbre. Par conséquent, nous lui cédons tous nos droits et le rendons désormais omnipotent.» Mais ils n'étaient pas assez réfléchis pour éviter de hurler frénétiquement qu'ils le faisaient pour la *patrie*, pour *sa* gloire et *sa* grandeur — pour des raisons *patriotiques* que le Führer incarnait justement à cette époque.

Et, par conséquent, mettre en question l'autorité d'Adolphe le peintre en bâtiment devint synonyme de trahison, et des centaines de milliers de personnes hautement civilisées furent astreintes à se conduire de la manière la plus obscène et immorale dont l'histoire ait jamais été témoin. Et lors du Procès de Nuremberg, la même vieille excuse usée fut répétée à satiété pour justifier les meurtres : «Je ne faisais qu'obéir aux ordres.»

Au début des années 1980, aux États-Unis nous semblons avoir relativement peu de nazis ou de fascistes purs parmi nous, et un héritage assez fortement démocratique pour que nous ne tombions pas dans le totalitarisme absolu, du moins pas dans un avenir rapproché. Mais la chose insidieuse en ce qui concerne le totalitarisme c'est que nous pouvons très difficilement le discerner, surtout dans notre propre pays et, naturellement, il peut être présent à des degrés plus ou moins grands, et sous de nombreuses et différentes formes. Mais si son ascension est fonction, comme je le crois, de la croissance systématique de l'autoritarisme dans les individus (davantage de gens qui révèlent plus fortement les traits autoritaires que j'ai cités), vous pouvez faire votre part de combat *en extirpant l'autoritarisme en vous-même.*

116

L'erreur que la plupart des gens doivent commettre pour qu'une société totalitaire submerge une démocratie est de *toujours voir des menaces de totalitarisme venant de l'extérieur* — des menaces de le voir imposé par quelque puissance étrangère ou par un coup d'État par un groupe minoritaire. En raison d'une particularité de la psychologie autoritaire, qui devrait être connue à présent, *l'être archiautoritaire sera le premier à voir des menaces qu'il qualifie de totalitaires, partout sauf en lui-même*, le premier à faire preuve d'une paranoïa (du genre ethnocentrique) patriotique et à accuser les Russes, les Cubains, les Chinois (avant notre alliance avec eux), l'Ayatollah ou quiconque d'autre que l'on puisse sans crainte cataloguer de « la plus grande (ou la seule) menace actuelle pour notre liberté ».

La façon dont cela peut en fait mener à l'expansion du totalitarisme de l'intérieur devrait être l'évidence même. Si les menaces externes n'existent pas ou sont exagérées, une conséquence directe de la paranoïa, il se trouvera des gens pour le dire ouvertement. Les personnes autoritaires vont alors les accuser de manquer de patriotisme, d'être subversifs et ainsi de suite. Si l'autoritarisme est suffisamment répandu dans l'ensemble de la société pour discréditer ou supprimer les critiques — ce qui signifierait la dénégation ou l'érosion des droits individuels des critiques — alors le totalitarisme aura fait un « grand bond en avant ».

Ce syndrome a été clairement mis en vedette lors de la rencontre la plus étroite que ce pays ait pu avoir à ce jour avec le totalitarisme pur : l'ascension du McCarthyisme durant les années 1950. La paranoïa du sénateur Joe McCarthy (qui, comme c'est souvent le cas avec la paranoïa, souffrait d'illusions de grandeur) lui faisait voir partout des espions communistes, et toute personne qui mettait ses attaques haineuses contre des gens innocents en question, était elle-même considérée comme suspecte. Les droits constitutionnels des gens étaient piétinés sans vergogne ; c'était une incursion constante dans leur vie privée ; ils étaient traînés devant des tribunaux faisant la chasse aux sorcières, pour être confrontés avec des témoins qui mentaient ou déformaient la vérité car ils avaient été intimidés par la menace d'être les prochains sur la liste à défaut de collaborer. Des gens innocents, la plupart de bons et loyaux Américains, perdirent leur emploi, furent mis sur la liste noire de leurs professions, et le pouvoir personnel de McCarty atteignit des dimensions effroyables.

Heureusement le jour vint où la bulle creva. La paranoïa de McCarty se déchaîna sans retenue. Il commença à lancer des accusations tellement absurdes contre des personnes manifestement au-dessus de tout soupçon, que pratiquement tous discernèrent la vérité brutale : il suffisait que quelqu'un défie le pouvoir personnel de Joe McCarthy pour qu'il soit accusé d'être un espion communiste. Les braves gens qui avaient tenté de s'opposer à lui depuis le début, virent leur action justifiée le jour où le Congrès vota sa censure et le «règne de terreur» se dissipa, bien que la vie de la plupart d'entre eux avait été irréparablement ruinée.

Le McCarthyisme n'aurait pas vu le jour si les Américains dans leur majorité avaient refusé de croire qu'il était possible de leur imposer le totalitarisme de l'autre côté du globe, et avaient été plus rapides à reconnaître les signes de leur propre soumission aveugle à l'appel du superpatriotisme et à la domination d'un homme qui prétendait le personnifier.

De même, le totalitarisme a beaucoup moins de chance de nous être imposé de *l'extérieur* si nous sommes démocratiquement forts *à l'intérieur*, pour la simple raison que même la plupart des dictateurs ont le bon sens de ne pas essayer de conquérir les nations qu'ils savent ne pas pouvoir gouverner, et de reconnaître que les peuples les plus durs à gouverner sont ceux qui ont le plus profond attachement à la démocratie et le moins d'autoritarisme au sein de la population.

Pour une nation qui déjà, au départ, est hautement autoritaire, il leur suffirait de culbuter le gouvernement, de s'emparer «du palais» — la capitale — et de convaincre un assez haut pourcentage d'autoritaires de la précédente hiérarchie à collaborer. Mais pour une nation qui est dépourvue de chaînes autoritaires, de soumission incorporées, un aspirant conquérant devra s'attendre à une résistance massive : une grève générale, des émeutes, du sabotage industriel, des attaques incessantes sur les «troupes d'occupation» et, en général, une conquête qui causera plus d'ennuis qu'elle n'en vaut la peine.

En regardant par les yeux d'un aspirant conquérant les États-Unis, cet immense pays de 200 millions d'habitants avec une économie hautement complexe dans laquelle la pertubation d'un ou de plusieurs secteurs — l'agriculture, l'industrie, les mines, les transports, les communications, les approvisionnements en énergie, etc. — jetterait une clef anglaise dans tout le mécanisme, *quelle autre nation pourrait gouverner celle-ci si tous nous refusions simplement d'être gouvernés par d'autres que nous-mêmes?*

La réponse catégorique est « aucune », et si nous le maintenons ainsi et si chacun de nous se résoud à éliminer tout autoritarisme de ses *propres* pensées et comportement, à adopter la philosophie que *le ciel est la seule limite* à la liberté que *tous* nous pouvons partager, nous accomplirons ainsi beaucoup plus pour assurer notre sécurité et notre indépendance nationales que nous ne le ferons en construisant des bombes plus grandes et plus destructives.

Si nous pouvons montrer l'exemple au monde des hauteurs qu'une nation démocratrique, qui se consacre à « la vie, la liberté et la recherche du bonheur », peut atteindre, si réellement nous montrons aux autres peuples comment y parvenir (tout en apprenant tout ce que nous pouvons des tentatives des autres nations pour réaliser la même chose), nous accomplirons beaucoup plus pour la paix et la prospérité du monde que nous ne le ferons en envoyant des troupes aux quatre coins du globe.

Mais pour y parvenir nous ne devons pas tomber dans l'inertie en présumant, comme le superpatriote autoritaire le fait, que les États-Unis d'Amérique, tels qu'ils sont aujourd'hui sont *par définition* « la nation la plus libre au monde », qu'ils représentent *déjà* la plus grande liberté qu'un peuple puisse atteindre, et que notre seule tâche est de défendre la citadelle contre tous ces « étrangers », « communistes », ou quiconque d'autre que nous considérons automatiquement comme essayant de la détruire.

Souvenez-vous que même si nous voulons penser de notre nation qu'elle est « parfaite maintenant ». dans le sens que j'ai exposé au Chapitre 1, c'est néanmoins comme une chose vivante — sa nature est de changer, d'évoluer et, il faut l'espérer, de *croître* de façon à cultiver les potentialités humaines les plus grandes de *tous* ses citoyens. Si nous insistons pour la considérer comme un roc ou tout autre objet inanimé qui est censé être immuable à moins que des forces externes ne «l'attaquent», nous allons finir par réagir avec une paranoïa autoritaire dès qu'il y a «menace» de changement, et nous serons d'autant plus susceptibles de devenir la proie du totalitarisme.

Il est à espérer que vous vous êtes posé quelques questions au sujet du pourcentage de pensée et de comportement autoritaires dans votre propre personnalité, au fur et à mesure que vous parcouriez ce chapitre. Peut-être avez-vous essayé de vous évaluer pour chacun des traits que j'ai mentionnés. S'il en est ainsi, vous avez probablement découvert que vous possédiez fortement certains traits, partiellement d'autres, et que vous n'en possédiez pas du tout d'autres encore ; que, de façon typique, vous en montriez certains dans des situations et des relations particulières et aucun dans d'autres, et ainsi de suite. À mesure que vous lisiez, vous avez aussi probablement reconnu la description de gens que vous connaissez, et vous vous êtes dit, «Jeanne et Jean sont exactement comme cela, mais Marie et Sam sont plutôt comme ceci», et ainsi de suite.

Si vous êtes à présent convaincu que votre tâche première est d'extirper l'autoritarisme du fond de vous-même et prêt, si nécessaire, à reprendre ce chapitre pour déterminer où vous vous trouvez sur l'échelle autoritaire, c'est que vous avez compris mon message. Si vous vous contentez de dire, «C'est vrai que les autres sont exactement comme ça, mais certainement pas moi», vous avez alors manqué ou rejeté mon appel, et en ce qui concerne votre propre tentative pour devenir une personne Sans-Limites, vous avez bien peu de chances d'entamer le processus.

ARCHIE BUNKER : LE MODÈLE AUTORITAIRE

En général, dans quelle mesure les Américains sont-ils prêts à reconnaître et à condamner l'autoritarisme quand ils l'observent chez les autres ou en eux-mêmes? Heureusement, la réponse semble être : dans une très forte mesure, à condition qu'il soit présenté de façon telle à le révéler comme la fausse maîtrise qu'il constitue.

En ce siècle des médias, la *qualité démocratique* de notre « art de masse » ou des produits sous forme d'art que la plupart d'entre nous recevons par l'entremise des médias — télévision, radio, films, revues pour le marché de masse et les livres, est un bon moyen pour repérer le point où nous nous situons comme peuple sur l'échelle de l'équilibre totalitaire — démocratique.

Vous pouvez probablement considérer qu'une bonne partie de la « programmation » des moyens de diffusion de l'information prônent l'autoritarisme de différentes manières. Mais il existe quelques îlots d'espoir et ceux-ci comprennent des spectacles télévisés qui tentent de combattre l'autoritarisme en *montrant les personnes autoritaires telles qu'elles sont* — souvent en ridiculisant les extrêmes de l'autoritarisme dans des comédies.

À ce jour, Archie Bunker est probablement le personnage le plus populaire dans l'histoire de la télévision américaine. Les auteurs de « *All in the family* » et « *Archie Bunker's Place* » ont révélé l'inépuisable faculté des Américains à se moquer de la caricature de l'être archiautoritaire (« Archie ») en créant un personnage comique qui réunit pratiquement tous les traits de la personnalité autoritaire qui sont décrits plus haut. Puisque l'autoritarisme est un phénomène tellement répandu au sein de notre culture, et que la plupart des Américains peuvent cependant le reconnaître quand il est représenté par un personnage « imaginaire », se servir d'Archie Bunker pour faire la satire de l'autoritarisme américain contemporain fut aussi génial que Charlie Chaplin tournant Hitler en ridicule.

Archie Bunker est l'être autoritaire personnifié. Depuis plus d'une décennie, il a passé sur une multitude d'écrans de télévision en Amérique, et un nombre sans précédent de gens ont regardé le programme tout simplement pour rire, car partout il y a tellement de personnes qui sont comme lui ou qui vivent avec des gens qui ont son comportement. Bien qu'Archie soit drôle et que le spectacle soit censé jeter un regard satirique sur un fanatique, la popularité d'Archie provient essentiellement du fait qu'il ait tellement de vérité dans ce qui a été écrit et joué.

Archie Bunker a eu des centaines d'épisodes écrits pour lui afin de montrer une multitude de traits de personnalité. Une semaine, il fait preuve de racisme ou d'ethnocentrisme contre les juifs, les noirs, les Porto Ricains, les Italiens ou tout autre groupe minoritaire. La semaine suivante, il se répand en injures contre le système de bien-être social ou «ces communistes» qui essayent de nous avoir tous. La semaine d'après encore, il sermonne sa fille sur les artistes, qui sont tous des «pédés», ou il brandit le drapeau devant son beau-fils. Il n'a confiance en personne, surtout pas dans les intellectuels. Il aime les films de guerre, il stéréotype tous ceux qu'il rencontre, et il est aussi inflexible et aveugle qu'il est possible d'être dès qu'il s'agit de ses propres défauts. Il idolâtre le pouvoir en général, et militaire en particulier. Bien entendu, il est continuellement à la recherche d'un système pour devenir riche, et se fait toujours escroquer en raison même de sa cupidité.

Archie Bunker est représenté comme étant aussi intolérant, aussi dichotome et inflexible dans sa manière de penser, aussi ethnocentrique, refoulé sexuellement, paranoïde et superpatriotique qu'une personne peut l'être. Il rabaisse perpétuellement les autres cultures et évalue les gens en fonction des ses propres normes autoritaires. Les personnes qui ne sont pas de son avis sont immédiatement traitées de «tête de lard», de «miteux» ou de «pantins». Sa femme se présente sous l'aspect d'une écervelée en adoration qui s'efforce perpétuellement de plaire à Archie, mais dès qu'on la bouscule trop — dès que quelque chose menace son honnêteté simple et fondamentale et son sens humanitaire de la justice — Édith réussit toujours à faire valoir ses droits et à vaincre les folies de ce pauvre vieil Archie.

Lors de la présentation d'Archie Bunker, nous pouvons tous nous moquer d'Archie — de son ignorance, de sa stupidité fondamentale, de ses fautes grossières de langage, de ses préjugés ridicules. Mais nous pouvons nous permettre de rire tant qu'Édith, Michel, Gloria, Louise Jefferson l'une des victimes que ce «pauvre vieil Archie» essaie de manipuler et d'exploiter sur le moment, continue à triompher à la fin de chaque représentation — aussi longtemps que nous sommes en mesure «d'écarter par une plaisanterie» l'autoritarisme comme la parodie ridicule de la potentialité humaine qu'il est, en vérité. Le message de base de la série d'Archie Bunker est une question adressée à tous les téléspectateurs : combien de personnes autoritaires, du genre d'Archie ou d'un autre genre, s'arrêtent-elles de rire de la caricature pour se demander si elles ne lui ressemblent pas, et si elles sont aussi ridicules dans d'autres aspects de leur vie ou d'autres situations? Combien de personnes du genre d'Archie sont enfoncées dans leur fauteuil devant leur téléviseur, se tordant de rire et disant à leur épouse ou époux, « Joe ne lui ressemble-t-il pas ? ».Combien d'entre vous comprenez que vous êtes en fait censé rire *de vous-même* chaque fois que vous vous *reconnaissez* sur l'écran ?

Il ne fait aucun doute que les spectacles télévisés du genre de «All in the Family» produisent des effets sociaux antiautoritaires, si ce n'est que par l'impression qu'ils communiquent que le racisme, par exemple, n'est plus en vogue parmi les autorités — dans le cas présent, les écrivains, les directeurs, les acteurs et le réseau de télévision qui a produit le programme. La plupart des personnes autoritaires, qui entendent les rires unanimes des téléspectateurs en direct ou chez eux, devant les excès comiques de ces caricatures, commencent à comprendre qu'autant c'était à la mode de tourner les nègres en dérision dans la plupart des cercles sociaux, qu'aujourd'hui ces propos ne sont plus de mise, et elles s'abstiendront de le faire en public de peur d'être mises au ban de la société.

Mais ce n'est que quand nous aurons tous pris la résolution d'aller au-delà d'une simple capitulation devant les pressions sociales et aurons pris indépendamment et par principe notre position contre l'autoritarisme *en raison de notre propre philosophie de la vie* que le message de « All in the Family » et des autres véritables œuvres de l'art démocratique, sera parfaitement compris.

En fin de compte, souvenons-nous que c'est parce que le personnage d'Archie Bunker est drôle pour nous et qu'Archie lui-même est présenté comme perpétuellement inconscient, content de lui et «heureux comme un poisson dans l'eau», et parce que nous n'avons pas à nous imaginer de véritable menace de totalitarisme provenant d'individus de *son* genre (simplement parce qu'il est aussi ridiculement incompétent), que nous sommes susceptibles de passer rapidement sur le fond sérieux du programme d'Archie, tel qu'il nous concerne individuellement. Nous sommes susceptibles de négliger le fait qu'Archie est en vérité une sérieuse distillation des attitudes ou des préjugés autoritaires que tant de gens semblent avoir adoptés comme leur philosphie *de facto* de la vie. Nous pourrions également oublier que les individus autoritaires, avec toutes les prétentions à la domination, ont intérieurement tendance à être des gens chroniquement déprimés et malheureux, souffrant d'un manque presque total de contentement humain véritable, secrètement conscients qu'ils sont en train de bourdonner à travers la vie, donnant la chasse à une chose inconnue et inhumaine, tolérés mais jamais vraiment respectés par autrui, et souffrant d'une acceptation aveugle et apathique de leur destin.

Je ne crois pas que *nul* doive souffrir en raison d'une soumission aveugle à l'autoritarisme. Je suis d'avis que *chacun* a le libre choix d'adopter ou de rejeter l'autoritarisme. Tout en acclamant Abraham Maslow pour avoir été à l'avant-garde de la recherche sur la grandeur humaine, je me trouve en désaccord avec lui quand il laisse entendre qu'il reste peu d'espoir ou de choix aux personnes autoritaires, qu'elles sont pratiquement condamnées à rester comme elles sont. Dans *The farther reaches of human nature*, Maslow écrit :

> Ces gens (obsédés et autoritaires) *doivent* demeurer tels qu'ils sont. Ils n'ont pas le choix. C'est la seule façon dont une telle personne peut parvenir à la sécurité, l'ordre, l'absence de menace, l'absence d'angoisse, c'est-à-dire l'ordre, la prévisibilité et la maîtrise... Tout ce qui est nouveau constitue une menace pour un tel être, mais rien de nouveau ne peut lui arriver s'il peut l'ordonner à son expérience passée, s'il peut figer le monde en fluctuation,

c'est-à-dire s'il peut faire croire que rien n'est en train de changer.

Je suis convaincu que chacun est capable de changer s'il est disposé à prendre les risques nécessaires et à rejeter les fantômes du passé. J'ai vu des personnes devenues aussi autoritaires qu'Archie Bunker faire volte-face, ayant été frappées à un moment opportun de leur existence par des idées justes, à une époque où elles étaient réellement lasses d'être les mêmes vieilles personnes ternes.

3/ *La pensée autoritaire transcendante*

La pensée est un attribut qui m'appartient; elle seule est inséparable de ma nature.
— *René Descartes,*
Méditations sur une première philosophie (1641)

Bien que je reconnaisse que la plupart des gens restent immobilisés à des niveaux bien inférieurs à ceux que les gens Sans-limites peuvent atteindre, je refuse simplement d'admettre que c'est parce que certains êtres humains ont plus que d'autres le bonheur d'être favorisés par l'hérédité. En ce qui me concerne, c'est une simple question de choix, et la *manière* dont vous décidez de penser est un de vos choix les plus importants à faire dans la vie. Certaines personnes ne sont pas disposées à admettre qu'elles ont une solution de rechange dans leur vie et, par conséquent, elles se résignent à avoir «tout juste de quoi vivre» au sens affectif. Ce niveau inférieur leur permet de fonctionner suffisamment bien pour éviter d'être immobilisées, et pour vivre leurs journées avec un minimum de trauma et, pour la majorité des gens, c'est une chose acceptable. C'est vivre au niveau de «l'adaptation», exposée au Chapitre 1. La personne Sans-limites est entièrement différente à cet égard.

Tandis que les personnes Sans-limites peuvent généralement résoudre la plupart des problèmes auxquels elles doivent faire face, sans être immobilisées, comme beaucoup de gens ordinaires, en outre, elles vont bien au-delà de la simple acceptation de la vie telle qu'elle se présente à elles. La personne Sans-limites croit très fermement qu'elle a des choix qui peuvent l'élever au-dessus de l'être « normal », c'est-à-dire la plupart des autres gens. Les personnes Sans-limites font face à la vie d'une façon unique et, en raison de cette « vue » différente, elles peuvent voir les choses très clairement en ce qui concerne les choix qu'elles peuvent faire, plutôt que de se voir prises au piège ou incapables d'exercer un contrôle sur les situations qui se présentent dans leur vie.

Les gens Sans-limites fonctionnent à des niveaux de joie, de bonheur et de contentement plus élevés, car ils ont appris à penser et à faire des choix que le plupart des gens refusent simplement de faire. Vous pourrez devenir un être humain qui vit au summum du contentement dès que vous serez disposé à renoncer à penser de façon ordinaire, ou à vous comporter comme un être adapté, et que vous optez pour une maîtrise personnelle des circonstances dans votre propre vie. Vous pouvez devenir le créateur de ce que vous êtes plutôt que le produit de programmation décidée par d'autres. Vous parviendrez à la paix intérieure au lieu d'une simple absence d'angoisse, si vous êtes prêt à faire les choix qui s'imposent. Vous pouvez décider d'être en paix avec vous-même, d'être heureux et satisfait en renconçant aux choix adverses que vous avez faits jusqu'à présent. Tout le processus commencera quand vous serez disposé à *examiner votre tournure d'esprit personnelle* et à faire le nécessaire pour transcender toute pensée autoritaire qui vous empêche de devenir une personne Sans-limites.

Dans le chapitre précédent, les quatre premières caractéristiques des personnes autoritaires — l'intolérance de l'ambiguité, la pensée dichotome, l'inflexibilité de la pensée et l'antiintellectualisme — traitèrent toutes des façons individuelles de *penser*, et la cinquième, l'antintrospection, mentionnait le choix que la personne autoritaire avait *de ne pas penser à elle-même*. La dernière caractéristique, le totalitarisme superpatriotique, traitait de certaines *affections de la pensée* très répandues parmi les gens, qui peuvent avoir des conséquences sociales désastreuses. Bref, toutes les caractéristiques des gens autoritaires *reflètent clairement leur refus de penser par eux-mêmes*, leur insistance à laisser aux « hautes autorités» le soin de penser pour eux, et enfin, leur tendance à scinder le monde en ceux qui sont «avec eux» et ceux qui sont «contre eux».

L'aptitude à *penser par vous-même* est donc essentielle à une existence Sans-limites : pour éviter l'angoisse, la paranoïa ou la panique autoritaire qui découle de la catégorisation d'autant d'êtres humains comme étant fondamentalement «contre vous», pour continuer à maintenir votre propre faculté à penser d'une manière indépendante au plus haut point.

De nombreux philosophes étaient convaincus que la pensée était l'essence même de ce qui *fait de nous des humains*. Plusieurs siècles auparavant, René Descartes, souvent considéré comme le fondateur de la philosophie, a dit, *cogito, ergo sum* : «Je pense ; donc je suis.» Par ces mots, je crois qu'il voulait dire que la nature fondamentale de l'être humain est de penser, de se poser des questions, de mettre en question, de trouver plusieurs réponses possibles à des questions, de reformuler ou de rejeter ces réponses dans le processus suivi d'élaboration d'un *corps de pensées* qui guide chaque être humain au cours de son existence tant qu'il est en vie. En d'autres mots, il est dans la nature de chaque être humain de penser en vue de bâtir une *philosophie de la vie*, d'accumuler une réserve de sagesse-pour-sa-propre-orientation qui est automatiquement mise à contribution *chaque fois que vous agissez*. Dans ce sens, chaque être humain possède déjà une philosophie de la vie, et l'unique et réelle question est de savoir si le corps de pensées, d'opinions, de croyances et de valeurs qui sert à guider votre vie se développe d'une façon qui vous rend chaque jour plus enthousiaste envers la vie et ses possibilités sans limites, ou s'il est en stagnation risquant ainsi de vous exposer à l'ennui, à la dépression et au désespoir.

Peut-être la prémisse centrale de cet ouvrage est-elle que vous *êtes responsable des pensées que vous avez en tête à tout moment donné*. Vous avez la faculté de *penser tout ce que vous voulez*, et pratiquement *toutes vos attitudes et tous vos comportements qui ont un effet contraire à l'effet recherché trouvent leur origine dans la manière dont vous choisissez de penser* — de même que vos attitudes et vos comportements profondément satisfaisants, aussitôt que vous aurez appris à penser «comme un être Sans-limites».

Vos pensées sont de votre propre création et de votre propre responsabilité. Dès que vous aurez accepté vos pensées comme une clef fondamentale pour parvenir à votre humanité globale, vous serez en voie de changer tout ce qui vous retient de la maîtrise de votre vie. Mais pour transcender les pensées autoritaires en pensées Sans limites, vous devez accepter que les émotions humaines ne se «produisent pas sans raison», que les actions humaines ne sont pas «prises sans cause». Tous vos sentiments et vos comportements sont précédés par ces mystérieux phénomènes mentaux que nous appelons des pensées, et personne, rien, aucune force au monde, ne peut vous faire penser à une chose à laquelle vous ne voulez pas penser. Votre coin de liberté inaliénable, même si d'autres vous forcent à l'esclavage, demeure dans votre faculté de choisir les pensées que vous avez en tête. Une fois que vous aurez compris que vos émotions et vos comportements découlent directement de vos pensées, vous comprendrez aussi simultanément que pour attaquer tout problème personnel ou psychologique, il vous faut attaquer les pensées qui alimentent vos émotions négatives et vos comportements infructueux.

Si vous croyez sincèrement que vous seul avez le pouvoir de contrôler vos propres pensées, et acceptez que la route qui mène à une vie Sans-limites vous sera accessible en apprenant *maintenant* comment penser de nouvelles et différentes manières plutôt que celles dont vous vous serviez auparavant, si vous arrivez à comprendre que vos *attitudes*, les façons dont vous envisagez le monde, ne sont rien d'autre que les reflets de vos pensées, et que vous pouvez choisir toutes les attitudes que vous désirez dans pratiquement n'importe quelle circonstance, vous aurez alors franchi le premier pas sur la voie qui mène à la pensée Sans-limites.

LA PENSÉE DICHOTOME

Si l'autoritarisme est fondamentalement le résultat d'une affection de la pensée qui se traduit par la *désintégration du processus de la pensée* où tout simplement les gens *ne pensent plus par eux-mêmes*, je dirais que la *pensée dichotome*, qui est l'impulsion irrésistible à toujours diviser tout et tous en petites catégories bien nettes et à défendre à tout prix l'inflexibilité de ces divisions, est la cause première de cette affection. Par conséquent, la faculté de transcender ce genre de pensées est indispensable pour pouvoir devenir une personne qui fonctionne à cent pour cent.

Vous vous souviendrez, du Chapitre 2, que si vous êtes un penseur dichotome, la première chose que vous ferez en rencontrant de nouvelles personnes sera de les classer en un certain nombre de catégories : conservateur ou libéral, jeune ou vieux, bon ou mauvais, traître ou patriote, religieux ou athée, égoïste ou non égoïste, et ainsi de suite. Le prochain pas sera d'utiliser ces étiquettes comme des excuses commodes pour éviter ou condamner les gens qui sont différents de vous. Par ailleurs, la première chose que vous ferez en apprenant la nouvelle d'une guerre dans un coin perdu du monde, sera de demander, « Quel côté soutenons-*nous* ? ». Si vous pensez que «*nous*» correspond au peuple américain tel qu'il est représenté par notre gouvernement, vous saurez immédiatement, par exemple, que nous sommes pour les « rebelles » et contre les Soviets en Afghanistan. Vous allez ensuite «encourager notre côté», peut-être même être en faveur d'une aide américaine ou d'une intervention (déclarée ou indirecte) pour soutenir notre côté.

Vous allez trouver des «raisons» pour «notre prise de position» en écoutant les médias, le Président ou toute autre source. Mais vous ne vous dérangerez jamais pour aller à la bibliothèque et emprunter quelques livres d'histoire du pays ou des pays en cause, écrits par des auteurs aux vues divergentes, étudier ce que des revues de convictions politiques différentes ont à dire à ce sujet, réunir autant de faits que possible, déterminer qui ment et quand, faire appel à votre propre sens de la justice, et alors décider si vous soutenez vraiment sans réserve la position officielle du gouvernement ou si vous croyez réellement qu'elle devrait être changée. Essentiellement, vous ne tiendrez compte de toutes les complexités historiques qui mènent au déclenchement de *toute* guerre, et des

131

complexités correspondantes des efforts pour résoudre les conflits armés, à moins qu'un des côtés n'anéantisse totalement ou ne se rende maître de l'autre (ce qui est exactement ce que *vous* allez encourager — la victoire totale de «notre côté» dans ce que vous considérez comme une dichotomie perdre-ou-gagner, bien qu'il soit douteux que quiconque ait réellement gagné une guerre).

En outre, si vous êtes un penseur dichotome, vous ne direz pas non plus ce que toute personne *SZE* dirait si elle n'avait pas eu le temps d'étudier la situation indépendamment : « Je ne suis pas assez renseigné à ce sujet pour passer un jugement. » Vous vous empresserez de prendre position de « notre côté » et serez obligé, ensuite, de prétendre que vous savez de quoi vous parlez.

La pensée dichotome permet de *moins penser* car elle fournit une échappatoire toute prête quand vous devez faire face à des situations qui *exigent* vraiment un esprit créateur si vous voulez trouver des solutions humaines. Cette hâte à dichotomiser vous empêche réellement de voir ou d'entendre les gens que vous jugez, car dans votre esprit vous les avez simplement rejetés dans un casier étiqueté «mauvais», «ennemi» ou « rebut » et vous avez décidé qu'il n'y avait aucun avantage à faire attention à eux. En conséquence, vous renoncez à être accessible et créateur et à avoir à utiliser vos ressources intellectuelles en dialogue avec vous-même ou les autres.

La pensée dichotome est à la base du manque de compréhension entre les peuples, des luttes et des guerres, de la stéréotypie et de l'injustice sociale. Mais le préjudice personnel réel de la pensée dichotome est qu'elle vous empêche, en tant qu'individu, de vous développer et de devenir un être humain entièrement vivant et créateur. Une dichotomie immobile ou inflexible est véritablement une barrière contre l'approfondissement de la pensée, l'exploration et l'étude, et plus vous érigez de barrières en vous-même, plus vous restreignez votre faculté individuelle à vivre au niveau le plus élevé possible.

Toutes les dichotomies qui vous servent à placer immédiatement les gens et les idées dans des catégories inflexibles constituent des obstacles à votre propre croissance et développement en tant qu'être humain.

Quand vous compartimentez les autres, vous le faites également à vous-même. Chaque fois que vous divisez le monde, quel que soit le niveau, en une subdivision soit/soit et dites : « On n'en reparlera plus, c'est ainsi et pas autrement », vous vous partagez également et, par conséquent, vous limitez votre propre aptitude à rester accessible à de nouvelles expériences qui favorisent le développement. Mais, plus important encore, quand vous divisez les gens ou les idées dans le monde en catégories soit/soit inflexibles, vous apercevez le monde non pas tel qu'il est mais *tel que vous le voyez*, sur le moment et à jamais. Vous vous aveuglez à ses merveilles, à l'exaltation de toutes ses questions non résolues. Avant longtemps vous aurez étouffé votre curiositié naturelle et votre largeur d'esprit à l'égard du monde ; vous aurez *cessé de penser*. Plutôt que de mettre en question, de chercher et d'explorer, vous vous enfoncerez plus profondément dans la manie compulsive de dichotomiser selon des modèles déterminés, et votre croissance mentale et émotionnelle sera entravée.

Le fait de ne pas exercer votre esprit est aussi préjudiciable pour vous que de ne pas exercer votre corps, ou pire encore. L'acte de dichotomiser n'est rien de plus qu'un moyen commode d'éviter de réfléchir sérieusement à un problème donné ou à une série de conditions. Cela vous fait aller directement à la réponse rapide et simpliste, ou rechercher quelque chose ou quelqu'un en dehors de vous-même, sur qui rejeter la responsabilité de vos problèmes. Par exemple, pendant la crise de l'énergie qui a paralysé notre économie depuis dix ans, vous avez souvent entendu les gens dire à n'en plus finir que « c'était la faute des compagnies pétrolières ; les bureaucrates étaient à l'origine de tout ; les nations de l'OPEP étaient responsables ; le Président était indécis ». C'était le leitmotiv de la plupart des politiciens, ainsi que du public mécontent ; la tendance est de chercher des boucs émissaires commodes plutôt que de faire une enquête et de réfléchir aux complexités que comporte l'élaboration d'une politique énergétique cohésive qui soit à la satisfaction de tous.

Il est clair que ce genre de pensée dichotome ne résoud en rien la formidable crise de l'énergie que le monde doit affronter. Cela sépare simplement les gens en catégories et laisse la résolution de tous nos problèmes à quelqu'un d'autre. Ceux qui doivent prendre la responsabilité de *faire* quelque chose concernant la crise de l'énergie s'efforcent peut-être désespérément de traiter efficacement avec les différents secteurs mécontents de notre culture et de trouver une solution sensée à l'utilisation de l'énergie. Mais quels que soient leurs efforts, ils ne trouveront jamais grâce devant ceux qui sont déterminés à ne rien faire d'autre que de se plaindre, qui persistent à esquiver les véritables problèmes qui demandent réflexion. Ils seront peut-être les premiers à répondre à l'appel de leur pays s'il s'agit d'envahir le golfe Persique pour protéger nos approvisionnements en pétrole, mais ils seront parmi les derniers à répondre quand la situation du pays demandera de penser de façon constructive et créatrice aux moyens d'utiliser moins de pétrole ou de développer des sources d'énergie de remplacement.

Ce que je suggère c'est qu'un monde qui décourage la pensée dichotome en premier lieu, dans lequel davantage de gens distinguent le gris entre les divisions noire et blanche et constatent que chaque aspect de chaque question qui demande réflexion contient du «bon» et du «mauvais», et que la solution consiste à faire des concessions mutuelles, d'une part, et à négocier, d'autre part — un monde qui reconnaît le droit de l'individu à se faire entendre (au lieu d'être régenté), évoluera vers une culture dont nous pourrons tous être fiers. Mais de transcender la pensée dichotome pour lui substituer la pensée authentique, exige la participation de l'individu. Vous, en l'occurrence. Quand vous et un nombre suffisant d'autres personnes aurez commencé à être plus accessibles à des opinions divergentes, à être moins enclins à dichotomiser, nos structures sociales (qui consistent toutes d'individus) cesseront d'opprimer les gens.

La pensée dichotome compulsive empoisonnera votre propre psychisme de nombreuses manières, essentiellement en vous donnant des occasions à l'infini de devenir inutilement bouleversé et immobilisé. Cela vous conduira en fait à utiliser les différences entre vous et d'autres personnes pour vous transformer en victime. Si, par exemple, vous n'êtes pas en mesure de comprendre les enfants tels qu'ils sont aujourd'hui, si tous les enfants vous semblent d'une insolence sans pareille et, par conséquent, si vous faites tout votre possible pour éviter tous les enfants, vous vous rendrez compte en y pensant bien que ces enfants que vous méprisez tant contrôlent en fait votre vie affective. Dès que vous voyez un enfant agir de façon que vous considérez comme insolente, vous vous mettez en colère, vous êtes bouleversé, incapable de «penser clairement» ou de fonctionner aussi bien que d'habitude. Le fait même de mettre «tous les enfants» dans une seule catégorie étiquetée «d'insolente» leur donne une prise sur vous qui vous empêche d'être aussi heureux que vous le désirez.

De même, si vous prenez la décision de détester tous les gens quel que soit leur groupe, vous donnez à ces gens un contrôle considérable sur vos émotions. Peu importe s'ils désirent seulement se servir ou se servent effectivement de ce pouvoir que vous leur avez donné, vous savez au fond de vous-même que vous leur avez cédé en partie votre contrôle sur votre propre destinée, et vous en êtes très contrarié.

Au lieu de vous obstiner à vouloir détester collectivement un groupe, vous pouvez modifier votre attitude en prenant contact et en écoutant certains individus dans ce groupe. Les mâles, les Américains, les blancs, les juifs, les noirs, les asiatiques, les mécaniciens, les avocats, les enfants, les alcooliques, les communistes — chacun de ces groupes est composé d'individus qui sont tous aussi différents les uns des autres qu'ils le sont de vous. Dès que vous les étiquetez tous d'un stéréotype quelconque, vous vous préparez à être bouleversé par ce que vous présumez qu'ils vont faire, plutôt que par ce que chacun d'eux est réellement susceptible de faire, et vous vous abstenez ainsi d'apprendre davantage au sujet de gens qui sincèrement pensent autrement que vous. Plus vous éleverez de barrières pour empêcher un dialogue réel et constructif avec «les autres qui diffèrent de vous», plus vous vous limitez dans votre effort pour atteindre votre pleine potentialité.

J'espère que vous comprenez à présent que le penseur dichotome a très peu de chances d'accéder à la paix intérieure. Il est trop occupé à placer tous les gens et toutes les idées du monde dans l'un ou l'autre compartiment pour avoir jamais le temps ou la motivation pour se développer lui-même. L'acte même de dichotomiser consiste en une activité dirigée de l'extérieur qui place les leviers de commande de votre propre vie entre les mains de quelqu'un ou de quelque chose en dehors de vous-même — les règles dictées socialement qui vous disent comme séparer les patriotes des individus subversifs (ou toute autre dichotomie qui vous convient) et la variété déconcertante de gens dans le monde qui semblent avoir besoin d'être classifiés par vous. Il est évident que vous ne pourrez pas avoir de paix intérieure aussi longtemps que les commandes de votre vie seront situées ailleurs qu'en vous. La question est que vous paralysez la mission de votre propre vie, qui consiste à être heureux et vivant de façon créatrice, en devenant un penseur compulsivement dichotome. Mais si vous apprenez comment transcender cette manie de stéréotyper en noir-et-blanc, qui souille non seulement votre propre vie mais la structure même de la société, et si d'autres suivent votre exemple, nous pourrons alors créer une société qui pourra enfin contribuer au développement optimal de ce monde. Mais d'abord et avant tout, vous devez prendre la responsabilité de réaliser cela en vous-même, pour ensuite aider les autres à le faire. Telle est actuellement votre mission dans la vie : d'aller au-delà de la pensée «noir-et-blanc» en vous-même, et d'aider les autres à en faire autant. Avant longtemps, nous pourrons tous aider à créer un monde d'êtres qui pensent ouvertement, avec souplesse, qui sont disposés à écouter les questions et les réponses les uns des autres pour ce qu'ils devraient être, en faisant des efforts honnêtes pour bâtir un monde qui est plus humain à l'égard de tous. Mais nous ne pourrons y parvenir qu'en commençant par nous-mêmes.

LA PENSÉE HOLISTIQUE

La personne Sans-limites comprend parfaitement bien que les dichotomies n'existent que dans l'esprit des gens. Ce ne sont que des outils de la pensée inventés par nous afin de donner un sens et de contrôler certaines parties de notre monde. Mais en réalité les dichotomies servent toujours à diviser quelque chose qui était un tout d'abord. Nous sommes tous des *associations* de contraires. Nous sommes des personnes entières qui ont une infinité de qualités et de potentialités différentes qui se déplacent constamment en nous conformant au flux et reflux de nos pensées et de nos sentiments. Pour transcender la pensée dichotome vers la pensée véritablement humaine, nous devons percer à jour les voiles que nous avons tirés entre nous-mêmes et le monde réel. Nous devons nous souvenir du *monde en entier* qui était «là-bas» longtemps avant que nous l'ayons divisé en d'innombrables catégories. Nous devons régler les divisions dans notre propre corps de pensées qui sont la conséquence de nos tentatives de classifier tout et tous sous l'une ou l'autre étiquette. En somme, nous devons *revenir à la pensée holistique*. Nous devons nous souvenir qu'avant qu'il existe des moutons et des chèvres, des garçons et des filles, qu'avant que ne soit née l'idée des nombres pairs et impairs ou l'idée de parler d'une «civilisation», *il y avait la vie*. Nous devons bien comprendre que tous les êtres humains qui habitaient cette terre avant nous partageaient le même soleil, observaient le même ciel, pêchaient dans les mêmes océans, chassaient le même gibier. Nous serions même bien inspirés de nous arrêter un instant pour prendre conscience que nous et tous les autres êtres humains sommes *l'incarnation de la vie humaine aujourd'hui*, et que chacun de nous a en lui du poisson, du singe, du génie, de la folie, de la force, de la faiblesse, et de la richesse, de la pauvreté, comme «éléments» de notre existence. Chacun de nous est à la fois une personne entière, une représentation organique de toute vie, et une minuscule tranche de la vie prise comme un tout.

L'idée d'être membre d'une culture unique n'est pas l'objectif de ceux qui pensent holistiquement. En fait, leur point de vue est exactement l'opposé. La chose importante pour les penseurs holistiques est de se considérer comme faisant partie de l'humanité plutôt que d'un sous-groupement particulier, que ce soit des nations, des groupes ethniques ou des clans culturels. Ils dédaignent toute identification dans les limites de frontières inventées artificiellement et ont le sentiment que les frontières auxquelles tant de gens prêtent un serment d'allégeance sont en fait des causes de conflit et de troubles.

La personne qui pense de façon holistique voit le monde globalement, de même que toute l'humanité, avec des problèmes qu'il faut aborder et résoudre. Le fait qu'un être humain soit au chômage en Inde ou souffre de la faim au Biafra, est un problème pour toute l'humanité, non pas une question qui doit être résolue par les gouvernements intéressés. Nous devons tous nous unir et traiter les gens avec dignité, et tout effort pour diviser les gens par classe, nations, religions ou autres frontières trouvera une forte résistance auprès de ceux qui pensent de façon holistique.

La pensée humaniste doit être entamée avec la philosophie holistique, ayant une vue d'ensemble de l'univers et de la manière dont vous en tant qu'être humain, vous vous intégrez dans le spectre de toute vie, passée et présente ; en reconnaissant que nous sommes tous ensemble dans ce voyage appelé la *vie*.

La pensée holistique consiste à apprendre entre autres à *surseoir*, à mettre de côté pour un moment toutes ces catégories par lesquelles nous avons été conditionnés « à classer et à oublier » autant de gens, d'idées, de choses et d'expériences possibles avant même de les avoir envisagés, et à nous voir nous-mêmes et notre monde dans leur intégralité irréductible originale. Cela signifie admettre que nous avons été tellement occupés à relever toutes les différences qui peuvent nous séparer des autres, que nous avons tragiquement négligé de voir toutes les natures, espoirs, rêves, occasions, endroits et situations communes qui nous unissent. Nous avons été trop occupés à disséquer l'humanité pour imaginer quelle joie cela aurait été d'agir à l'unisson.

La pensée holistique consiste parfois à s'abstenir de faire quoi que ce soit et à apprécier la manière dont les arbres « se trouvent simplement » à produire l'oxygène que nous, êtres humains, respirons, ou les miracles de l'écologie de la nature en général, ou la manière dont l'ensemble de la société humaine est inextricablement et étroitement liée, et le fait que toutes les théories de sociologie et de comportement humain ne sont actuellement que de bonnes conjonctures de notre part en ce qui concerne leur interaction. Cela signifie reconnaître que la forêt n'est pas uniquement le total de ses arbres ;

que peu importe la manière dont nous classifions, disséquons ou atomisons les choses dans notre esprit, nous n'en demeurons pas moins avec la nature mystérieuse fondamentale de «l'ensemble» — que ce soit l'ensemble de l'univers ou l'ensemble de l'humanité ou l'ensemble de chaque individu.

LA PENSÉE SANS-LIMITES

Ce que j'appelle la pensée Sans-limites commence par une vue holistique du monde, et en partant de là elle demande un travail constructif de votre part. La véritable pensée Sans-limites est peut-être la forme d'art la plus élevée dont l'être humain soit capable. Bien que les personnes Sans-limites sont généralement censées fonctionner aux niveaux élevés de leur vie, il est important ici de décrire les qualités de pensée qui les séparent des autres individus, sans donner l'impression que ceux qui ne sont pas des personnes Sans-limites soient quelque peu inférieurs ou névrosés. Les gens qui montrent des caractéristiques Sans-limites semblent observer le monde d'un angle différent. Ils considèrent que tout dans le monde offre des perspectives plutôt qu'une chose à craindre ou à éviter. Ils considèrent que toute expérience offre une possibilité d'exaltation et de développement, et ils sont très intéressés par tout ce qui constitue une nouveauté, une étrangeté ou semble mystérieux. Pour les personnes Sans-limites, le monde est un miracle, et elles sont tous les jours de leur vie en admiration devant l'univers. Elles sont aisément émues par des choses que les gens ordinaires considèrent comme normales. Elles peuvent se promener le long de la plage une journée durant, oubliant tout dans l'exaltation devant l'océan, le sable, les oiseaux, le vent, les coquillages, ne se lassant jamais de l'expérience. Chaque jour semble offrir un monde nouveau aux personnes Sans-limites, et elles peuvent être absorbées par la beauté d'une chose qu'elles ont faite à maintes reprises auparavant, sans trouver qu'elle est ennuyeuse ou monotone.

Les gens qui donnent le choix à la pensée Sans-limites sont fondamentalement des êtres humains satisfaits. Ils ont le sentiment de faire partie de l'univers et la vie sous tous ses aspects leur donne satisfaction. Ils se sentent aimés et sont capables de donner de la tendresse sans conditions ou sans angoisse. Ils ont leurs racines dans le *présent* avec leurs relations, ils ne sont pas obsédés de savoir où leurs relations vont aboutir ou d'où elles viennent, ou ils ne se demandent pas comment les choses vont s'arranger. Ils peuvent totalement accepter les autres êtres humains pour ce qu'ils sont, et se refusent de juger, de condamner, que ce soit des étrangers ou des amis intimes. Leurs sentiments profonds d'appartenance les amènent à adopter des attitudes qui sont sensiblement différentes de celles de la plupart des gens. Comme ils se sentent en paix avec le monde, ils ne sont nullement intéressés à changer les autres. Par contre, ils n'ont aucune difficulté à accepter que les autres soient différents, car ils ont un modèle pour ce faire; en effet, ils ont appris à s'accepter eux-mêmes intégralement.

Dans une large mesure à cause de cette attitude d'acceptation, la personne Sans-limites n'est pas accablée d'angoisse. Elle a choisi de penser en faisant preuve de respect de soi et nul ne pourra jamais la convaincre qu'elle n'est pas digne de ce respect. Cette dignité personnelle profonde lui permet de fonctionner sur un plan supérieur autant pour elle-même qu'au service des autres. Comme son respect de soi est intact et que la source en est interne, elle et ses semblables sont exempts de l'effet paralysant des opinions d'autrui, qu'elles soient positives ou négatives. Elle ne choisit pas sa façon de penser ou son comportement en fonction de ce que les autres pensent. Pour une raison ou pour une autre, elle s'est arrangée pour prendre conseil d'elle-même sur la manière dont elle devrait fonctionner, et ce sentiment d'assurance lui permet d'agir de façon très indépendante des opinions d'autrui.

Les personnes Sans-limites pensent dans une perspective de *maîtrise* plutôt que d'*adaptation* à la vie. Autrement dit, elles ont le sentiment de déterminer leur propre destin et non de toujours s'adapter aux circonstances de la vie. Elles sont en mesure de penser naturellement et de se comporter avec spontanéité dans la plupart des situations de la vie, et ceci est principalement dû à leur manque d'angoisse sur la façon dont elles vont être jugées. Pourquoi n'éprouvent-elles pas d'angoisse sur le jugement des autres? Parce qu'elles-mêmes ne pensent pas comme des juges. Voilà des gens qui vont dire exactement ce qu'ils pensent et qui vont poursuivre leurs objectifs même si cela ne plaît pas à leur entourage. Ils ne cherchent pas à s'aliéner les autres; ils ne s'inquiètent tout simplement pas de ce que diront les autres, car ils n'ignorent pas qu'ils recevront mille opinions différentes s'ils ont à faire face à mille personnes différentes.

Les personnes Sans-limites ont souvent une conception de leur propre destin et éprouvent un sentiment de mission pour ce qui est de leur propre vie. Ce sentiment de mission est mis en pratique avec une détermination et un zèle que la plupart des gens ordinaires ne peuvent comprendre. Elles veulent que les choses soient accomplies dans le domaine choisi par elles, et les champs de travail et d'investigation sont illimités. La chose importante à comprendre concernant les personnes Sans-limites c'est qu'elles sont profondément engagées dans des projets et des entreprises et que leur engagement transcende leur propre monde personnel. Elles peuvent être calmes dans leur comportement et elles ne sont pas touchées par le manque de compréhension d'autrui à l'égard de leur engagement et de leur enthousiasme pour ce qui est souvent la mission de leur propre vie. Si les autres sont perplexes au sujet de leur travail, elles ne se mettent pas en frais pour essayer de justifier la légitimité de leur position. Au lieu de cela, elles poursuivent leur tâche, parce que telle est leur conviction intime. Contrairement aux individus autoritaires, les personnes Sans-limites ne sont pas motivées par un besoin d'évaluer, ou de juger autrui de façon négative. Elles ont confiance en leur moi intérieur, tandis que les personnes autoritaires se fient presque exclusivement aux signaux externes pour déterminer leur façon de penser et de se comporter.

Alors que les gens autoritaires ne tolèrent pas l'ambiguïté, les personnes Sans-limites n'y voient aucune objection. Ces dernières sont très à l'aise dans des situations dont l'issue est incertaine, et passent la majeure partie de leur vie à explorer des territoires peu familiers. L'idée de rencontrer une personne d'une autre culture ou de se rendre dans une autre ville ou d'essayer un nouveau restaurant ethnique est une source d'excitation et une chose à rechercher activement dans leur vie. Plutôt que d'éviter les nouvelles expériences, les gens Sans-limites les accueillent avec plaisir.

Les êtres Sans-limites vivent leur vie à un niveau supérieur, principalement parce qu'ils ont appris à penser en appréciateurs et non en critiques dans la vie. Pour les gens Sans-limites, la critique est essentiellement une perte de temps. Ce sont des personnes dynamiques et elles sont tellement prises par l'action qu'elles n'ont ni le temps, ni l'énergie pour regarder derrière elles afin d'évaluer leur propre bonheur. En fait, elles ne se lancent même pas dans la pratique de l'évaluation ; ce sont des expérimentatrices. Elles ne s'arrêtent pas pour se demander si elles se divertissent ; elles s'amusent tout simplement et laissent les autres se poser des questions.

Les personnes Sans-limites ne sont pas des gens aux «pensées malsaines», et elles n'ont ni le temps, ni la patience d'écouter ceux qui veulent passer leur vie à discuter de leurs maux et états d'immobilité. Elles ne pensent pas «malades» ; par contre, elles sont tellement absorbées par la vie qu'elles traitent leur corps de façon saine. Elles ne sont pas enclines à abuser de leur corps, et sont profondément conscientes de l'importance d'avoir un corps sain capable de combattre les maladies. Elles respectent leur physiologie et, par conséquent, elles sont en mesure d'amalgamer une attitude positive avec une santé corporelle positive. Il est évident que les gens Sans-limites ne sont pas à l'abri des maladies, mais leur tendance d'esprit à ne pas se penser malades, à ne pas se concentrer sur les maladies ni à se plaindre aux autres des différentes affections qui affaiblissent leur organisme, leur donne une vaste et saine perspective de la vie. Parce qu'ils ne sont pas intéressés à s'appesantir sur leurs maladies, et qu'ils croient fermement dans leur propre capacité à se guérir eux-mêmes, ils ne sont donc pas autant «prédisposés aux maladies» que d'autres. Ils vivent une vie saine, ils se maintiennent en bonne forme, ils sont très portés sur les sports et ils n'ont pas l'habitude de se plaindre.

Ce que je désire souligner c'est que les personnes Sans-limites ne sont pas différentes des autres en raison d'une nature biologique qui leur serait propre, mais parce qu'elles

142

ont *choisi* de penser et de se comporter de façon à les mettre en valeur et à les contenter davantage dans la vie. Bien qu'il puisse sembler au chercheur et à l'observateur occasionnel que les personnes Sans-limites soient simplement des gens plus forts et plus indépendants, la vérité est qu'elles ont réellement décidé par elles-mêmes qu'elles ne seraient ni faibles, ni manipulées par les autres. En outre, elles sont pleinement conscientes de leur propre potentialité illimitée, et ont une philosophie sensée de la vie qui les maintient en activité à de tels niveaux. Elles se rendent compte qu'elles ne peuvent pas espérer que chacun soit d'accord avec elles sur tout ce qu'elles font, aussi elles n'en font pas le but de leur vie. Elles savent que de s'inquiéter pour une approbation ou d'éprouver de l'anxiété en raison d'une désapprobation, est une perte de temps et d'énergie émotionnelle, d'où leur refus pur et simple de s'y prêter. Elles savent que le passé est révolu, et que l'avenir n'est promis à personne, donc elles vivent dans le présent et sont reconnaissantes pour ce qu'elles ont. Elles savent que de devoir faire des choses peu agréables, telles que de laver la vaisselle, de sortir les ordures ou d'autres choses encore, sont une condition nécessaire pour se maintenir en vie. Mais elles sélectionnent leurs pensées, et leurs pensées concernant la vaisselle sont positives, en d'autres mots, que de devoir faire la vaisselle est la conséquence d'un bon repas servi dans les plats qui sont à laver; que d'avoir à vider les ordures est le résultat d'un repas copieux, tandis que des êtres humains dans d'autres régions du monde n'ont ni trop de nourriture, ni des plats à laver. Elles contrôlent en fait, leurs pensées et, par conséquent, leurs attitudes, et elles choisissent des attitudes qui maintiennent les petites choses en perspective et les servent au lieu de rendre leur vie misérable.

LA TRANSITION VERS LA PENSÉE SANS-LIMITES : FUSION DES DICHOTOMIES

Comme toujours, la meilleure manière de saisir un concept abstrait comme la pensée Sans-limites c'est de voir comment vous pouvez la mettre en application de façon concrète dans votre propre vie. Voici quelques exemples des dichotomies les plus courantes qui sont généralement mal appliquées et ont des effects destructeurs, avec quelques remarques sur le tout qui se trouve derrières elles ; également quelques suggestions précises sur la manière dont vous pouvez transcender l'abus autoritaire qu'il en est fait, vers une perspective Sans-limites sur la vie. Pendant que vous en prenez connaissance, posez-vous la question : « Comment ai-je fait une victime de moi-même ou des autres et retardé le développement de ma propre philosophie de la vie en dichotomisant de cette façon ? ». Vous trouverez de nombreux exemples de dichotomie à ajouter à la liste, et vous aurez bientôt saisi le « tour de main » pour les transcender.

Plutôt que de penser en dichotomies ou divisions, il est beaucoup plus utile et efficace de commencer à penser sur le plan de la fusion, de la fonte ou de l'effacement du processus de division. Quand vous aurez appris à considérer les dichotomies les plus courantes en *termes holistique — de fusion — — de fonte — d'union*, vous vous serez donné à vous -même une dose de liberté personnelle qui vous était inconnue jusqu'alors. Vous serez libre, car vous verrez les peuples du monde tels qu'ils sont, et non tels que vous pensez qu'ils devraient être compartimentés.

Masculin / Féminin

Il n'y a aucun doute à ce sujet : c'est une fille ou un garçon. Dans la salle d'accouchement ou sur le certificat de naissance, il y a peu de raisons de dire : « De façon dominante c'est une fille, ainsi qu'en témoignent les organes génitaux, mais souvenons-nous qu'elle a également des hormones appelées conventionnellement 'mâles'. »

Mais à peine l'enfant a-t-il quitté la salle d'accouchement que les ennuis commencent. La fille est censée être «féminine», le garçon «masculin». La fille est habillée en rose, le garçon en bleu, car avec les nouveau-nés il est généralement impossible de faire la différence sans regarder dans la couche et peu nombreuses sont les personnes adultes qui sont disposées à le faire uniquement pour savoir comment réagir. Avec un petit garçon, on s'attend à ce qu'elles disent : «Mon Dieu que tu es un beau petit garçon! Tu deviendras grand et fort comme ton papa. » Avec une fille par contre, on dira : « Mon Dieu que tu es jolie! Regardez donc ces magnifiques yeux! Je parie que tu as les yeux de ta maman. »

À partir de là c'est la descente, les garçons sur une pente et les filles sur l'autre. Au début, ils ne comprennent tout simplement pas quand on leur dit : « Les filles peuvent pleurer mais pas les garçons; les garçons se battent, jamais les filles; les filles cuisinent et cousent, mais pas les garçons. » Mais quand on leur a répété assez souvent que les garçons sont supposés être « masculins » et les filles « féminines », et qu'ils ont appris par cœur toutes les listes arbitraires de ce que chacune de ces catégories leur permet et leur interdit de faire, consciencieusement ils s'astreignent à se conformer aux stéréotypes qui leur ont été imposés et passent leur vie à se les infliger mutuellement pour de bon : « Sarah, tu ressembles à un garçon dans ces vêtements. » « Jimmy, tu cours comme une véritable fille. »

Pour comprendre combien cette dichotomie est absurde et arbitraire, nous n'avons qu'à regarder la manière dont la communauté psychologique a conçu ses tests pour déterminer si vous êtes plus masculin ou plus féminin. En les soumettant à ces tests, les responsables posent de façon typique aux hommes comme aux femmes une série de questions. Si la plupart des hommes disent qu'ils préfèrent les douches aux bains et la plupart des femmes disent qu'elles préfèrent les bains, aussitôt les douches sont considérées masculines et les bains, féminins. Si la plupart des hommes préfèrent les sports à la lecture, et la plupart des femmes préfèrent la lecture, la lecture est considérée comme féminine, et les sports, masculins. La communauté psychologique a perpétué ces inepties en les normalisant sous forme de tests qui stéréotypent les gens, en leur donnant des notes sur leur comportement masculin ou féminin. Les qualités suivantes sont considérées comme typiquement mâles — dominateur, agressif, aimant la vie au grand air, recherchant le pouvoir, ambitieux, ayant des qualités de chef, intéressé par la science et les mathématiques, ayant l'esprit de compétition. La femme « saine » a été décrite par une équipe de chercheurs, dans une revue américaine, comme : « plus soumise, moins indépendante, moins aventu-

145

reuse, plus influençable, moins agressive, ayant moins l'esprit de compétition, plus prompte à l'excitation en temps de crise mineure, plus vulnérable, plus émotive, attachant plus d'importance à son apparence, moins objective, et moins intéressée par la science et les mathématiques. »[*]

Même le père de la psychanalyse, Sigmund Freud, a été cité comme ayant l'opinion suivante d'une femme saine «...elle doit être passive, résignée à son infériorité, et avoir bon espoir d'atteindre la plénitude en donnant naissance à un enfant. »[**]

Cette habitude de dichotomiser est tellement entrée dans les coutumes que beaucoup de gens ont fini par croire qu'il existe réellement des genres d'activité mâle et femelle, ce qui est aussi logique que de penser qu'il y a des pierres mâles et femelles. Néanmoins, sur la base de ce qui précède, quiconque s'écarte du rôle sexuel qui lui a été assigné sera considéré comme un perverti, ayant besoin de traitement.

Il semble évident que si vous vous laissez prendre par cette dichotomie, vous réduisez de moitié votre potentiel pour des expériences humaines et si vous décidez que vous n'aimez que les hommes supermasculins et les femmes superféminines, vous allez vous isoler de beaucoup de gens.

Tout ce que vous avez à faire est de vous observer vous-même pour constater que nous sommes, pour commencer, tous des amalgames de mâle et de femelle. En tant qu' homme, vous avez des hormones femelles, une poitrine, une peau douce et pratiquement tout ce qu'une femme a, à l'exception des organes reproducteurs femelles. En tant que femme, vous avez des hormones mâles et les mêmes caractéristiques qu'un homme à l'exception des organes reproducteurs mâles. Si vous êtes une femme, vous êtes vraisemblablement de plus haute taille que beaucoup d'hommes, peut-être même que la plupart d'entre eux, bien qu'il soit soi-disant masculin d'être de grande taille et féminin d'être de plus petite taille que « votre homme ». Vous pouvez faire pratiquement tout

---

[*] Psychology Review, 1968, N° 75, pages 25-50.
[**] Hilary M. Lops et N.L. Colwell, The Psychology Of Sex Differences (Prentice Hall, 1978), page 47.

ce qu'un homme peut faire, sauf produire des spermes, et il peut faire presque tout ce que vous pouvez faire sauf enfanter.

Alors pourquoi faire tant d'histoires? Comment sommes-nous jamais *arrivés* au point de séparer les activités humaines en masculines et féminines?

Certains accusent le chauvinisme mâle. D'autres encore, qu'il est plus facile pour les gens de dichotomiser et d'adopter des règles sociales inflexibles, qui régissent leur comportement, que d'affronter l'ambiguïté déconcertante d'admettre que nous pouvons tous faire tout ce que nous choisissons de faire. Mais pour transcender la dichotomie, il faut que vous vous donniez la permission d'être *tout ce que vous optez d'être, sans vous appesantir sur la question du rôle sexuel sté-réotypé qui est le vôtre.*

Une femme qui attend qu'un homme prenne l'initiative des rapports sexuels quand, en fait, elle aimerait elle-même en prendre l'initiative, qui se retient uniquement parce «qu'une femme n'est pas censée le faire», choisit de continuer à vivre sous les contraintes de la dichotomie qui a été imposée par une culture chauvine. Par ailleurs, un homme qui évite les rapports dans de telles conditions de peur d'avoir l'air «trop féminin» dans ce rôle, permet à cette même culture chauvine de lui dicter ce que *sa* vie devrait être.

Un homme n'est pas un «perverti» parce qu'il est inté-ressé par la couture à moins que vous ne décidiez de laisser les tableaux statistiques dicter votre jugement moral. Une femme qui désire soulever des haltères ou devenir chauffeur de camion ne fait pas preuve d'un comportement névrotique provoqué par les traumas subis dans son enfance. Les personnes qui ne se conforment pas à des catégories masculine / féminine inflexibles ne sont pas malades, sauf dans la mesure où le reste d'entre nous les rendrons malades en les condam-nant pour ce qu'ils ou elles trouvent naturel de faire.

Nous n'avons nul besoin d'imposer des limites à notre aptitude à entreprendre les activités qui nous intéressent. Cha-cun de nous peut jouir des tout nouveaux domaines de l'expé-rience humaine qui nous étaient interdits à nous et réservés au sexe opposé. Les hommes, quand ils se résolvent à être honnêtes, peuvent admettre qu'ils prennent autant de plaisir à la douceur, aux fleurs, à une tendre étreinte, à préparer un repas, à prendre soin d'un bébé, ou à n'importe laquelle d'une multitude d'expériences que les personnes aux pensées autoritaires ont décidé de classifier comme féminines, qu'à n'importe laquelle de leurs expériences «masculines». De même, les femmes peuvent faire preuve de féminité et, néanmoins, aimer à jouer au ballon, à couper du bois, à aller à la chasse, à courir, à camper, à conduire une voiture de course, ou n'importe laquelle des activités traditionnellement masculines.

Dès que vous commencez à vous voir, tout d'abord dans le sens holistique d'être simplement un être humain et ensuite, sur le plan du genre d'être humain que vous aimeriez être, ne tenant aucun compte des préceptes relatifs au rôle joué par le sexe établi par la dichotomie masculine / féminine, vous pouvez vous débarrasser de ce dédoublement dans votre esprit qui a imposé de telles limites inflexibles sur ce dont vous pensez pouvoir jouir, et vous pouvez vous voir comme un tout intégral — tel que vous étiez quand vous êtes sorti de la salle d'accouchement.

Fort / Faible

Ainsi que vous avez pu le déduire de mon traitement de l'antifaiblesse autoritaire, je ne crois pas qu'une personne soit simplement «forte» ou «faible», et si vous avez tendance à catégoriser les gens en ces termes, vous le faites sur la base de quelque critère unique pour la force ou la faiblesse en vous-même ou dans les autres qui n'a rien à voir avec la réalité.

Quelle est la véritable force, quelle est la véritable faiblesse? Telle est la question philosophique.

Qui était plus fort — Martin Luther King ou son assassin? Adolphe Hitler ou Albert Schweitzer? Le champion du monde d'haltérophilie ou la femme qui a soulevé la voiture qui avait renversé son fils (et en ce faisant s'est brisé elle-même la colonne vertébrale)?

Quand vous aurez réfléchi à fond à ce que *vous* croyez que la *véritable force humaine* pourrait être *dans sa condition la meilleure*, et que vous vous serez évalué vous-même selon *vos propres critères*, vous pourriez bien conclure que vous êtes très fort quand il s'agit de votre famille, mais que vous faites preuve de lâcheté dans vos rapports avec votre patron ou vos collègues. Vous pouvez vous sentir désarmé le lundi, mais d'une force herculéenne le mardi. En vérité, vous êtes un amalgame de toutes sortes de forces et de faiblesses, et la voie ici vers la pensée Sans-limites holistique est de fusionner toutes ces dichotomies, de voir chaque pièce individuelle de votre comportement comme un tout et alors de considérer que ce tout contient des éléments de force et de faiblesse, si tel est votre processus de pensée.

Regardez votre propre passé. Si vous avez agi avec ce que vous considérez aujourd'hui comme une force réelle, en réalité vous avez peut-être tremblé en ressentant une grande faiblesse intérieure. Et parfois, quand vous avez été trop sûr de vous, quand vous vous êtes senti le plus fort, comme le gamin le plus costaud du quartier, vous vous êtes peut-être conduit comme une petite brute, d'une façon qui laissait percer la peur et en tremblant au fond de vous-même.

Chaque fois que vous voyez quelqu'un qui se comporte d'une façon qui vous amène à le catégoriser comme fort ou faible, souvenez-vous qu'il y a toujours une certaine force derrière la faiblesse et une certaine faiblesse derrière la force. La vue holistique de la vie vous permettra de vous accepter vous-même comme un être humain qui est né longtemps avant que quelqu'un ait eu l'idée qu'il devrait se diminuer parce qu'il a pensé de lui-même comme un faible.

Quand vous déterminez votre propre destin selon vos propres meilleures pensées, vous transcendez vos faiblesses et devenez responsable de votre mieux du cours de votre existence. Vous devenez le capitaine de votre propre bateau plutôt que d'être un passager en transit qui est commandé par d'autres. Mais cela ne se réalisera que si vous acceptez vous-même et les autres comme *des êtres humains* comme à l'origine, et toujours fort et faible simultanément.

Enfantin / Mûr

Vous entendez ces remarques continuellement. « Cesse d'agir comme un être immature ! Tu es un tel enfant. Pourquoi te conduis-tu comme un bébé ? ».

Cette dichotomie est employée presque exclusivement

pour rabaisser les autres et n'est pratiquement jamais utilisée par les personnes qui ont une réelle confiance en soi comme tout adulte qui pense indépendamment. À vrai dire, dans notre culture ce sont généralement des adolescents qui font ces remarques pour rabaisser d'autres adolescents. Un homme, interviewé pour ce livre, m'a confié :

« Dans notre école, en classe de cinquième, sixième et septième, les filles qui se considéraient comme mûres, qui se maquillaient outrageusement et portaient un soutien-gorge rembourré, qui oubliaient soudainement comment courir, étaient bien entendu celles qui traitaient les garçons 'de mûrs' ou 'd'enfantins'. Pendant plusieurs années, elles ne pensaient qu'à classifier les gens sur leur 'maturité'. 'Immature' était la pire injure qu'elles pouvaient vous lancer. Et qui considéraient-elles comme 'mûrs'? Les plus grands bagarreurs; les plus costauds, les plus suffisants, les plus autoritaires et les plus *superficiellement* mûrs parmi les garçons.

« Par ailleurs, les garçons qui jouaient le plus aux costauds, qui étaient les premiers à brimer les autres physiquement plus faibles qu'eux, pour prouver « leur virilité de caractère », convenaient que les filles qui étaient les plus fardées et les plus obséquieuses, jusqu'à la servilité, envers leur « homme » étaient les *plus mûres.* »

N'importe qui peut avoir une idée immature de ce que la maturité humaine est réellement, surtout s'il n'a jamais vraiment réfléchi à la véritable signification du mot « maturité ».

Qui est le plus mûr — l'enfant qui essaye d'imiter la façon dont les adultes agissent, qui devient grave et maître de lui-même, et s'isole des jeux et des fantaisies « enfantins » qui font la joie de ses camarades plus « immatures », *qui refuse d'accepter le fait qu'il est encore un enfant*, ou est-ce l'enfant qui se dit : « Naturellement que j'agis parfois de façon immature ! De toute façon, que voulez-vous de moi? Je n'ai que dix ans! La différence entre vous et moi c'est que je sais que j'ai encore beaucoup à grandir, et j'ai l'intention de prendre tout mon temps et de m'amuser. Cela n'a pas de sens que j'essaye de hâter les choses. En outre, il me semble que vous croyez qu'il n'y *ait* rien de telle « qu'une période de croissance »! Cela vous arrive une seule fois et puis, le tour est joué. À *mon avis, vous*

croyez déjà être passé par là et n'avoir plus besoin d'y penser.
Eh bien, vous n'allez plus jamais grandir de cette manière.
J'espère qu'à soixante-dix ans je serai toujours en pleine
croissance ! »

En ce qui me concerne, le premier pas vers la véritable
maturité, le seul genre de maturité qui en vaille la peine, c'est de
reconnaître que nul n'est jamais entièrement enfant ou adulte,
et ce serait triste s'il en était ainsi. La personne qui agit quelquefois de façon malicieuse, sotte et « immature » est très
capable de réagir de façon très sérieuse et « responsable »
quand les circonstances l'exigent. La personne adulte qui se
domine, est organisée comme il faut et consciencieuse au travail, devrait également être capable de se laisser aller, d'agir
« cinglé », et d'être comme un petit enfant quand les circonstances s'y prêtent. Qu'une personne encourage les autres à agir
d'une certaine manière rigide sans un instant de répit ou qu'elle
exige le même style de vie hermétique d'elle-même, confirme
l'existence d'une pensée dichotome superficielle qui ne tient
aucun compte du phénomène holistique de chacun de nous
comme originalement et toujours en partie enfant, en partie
adulte, partiellement mûr et partiellement immature, pour
toute notre vie. De vous confiner à un mode de comportement que vous appelez « mûr » est très restreignant ; cela vous
empêchera d'essayer de nouvelles choses exaltantes et, ce qui
est très important, vous ne serez plus en mesure de vous
demander encore ce qu'est réellement la croissance humaine,
de voir sa nature illimitée, de revoir et d'élargir votre philosophie du genre de personne que *vous* aimeriez être et, en définitive, cela entrave totalement votre croissance.

Civilisé / Barbare

Appeler civilisés les gens qui sont plus comme nous et,
barbares, ceux qui ne le sont pas est un exemple de dichotomisation ethnocentrique du genre le plus destructeur. Chacune des cultures de la terre a sa propre conception de ce que
c'est d'être « très hautement civilisé », mais si par cela nous
voulons dire créer la vie la plus heureuse, profondément satisfaisante et créatrice pour chacun, il ne fait aucun doute qu'aucune culture n'a le monopole de la sagesse dans ce domaine,

et que nous avons beaucoup à apprendre des autres cultures, passées et présentes.

Plus nous ouvrons nos esprits à l'étude des autres cultures, plus nous réalisons que celles que nous avons considérées comme les «plus civilisées» ont également fait appel à des pratiques «barbares» que nous n'appellerons jamais civilisées. L'ancienne Grèce nous a peut-être donné la démocratie, la philosophie, l'art éternel comme le Parthénon ou les œuvres d'Eschyle, de Sophocle, d'Euripide et d'Aristophane. Elle nous a peut-être donné les mathématiques, la physique, les Jeux olympiques, l'*Iliade*, l'*Odyssée* et d'autres héritages trop riches pour que nous les appréciions pleinement. Mais c'était, néanmoins, une culture d'esclavage et de suffrage mâle exclusif qui permettait que dans certaines villes, les nourrissons non désirés ou «faibles» soient abandonnés sur les coteaux pour mourir, également la culture qui a tué Socrate parce qu'il posait trop de questions.

Comment mesurons-nous réellement le degré de civilisation dans notre propre culture? Y pensons-nous vraiment? Ou disons-nous simplement, «Notre culture est la civilisation suprême et tout ce qui est différent est moins civilisé»? Si telle est notre pensée, nous perdrons de façon certaine tout espoir d'améliorer notre culture sur des bases humanistes — aussi sûrement qu'un individu qui considère avoir définitivement atteint la maturité, s'isolant ainsi de sa propre potentialité pour une croissance personnelle.

Pour transcender cette dichotomie, il faut que vous vous posiez quelques questions. Considérez-vous que de lancer des bombes atomiques sur des populations entières soit un acte civilisé? Et l'utilisation de napalm ou de défoliant chimique pendant une guerre? Comment expliquons-nous qu'un aussi grand nombre d'enfants dans les villes quittent l'école secondaire sans avoir appris à lire, ou le haut pourcentage de famine, de pauvreté et d'angoisse dans notre culture civilisée? Notre degré de civilisation peut-il être déterminé par le nombre de magnétophones que nous possédons ou par le nombre de nos maisons qui ont une plomberie intérieure?

Les gens dans les pays moins industrialisés ne portent peut-être pas des blue-jeans de couturiers connus. Ils conduisent peut-être des chameaux au lieu de Cadillacs. Ils ont peut-être une pénurie critique de gratte-ciel, de téléviseurs couleur, d'automobiles, de séchoirs à cheveux, de centrales nucléaires, de plastique, de chaînes de restaurants-minute et de dîner d'affaires à trois martinis. Mais ils peuvent également avoir une pénurie de cancers, de dépressions, de valium, de brouillard, d'embouteillages et d'accidents de la circulation, de viols et d'agressions, de meurtres et de suicides, de pollution de l'environnement, de crises de l'énergie, de journées creuses et de nuits blanches. Leurs techniques de survie peuvent constituer une merveille à étudier par les nations soi-disant développées. Si nous les examinons objectivement, nous réaliserons qu'ils sont civilisés selon certains critères et barbares sur la base d'autres, ainsi que notre culture devrait toujours nous apparaître.

Une fois que vous vous êtes engagé à vous poser des questions comme celles-ci sur vous-même et votre propre culture, vous serez alors réceptif à la conception holistique de la « civilisation » qui consiste à considérer l'ensemble de l'expérience humaine, passée et présente, quand vous vous demandez ce que « la civilisation à son summum » pourrait être. Aussitôt que vous aurez trouvé des réponses provisoires qui vous procurent un moyen équitable d'évaluer toutes les cultures, y compris la vôtre — une série de normes aussi objectives que possible — vous vous apercevrez immédiatement combien la plupart de nos jugements sont devenus « barbares », bornés et ethnocentriques quand il s'agit de dire qui est civilisé et qui ne l'est pas, et combien le monde entier pourrait devenir bien plus civilisé si nous cessions tous de nous appeler mutuellement des barbares.

Corps / Esprit

Vous êtes un être humain entier. Votre corps et votre esprit sont nés ensemble longtemps avant qu'on vous apprenne à faire la distinction entre eux. Si vous êtes arrivé à vous convaincre que votre corps et votre esprit sont effectivement deux entités séparées et indépendantes, c'est que vous êtes devenu la proie d'une des dichotomies qui vous aliènent le plus de vous-même et vous mènent à une lutte constante

153

pour la domination entre vos besoins « mentaux » et « physiques ». Est-ce que vous vous dites parfois, « Je ne suis peut-être pas coordonné, mais je suis intelligent », et vous négligez les plaisirs corporels, et cela jusqu'à l'abus, afin de poursuivre uniquement des activités intellectuelles ou « mentales » ?

Considérez-vous que votre corps est votre « carte faible » et vous en défaussez-vous en faveur de « votre as », en l'occurence votre esprit ?

Ou peut-être, croyez-vous que votre corps est votre as ?

Êtes-vous très fier de votre apparence physique, de votre force qui vous permet de soulever des haltères plus lourds ou de lancer votre balle de golf plus loin que quiconque, mais par contre vous considérez-vous comme pas « très doué », ou même *stupide*, et renoncez-vous à vous servir de votre esprit sur la foi de ce stéréotype que vous vous êtes imposé ?

La façon holistique de concevoir votre humanité vous aidera à transcender cette dichotomie et à devenir un être humain plus complet. Si vous lancez une balle au moyen d'un bâton, vous devrez exercer simultanément votre corps et votre esprit pour y parvenir. Vous ne pouvez pas simplement rester là à regarder la balle lancée faire une courbe sur le coin extérieur du marbre, sans vous dire, « Cela semble être un but. Le compte est de trois à deux, je dois frapper à présent. » Votre esprit doit commander à votre corps, et votre corps doit travailler conjointement avec votre esprit. « Vas-y à présent », vous dites-vous. « Ne frappe pas avec toutes tes forces ; garde assez de souplesse dans tes poignets au cas où cette courbe se briserait brusquement en traversant le marbre. Essaye simplement de toucher la balle et de la lancer vers le champ droit. Tu n'as pas besoin d'un coup de circuit, tout ce dont tu as besoin est un coup sûr pour aller au premier but... » ›

Le lancer se brise brusquement, mais vous l'avez déjà devancé. Au dernier moment, vos poignets se détendent et le bout du bâton frappe fermement la balle.

Vous n'avez même plus besoin de réfléchir à présent. Vous vous élancez vers le premier but avant même que vous ayez remarqué si la balle va tomber dans le champ droit ou sera attrapée par le receveur.

Pendant que vous courez à toute vitesse sur la ligne des

buts — comme si vous couriez pour aller au travail ou autour du parc — vous pourriez vous arrêter et vous demander, « Est-ce mon corps qui travaille ou est-ce mon esprit ? ». Et c'est la même question que vous vous poseriez en écrivant une lettre, en déplaçant un fauteuil ou en conduisant au travail.

Il n'y a pas réellement de séparation entre votre corps et votre esprit. Il n'existe seulement que la séparation que certaines personnes ont inventée pour faire une distinction entre les activités « mentales » et « physiques ». Vous pouvez transcender cette dichotomie en reconnaissant que le corps et l'esprit interviennent dans chacune des actions de l'être humain.

Votre corps et votre esprit — vous ne pouvez pas avoir l'un sans l'autre. Quand vous mourrez, même si votre cerveau ou votre esprit était disposé et capable de continuer, il ne le pourrait pas si le corps « passe l'arme à gauche ».

La vie holistique, Sans-limites, signifie que vous devez former et exercer l'ensemble de votre moi, corps et esprit. Votre esprit a besoin d'être stimulé et exercé aussi régulièrement que votre corps, et vice versa. Si vous pouvez comprendre leur unité fondamentale, vous êtes en bonne voie vers la pensée holistique, Sans-limites.

Conscient / Inconscient

Voici une dichotomie qui n'est peut-être familière qu'à ceux qui ont recours à des théories psychanalytiques traditionnelles ou freudiennes, mais elle a joué un rôle immense dans le développement d'une sorte de conception dichotome de la vie qui s'est largement répandue dans notre culture.

Certains psychiatres vous diront que nos psychés (âmes ou esprits) sont divisées en trois parties :

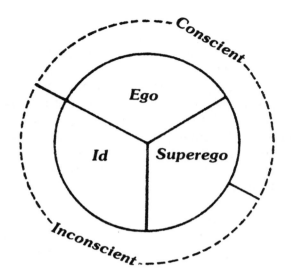

Ainsi que vous pouvez le constater, votre esprit serait fondamentalement divisé entre ses moitiés : «conscient» et « inconscient », donc la *moitié que vous connaissez* et la *moitié dont vous ne connaissez rien* (et qui par conséquent est *imprévisible ou indigne de confiance*). Mais la situation se complique davantage par le fait que selon cette théorie, le noyau *central* ou *fondamental* de votre esprit est subdivisé en *trois* sections à-peu-près égales, l'id, l'ego et le superego, avec l'id et environ la moitié du superego du côté «inconscient» de la dichotomie fondamentale, l'ego et l'autre moitié du superego du côté «conscient».

Les gens qui souscrivent aux idées freudiennes vous diront que *votre id* est quelque chose comme «la source non-différenciée de votre énergie animale», le décrivant comme une force obscure, primitive, barbare, *inconsciente* en vous qui vous détruirait, vous et tous ceux qui vous sont chers, si elle devait être libérée.

Mais heureusement, ils ajouteront que votre id est civilisé par *votre ego* et *votre superego*.

Ensuite, votre ego est défini comme la partie *consciente* en vous qui a été dérivée de votre id par des contacts avec la réalité, et sert d'intermédiaire entre les demandes de l'id, du superego, et la réalité extérieure.

Votre superego est alors décrit comme étant « un secteur important de la psyché, qui est conscient seulement en partie et cela *aide à la formation du caractère en reflétant la conscience parentale et les règles de la société* ».

Autrement dit, selon le point de vue psychiatrique classique, vous êtes pris pour toujours dans une situation difficile entre votre *conscient* — votre ego et une partie de votre superego, *dont vous pouvez vous rendre compte* — et votre *inconscient*, c'est-à-dire votre id et l'autre partie de votre superego, vos désirs animaux et l'influence de vos parents et de la société, *dont vous ne pouvez pas vous rendre compte*. Comme les moitiés « consciente » et « inconsciente » de votre esprit sont censées être des *déterminants à égalité de votre comportement*, la conclusion sera que *vous ne pouvez être conscient ou contrôler seulement environ la moitié de vous-même*.

En outre, vous êtes également censé être en mesure de découvrir une certaine partie de votre inconscient, cet obscur domaine de votre psyché d'où des forces mystérieuses tirent soi-disant un grand nombre de vos ficelles, en consultant un psychanalyste dont la formation et les « théories » hautement détaillées de ce que vos rêves signifient, sur les « complexes » qui se trouvent profondément en vous, et ainsi de suite, permettent à cet expert de vous guider tant soit peu dans la jungle, bien mieux cependant que ce que vous pourriez faire vous-même pour vous guider. Néanmoins, vous êtes toujours censé vous considérer vous-même comme 'fondamentalement double' vraiment comme si votre psyché était venue au monde divisée, semblale à une pizza qui est servie à votre table déjà coupée en deux, et il y aura toujours enfoui au fond de vous-même cet id « animal pur » auquel vous ne pouvez jamais vous fier. Vous ne savez jamais quand les sauvages vont se précipiter en hurlant hors de la jungle et envahir ce petit campement appelé « votre esprit conscient ».

A mon avis, la totalité de la pizza que la psychanalyse a essayé de vous vendre est une immense imposture perpétrée envers le public. *L'inconscient n'existe simplement pas comme entité*! On vous vend la moitié d'une pizza pour le prix d'une entière.

Le psychanalyste a, tout au plus, quelques petites idées sur ce qui est enfoui profondément dans les êtres humains. Vous avez certainement des pensées et des réactions qui vous restent de votre enfance, et vous avez des rêves dans lesquels votre esprit fonctionne de façon très différente que quand vous êtes éveillé. Mais de rendre responsable de votre comportement quelque chose dont, par définition, vous ne pouvez être ni conscient, ni contrôler, consiste à vous réserver un moyen instantané de vous dérober chaque fois que vous voulez éviter la responsabilité de ce que vous êtes occupé à faire. En outre, on vous demande de croire que vous avez besoin d'un psychiatre pour vous guider dans votre propre psyché au moyen d'une masse de catégories théoriques et d'un jargon mystérieux. Naturellement, tout cela dissuade et étouffe votre propre potentiel à regarder en vous-même dans des conditions et avec la philosophie de la vie qui ont le plus de sens pour vous.

Pourquoi devriez-vous accepter d'avoir un côté «malade» et un côté «sain» et qu'enfoui au fond de vous-même réside un vilain monstre qui va vous engloutir s'il n'est pas maîtrisé? Je n'y crois définitivement pas. Ma conviction est qu'au fond de vous-même se trouve une personne pleinement humaine, hautement évoluée et fonctionnellement heureuse, si vous êtes disposé à la libérer. C'est un mythe que de croire que nous nous sommes développés en des créatures ayant fondamentalement des noyaux malades. Toute cette dichotomie est le résultat des spéculations qui nous sont transmises des débuts de la psychanalyse, et cela n'est pas valide pour votre vie à moins que vous ne décidiez de penser ainsi.

Pour transcender la dichotomie «conscient / inconscient», il faut que vous oubliiez de diviser votre psyché en parties, comme Freud et les autres le firent aux fins de leur recherche, et que vous vous considériez comme un tout intégral. Comme Maslow le disait en 1971 : « Ce n'est que maintenant que nous commençons à avoir la certitude que la personne intégrée, l'être humain pleinement évolué, la personne qui a atteint une maturité totale, doit se rendre disponible à lui-même simultanément à ces deux niveaux. Il est certainement démodé de stigmatiser ce côté inconscient de la nature humaine comme malade au lieu de le considérer comme sain. C'est ainsi que Freud pensait à l'origine, mais nous apprenons différemment aujourd'hui. » *

Si vous vous considérez d'une façon holistique, vous n'aurez plus besoin de vous diviser en vos moitiés «conscient» et «inconscient». Par contre, vous serez en mesure de penser que vous avez une personne véritablement humaine et importante au fond de vous-même, et que votre véritable nature consiste à vouloir être heureux et profondément satisfait. Et *pourquoi* ne pas vous considérer de cette façon au lieu de le faire d'une perspective ridicule de malade / sain et conscient / inconscient? Pourquoi imposer des barrières inutiles, artificielles et théoriques de pensée entre vous-même et une vie Sans-limites?

Sécurisé / Insécurisé

Ceci est une des dichotomies de «psychologie populaire» qui a trouvé un usage courant comme moyen commode de classer et d'oublier les autres, autant que vous-même. Combien de fois vous êtes-vous surpris à dire, «Il agit ainsi par manque de sécurité», et vous vous êtes senti sécurisé dans votre supériorité par rapport à la personne que vous avez ainsi catégorisée? Jusqu'à quel point croyez-vous qu'une personne (vous compris) est *insécurisée ou sécurisée*? N'y a-t-il pas de place dans votre pensée pour mettre les gens dans une position intermédiaire — c'est-à-dire, une association des deux?

Pratiquement tout ce que vous faites comporte une certaine sécurité et une certaine insécurité pour vous. Si, un jour, vous tenez tête à un employé insolent, en apparence, vous pouvez faire montre d'une grande confiance, mais trembler intérieurement. Si un policier vous interpelle sans raison valable, selon vous, vous pouvez donner extérieurement l'impression de trembler et de vouloir rentrer sous terre, mais dans votre for intérieur, sachant que vous n'avez rien fait de mal, vous pouvez éprouver une sécurité totale.

Tous, sans exception, nous avons des moments de sécu-

---

* Maslow, *The Farther Reaches of Humain Nature*, page 88.

rité et d'insécurité relatives, par conséquent, toute dichotomie qui étiquette n'importe lequel d'entre nous comme éprouvant l'un ou l'autre sentiment est une perte de temps. En outre, si vous vous étiquetez comme «sécurisé» ou «insécurisé», cela vous empêchera d'essayer de changer ce que vous avez dit de vous-même. Si vous déclarez que vous êtes insécurisé, il est possible que vous vous reposiez constamment sur les autres afin qu'ils fassent pour vous les choses que, par manque de confiance, vous ne voulez pas faire : «Georges, voulez-vous amener ma voiture au garage pour moi? Vous savez combien je manque de sécurité avec les mécaniciens.» À ce rythme là, vous ne surmonterez jamais vos préventions contre les mécaniciens, et il en sera ainsi uniquement parce que vous vous êtes vous-même «classé et oublié» sous l'étiquette «insécurisé» (du moins, en présence des mécaniciens).

De manquer de sécurité n'est, de toute évidence, pas une bonne chose si cela signifie que vous êtes comme quelqu'un qui se cramponne dans une position précaire, et que s'il lâche prise, il sera précipité au bas de la montagne, en pleine panique. Mais il n'est pas bon non plus de se sentir *trop en sécurité*, si cela signifie que vous attachez une trop grande importance à la sécurité. De mettre trop l'accent sur la «sécurité» peut se traduire par de l'inertie, l'ennui et la dépression aussi rapidement qu'un manque de véritable sécurité peut mener à la panique, aux luttes incessantes ou à d'autres problèmes qui découlent de l'insécurité.

Pour pouvoir transcender la dichotomie de «sécurisé / insécurisé», vous devez reconnaître qu'il vous faut accepter une certaine mesure d'insécurité si vous voulez jamais apprendre à faire le funambule, le ski nautique, devenir un écrivain, lancer une petite entreprise, essayer une nouvelle recette ou faire quoi que ce soit qui demande un apprentissage. Vous pouvez vous attendre à ce que la vie Sans-limites vous mène à des situations que la plupart des gens appelleraient très précaires, et vous pouvez aussi vous attendre à ce que les autres disent de vous, «Il agit ainsi simplement parce qu'il ne se sent pas en sécurité.» Dans n'importe quelle situation, cependant, ce qui importe c'est comment vous vous voyez et quand vous éprouvez ces sentiments «d'insécurité», demandez-vous si vous les éprouvez parce que vous vous sentez véritablement *insécurisé intérieurement* (comme si votre esprit était sur le point de sombrer dans la panique), ou si vous manquez de sécurité parce que c'est la façon dont vous avez fini par penser de vous-même dans cette situation particulière. Vous seriez surpris du nombre de fois que votre insécurité provient de votre propre stéréotype de vous-même, comme de ceux des autres, et dans quelle mesure des pensées apaisantes concernant votre situation peuvent vous libérer de votre panique si vous cessez simplement de vous répéter combien vous vous sentez « insécurisé ».

Par ailleurs, vous devez reconnaître que la pensée Sans-limites exige de vous *que vous décidiez par vous-même quel genre de sécurité vous voulez dans votre vie*, quel genre de vie (quels que soient les « risques conventionnels » d'insécurité) vous procurera la plus grande paix intérieure et la plus grande confiance afin que vous puissiez prendre de nouveaux « risques » en forgeant votre propre destinée.

Les questions que vous devriez vous poser, et cela dans n'importe quelle situation, ne sont pas : « Est-ce que je me sens en sécurité en ce moment ? », « Que puis-je faire pour éprouver davantage de sécurité ? » mais bien : « Mon comportement actuel est-il suffisant pour me rendre heureux, peu importe comment les autres pourraient le qualifier ou comment je l'aurais moi-même qualifié hier ? ». Si en ce moment-ci vous êtes heureux, vous avez toute la sécurité dont vous avez besoin! Sinon, quelle que soit l'ampleur de votre inquiétude en vous demandant si vous ou d'autres vous sentez en « sécurité », cela ne vous rendra pas plus heureux.

Songez un instant à quelques tranches de votre vie où vous-même ou d'autres personnes vous ont qualifié de « très insécurisé », et quelques-unes où vous avez été qualifié de « très confiant ». Ensuite, pensez à toutes les situations possibles dans lesquelles vous êtes ou *pouvez vous rendre* intérieurement sécurisé dans ceux des domaines où vous avez été catégorisé « d'insécurisé ». Cet exercice devrait non seulement vous prouver combien cette dichotomie de « sécurisé / insécurisé » est absurde, mais également vous indiquer comment la contourner. Par exemple, si vous avez commencé par

Très sécurisé	Très insécurisé
Cuisiner pour la famille	*Discuter avec les mécaniciens*

vous auriez alors pu penser au sujet de « Cuisiner pour la famille » : « Je commence à me lasser d'avoir à préparer tous les repas. Je préférerais, quelques après-midi par semaine, avoir une autre activité outre le souper, et quand je cuisine j'aimerais essayer quelques nouvelles recettes. » Pour ce qui est de « Discuter avec les mécaniciens », vous auriez pu vous dire : « Je suis au moins rassuré de savoir que je peux me permettre de payer les frais de n'importe quelle réparation à ma voiture. Je manque de confiance parce que je n'ai jamais eu à faire avec des mécaniciens auparavant, je ne comprends pratiquement rien aux voitures, et je ne me sens pas à l'aise avec les gens qui en parlent en connaissance de cause. C'est pour cette raison que j'ai toujours demandé à Georges de conduire la voiture au garage pour moi. Mais je peux me sécuriser intérieurement dans ce domaine en amenant moi-même la voiture la fois suivante et en apprenant tout ce que je peux des mécaniciens. » Autrement dit, l'insécurité sera éliminée par l'action, non plus en vous étiquetant vous-même d'insécurisé.

Si, à présent, vous faites un retour en arrière et réfléchissez à ce que vous pouvez faire au sujet de l'insécurité (tristesse, ennui, dépression) que vous avez associée à « Cuisiner pour la famille », vous verrez que vos solutions à un « excès de confiance » ressemblent fortement à celles que vous avez proposées comme cures pour votre *insécurité* à l'égard des mécaniciens, ou n'importe quel autre problème d'insécurité que vous avez rencontré. Vous avez pu vous dire que « Je peux avoir plus de plaisir à cuisiner si je demande à Georges de faire la cuisine quelques fois par semaine ou d'apporter du restaurant notre plat favori, de façon à ce que je puisse sortir de ma routine de la cuisine, éviter de devoir cuisiner quelques après-midi, et avoir le temps d'étudier de nouvelles recettes et acheter les ingrédients nécessaires. »

La similarité entre ces deux solutions à des problèmes « opposés » provient du fait que dans les deux cas vous avez réfléchi à ce que *vous pouviez faire* concernant vos problèmes, vous avez inventé des *stratégies pour agir*. C'est ce que j'appelle un des meilleurs exemples de la pensée Sans-limites : vous avez oublié la dichotomie et répondu à l'appel des questions-et-réponses, de la résolution des problèmes, de la *pensée créatrice*, ainsi que votre propre vie vous l'a présenté maintenant.

Quelle que soit la façon dont vous l'envisagez, il n'existe pas vraiment de personne entièrement sécurisée ou insécurisée. En apprenant à fusionner cette dichotomie et à considérer les autres et vous-même comme des amalgames sans fin de sécurités et d'insécurités dont, chaque jour, vous pouvez prendre soin, vous vous dirigerez vers la véritable pensée Sans-limites.

Professeur / Étudiant

Cette dichotomie, parallèlement à celle de parent / enfant, patron / subalterne, maître / apprenti, et des nombreuses autres qui ont été inventées à travers les âges pour indiquer qu'une personne est censée être éduquée ou formée par quelqu'un d'autre, est fondamentalement celle que les personnes adultes ou les gens ayant une « situation conventionnellement dominante » employent avec les enfants ou autres « apprentis » pour les maintenir dans des positions d'infériorité. Cela commence par une vérité suffisamment simple — par exemple, que votre professeur d'histoire n'est pas né d'hier, du moins pour ce qui est de connaître l'histoire, et il devrait par conséquent pouvoir vous aider à apprendre davantage concernant l'histoire. Cependant, les ennuis commencent quand on présume que le professeur est celui qui est « actif » dans les rapports et que l'étudiant est « passif » de façon que le professeur est censé « opérer » sur l'étudiant, semblable à un chirurgien qui opère un patient, et qu'il « communique » ou « implante » ses connaissances pareil au chirurgien qui introduit un stimulateur cardiaque ou transplante un rein. Par ailleurs, l'étudiant est censé « rester tranquille » pendant l'opération, laissant au professeur le soin de décider comment il doit s'y prendre, et si c'est couronné de succès le professeur sortira de la salle d'opération pour recevoir les félicitations de tous pour sa remarquable manière d'enseigner, alors que l'étudiant recevra une petite tape dans le dos pour s'être aussi bien tenu coi et, ensuite, une promotion qui le fera passer à la salle d'opération suivante. Et ainsi se forge une autre chaîne d'autorité-soumission.

La vérité holistique derrière cette dichotomie est que chaque professeur dans ce monde *devrait être également* un étudiant, fut-il âgé de cinq ans et montrant à un enfant de trois ans la manière de se servir d'un crayon pour dessiner, ou de soixante-cinq ans et un distingué professeur d'histoire. Par ailleurs, *personne ne peut vraiment enseigner quoi que ce soit à quiconque* dès qu'il s'agit d'inculquer des connaissances ou des aptitudes à un étudiant passif. Ce dernier doit être prêt à étudier, à réfléchir et à mettre en pratique les choses par lui-même sinon aucun enseignement, aussi efficace soit-il, ne lui permettra «d'assimiler» les matières. Par conséquent, c'est à l'étudiant qu'incombe la responsabilité d'apprendre — quel que soit le sujet à étudier, et c'est lui qui le premier doit se résoudre à devenir son propre professeur avant qu'un autre professeur ne soit en mesure de l'aider.

Vous n'ignorez pas qu'aucun enfant au monde n'apprendra une matière qu'il se refuse d'étudier quels que soient vos efforts pour lui enseigner ce que vous désirez qu'il connaisse. Vous pouvez *conditionner* l'enfant à ne pas traverser la rue tout seul, en lui donnant des claques par exemple, mais conditionner n'est pas enseigner, ni apprendre en aucune manière. Vous savez également, si vous avez tenté d'enseigner quelque chose à quelqu'un, que tout votre enseignement a consisté de votre part à faire l'expérience ou *à être un étudiant* du processus d'enseignement et à *faire la démonstration* de ce que vous essayez d'aider votre «étudiant» à maîtriser.

Prenez l'exemple de l'enfant à qui vous apprenez à monter à bicyclette. Peut-être l'enfant a-t-il fait du tricycle pendant plusieurs années, mais il possède à présent sa première bicyclette. Pour ses premières tentatives, vous pourriez installer des roues d'entraînement afin de lui permettre de s'habituer à une plus grande bicyclette, mais quand vient le moment de retirer les roues d'entraînement pour qu'il se rende compte s'il est capable de rester en équilibre sur deux roues, peu importe que vous couriez derrière lui pour tenir la bicyclette ou lui montriez «comment garder l'équilibre» ou que vous fassiez semblant de ne pas lâcher sa bicyclette mais la lâchiez ensuite subrepticement, à son insu, car cela ne l'aidera en aucune manière. Soit l'enfant saura l'apprendre par tâtonnements ou il en sera incapable et alors, les roues d'entraînement seront réinstallées pour quelque temps encore. Le professeur compétent peut *démontrer* l'une ou l'autre chose comme, par exemple, la manière de prendre suffisamment d'élan et d'appuyer avec force sur une pédale pour que la bicyclette ne verse pas, comment remettre le pied sur le sol et prendre la bicyclette sur le côté pour vous rattraper sans tomber au cas où vous perdriez l'équilibre, mais il encouragera «l'étudiant» à tenir lui-même la bicyclette, à essayer de rouler et de rester en mouvement aussi longtemps qu'il le peut, et ensuite à recommencer. Il s'abstiendra de lui crier un flot d'instructions contradictoires, d'embrouiller l'enfant qui tente de se concentrer. S'il estime que l'enfant est trop intimidé par sa présence pour pouvoir se concentrer, il s'éloignera et laissera le sujet s'instruire par ses propres moyens. Il réfléchira entre-temps sur ce que ses propres efforts pour aider quelqu'un à apprendre à faire de la bicyclette lui ont enseigné dans le cas présent afin que son aide soit plus efficace la fois suivante. Plus cette indépendance sera cultivée en cours d'apprentissage, plus sa façon d'enseigner sera efficace. Et vice versa, moins il y aura d'indépendance, plus «l'enseignement» dégénèrera en un simple «conditionnement» autoritaire. Où se trouve alors la dichotomie? Le seul objectif de l'enseignement, de l'instruction, devrait être d'aider les étudiants à devenir leurs propres professeurs compétents, à assumer entièrement le contrôle et la responsabilité de leur propre apprentissage. Le professeur qui apprend la façon d'aider ses élèves à exercer un contrôle sur eux-mêmes, apprend également davantage sur la façon d'enseigner à chaque tentative, et apprend lui-même de ses élèves.

Chaque fois que j'ai donné un cours comme professeur au collège, j'ai appris autant sur la matière traitée et sur la manière dont les êtres humains pensent et se comportent, de mes élèves qu'ils l'ont appris de moi, et je devins davantage conscient combien la dichotomie professeur / étudiant est fondamentalement stupide. Après tout, peut-être la chose la plus importante qu'un professeur puisse faire est-elle de démontrer comment devenir un étudiant. Et, de même, *la chose la plus importante qu'un parent puisse faire est de montrer aux enfants comment devenir leurs propres parents*; la meilleure chose qu'un patron puisse faire est de montrer à ses employés comment se comporter comme leur propre patron; et il en est de même pour les maîtres, les apprentis et n'importe qui d'autre. Pour transcender la tendance autoritaire à penser que tous ces genres de rapports constituent des rues à sens unique qui exigent une domination / soumission ou comportent une supériorité / infériorité, il faut que vous fassiez simplement un inventaire de tous les rapports dans votre propre vie, qui portent des étiquettes «professeur / étudiant» ou d'autres similaires, *que vous inversiez les étiquettes* et constatiez toutes les façons dont il est vrai que vos élèves sont vos professeurs (ou que vos professeurs sont vos élèves), vos enfants sont vos parents ou vice versa, et ainsi de suite. À mesure que vous agirez ainsi, vous constaterez un changement dans vos pensées, un déplacement de l'ensemble du «corps de vos pensées», un adoucissement de vos attitudes au fur et à mesure que la tension précédemment produite par votre besoin de jouer autant de rôles artificiels de domination ou de soumission s'apaise. Votre comportement dans ces rapports se modifiera de façon à se conformer à vos nouvelles conceptions. L'angoisse cèdera la place à un sens de l'humour; à l'esprit de compétition ou aux conflits succèdera un esprit de coopération, et aux chaînes d'autorité-soumission se substituera un réseau de rapports Sans-limites authentiques. Souvenez-vous que tout ce que vous savez, vous avez vous-même décidé de l'apprendre, et qu'aucun professeur, aussi talentueux soit-il, ne peut vous obliger à apprendre quelque chose contre votre gré. Nous sommes *tous* à la fois professeurs et élèves dans toutes les circonstances de notre vie.

Travail / Jeu

Cette dichotomie est l'une des plus répandues et des plus destructrices dans notre culture. À bien des égards, la nécessité de la transcender constitue l'essence même de la pensée

Sans-limites, et peut-être la décision ayant la plus grande portée que vous puissiez prendre dans votre cheminement vers une vie Sans-limites.

Combien de fois, et de combien de façons différentes, avez-vous entendu ou déclaré : «À toujours travailler, les enfants s'abrutissent» ; «Il faut travailler dur et savoir se détendre » ; « Tout ce que je fais c'est, de travailler, travailler, travailler » ; «Très bien, fini de s'amuser, il faut se remettre au travail » ; « Nous appartenons à la classe laborieuse, ils appartiennent à la classe des désœuvrés » ; « Tu as aujourd'hui la vie facile, mais attends que tu sois grand et doives travailler. »

En particulier, jusqu'à quel point êtes-vous flexible quand vous partagez votre propre temps entre ces activités plaisantes que vous appelez jeu et la triste corvée que représente pour vous le travail? Dans quelle mesure considérez-vous votre activité principale, votre emploi ou votre profession — que vous soyez un plombier, une ménagère, un publiciste, un étudiant ou autre chose — comme étant un travail *que vous êtes obligé de faire* parce que vous devez gagner votre vie ou quelque chose dont vous voulez désespérément faire une réussite afin de faire fortune et de prendre votre retraite avant l'âge et *ne plus jamais devoir travailler*?

Jusqu'à quel point vous considérez-vous *esclave du travail*, que vous laviez la vaisselle, tondiez la pelouse, construisiez un pont ou écriviez un article pour un journal? Jusqu'à quel point êtes-vous convaincu que le *jeu est une récompense pour avoir terminé votre travail*, que vous soyez un écolier menacé d'être retenu en classe pendant la récréation parce que vous n'avez pas terminé vos devoirs ou un homme d'affaires qui *travaille dur* cinquante semaines par an, en partie pour ses vacances de deux semaines? Et enfin, jusqu'à quel point croyez-vous que le travail ne peut pas être un jeu et que le jeu n'est pas du travail?

Le fait de modifier votre attitude à l'égard du travail et du jeu demande davantage que d'appeler jeu ce que vous aimez faire, et travail, ce qu'il vous déplaît de faire. En réalité, il ne servira à rien de changer la façon dont vous employez les mots si vous vous *limitez* uniquement à cela; mais considérer *si une activité peut se définir comme travail au sens le meil-*

leur ou le plus élevé, à moins qu'elle puisse également être appelée jeu, peut vous mener au point où vous transcenderez cette dichotomie.

Réfléchissez à ce que cela pourrait signifier *fournir votre meilleur travail*. Vous pouvez immédiatement penser, « Fournir mon meilleur travail consiste à rédiger le meilleur compte rendu que j'ai jamais écrit, si bien que mon patron et les clients conviendront que c'est précisément ce dont ils avaient besoin » ou quelque chose d'approchant. Vous pouvez également vous dire : « Cela n'a rien à voir avec le fait que j'ai pu éprouver du plaisir ou souffrir comme un damné pendant que je le rédigeais. »

Réfléchissez de nouveau. Vous avez pu émettre l'hypothèse suivante : « votre travail » est le produit que vous produisez (le service que vous rendez, et ainsi de suite) *et non* l'activité qui consiste à travailler! Alors, il est certain que ce que vous voulez dire en partie par «mon meilleur travail» pourrait être «le meilleur poème que j'ai jamais écrit», ou autre chose. Mais la *signification du mot entier*, tel que vous l'appliquez à votre vie, doit inclure votre évaluation du *bon temps que le travail vous a procuré, ou de la mesure dans laquelle votre travail était équivalent de jeu.* C'est dans ce sens que vous dites, «Le meilleur emploi que j'ai jamais eu, réellement, était...(quel qu'il fut), car j'aimais le *travail*, les gens, finalement j'y excellais, je le trouvais passionnant et plein de défi. »

Si vous admettez que «votre travail» doit correspondre autant à l'activité qu'au produit, vous comprendrez alors aussitôt que le travail, au sens le meilleur ou le plus élevé, *doit* signifier simultanément travail et jeu. Vous pouvez, si vous voulez, appeler «travail» toute activité ou besogne fastidieuse que vous vous êtes résigné à détester, aussi longtemps que vous vous décidez soit à trouver un moyen de prendre plaisir à ce travail ou à y renoncer. Ce qui est essentiel c'est que *vous ne considériez pas une activité comme une tâche fastidieuse uniquement parce que vous ou d'autres l'avez appelée travail*, et avez pris votre parti d'être misérable en l'exerçant et cela en raison de l'étiquette qu'elle porte. Si vous êtes véritablement intéressé dans une vie Sans-limites, vous devez accepter *que le seul genre de travail qui vous intéresse est le travail au sens le meilleur ou le plus élevé, à tous points de vue, et que votre aptitude à transformer vos activités de travail en jeu doit passer en premier.*

Et, tout d'abord, comment cette dichotomie absurde a-t-elle pris naissance? Comment certaines personnes sont-elles arrivées à la conclusion qu'il y a, d'une part, le travail et, d'autre part, le jeu, et que vous devez passer la majeure partie du temps qui vous reste (dans la mesure du possible) à vous divertir, que le jeu constitue la récompense du «dur labeur», et ainsi de suite?

Je présume que pour la plupart d'entre nous, cela remonte à l'époque de l'école primaire, où nos parents insistaient pour que leurs enfants commencent très tôt à «travailler» dans la maison, leur confiant de nombreuses «tâches», tout en exprimant leur horreur de devoir faire la vaisselle ou tondre la pelouse. Peut-être dirent-ils aux enfants que s'ils voulaient faire partie de la famille ils devaient assumer leur part des tâches domestiques, en justifiant cette décision par leur conviction qu'ils ne faisaient que préparer leurs enfants à la vie scolaire, et même à la vie tout court, telle qu'elle «était réellement». Mais pour la plupart de nous, cela a très vraisemblablement commencé à l'école, où les professeurs désignaient certaines périodes comme les «récréations» et s'assuraient que nous n'ignorions pas que dès notre retour en classe le professeur était à nouveau le patron et qu'il n'était plus question pour nous d'espérer nous amuser, car c'était la *période de travail* — durant laquelle il nous inculquait l'idée que le travail et le jeu étaient deux choses entièrement différentes.

Dès lors, quel est l'avantage autoritaire de ce genre de dichotomie (que les étudiants comme les professeurs autoritaires acceptent ou encouragent)? Je suis d'avis que précisément *si le jeu (divertissement) peut être séparé du travail* de façon à ce que *votre divertissement soit fonction du niveau de votre rendement dans le jugement de vos supérieurs*, alors la *hiérarchie dispose d'une nouvelle récompense extérieure qu'elle peut vous accorder ou retenir à volonté, et dispose en outre d'une nouvelle manière de vous manipuler!*

La clé pour transcender cette dichotomie est de reconnaître que votre aptitude à fusionner travail et jeu dans tout ce que vous faites est une chose que personne ne peut vous retirer à moins que vous-même étourdiment la donniez à autrui.

Retournons, à présent, à la section sur «L'engagement» au Chapitre 1, où j'ai mentionné l'union du violon d'Ingres et de la profession — une autre forme de la dichotomie travail / jeu — cela ne nous fera pas de tort de relire Frost encore une fois :

> *Que cède qui veut à leur séparation*
> dans la vie leur union est mon but,
> mon violon d'Ingres et ma profession...

Ce que le poète dit ici c'est que le *violon d'Ingres et la profession ne faisaient qu'un à l'origine*, du moins dans son esprit, et que *certaines personnes cédèrent à leur séparation*, ou se soumirent à l'idée (autoritaire) que pour «l'adulte mûr», le travail et le jeu doivent réellement être séparés, même les activités qui s'excluent mutuellement! Frost veut souligner que pour ceux qui ont perdu de vue l'unité fondamentale du «travail» et du «jeu» au sens le plus élevé, *il leur faut les choix de la pensée créatrice et d'une vie courageuse pour transcender aujourd'hui cette dichotomie*. Cela ne fait aucune différence si vous vous souvenez ou non de l'époque où le travail et le jeu ne faisaient qu'un dans l'histoire de votre propre vie, bien que cela vous soit possible si vous vous souvenez de tout le travail qu'il vous a fallu pour édifier cette hutte dans un arbre ou pour édifier ce magnifique château de sable, et à quel point vous étiez perdu, *engagé* dans le plaisir que vous dégustiez à chaque instant. Ce qui importe à présent c'est que vous alliez *de l'avant* pour amalgamer tout ce que vous appelez «travail» et tout ce que vous considérez comme «jeu» en un ensemble de travail — et — jeu dans l'histoire de votre vie, *dès cet instant*. Vous n'avez besoin de rien faire à votre jeu pour «le transformer» en travail au sens que j'indique. Tout ce que vous avez à faire est de reconnaître comment vous avez l'habitude de travailler quand vous êtes effectivement en train de jouer.

Par exemple, quand vous êtes totalement engagé dans une partie de tennis, comment travaillez-vous comme personne entière? Vous courez çà et là, votre corps et votre raquette jouent avec la balle dans une coordination absolue avec votre esprit; vous apprenez et vous renforcez vous-même et «votre jeu» à chaque instant (aussi longtemps que vous pensez, sans vous inquiéter, au jeu). Dans quel sens *ne travaillez-vous pas? Vous n'êtes certainement pas «brisé», comme une montre qui s'est arrêtée, au sujet de laquelle vous dites, «Elle ne fonctionne pas. Je dois la faire réparer.» Par ailleurs, vous fournissez un effort maximum aussi bien physiquement que mentalement (si vous voulez faire une distinction entre les deux). Ensuite, vous pouvez même dire, «Quelle épreuve d'endurance!». Au cours de cette activité que vous avez été conditionné à appeler «jeu», vous avez fait tout ce que l'on associe avec le travail!*

En outre, quand vous aurez trouvé un moyen de changer votre travail quotidien, ou votre profession, en un jeu (que votre travail demande une grande activité physique ou non), vous faites évidemment tout ce qui caractérise simultanément le travail et le jeu.

Vous vous souviendrez que j'ai dit, en ce qui a trait à «L'engagement», que par bonheur l'union de la profession et du violon d'Ingres, ou du travail et du jeu, ne dépend pas de votre aptitude à obtenir l'emploi que vous aimez, mais bien de votre aptitude à aimer l'emploi que vous occupez! Il est bien entendu que vous allez chercher un travail que vous croyez pouvoir aimer! N'est-ce pas là la meilleure façon d'assurer votre aptitude à aimer l'emploi que vous obtenez? Quant à ces travaux que *vous avez choisis de faire* (car même les assiettes sales, vous acceptiez de les laver quand vous les avez utilisées; vous *auriez pu* manger directement des casseroles ou acheter des aliments à consommer devant la télévision), *pourquoi ne pas* faire preuve d'esprit créateur et transformer le travail en jeu, pour votre plaisir. Pourquoi vous résigner à l'idée qu'un emploi de neuf à cinq *doive* être une corvée parce qu'il s'agit de travailler, et que le jeu est pour plus tard? Pourquoi se rendre au travail jour après jour avec l'arrière-pensée que l'heure du divertissement est passée ? Pourquoi agir comme le boueur maussade qui cogne les poubelles en les déplaçant et répand les ordures dans le caniveau uniquement parce qu'il ne sait pas faire de son travail un jeu ? *Pourquoi ne pas* être un boueur qui est toujours aimable et soigné, qui est fasciné par ce que les gens jettent et s'interroge sur ce que les générations futures en penseront, qui vous entretient du nouveau centre de recyclage ?

Quoi que vous pensiez du travail, « dans un sens négatif » — qu'il s'agisse de tondre le gazon, de laver la vaisselle, de remettre un rapport à temps, de s'asseoir derrière un projecteur de cinéma huit heures d'affilée n'ayant rien d'autre à faire que de changer les bobines toutes les demi-heures — vous pouvez néanmoins trouver un moyen de le faire en vous engageant totalement et en étant fasciné par ce que vous faites, aussi longtemps que vous le faites.

Donc, laver la vaisselle, sortir la poubelle, se rendre au travail tous les jours sont des actes nécessaires dans votre vie. *Et alors ?* Est-ce que cela en fait automatiquement du travail dénué du moindre plaisir ? Jamais de la vie ! Si vous pouviez choisir votre propre attitude à leur égard sans qu'il y ait une intervention des dichotomies artificielles du travail / jeu, vous sauriez que faire la vaisselle peut facilement être une « période de jeu » ; un temps où vous vous souvenez combien vous avez eu de plaisir à manger votre nourriture dans ces assiettes ; où vous vous laissez absorber dans vos propres pensées intimes pendant que vous regardez l'eau couler et vos mains et la lavette laver cette bonne vaisselle familière pour le repas du lendemain ; où vous écoutez vos airs préférés, bavardez avec les membres de la famille, méditez sans plus, ou toute autre chose qui constitue une récréation (un autre terme pour jeu-et-travail au sens le plus élevé, signifiant *ré-création-de-soi*).

Il se révèlera que la beauté d'une attitude holistique renouvelée à l'égard du travail-et-jeu provient du fait que plus vous apprenez comment jouer en travaillant (dans votre profession, en particulier), meilleur sera naturellement le produit de votre travail *sans que vous vous tourmentiez un instant au sujet de votre travail*. Autrement dit, votre compte rendu de livre en tant que produit ne peut être pire et, à mon avis, il sera certainement meilleur aux yeux des autres, si vous le faites comme un jeu, en éprouvant du plaisir à le rédiger. Vos deux semaines de vacances vous sembleront bien plus agréables si vous n'avez pas l'impression d'avoir sacrifié un an de travail dur et pénible pour en bénéficier, et que vous devez à présent subir la pression de devoir comprimer dans cette courte période une année entière au jeu.

Naturellement, à l'occasion, vous aurez à rejeter certaines soi-disant activités de travail ou de jeu que d'autres tenteront illégitimement de vous forcer à accepter. Votre patron *est* peut-être une personne autoritaire invétérée qui ne vous donnera jamais une chance d'avancement et qui semble faire son possible pour rendre votre vie misérable ; peut-être ne désirez-vous pas vraiment jouer au tennis cet après-midi, malgré que quelqu'un d'autre tente de vous entraîner sur le court de tennis. Auquel cas, vous devez opposer un refus ferme à cette personne ; démissionner de votre poste quels que soient les risques pour vous, ou dire : « Que diable, je *n'irai* pas jouer au tennis cet après-midi. » Mais quelle que soit votre décision dans un cas en particulier, si vous voulez jouir d'un travail Sans-limites et d'un jeu Sans-limites *au sens le plus élevé*, vous devez vous souvenir que l'un ne va pas sans l'autre, et que *quand vous avez l'un, vous avez aussi l'autre*.

Robert Frost donna lui-même l'exemple de ce qu'il disait dans *Two tramps in mud time*. Sa profession était celle de «poète». Son violon d'Ingres était d'écrire des vers. À mon avis, c'est uniquement parce qu'il avait compris l'unité fondamentale du jeu et du travail, en ce qui le concernait, dans sa propre vie, l'ayant *créée pour lui-même*, que l'ensemble de sa poésie, que son legs de pensées sincères et belles, vibrent aussi profondément aux oreilles d'une telle multitude de gens recueillis.

Pour parodier un autre poète Sans-limites : Le travail est un jeu, le jeu est aussi du travail. C'est tout ce que vous savez sur terre, et tout ce que vous devez savoir.

Amour / Haine

Les personnes autoritaires ont une forte tendance à scinder le monde en choses et en gens qu'elles aiment et ceux qu'elles détestent, méprisent ou condamnent. « J'aime mon pays ; je déteste ces saligauds qui prennent tout ce que le pays leur donne et, ensuite, refusent de le défendre quand il a besoin d'eux, ces jeunes gens sont opposés à la conscription. » « J'aime ma famille. Je déteste ce type du nom de Jones, qui habite un peu plus loin dans la rue. » « J'aime les vieux immeubles du centre de la ville, mais je déteste les nouveaux qui sont en construction. » « J'aime travailler dans le jardin, mais je déteste nettoyer la cave. » Cette tendance révèle l'intolérance de l'ambiguïté de l'être autoritaire, et son besoin de dichotomiser à tout prix, mais la conséquence en sera probablement un amour superficiel et une haine aveugle qui, même si elle n'est pas carrément dangereuse, du moins sera une raison suffisante pour que la personne autoritaire soit en proie à des conflits et se rende souvent ridicule.

Supposez que vous dites : « J'aime ma famille, mais je déteste ces jeunes gens qui prennent tout ce que le pays leur donne et, ensuite, refusent de le défendre. »

Que se passera-t-il si votre fils, qui a moins de vingt ans, dont vous étiez très fier jusqu'à présent, et qui fréquente une très bonne école, décide qu'il est contre la conscription ? Vous avez répété tellement souvent combien vous détestiez « ses semblables » que vous êtes, à présent, obligé de le détester lui aussi, de retirer tout l'amour que vous lui portez, à moins que vous ne *réussissiez à lui faire changer d'avis*. Vous pouvez essayer de le forcer à modifier son attitude, lui dire que vous ne payerez plus ses études s'il ne revient pas à la raison, mais en fait vous n'avez pas la moindre chance de réussir. Votre haine catégorique le contrarie d'une façon très personnelle et émotionnelle, et si vous refusez d'entendre ses raisons, pourquoi écouterait-il vos déclamations ? En outre, s'il renonce à ses opinions devant vos menaces, serez-vous alors fier de lui ?

Votre haine catégorique vous a fait tomber droit dans un piège. Vous ne pouvez pas dire, « Eh bien, je déteste tous ces saligauds *sauf* mon propre fils » et être logique. La seule façon logique ou holistique de vous en sortir est de rejeter votre haine catégorique et de vous limiter à être fortement en désaccord avec votre fils, de vous efforcer de le *raisonner* du mieux que vous pouvez, d'*examiner* objectivement ensemble les aspects positifs et négatifs de la conscription, en essayant de votre mieux d'arriver à une entente mutuelle. Même si cela vous prend dix ans, vous pourriez avoir du plaisir à en faire l'essai!

Mais si, pour commencer, vous êtes un archiautoritaire, vous craindrez probablement plus de changer votre attitude actuelle que de désunir la famille que vous prétendiez aimer. Vous alliez renier votre fils, l'obliger à quitter l'école que vous étiez tellement fier de le voir fréquenter, et vraisemblablement angoisser terriblement votre épouse et les autres membres de la famille qui finiront par croire que votre amour de la famille doit être extrêmement superficiel s'il peut aussi facilement se transformer en une haine automatique et causer le bannissement d'un des membres.

C'est précisément pour éviter ce genre de piège d'amour et de haine que les parents sages font clairement comprendre à leurs enfants que «Je vous aimerai toujours, même si je déteste certaines des choses que vous faites.» En rendant leur amour *inconditionnel*, ils se donnent la possibilité d'être fortement en désaccord ou même de détester les actes commis par leur enfants. («Tu m'as menti sur les raisons de ton retard à rentrer de l'école. Je déteste ce comportement» — ce qui *ne veut pas* dire, «Je te déteste.») Il est certainement possible d'aimer la personne et simultanément, de détester sa manière d'agir.

Selon mon expérience, seules les familles qui ont adopté une variante quelconque de cette attitude, de ce fusionnement ou de cette résolution de la dichotomie amour / haine, sont restées unies. Les familles au sein desquelles il était entendu que si vous détestiez le comportement d'une personne à un moment donné, vous détestiez aussi (retiriez votre amour de) cette personne par la même occasion, se sont dispersées depuis longtemps comme la paille dans le vent.

En réfléchissant davantage à la nature de la haine, il devrait vous être évident qu'il est absolument futile de détester les actes d'autrui, pour la simple raison que la haine est en elle-même une émotion de *réaction* (et non l'inspiration d'un acte constructif), dont l'effet principal est de jeter la personne haineuse dans un trouble émotionnel, une colère, une fureur, une immobilisation, et soit la rage froide qui accompagne l'apathie ou les inepties totalement inefficaces qui accompagnent la panique.

Il n'y a pas de doute que les meilleurs soldats alliés, pendant la Seconde guerre mondiale, n'étaient pas ceux qui étaient obsédés par la haine pour «tous les Allemands», mais ceux qui disaient, «Il y a en Allemagne une horrible maladie politique, tellement horrible que je mourrai en la combattant si c'est nécessaire, et que je tuerai s'il le faut les Allemands qui se battent pour la répandre, mais je ne hais pas pour ça tous les Allemands, et même pas tous les nazis. Ma mission consiste non seulement à nous sauver nous de cette maladie, mais également l'Allemagne et, en vérité, je lutte aux côtés de ceux des Allemands qui ont tenté de la combattre d'une façon ou d'une autre et ont échoué, ceux qui défendent les principes que j'aime. » Ce sont ceux-là qui pouvaient aller de l'avant et s'acquitter de leur tâche sans que leur jugement ou leur efficacité soit faussé par la «statique» que la haine engendre ; ceux qui étaient trop occupés à combattre la maladie ou les gens qui étaient atteints.

Le même principe qui consiste à aimer inconditionnellement les membres de votre famille *en tant que personnes*, bien que vous puissiez avoir à vous *opposer inconditionnellement* à certains de leurs actes à un moment donné, a été appliqué par de nombreux grands penseurs religieux à l'idée d'aimer inconditionnellement tous les autres êtres humains en tant que personnes (comme s'ils étaient des membres de votre famille), que vous puissiez ou non avoir à vous opposer énergiquement à ce qu'ils font à un moment donné. Ceci est l'essence même de la pensée holistique.

La logique est simple : si vous avez de l'espoir pour vous-même, une vision de combien la vie peut réellement être magnifique pour vous, pourquoi ne pas avoir le même espoir pour les autres? Comment l'humanité pourra-t-elle jamais atteindre sa pleine potentialité de bonheur universel si les gens

176

non seulement renoncent à tout espoir les uns pour les autres, mais en même temps renoncent à tout espoir pour eux-mêmes, ce qui se produit chaque fois que vous abandonnez tout espoir pour une autre personne? Comment allez-vous faire pour aider les autres (vous y compris) en groupant certains d'entre eux avec ceux que vous détestez et les autres avec ceux que vous aimez? *Tous ceux* que vous dites aimer ne vont-ils pas tôt ou tard commettre un acte que vous détestez? N'est-il pas inévitable que vous aussi fassiez quelque chose que ceux que vous aimez détestent? Cela vous serait-il agréable qu'ils vous détestent pour ce que vous avez fait? À ce rythme, tous les habitants de la terre finiraient par se haïr mutuellement en un rien de temps; non seulement tous nos rapports personnels (et par conséquent, votre propre vie) seraient empoisonnés, mais les dictateurs et les tyrans auraient là une occasion unique pour manipuler la haine aveugle des gens les uns pour les autres, et toute liberté humaine serait étouffée à la faveur des conflits haineux incessants. En fait même, de pousser la dichotomie d'amour et de haine aussi loin qu'elle peut aller sur des bases autoritaires pourrait facilement aboutir à l'extermination totale de l'humanité.

C'est la raison pour laquelle l'apôtre Paul disait, par exemple :

L'amour est patient et bon; l'amour n'est ni jaloux, ni fanfaron; il n'est ni arrogant, ni grossier. L'amour n'insiste pas pour s'imposer; il n'est ni irascible, ni rancunier; il ne se réjouit pas devant le mal, mais se réjouit devant le bien. L'amour supporte toutes choses, croit en toutes choses, espère en toutes choses, endure toutes choses. L'amour n'a pas de fin; quant aux prophéties, elles vont changer; quant aux langues, elles vont cesser; quant aux connaissances, elles vont passer. Car notre connaissance est imparfaite et notre phophétie est imparfaite; mais à la venue du parfait, l'imparfait passera. *

---

*I Corinthiens 13: 1-9

Si vous voulez vous considérer comme *parfait dès à présent* de la façon dont je vous ai vivement conseillé de faire dans le premier chapitre, vous «laisserez le parfait» (le *vous entier ou complet*) venir *sur-le-champ* et *oublierez votre haine paralysante pour quiconque, vous y compris*. Vous laisserez les catégories «imparfaites», d'amour / de haine, dans lesquelles vous avez placé tant de choses et tant de gens, «passer», simplement en établissant le rapport approprié entre ce que vous aimez et désirez élever et cultiver et ce que vous pouvez haïr, ce que vous désirez supprimer dans le monde, dans votre propre esprit. En ce qui me concerne, le rapport approprié c'est : «Je peux détester ce que les gens font, mais je ne dois jamais haïr une autre personne; par conséquent, *l'amour et la haine ne sont jamais réellement en conflit en ce qui concerne les autres gens.* J'admets que tout le monde, moi y compris, fera naturellement à un moment donné des choses que je désapprouve, et que parfois je devrai m'opposer à leur comportement. Mais cela ne m'empêchera pas fondamentalement d'aimer, ou d'avoir de *l'espoir pour* — tout le monde — moi y compris — *tout le temps.*»

S'il y a bien une chose sur laquelle pratiquement tous les penseurs religieux ont insisté, c'est de surmonter la dichotomie d'amour et de haine *dans notre propre vie.* «Vous aimerez votre prochain comme vous-même.» Comme avec toutes les grandes philosophies et poésies, cela peut jeter une nouvelle lumière sur la signification de l'amour à chaque lecture. Mais pour l'instant, j'en interprète ainsi la signification : « Si vous ne pouvez pas aimer votre prochain inconditionnellement (quelle que soit l'étendue de votre opposition à ce qu'il fait), vous ne pouvez pas vous aimer vous-même inconditionnellement. » Cela veut dire que vous *êtes destiné* à aimer votre prochain *tout autant* que vous vous aimez, *peu importe si c'est peu ou beaucoup.* Si vous détestez votre prochain et si vous vous comportez d'une façon qui est destructive pour sa vie, c'est la mesure parfaite pour vous indiquer combien vous vous détestez vous-même et êtes autodestructif dans votre propre vie.

Conclusion : c'est à vous de choisir. Vous pouvez continuer à diviser autant de gens, d'activités, d'événements, d'idées et autres, que vous voulez en ceux que vous détestez et ceux que vous aimez, ou vous transcendez cette dichotomie incessante en faveur d'une attitude holistique, Sans-limites, en décidant tout simplement d'aimer autant que vous pouvez, vous-même et tous les autres gens, en refusant d'être bouleversé ou immobilisé par la haine à leur égard ou pour leurs actes.

Bon / Mauvais

Voici peut-être une des dichotomies les plus fréquemment utilisées dans notre language, et parce qu'elle constitue un *jugement* tellement catégorique de la part de quiconque s'en sert, elle donne lieu à un vaste éventail d'abus.

C'est ce que vous entendez tout le temps. « C'est un mauvais garçon. » « Ce que tu es mauvais. » « Voilà une bonne fille. » La théorie derrière ces proclamations c'est que les gens peuvent être simplement divisés en deux catégories : bon et mauvais, et que ceux des gens qui sont mauvais ne méritent aucune considération, tandis que ceux qui sont bons doivent être félicités. En fait, cependant, il n'existe pas de mauvaises personnes. Le concept de *mauvais* est un jugement moral, et le *mauvais* comportement d'une personne est le *bon* comportement d'une autre personne, et vice-versa ; par conséquent, ce sont souvent les circonstances qui dictent ce qui doit être considéré comme bon et mauvais. En temps de guerre, il est mauvais de ne pas tuer son ennemi, alors qu'en temps de paix il est bon d'éviter à tout prix de tuer. En dépit du fait que l'acte de tuer reste toujours le même, les jugements de bon et mauvais changent constamment selon le contexte du comportement. Et ainsi, sous réserve que les lois et les autorités judiciaires dans la juridiction en question soient justes, vous, par exemple en tant que juré pourriez finalement conclure : « Oui techniquement parlant c'était un meurtre, car les lois de ce pays interdisent de tuer des agents de la Gestapo en n'importe quelle circonstance, et cet homme a tué avec préméditation cet agent qui venait les arrêter, lui et sa famille, pour les envoyer en camp de concentration. Mais je ne peux pas condamner cet homme pour l'avoir fait, et ainsi je vais oublier cette définition technique et voter selon ma conscience : pas coupable. »

Un des abus fondamentaux de la dichtomie du bon / mauvais, et qui se répand partout, c'est de permettre à la légère aux lois et aux conventions sociales externes de se substituer à vous pour passer des jugements moraux conformément à des règles rigides. Notre système de jury est conçu pour éviter cela dans la mesure du possible, en permettant à un juré de voter comme il le désire, sans avoir à justifier son vote envers quiconque et sans qu'il y ait une possiblité pour lui d'être appelé pour rendre raison ou être puni pour cette décision, mais, malgré tout, de nombreux jurés et «juges» dans toutes les sphères de la vie n'en sont essentiellement pas conscients et votent coupable uniquement parce que l'accusé a enfreint la loi. Donc, quelles que soient les circonstances atténuantes, ils considèrent que «les lois» doivent être défendues à tout prix, en faisant peu de cas des injustices flagrantes possibles commises à l'égard des individus. Pour transcender cet abus précis de la dichotomie du bon / mauvais, vous devriez vous souvenir que chaque personne a un ensemble de comportements bons et mauvais, comme ils sont généralement définis dans notre culture. En fait, chaque fragment de comportement incorpore un ensemble de ce que nous appelons bon et mauvais, et apprendre à transcender la simple dichotomie et à rechercher le contexte du comportement est une façon de penser de loin supérieure. Vous transcendez la dichotomie aussitôt que vous pouvez voir le bon et le mauvais comme étant la même chose à de nombreux points de vue. Le criminel qui a été arrêté pour cambriolage sera très vraisemblablement qualifié de «mauvaise» personne. Mais il est nécessaire d'examiner le contexte du cambriolage. Cela ne veut pas dire que l'acte doive rester impuni, mais simplement qu'il serait peut-être essentiel d'examiner le cambrioleur lui-même pour pouvoir juger le crime, comme dans *Les misérables* de Victor Hugo, où l'accusé a volé un pain afin de nourrir sa famille qui souffre de la faim. À votre avis, les réfugiés qui passent illégalement les frontières pour pouvoir survivre sont-ils tous mauvais parce qu'ils essayent de sauver leur vie et d'améliorer leur sort? Si vous vous trouviez dans leur situation, comment vous comporteriez-vous? Les Pélerins, n'étaient-ils pas de simples réfugiés qui sont entrés illégalement dans un autre pays (appartenant aux Indiens Américains)? Étaient-ils mauvais ou bons?

Le but recherché en transcendant la dichotomie c'est de vous donner le genre de sagacité qui refuse de stéréotyper les gens et, au lieu de cela, vous donne les moyens de réaliser quelque chose de constructif en ce qui a trait aux corrections à apporter à notre culture. Plutôt que d'accuser simplement les gens et les choses d'être mauvais, il est bien plus efficace d'examiner tous les aspects du problème et ensuite de se préparer à prendre des mesures constructives. La pratique courante d'étiqueter les gens bon / mauvais ne sert qu'à aider à maintenir les conditions telles qu'elles étaient et à créer des petites catégories bien nettes «bon et mauvais» où chacun trouve commodément sa place. Il y a un mélange de bon et de mauvais dans pratiquement tous les comportement humains, et la meilleure chose que vous ayez à faire est d'éviter de passer des jugements, et de vous dire, «Eh bien, je peux me tromper et je garderai un esprit ouvert à cet égard.»

Voici quelques exemples de jugements bon / mauvais qui n'ont absolument aucun sens : «Il fait vraiment mauvais aujourd'hui», ou « Voilà ce que j'appelle un formidable match de football, mais celui de la semaine dernière était vraiment lamentable», ou d'autres remarques semblables quand vous avez simplement émis des jugements concernant des choses qui en elles-mêmes ne sont ni bonnes, ni mauvaises. Le temps est tout simplement le temps et vous pouvez dichotomiser autant que vous dites qu'il fait mauvais temps vous ne faites qu'exprimer votre choix personnel et cela vous bouleverse, *cela vous* ennuie. Pourquoi, ne pas voir de la beauté dans cette tempête, ne pas adopter l'attitude holistique que notre planète serait stérile si toutes les journées étaient ensoleillées, et accepter le temps tel qu'il est? De même, vous avez peut-être pensé que le match de football de la semaine dernière était lamentable parce que ce fut un match nul, sans jeux «spectaculaires», tandis que celui de cette semaine était bon. en raison de la victoire de 28 à 24 remportée par votre équipe, gagné par un but avec seulement trois secondes de jeu. En déclarant que le jeu de la semaine dernière était

181

lamentable, vous dites en réalité, « J'ai choisi de ne pas prendre plaisir à ce que je *pouvais* apprécier dans le match de la semaine dernière — le jeu acharné où une équipe semblait dominer l'autre, la façon dont l'autre équipe « revint à la charge » et domina pendant quelque temps, le fait qu'aucune des deux équipes ne pouvait prendre définitivement l'avantage sur l'autre, le suspense de savoir qu'un seul but marqué à tout instant, pouvait donner à une équipe la victoire ». Dès que vous vous surprenez à passer un jugement bon / mauvais de ce genre, demandez-vous ce que vous avez décidé de ne pas aimer, ou ce qui vous bouleverse, à l'instant même où vous passez ce jugement, et comment vous pourriez « changer le cours du jeu » et *jouir du moment présent* en discernant le bon dans ce que vous avez qualifié de mauvais.

Finalement, et non moins important, vous entendez souvent les gens dire, « Jeanne est une mauvaise fille », « Jean est un homme bien », ou qualifier catégoriquement et de la même façon *les gens* de bons ou mauvais. Ceci est parallèle au jugement des gens au lieu des actes ou du comportement, discuté dans la dernière section de la dichotomie amour / haine. Au risque de dichotomiser moi-même (et vous vous souviendrez que j'ai dit plus tôt que l'usage approprié des dichotomies est essentiel à la pensée et au langage ; c'est l'abus autoritaire qui en est fait que nous devons surveiller), je dirais qu'une telle catégorisation des gens comme entièrement bons ou mauvais n'est *jamais* nécessaire, ni justifiée. La manière de transcender cet abus de la dichotomie bon / mauvais est simplement de ne jamais catégoriser les gens eux-mêmes, mais uniquement leur comportement dans la mesure où vous le jugez nécessaire (en vous souvenant que tout comportement consistera nécessairement de bon ou de mauvais). Par exemple, supposons que vous dites, « Jeanne est une mauvaise fille » car elle a le diable au corps en classe, un problème incorrigible de discipline *pour ses professeurs.* Si vous y réfléchissez, cette même qualité de caractère irrépressible peut en faire un jour une dirigeante importante ou un « génie » créateur, si seulement les gens s'abstenaient d'essayer de la détruire en la qualifiant catégoriquement de « mauvaise » et l'aidaient plutôt à trouver le moyen d'y « remédier ». En y réfléchissant, c'est peut-être ce qui vous plaisait le plus en Jeanne à certaines occasions. Peut-être sentiez-vous la nécessité de la réprimander quand elle répondait d'un ton insolent à son oncle dédaigneux qui l'humiliait constamment, de même que vous, mais vous vous disiez peut-être dans votre for intérieur, « Vas-y, Jeanne! J'aurais souhaité avoir le courage de le faire moi-même. »

Si vous étudiez soigneusement tous vos jugements catégoriques bon / mauvais et d'autres encore, vous serez capable de transcender l'abus de tous, sans exception, en rejetant certains comme étant totalement dénués de bon sens, et en rejetant d'autres parce que vous n'avez pas vraiment besoin d'excuse pour les faire.

Patriotique / Antipatriotique

Ainsi que je le mentionnais dans mes commentaires sur le trait superpatriotique / totalitaire des personnes autoritaires, cette dichotomie en particulier est capable d'avoir des conséquences sociales horribles d'une portée nationale et même internationale. La différence fondamentale entre cette dichotomie et les autres comme bon / mauvais et bien / mal est que s'il est vrai que ces dernières ont quelques usages légitimes, quand par exemple, pratiquement parlant, vous devez passer un jugement moral, il est très difficile de trouver un usage légitime pour la dichotomie patriotique / antipatriotique. La vérité est que cette dichotomie est tout simplement artificielle. Une personne peut aimer passionnément son pays et éprouver cependant le sentiment qu'il ne traite pas ses citoyens avec justice. Un individu peut refuser de tuer d'autres êtres humains et néanmoins aimer son pays, ou diamétralement l'opposé — partir à la guerre et tuer l'ennemi tout en étant un traître à la cause de son pays. En fait, la décision d'être patriotique ou non constitue un choix, et nul ne devrait être condamné parce qu'il est intensément en désaccord avec la manière de se comporter de ses dirigeants.

Les pays eux-mêmes sont immuables, constitués de dirigeants et de citoyens individuels, qui sont capables d'être à la fois compétents et entièrement immoraux. Le concept de « C'est mon pays, qu'il agisse bien ou mal » n'a pas sa place dans la philosophie de la personne Sans-limites. Vous seul pouvez répondre pour vous-même ce que le véritable patriotisme ou l'amour de votre pays signifie pour vous, et c'est le droit inaliénable de chaque personne de trancher lui-même cette question. Par conséquent, quelle cause patriotique cela servirait-il, en toute conscience, de qualifier de patriotique ou d'antipatriotique l'attitude d'autrui? En ce faisant, vous allez le priver de son droit démocratique à avoir ses propres opinions, l'isoler du processus politique dans *son ensemble*, le discréditer *comme personne* parce qu'il pense comme il le fait, et prévenir les autres contre lui, de façon à ce que vous puissiez perpétuer la domination exercée par la chaîne d'autorité / soumission à laquelle vous souscrivez.

Pour surmonter cette dichotomie, la tactique la plus simple *est* de ne jamais l'utiliser — à moins que vous ne lui trouviez quelque usage que vous considérez légitime dans n'importe quelle situation, mais je serais surpris si tel était le cas.

À cet égard, il serait utile que vous vous demandiez si la façon nationaliste dont la plupart des Américains divisent actuellement *le monde entier* dans leur esprit, est vraiment d'une utilité pratique quelconque pour l'humanité, les Américains y compris.

L'idée de patriotisme, ou *amour de votre pays* en tant que valeur positive, consiste pour vous à reconnaître que votre *pays*, la région géographique particulière dans laquelle vous vivez, son système politique, économique et social, constituent avant tout une entité extrêment importante. En acceptant que «Américain», par exemple, ait une «identification essentielle» pour vous, vous êtes immédiatement tenté de vous voir comme un Américain *par opposition* à un Allemand, un Russe ou un Japonais.

Il n'y a peut-être pas de mal à cela si vous vous contentez de dire que l'opposition est une différence sans importance de certains intérêts, que vous avez peut-être un certain héritage culturel différent de celui de la plupart des Russes, ou même si vous voyez les États-Unis engagés dans un «jeu» avec l'Union Soviétique, de vérifier par exemple, si votre philosophie politique «prédominante» est capable d'assurer une meilleure existence aux Américains que la leur assure aux Russes.

Mais si votre identité fondamentale en tant qu'Américain signifie pour vous que «vous devez battre les Russes à *tout prix*», si vous finissez par vous voir fondamentalement, comme faisant partie d'une nation dont l'obligation est d'agrandir le champ du «monde libre» tel qu'il est constitué par les territoires et les sphères d'influence américains, si vous définissez votre patriotisme comme l'amour de votre pays *et* la haine des autres pays ou de leurs peuples, vous vous résignez alors à l'idée que toute notre planète et tous ceux qui la peuplent, vous y compris, n'êtes que d'immense pions dans ce qu'un auteur de chansons a appelé «le jeu du patriote», en parlant de l'horrible carnage qu'un patriotisme aveugle a causé en Irlande :

> Venez tous jeunes rebelles, et écoutez pendant que je chante;
> L'amour de son pays est une chose terrifiante.
> Il chasse toute peur avec la rapidité du feu
> Et fait de chacun de vous un patriote engagé dans un jeu...
> Et à présent sur le sol je gîs, mon corps transpercé
> Je songe à ces traîtres qui se sont vendus, après avoir marchandé.
> Je regrette que mon fusil n'ait pas fait feu
> Sur les traîtres qui ont trahi du patriote son jeu. *

Cette chanson empreinte d'une ironie amère nous incite tous à constamment nous demander, quel *est* le jeu du *prétendu «patriote»*? N'est-ce pas pour nous faire oublier que bien avant qu'il y ait des nations il y avait des peuples, *il y avait la vie*, et accepter au lieu de ça que, nous, les peuples du «monde libre» et ces peuples là-bas dans «le sous-monde» sommes réellement les représentants des forces dichotomisées du bien et du mal dans le monde entier, et sommes destinés à nous faire la guerre jusqu'à la victoire de «nos pays» sur les leurs, ou vice versa?

___

«The Patriot Game» par Dominic Behan, première et dernière strophes, telles qu'elles ont été chantées par Judy Collins, *Whales and nightingales*.

185

Le prolongement naturel de la tendance à vous identifier avec votre pays de façon fondamentale, est la tendance à dichotomiser arbitrairement le monde entier sur des « lignes de combat », et à vous opposer *dans votre esprit aux vastes masses du reste de l'humanité sur une base qui n'en est pas réellement une, pour autant que je puisse en juger.*

Par conséquent, il est tout aussi mauvais de vous appeler patriotique que de traiter quelqu'un d'autre d'antipatriotique, dans la mesure où cela vous oppose à des millions ou des milliards d'êtres humains que vous n'avez jamais rencontrés, uniquement parce qu'ils vivent dans d'autres pays. Vous pouvez être tellement obsédé par l'idée que votre pays et ses « idéaux » devraient dominer le monde que vous pouvez présumer que tous les autres sont comme vous. Vous présumez que le Russe vraiment patriote fera autant d'efforts pour imposer sa domination sur le monde pour l'Union soviétique et ses idéaux, que vous le faites vous-même en vue de dominer le monde pour les États-Unis et *ses* idéaux. Vous présumez que les populations des pays étrangers essayent sans cesse de « vous faire du mal ».

Toutes les grandes révolutions, sans omettre notre propre Révolution américaine, ont été déclenchées par des traîtres à leur propre patrie. Le concept de traître dépend clairement de l'identité de celui qui en fait l'accusation. Il est certain que Georges Washington et Thomas Jefferson étaient en même temps traîtres et patriotes. Comme avec toutes les dichotomies, il se révèle après un examen minutieux qu'il y a une certaine part de vérité dans les deux extrêmes et que la dichotomie doit être fusionnée pour en avoir une meilleure vue. Une personne SZE éprouve un sentiment d'engagement à l'égard des vérités profondes et elle n'est jamais limitée intérieurement par les frontières artificielles qui mènent à la dichotomie de patriote / traître.

Donc, pour transcender la dichotomie de patriotique / antipatriotique, j'estime que la meilleure chose à faire est de l'oublier, de ne jamais en faire usage et, en outre, d'oublier l'importance particulière que vous avez accordée au fait que vous étiez un Américain (ou ce que vous vous considérez) *par opposition* à un membre d'une nation ou culture. Considérez-vous simplement comme un être humain parmi tous les autres milliards d'êtres humains sur cette planète — une personne Sans-limites globale, si vous préférez.

Nous / Ils

Cette dernière dichotomie constitue en vérité le résultat final de toutes les dichotomies autoritaires, qui consistent à diviser le monde en tous ces peuples que vous définissez comme étant « avec vous » et tous ceux qui sont « contre vous ». Que vous ayez choisi de qualifier les autres de « faibles » alors que vous vous considérez comme « fort », ou vice-versa ; que vous ayez choisi de vous considérer comme « mature » alors que vous qualifiez les autres « d'enfantins » ; ou que vous ayez choisi de considérer les autres comme « incultes » alors que vous vous flattez d'être « civilisé » ; l'effet de chaque acte pour *dichotomiser l'humanité* sera de séparer le groupe que vous aimez du groupe que vous détestez. Cela dresse ceux que vous qualifiez de « bons » contre ceux que vous qualifiez de « mauvais », et se traduit en général par toutes sortes de divisions artificielles et inutiles, souvent dangereuses entre vous-même et tous les autres êtres humains qui peuplent cette planète avec vous. En somme, plus votre pensée sera devenue autoritaire, plus vous aurez placé les groupes de gens dans les catégories négatives « ils ».

Quand vous optez pour la dichotomie *nous / ils*, vous commencez à penser de la manière suivante, avec tous les préjugés clairement inhérents que cela comporte.

Je suis spontané	*Vous* êtes mal organisé	*Ils* sont paresseux
Je suis doux	*Vous* êtes passif	*Ils* sont timides
J'ai de l'assurance	*Vous* êtes agressif	*Ils* sont arrogants
Je suis un naturaliste	*Vous* êtes inculte	*Ils* sont sauvages

Vous pouvez constater combien la saveur change quand vous pensez en dichotomies. Vous avancez simplement un concept moins flatteur pour décrire un même comportement ; mais la dichotomie produit une division du genre nous / ils en *considérant tous* comme *nous*, en admettant le simple fait que nous sommes tous des parties égales de la *vie aujourd'hui ensemble*, en acceptant que les mendiants de « New » Delhi, les gens sur les bateaux en Malaisie, la royauté au Palais de Buckingham, l'ouvrier d'usine à Détroit, et *vous* (qui que vous soyez) êtes *des parties égales de l'humanité maintenant.*

Toutes les dichotomies dont il est question ici, d'autres qui peuvent venir à l'esprit, pendant que vous vous efforcez de supprimer ce genre de pensées divisives, sont des tendances qui provoquent la séparation plutôt que l'unité, la division plutôt que l'intégration holistique, et les dissensions plutôt que la résolution des différends. Le monde n'est pas aisément divisé en catégories noires et blanches opposées, et ceux qui tentent d'y parvenir accomplissent rarement quelque chose pour faire de cet endroit un meilleur foyer pour nous tous. Le monde *est* dans le gris pratiquement tout le temps, et si vous vous dirigez toujours carrément *soit* sur le noir *soit* sur le blanc, vous vous leurrez simplement.

Pour transcender la pensée autoritaire, dichotome vers la pensée holistique, Sans-limites au cours de votre propre vie, vous devez avant tout comprendre qu'une dichotomie inflexible n'est rien d'autre qu'une invention humaine artificielle. Ces dichotomies sont utilisées par les personnes autoritaires pour provoquer des conflits entre les individus et les sociétés, ou entre les individus et eux-mêmes, *en vue de favoriser les objectifs d'une société autoritaire donnée*, ou d'une chaîne « d'autorité — soumission » en particulier. Plus vous trouverez de dichotomies à transcender, et plus vous penserez aux moyens de les transcender, plus vous aurez parcouru de distance sur la voie de la pensée et de la vie Sans-limites.

4 / Soyez d'abord un bon animal

Faisons une pause dans notre étude de l'art supérieur de la pensée Sans-limites et allons faire un tour pour nous délasser, peut-être pour grimper sur un arbre, pour nous baigner ou pour jouer avec le bébé. Si j'ai réussi à vous faire comprendre comment être un penseur SZE/Sans-limites, vous ne devriez pas avoir de peine à discerner la joie naturelle qui vous est offerte chaque jour en raison de votre condition d'animal parmi les animaux sur cette planète — malgré que beaucoup d'entre nous ayons fini par mépriser « le côté animal » de notre nature.

Pour devenir aussi pleinement humain qu'il vous est possible de l'être, vous ne pouvez pas éviter d'examiner vos propres rapports avec votre corps et votre biologie humaine fondamentale. Êtes-vous en paix avec votre corps, sans éprouver de la honte à l'égard de vos qualités « animales », et à vrai dire accueillant chaleureusement cette partie de vous-même qui est la plus proche de la nature ? Croyez-vous à la scission fondamentale entre votre côté intellectuel ou doué de raison et votre côté biologique, animal fondamental qui vous empêche de vous voir essentiellement comme un être humain unique, unifié, acceptant et jouissant de *tous* les ingrédients qui constituent votre humanité ?

Le détachement général des gens de leur propre nature animale, qui a conduit un aussi grand nombre d'entre nous à négliger ou à abuser de notre corps, ou du moins à ne pas profiter de tant de plaisir physiques, semble avoir eu son origine dans les spéculations intellectuelles sur ce qui fait « les hommes supérieurs aux animaux ». Certains prétendent que l'aptitude des êtres humains à raisonner et à penser les place dans une classe à part de tous les autres animaux. D'autres voient la spiritualité comme l'unique raison de cette supériorité sur toutes les autres choses vivantes. Des revues académiques importantes foisonnent de références à l'aptitude des êtres humains à transcender leurs instincts, citant la taille du cerveau, l'aptitude à inventer et la capacité d'utiliser des outils ou de bâtir des sociétés « supérieures » et complexes, comme les facteurs clefs qui nous ont donné la suprématie sur terre.

De telles spéculations peuvent être valables et intéressantes dans leurs contextes appropriés. Mais elles sont souvent faites dans un contexte où l'on essaye de démontrer combien nous sommes *tous supérieurs aux animaux* — comme si nous doutions à ce point de notre propre valeur que nous devions mettre par écrit toutes les raisons pour lesquelles nous sommes « supérieurs » aux chiens, aux grenouilles ou aux amibes. Leur principal effet social a été de scinder les gens en deux, psychologiquement parlant, pour leur faire réprimer le simple fait que quel que soit le genre d'animal que nous sommes, nous n'en demeurons pas moins des animaux, et devons respecter et jouir de ce fait indéniable.

Envisagez cela de la façon suivante : si un cheval pouvait écrire ou penser aussi bien que vous croyez le faire, pouvez-vous l'imaginer en train d'écrire sur une feuille de papier tous ses attributs sous le titre « Pourquoi suis-je supérieur à un chien ? ». Si vous voulez me pardonner l'absurdité, je suis sûr qu'un cheval aurait plus de bon sens.

Et le fait même que nous soyons tellement anxieux de renier notre nature animale fondamentale, et que cette répudiation aboutisse à tant de conflits et de tristesse humains, devrait nous faire réfléchir si à de nombreux points de vue nous ne sommes pas légèrement plus obtus que les autres animaux ; que peut-être nous pourrions apprendre davantage de notre chien qu'il ne pourra jamais apprendre de nous.

Pendant toutes mes années comme conseiller, je n'ai jamais eu de chien comme client, non pas parce que certaines personnes ne soient pas prêtes à traîner leurs chiens chez des

190

thérapeutes si seulement les chiens pouvaient devenir névrosés, mais je n'ai jamais vu un chien éprouver de difficultés à s'accepter comme chien — et, en outre, le genre de chien qu'il est. Je n'ai jamais vu un chiot berger allemand essayer de se faire passer pour un lévrier de trois ans. Je n'ai entendu parler d'un chien qui fasse une piètre évaluation de sa façon d'aboyer ou une dépression parce que le chien des voisins aboie plus bruyamment que lui. Un chien n'ira pas s'inscrire dans une école pour apprendre à aboyer et ne s'arrachera pas les poils s'il ne reçoit pas une bonne note sur sa façon d'aboyer.

Bien entendu, les chiens ne sont pas les seuls animaux à ne pas souffrir de névrose. Je n'ai jamais connu de chat qui avait honte de ne pas attraper de souris. À chaque tentative le chat tire la leçon, devient un peu plus rapide et passe à la tentative suivante, sans pleurnicher sur les souris manquées. Les antilopes, les ours, les fourmis et les baleines ne paraissent pas non plus être en conflit avec eux-mêmes. Les perroquets et les serpents ne semblent pas avoir de crises d'identité.

En fait, les êtres humains semblent être les seuls animaux capables de se névroser eux-mêmes en combattant le fait que ce sont des animaux, en tout premier lieu — et il semble que ce sont toujours ceux qui sont considérés comme les plus « raffinés » dans notre culture qui sont les plus anxieux de nous faire répudier que nous soyons des animaux, en suggérant que nous devrions avoir honte de notre nature biologique fondamentale ; que nous ne devrions jamais admettre que nous ayons quoi que ce soit en commun avec ces animaux que nous voyons dans les jardins zoologiques.

En ce qui me concerne, ce ne sont que des absurdités. Nous sommes tous des animaux et si nous voulons la preuve, nous n'avons qu'à observer pour constater que nous faisons tous des choses animales de base jour après jour. Nous chassons, nous dormons, nous copulons, nous sentons, nous nous battons, nous faisons notre toilette, nous faisons notre nid, nous déféquons et nous urinons, nous courons, nous léchons, nous suçons, nous nous mettons à l'ombre pour nous abriter du soleil. En réalité, nous faisons pratiquement tout ce que tous les animaux font. À vrai dire, nous faisons certaines choses d'une façon différente des autres animaux — mais surtout nous essayons très fort de prétendre que nous sommes supérieurs à ces créatures «animales» rampantes avec lesquelles nous partageons cette terre.

Nos conflits avec notre nature animale peuvent être observés dans notre attitude double à l'égard des animaux. Vous entendrez souvent les gens s'exclamer «Il est tellement ignoble, pareil à un animal», ou «Ils sont dégoûtants, ils agissent comme des animaux.» Ensuite, les mêmes personnes se serviront de comparaisons avec les animaux pour exprimer les capacités humaines suprêmes : rapide comme un chat, courir comme un cerf, fort comme un taureau, une mémoire d'éléphant, sage comme un hibou, des yeux d'aigle, libre comme un oiseau.

Je considère que tous nos conflits avec le «côté animal» de notre nature peuvent être résolus si nous supprimons la première moitié de cette attitude double, si nous nous arrêtons net dès que nous constatons que nous sommes en train de discréditer notre propre nature animale, de placer les autres animaux au-dessous de nous (bien plus bas que le niveau où nous nous plaçons nous-mêmes), et de tourner le dos à ce que nous pouvons apprendre des autres animaux sur la meilleure manière d'être nous-mêmes.

Walt Whitman a résumé mes sentiments dans *Leaves of grass* :

> Je pourrais devenir et vivre avec les animaux, je
> pense, tant ils sont paisibles et témoignent de l'indé-
> pendance...Pas un n'est malheureux, ni respectueux
> envers la terre entière.

Pour ce qui est de votre «nature animale», vous n'avez pas à en avoir honte, mais vous pouvez au contraire vous en réjouir. Tout ce que vous faites pour rester en vie et en bonne santé, pratiquement tous les autres animaux en font autant jour après jour — et on peut difficilement nier que la plupart des animaux sont davantage en harmonie avec leur nature fondamentale que les êtres humains.

Plus vous observez et apprenez des animaux, plus il est

probable que vous aurez une saine philosophie de la vie. Samuel Butler l'a dit de cette façon : « *Tous les animaux, à l'exception de l'homme, savent que leur véritable but dans la vie est d'en jouir.* » Si vous pouviez seulement graver fermement ce sentiment dans votre conscience, vous seriez une personne beaucoup plus heureuse pour le restant de vos jours. Si vous cessiez d'éprouver de l'inquiétude, de la colère, de la peur et de l'anxiété ; de planifier ; de tout remettre au lendemain ; de faire des comparaisons et toutes les autres névroses *exclusivement humaines* dont la société vous a accablé, mais par contre, si vous adoptiez avant tout une approche plus *agréable* à l'égard de votre raison d'être, préférant *apprendre des animaux*, vous seriez dans une bien meilleure position à tous égards.

Il a des moments où vous pourriez aimer discuter de l'essence véritable de l'humanité, essayer de déterminer les rôles relatifs de l'humanité et de l'environnement dans la mesure où ils façonnent individuellement les gens, comparer votre raisonnement avec vos pouvoirs instinctifs. Mais, à d'autres moments, vous feriez bien mieux d'oublier simplement toutes ces discussions académiques et de vous accepter pour ce que vous êtes : un animal sur cette terre dont l'être terre-à-terre demeure dans votre corps.

En évaluant honnêtement votre situation dans cette vie, que pourriez-vous être d'autre sur terre que votre corps ? Il n'y a pas l'ombre d'un doute que sans votre corps, vous n'êtes rien (au-delà de l'héritage que vous laissez aux générations futures après votre mort), et que votre seule essence réside dans votre biologie, dans cet organisme qui est *vous*, où que vous alliez *ici* et *maintenant*. Même si votre « moi réel » *était* votre esprit, votre spiritualité ou votre processus mental, alors ce moi réel serait quand même extrêmement subordonné à votre « moi irréel » (soit votre corps) pour pouvoir survivre, car quand votre corps est malade, se détériore ou se meurt, alors même si le reste de votre « moi réel » est en excellente santé, vous n'en êtes pas moins en train de mourir.

Il n'est nul besoin de transformer la question de votre « réalité fondamentale » en une question religieuse ou métaphysique. C'est clairement de bon sens qu'il s'agit. Pour la laps de temps que vous serez ici sur cette planète, vous *êtes* votre corps et tout ce que cela embrasse.

Effectivement, votre corps comprend cet organe magnifique et incompréhensible, *votre cerveau*. En tant qu'être humain, vous avez des capacités de raisonnement et des dimensions spirituelles insondables. Mais votre moi réel est cet organisme merveilleusement parfait et pleinement développé, appelé *votre corps*, qui consiste en votre cerveau, en votre cœur, vos pieds, vos doigts et tout le reste.

Votre corps n'est pas seulement une valise dans laquelle vous transportez votre cerveau. Celui-ci est plutôt un centre nerveux, le poste de pilotage d'où ce mystérieux acteur connu comme vous pilote le corps, sur la base de vos besoins fondamentaux en tant qu'être humain, les données provenant de vos sens, et vos pensées se dirigeant vers l'endroit où vous voulez voler aujourd'hui.

Si vous apprenez comment prendre soin de votre corps, comment employer toutes ses glorieuses qualités, vous serez une personne beaucoup plus efficace, productive et heureuse pendant votre vie sur terre. Après la mort de votre corps, qui peut dire ce qui est possible? Votre esprit peut en fait évoluer davantage (c'est ce que je crois). Vous pouvez transcender votre animalité (ça aussi je le crois). Votre être total peut être entièrement différent de tout ce que nous connaissons dans ce monde.

Mais pendant votre séjour ici parmi nous, votre moi réel forme un avec votre propre corps, votre constitution, votre appartenance à une espèce; oui, un avec votre moi animal entier.

FIEZ-VOUS À VOS INSTINCTS ANIMAUX

Si vous vous arrêtez et observez votre nature animale fondamentale, vous vous rendrez compte que vos instincts animaux ne cessent jamais de vous pousser ou de vous tirer dans l'une ou l'autre direction. La question qui se pose à la personne SZE est : pouvez-vous harmoniser votre vie avec vos instincts animaux de manière à pouvoir conclure «une véritable paix» avec ces instincts, et continuer à vivre ensemble une vie heureuse — en d'autres mots, parvenir à une véritable vie Sans-limites?

Avant de pouvoir répondre à cette question, nous devons en poser une autre : que *sont* nos instincts? Et comment pouvons-nous les reconnaître quand nous les ressentons?

Les instincts sont des réactions aux stimulants externes ou de l'environnement, qui sont héréditaires et inaltérables, et où la raison est exclue. Ce sont des réactions instantanées de votre corps *pour soulager toute tension corporelle* produite par celles des situations dans la vie qui provoquent des réactions animales fondamentales.

Autrement dit, si quelqu'un vous donne un coup de poing et que vous réagissez par instincts, vous allez promptement lever le bras pour parer le coup ou baisser vivement la tête, sans que vous ayez à y penser. Si vous apercevez une personne que vous trouvez sexuellement attirante, votre corps va à nouveau réagir sur-le-champ.

Il est certain que tous les instincts animaux ne sont pas présents dans les êtres humains. Nous ne possédons pas le puissant circuit inné qui permet aux oies, sans avoir l'entraînement des pilotes, de voler en parfaite formation de concert avec d'autres oies, ou aux abeilles, sans avoir de diplôme d'architecte, de bâtir des ruches parfaites à tout coup. Mais nous avons de très fortes envies, des désirs ardents biologiques qui étaient présents dans les êtres humains bien longtemps avant qu'ils apprennent quoi que ce soit par des méthodes classiques de formation, et nous sommes certainement capables de nous remettre en contact avec ces désirs ardents et ces intuitions biologiques, si nous le désirons vraiment. Mais nous devons nous souvenir que non seulement nos instincts sont plus faibles que ceux des animaux, mais que nous sommes capables de les réprimer contrairement aux autres animaux. (Nous pouvons rester immobiles et encaisser le coup de poing, si c'est ce que nous avons décidé de faire). En outre, nos instincts sont systématiquement réprimés par les pressions culturelles qui proviennent de nos expériences et, en définitive, en étant sur la défensive à leur égard.

Les instincts animaux qui vous restent encore, aussi faibles soient-ils, ne sont cependant pas négligeables et il n'y a pas de quoi avoir honte. Au contraire, les gens qui se fient grandement à leurs instincts pour survivre, pour résoudre leurs problèmes et pour prolonger leur vie, qui considèrent les désirs ardents profondément enfouis dans les êtres humains non pas comme «la partie malade d'eux-mêmes», ainsi que beaucoup de spécialistes de la santé mentale, plus particulièrement de la psychanalyse, aimeraient nous le faire croire, mais comme les parties potentiellement prometteuses et pratiquement illimitées de notre nature — de telles personnes font généralement face à leur vie et même la maîtrisent.

Ainsi que je l'ai souligné plus haut en parlant de la dichotomie «conscient/inconscient», si vous sondez au fond de vous-même, vous n'allez pas rencontrer un animal sauvage, «barbare», dépourvu de culture. Vous n'êtes pas fondamentalement un vernis d'être humain qui, s'il devait méthodiquement explorer ses instincts animaux profonds, se trouverait en face d'un schizophrène gravement perturbé, d'un violeur, d'un tueur ou de quelqu'être inhumain, outrancier. Je crois, en fait, que vous découvrirez exactement l'opposé. Au plus profond de vous se trouve un survivant, un organisme qui peut fonctionner efficacement dans pratiquement n'importe quel environnement et qui est capable de réalisations sur les plus hauts plans. Profondément enfouies en vous se trouvent des attitudes naturelles, des aptitudes et des potentialités qui vous aideront dans chaque domaine opérationnel de votre vie. Mais pour pouvoir les exploiter, vous devez apprendre à vous fier à ce réservoir d'instincts animaux que vous avez conservés, bien protégés, au fond de vous-même, et à compter davantage sur vos aptitudes humaines relatives au comportement qui vous ont été enseignées.

Je me sers fréquemment du mot «instinct», au sens le plus large, dans ce livre pour faire allusion à toutes ces qualités très spéciales qui vous permettent de vous comporter d'une manière qui soit fondamentale à votre propre survie sans que vous ayez à réfléchir d'avance à vos actes, qui comprennent ce que nous appelons les désirs ardents, les besoins, les propensions ou les prédispositions humaines. Peu importe comment vous les appelez, ils existent, nous les avons tous, et ce qui m'intéresse c'est de vous aider à y faire appel de façon plus efficace, de reprendre contact avec eux pour les ressources en forces, paix et croissance humaines qu'elles représentent réellement.

La nature de vos instincts est telle que vous n'avez absolument *rien à faire* — aucune nouvelle technique à apprendre, aucune nouvelle connaissance à acquérir ou aucun nouveau poste à obtenir — pour reprendre contact avec eux. Tout ce que vous devez faire c'est de cesser de leur interdire l'accès de votre esprit, cesser d'argumenter avec eux, de ne pas en tenir compte ou de les réprimer.

Apprendre à vous fier à vos instincts ne signifie pas qu'il faut *essayer* de faire quelque chose, dans le sens de lutter. Si vous *essayez* de reprendre contact avec vos instincts, vous vous soumettez essentiellement à une pression inutile pour faire les choses que votre corps sait déjà comment faire — courir, jouer, copuler, respirer, se dorer au soleil. Par ailleurs, quand vous essayez de forcer votre corps à faire une chose qu'il se refuse à faire, telle que par exemple, de s'asseoir dix heures d'affilée ou de fumer des cigarettes, il se rebelle.

Votre corps est parfait! Il sait comment se comporter comme un corps, comment faire toutes les choses qu'un corps est capable de faire. Il sait comment marcher, transpirer, dormir, éjaculer, avoir faim, pleurer. C'est également un excellent apprenti. Vous pouvez lui apprendre à nager, conduire une voiture, écrire une lettre, jouer de la guitare, tailler un diamant ou gravir une montagne. Mais, pendant que vous lui enseignez une nouvelle technique, il est aussi nécessaire de lui permettre de le faire selon ses propres instincts, plutôt que de le faire précipitamment par des programmes artificiels, sous pression et en le châtiant pour ne pas l'avoir fait exactement comme «le livre» dit qu'il est censé faire.

Par exemple, presque tous les accidents de ski qui se terminent par des jambes ou des bras fracturés ou d'autres blessures sérieuses, proviennent du fait que les gens ne tiennent pas compte de leur instincts et se lancent sur des pentes trop raides pour eux, sans avoir suffisamment de pratique et d'entraînement. Pendant qu'ils dévalent à toute allure ces pentes, les amateurs inexpérimentés reçoivent toutes sortes d'avertissements. Leur instinct les met en garde « Vous allez trop vite, la piste est trop étroite et sinueuse, votre corps ne sait pas comment l'affronter, comment vous arrêter rapidement sans tomber, mais si vous persistez ainsi vous allez continuer à accélérer et si vous vous écrasez à cette vitesse contre un arbre sur votre parcours, vous vous romprez les os. »

À ce stade-ci, la personne SZE se laissera tomber avec le plus d'élégance possible, sans crainte du ridicule ou de la neige. Quand ses compagnons plus expérimentés s'arrêteront pour s'enquérir de la cause de sa chute, elle répondra : « Cette pente est beaucoup trop abrupte pour moi et la seule façon de m'arrêter sans danger était de me laisser choir. Je crois que je vais ôter mes skis, descendre par une pente plus douce et vous retrouver en bas. »

Elle a donc évité de se blesser grièvement parce qu'elle a tenu compte de son instinct, qui lui disait à l'instant critique, « Laisse-toi tomber ! ».

Par ailleurs, ceux qui répriment leurs instincts sont ceux qui, à l'instant critique, se disent, « Non, je refuse de me ridiculiser, de m'humilier en faisant une chute devant tous ces skieurs chevronnés, de me traîner péniblement jusqu'à une autre pente... ».

Cette méfiance, l'espace d'une fraction de seconde, à l'égard de leurs instincts est la raison pour laquelle les skieurs font des chutes aux vitesses trop élevées pour que leur corps puisse y résister, et se rompent les os — ou s'ils ont de la chance, ils arrivent tant bien que mal jusqu'au bas de la pente, leur orgueil intact mais avec un corps qui s'écrie, « Mon Dieu, voilà une chose stupide à faire. Nous aurions pu nous tuer ! ».

Se fier à ses instincts signifie simplement de laisser faire les choses, de permettre à votre corps de faire ce qu'il est capable de faire. Cela signifie de se détendre, de dételer, d'oublier les pressions et d'oublier de juger le rendement de votre corps suivant les normes d'autrui. Cela signifie *faire réellement confiance à votre corps* pour aller de l'avant et accomplir tous ces merveilleux miracles instinctifs sans *essayer trop fort*, sans permettre au côté « évaluation du rendement » de votre processus mental de prendre le dessus. Si vous vous surprenez à réprimander votre corps parce qu'il n'exécute pas quelque chose aussi bien que vous l'aviez exigé, c'est que vous avez adopté à son égard une attitude qui vous empêchera même de fonctionner avec douceur et naturel dans presque toutes les situations que la vie peut vous réserver.

Ralph Waldo Emerson avait ceci à dire sur la question de faire confiance à ses instincts : « Tout notre progrès est pareil à l'épanouissement du bourgeon végétal. Vous avez d'abord un instinct, ensuite une opinion, puis une connaissance, tout comme la plante a une racine, un bourgeon et un fruit. Fiez-vous à l'instinct jusqu'au bout encore que vous ne puissiez donner aucune raison. »

Pour répondre à cette question, nous prendrons des exemples dans notre propre vie. Mon exemple préféré de comportement instinctif authentique sera familier à toute personne ayant des enfants. Cela remonte à 1967, deux mois après la naissance de notre fille Tracy. Il était près de trois heures du matin. J'étais assis dans mon lit à étudier pour un examen que je devais passer le lendemain. Ma femme était profondément endormie à mes côtés, sans que son sommeil soit troublé par le froissement du papier ou le mouvement des couvertures, ni même par la lumière vive qu'elle avait directement dans les yeux. La chambre à coucher de Tracy se trouvait au rez-de-chaussée, assez éloignée de la nôtre.

Tracy toussa. J'entendis à peine cette toux, et pourtant j'étais bien éveillé. Mais ma femme se réveilla immédiatement d'un sommeil comateux, à ce son à peine perceptible. Elle sembla surprise de me trouver éveillé. « Veux-tu aller voir Tracy ? demanda-t-elle. Je l'ai entendue tousser. »

Ma femme ne faisait pas là preuve d'un talent surhumain. Elle était tout simplement accessible à ses instincts maternels de base, qui avaient coupé tous les sons, lumières et images pendant son sommeil, sauf les pleurs ou les toux de sa fille. Ainsi la mère était à un tel point instinctivement reliée aux sons particuliers de sa fille qu'elle entendit une toute petite toux provenant d'une pièce éloignée de la maison. Elle sortit brièvement, en raison de cela, d'un sommeil profond pour analyser la situation (« Wayne est éveillé, il peut en prendre soin »), poser une question, s'assurant ainsi que sa fille est en sécurité, retournant ensuite à un sommeil paisible.

Tout comme les mères ont des liens très spéciaux avec leurs bébés qu'aucun raisonnement ne peut rompre, et qui ne peuvent se briser que quand les mères sont ivres mortes ou l'équivalent mental, *vous avez en vous une réserve illimitée d'instincts animaux infaillibles.* Ils ne sont pas appris, ils ne sont pas déterminés par l'environnement. Ils sont nés avec vous, et la mère chatte qui sait instantanément quand un de ses chatons a besoin d'aide n'est pas différente de la mère humaine qui se réveille en entendant une toux lointaine dans la nuit.

Quand donc vos instincts peuvent-ils se tromper en déterminant ce qui est le mieux pour vous et ceux que vous aimez?

Examinons une autre série d'études de comportement instinctif qui surgit lors des expériences de *survivants* — ceux qui, ainsi qu'il est expliqué au Chapitre 1, survivent aux épreuves physiques qui ont eu raison de bien d'autres, qui ont péri.

J'ai souligné au Chapitre 1, l'aptitude du survivant à « se cantonner » dans une existence totalement au jour le jour. Il devrait être clair, désormais, que de savoir *vivre dans le présent* est essentiel, presque équivalent, à savoir se fier à ses instincts animaux de base, ou à savoir être un bon animal.

Le survivant est avant tout une personne qui sait réellement comment se fier à ses instincts animaux de base. Quand les êtres ordinaires se trouvent subitement dans des situations où leur vie est en péril, il a été démontré dans tous les cas que ceux qui sont capables de renoncer à leur jugement pour se fier intégralement à leurs instincts, sortent vivants de leurs épreuves, alors que d'autres n'y parviennent pas.

Erich Maria Remarque, dans un des plus brillants romans jamais écrits sur la guerre, *À l'ouest rien de nouveau*, décrit la vie horrible de tous les jours dans les tranchées lors de la Première guerre mondiale. Son protagoniste, après avoir survécu pendant des années dans les circonstances les plus atroces, explique combien il craint que son instinct de conservation ne soit en train de le déserter : « Nous nous dispersons et nous nous jetons sur le sol, mais à cet instant je sens ma vigilance instinctive me quitter, ce sentiment qui jusqu'ici m'avait toujours fait prendre inconsciemment la bonne décision sous le feu de l'ennemi. » Il raconte comment ceux qui renonçaient à leurs instincts étaient habituellement blessés, et comment les meilleurs soldats étaient ceux qui se fiaient totalement à ce que leur corps leur dictait de faire aux moments de crise.

Un exemple qui s'applique encore davantage à vous et à moi est celui de ces gens qui ont survécu au fameux accident d'avion dans les Andes. Ils n'étaient pas particulièrement entraînés ou équipés pour survivre à des températures au-dessous de zéro. C'était des êtres normaux, tout comme vous et moi, et la leçon tirée de leur expérience est toute simple : ceux qui se fièrent à leurs instincts survécurent, mais par contre pour ceux qui laissèrent leurs superstitions héritées culturellement prévaloir contre leurs instincts, ce fut la fin. Le véritable fond de cette histoire est la façon dont les survivants rétrogradèrent à leurs instincts primitifs pour pouvoir rester en vie. Mais sur quoi les grands journaux se sont-ils surtout appesantis? Le «cannibalisme» auquel les survivants eurent recours : cet «horrible comportement animal» dont ils firent preuve quand leurs instincts leur dirent : «Ces autres personnes qui sont déjà mortes — leur corps est la seule nourriture que nous trouverons sur cette montagne; nous devons la manger».

Se sont-ils comportés comme des animaux? Certainement! Mais comme de *bons animaux.*

À qui d'autre ces survivants ont-ils fait du mal? Certainement pas à leurs camarades morts dont ils mangèrent le corps. Pouvez-vous vous imaginer un de ces malheureux revenir des morts et dire, «Ne mange pas ce corps — je l'ai peut-être laissé, je n'en aurai peut-être plus besoin, mais je veux que vous mouriez de faim afin qu'il puisse pourrir là où il se trouve ou soit découvert et ramené chez moi pour être enterré dans le cimetière»?

Il est certain que les morts n'avaient pas d'objections. En fait, ils auraient probablement dit, «Bien sûr, mangez-le! Je n'en ai plus besoin. »

Choisir de ne pas faire «cet acte de cannibalisme horrible», aurait consisté, dans les circonstances, à opter pour la mort. Cela aurait consisté à permettre que *ce que vous pensiez* que serait la réaction des gens devant votre situation, bien à l'abri dans leur foyer chaud et confortable à des milliers de kilomètres de distance, *dicter ce que vous deviez faire* ; à permettre aux normes ordinaires de la société « Eh bien, nous n'avons pas mangé grand-père quand il est mort, l'année dernière » de l'emporter sur vos meilleurs instincts animaux de survie, et vous tuer.

En vous basant sur des exemples de comportement instinctif comme celui-ci et d'autres encore, vous pourriez arriver à la même conclusion que moi sur la question de savoir quand vos instincts animaux peuvent se tromper en déterminant ce qui est le mieux pour vous ou pour ceux que vous aimez. Je crois que la réponse est : *jamais, si vous les respectez, si vous les cultivez et en prenez soin «comme un bon animal». Vos instincts ne peuvent «se tromper», ne peuvent constituer une menace pour vous ou pour d'autres, que si vous les négligez ou les contrecarrez en les réprimant, en les discréditant ou n'en tenant aucun compte. Alors, et seulement alors, se tourneront-ils contre vous pour de bon, infligeant de l'angoisse, de la peur, des conflits internes, en conséquence de la tension corporelle qu'ils* savaient comment résoudre de la manière la plus créative et constructive possible, mais que vous ne leur avez pas permis de résoudre à leur façon. Ce n'est qu'à ce moment que les tensions naturelles, dynamiques, dont l'effet réciproque de hausse et de baisse constitue l'équilibre de la vie.

La solution à cette situation est évidente. Vous devez vous fier à votre corps pour prendre soin de vous, même si vous avez des doutes qu'il puisse le faire. Vous ne devez jamais oublier que ce que vous appelez votre corps est la merveille des merveilles, et que si vous essayez de nier ses perfections et circonvenez ses instincts, vous finirez par vous rendre malade. Votre biologie interne vous aidera à faire face à n'importe quelle situation ou presque, en préservant votre sécurité et votre santé, à condition que vous lui permettiez de fonctionner. L'essentiel pour devenir un bon animal est d'apprendre à vous fier à votre corps, et à tous ses merveilleux instincts innés, pour vous guider dans la vie avec un maximum de plaisir et un minimum de douleur et de souffrance.

Réfléchissez, alors, à quel point nous nous sommes éloignés de nos instincts animaux de base en ce qui concerne la douleur, par exemple. La douleur est un avertissement et tous les animaux, à l'exception des êtres humains, feront inévitablement tout en leur pouvoir pour l'éviter. Mais alors survient votre éducation culturelle qui vous dit que non seulement vous devez vous attendre à une certaine douleur inutile dans la vie, mais dans certaines circonstances vous êtes en fait même supposé vous réjouir d'avoir une chance de connaître la douleur absolument sans raison et de l'infliger à d'autres !

Un des exemples les plus flagrants et horribles de ce genre d'attitude est ce qui est arrivé au soi-disant sport de hockey professionnel.

N'importe quel enfant qui a joué au hockey sur glace vous dira qu'il est possible d'avoir un match sensationnel sans qu'il y ait de blessés, à part les quelques bosses et contusions légères qui sont inévitables dans les sports de ce genre. Quiconque a vu l'équipe de hockey des États-Unis remporter en 1980 le titre olympique, sait que les matchs de hockey, peut-être les meilleurs qui aient été jamais joués n'ont pas vu de sang versé sur la glace. Tout au contraire, car les règlements olympiques et l'esprit olympique ne permettent tout simplement pas les bagarres ridicules qui n'ont rien à voir avec le jeu.

Mais alors, qu'est-il advenu du hockey « professionnel » ? Ce n'est plus un sport mais une série obligatoire de rixes qui sont taxées de « jeu minable » à moins que quelqu'un ne se fasse briser le nez, ou quelqu'un d'autre ne se fasse fracturer le crâne, et la plupart du temps les joueurs patinent sur la glace en se donnant brutalement des coups de poing, ou même en grimpant dans les tribunes pour se battre avec des spectateurs hostiles. En pareil cas, un bon joueur de hockey ne se mesure pas tant à son adresse à marquer ou à empêcher un but, mais à la brutalité dont il use pour infliger la douleur aux autres, et « à la force et au stoïcisme » dont il fait preuve quand ses propres os sont fracturés.

Et les gens qui sont consternés par cette attitude, que disent-ils des joueurs naturellement ? « Ce sont des animaux ! »

Mais c'est absurde ! Il n'existe pas d'animaux sauvages sur terre qui choisissent la douleur s'ils peuvent l'éviter, ou qui

infligent aux autres animaux plus de douleur qu'il est nécessaire pour assurer leur propre survie. Les prédateurs tuent
aussi rapidement et proprement que possible, et ils le font instinctivement. Le tigre enfonce ses crocs dans le cou de l'antilope et d'un mouvement rapide de la tête, il lui rompt le cou.
Ça ne dure qu'un bref instant. Il est possible que le chat
domestique qui attrape une souris joue avec elle plus longtemps que nécessaire, mais c'est là une tout autre histoire :
ses instincts ont déjà été contrecarrés, bouleversés; il ne sait
plus très bien pourquoi il agit ainsi, de toute façon. Mais arrêtez de le nourrir pendant quelques jours et vous verrez comment il traitera la prochaine souris qui lui tombera entre les
griffes.

Quelles sont donc les pensées d'un joueur professionnel
de hockey qui se rend sur la glace sachant qu'il risque de se
voir infliger une douleur absolument inutile? Il peut être excité
à la pensée de projeter une image de masculinité agressive
aux yeux de la foule. Ou peut-être est-il tout simplement résigné à l'idée que c'est ça que la foule attend, que c'est surtout
la violence qui attire la foule au stade. Il maudit même peut-
être la foule parce que leurs acclamations sont plus bruyantes
quand il échange des horions avec les joueurs de l'équipe
adverse que quand il marque son plus beau but du match, et il
traite les *spectateurs* d'animaux. Mais quoi qu'il en pense, il
est fort improbable qu'il reconnaisse que chaque fois qu'il des-
cend sur la patinoire pour participer à un de ces simulacres de
sports, il viole le plus élémentaire de ses instincts animaux. Il
est improbable aussi qu'il comprenne que quand il «voit
rouge», qu'il se met en colère et commence à échanger des
coups avec l'un des joueurs «professionnels», son corps se
rebelle en réalité contre la violation de ses instincts qui a,
essentiellement, rendu tout ce spectacle inhumain obligatoire.
Tout d'abord, il ne se bat pas avec quelqu'un d'autre; en
vérité, il a engagé une lutte farouche avec ses propres instincts
animaux naturels, contre toute douleur inutile qu'il aurait à
subir lui-même ou à infliger à d'autres.

Une perversion semblable des instincts se produit en ce
qui concerne le penchant animal naturel à rechercher le plaisir. Combien d'oiseaux connaissez-vous qui, après avoir bâti

fiévreusement un nid pendant plusieurs heures, vont se dire, « Je ne peux pas m'arrêter maintenant, je dois encore bâtir trois autre nids, ou bâtir ce nid trois fois plus grand que celui du moineau voisin, pour montrer aux autres que je suis le moineau *réellement prospère* du quartier» ?

Naturellement, l'oiseau ne considère pas l'acte de bâtir un nid comme un travail pénible et qu'il doit trimer pour se payer le luxe d'un bain, d'un chant, d'un ver, d'un vol divertissant avec sa compagne et ses amis. En somme, les oiseaux ne souffrent pas des dichotomies travail/jeu, et n'ont pas la capacité de restreindre leurs désirs naturels pour le plaisir en toutes choses.

Seuls les êtres humains sont aptes à infliger à eux-mêmes comme aux autres l'étrange idée que rechercher le plaisir pour soi-même est répréhensible, est hédoniste, et qu'ils devraient s'en abstenir. Bien entendu, ceci va à l'encontre de tout ce que votre corps connaît. Mais vous prêtez l'oreille à tous ces sots autour de vous, et vous devenez malheureux.

Même un rosier en sait suffisamment pour pousser vers le haut, vers le soleil. De toutes les variétés de roses, aucune n'a jamais dirigé toutes ses branches vers le coin le plus obscur, le plus humide et froid qui soit, ou enterré tous ses bourgeons dans le sol. Les instincts de la plante ne sont pas pervertis pour qu'elle dise : « La lumière du soleil est mauvaise parce qu'on se sent bien. Vous devriez avoir honte de vouloir la lumière du soleil. Je sais que vous vous sentez bien et que le soleil vous aide à pousser et à rester en bonne santé, mais c'est très égoïste de votre part de rechercher le soleil jour après jour. »

Seuls les êtres humains sont capables de se dire, «Attends d'être vieux, économise pour avoir plus de soleil dans vingt ans, mais pour maintenant souffre en silence et résigne-toi à l'obscurité, même si cela te tue ».

C'est évidemment absurde! Vos instincts vous disent de vous comporter de façon saine, et en apprenant à les écouter cela ne peut que vous aider à être plus efficace dans tout ce que vous entreprenez dans la vie. Et je veux dire tout!

NEUF FAÇONS D'ÊTRE UN BON ANIMAL

Nous tous, animaux humains, avons des besoins fondamentaux, ainsi que des instincts ou pulsions naturelles qui nous disent comment satisfaire ces besoins. Si nous nous donnons la peine d'écouter notre corps, nous sommes parfaitement en mesure de manger la nourriture exacte dont nous avons besoin sans consulter un diététicien. Nous savons comment dormir sans aller l'apprendre dans une école. Nous savons comment trouver ou construire un abri, comment produire de l'oxygène pour respirer, comment déféquer, uriner, avoir des menstrues, des orgasmes, nous reproduire. Nos besoins les plus fondamentaux et nos moyens instinctifs pour les satisfaire ne sont pas des choses que nous pouvons changer même si nous le voulons ; ils nous sont donnés par la nature comme un moyen d'assurer la survie de notre espèce, et nos rapports avec eux sont simples : si nous respectons nos besoins animaux et tenons compte de nos instincts animaux, nous vivrons. Sinon, nous mourrons, d'une façon ou d'une autre.

Voici neuf de nos besoins humains les plus fondamentaux, et quelques suggestions sur la façon dont vous pouvez être un *bon animal* en suivant vos instincts qui vous diront comment satisfaire au mieux chacun d'eux.

Les fonctions corporelles

La miction, la défécation, la menstruation, la transpiration, ainsi que les autres fonctions corporelles fondamentales, sont évidemment parmi les fonctions les plus naturelles et essentielles de la vie humaine. Si vous vous réveillez, un matin, et constatez que vous n'avez pas été à la selle depuis six semaines, il va sans dire que vous n'êtes plus de ce monde. Vous avez dû mourir et aller ailleurs. Vous regretterez peut-être de l'apprendre si vous aimiez tant soit peu votre vie d'animal, mais la question est de savoir si vous êtes soulagé de ne plus avoir à faire «toutes ces sales choses animales»? Quand vous habitiez votre corps, considériez-vous ces fonctions comme moins qu'humaines, comme des aspects de votre vie dont vous aviez à rougir, que vous deviez mentionner le moins souvent possible, même avilir? Ou bien les considériez-vous pour ce qu'elles étaient, la preuve que vous étiez encore en vie et bel et bien sur cette terre, que votre corps connaissait encore le bonheur de passer par ces cycles de digestion et d'élimination, de faculté reproductrice, de réaction au chaud ou au froid, et ainsi de suite?

Aussi absurde que cela puisse paraître quand vous y réfléchissez, la plupart d'entre nous avons été conditionnés au point de considérer la défécation, par exemple, non pas comme le merveilleux processus par lequel notre corps, ayant décomposé nos aliments en ce qu'il peut utiliser, retourne cette dernière partie à la biosphère — une des choses les plus « propres » que nous ayons jamais faites — mais comme notre « création d'ordures », et prouvant combien nous sommes « malpropres » !

Certaines personnes sont à un tel point dégoûtées de déféquer, considérant cela comme un aspect malpropre de notre humanité, que leur angoisse agit sur leur organisme et provoque une colite nerveuse — produisant successivement de la constipation et de la diarrhée — et d'autres problèmes d'élimination, et elles doivent faire appel aux laxatifs et à d'autres médicaments pour essayer de rétablir les cycles naturels détruits par leur sentiment de honte. Cela correspond naturellement à une « panique dans l'appareil digestif ».

De façon semblable, nombreuses sont les femmes qui ont été amenées à appréhender la menstruation comme une « calamité » et à se considérer comme sale pendant leurs règles. Elles peuvent inutilement s'isoler des autres, être sur la défensive, de honte se retirer dans un coin, attendant que cela se termine, et en ce faisant elles peuvent accroître l'intensité de leurs crampes ou sinon rendre leurs règles plus misérables qu'elles ne devraient l'être.

Beaucoup de gens deviennent paranoïdes en ce qui concerne la transpiration et les odeurs corporelles au point de s'en inquiéter constamment. Ils évitent les activités qui pourraient les faire transpirer, et passent leur temps à se vaporiser ou à s'appliquer des produits chimiques pour arrêter leur transpiration naturelle, ou pour sentir les épices ou les pins.

Naturellement, ces habitudes sont fortement cultivées par

l'industrie de la publicité, qui vous vendra tous les genres possibles et imaginables de honte et de culpabilité concernant vos qualités animales de façon à pouvoir vous vendre un produit qui vous débarrassera de ces qualités. Comme le mot «naturel» est devenu un grand vendeur de nos jours, l'astuce est de convaincre les gens qu'ils ont besoin d'au moins cent produits chimiques «pour avoir cette apparence naturelle (odeur, ou autre chose)», pour «être entièrement naturels», et ainsi de suite. Et ce qui est réellement pathétique, c'est que les gens se laissent prendre! Ils acceptent avoir absolument un désinfectant spécialement parfumé pour que l'eau dans la cuvette des cabinets devienne bleue, un ventilateur aspirant de grande puissance, dans la salle de bain, qui se met automatiquement en marche quand vous tirez la chasse, trois boîtes d'aérosols pour assurer la fraîcheur de l'air quand c'est nécessaire, un désodorisant dans vos chausssures, des pastilles à la menthe dans la bouche pour garder votre haleine fraîche, un désodorisant vaporisé dans votre vagin, et ainsi de suite pour chaque animal que Madison Avenue a créé, afin de le détruire au moyen d'un produit.

Vous admettrez certainement que tous vos jugements contre la manière dont votre corps fonctionne travaillent contre vous! Il est essentiel qu'il y ait une acceptation totale de votre corps parfait et tout ce qu'il a besoin et désire faire est essentiel pour que vous soyez fonctionnel et efficace dans tout ce que vous faites. La honte à l'égard de vos fonctions corporelles fondamentales vous inhibe dans *toutes* vos fonctions. La culpabilité vous inhibe. Elle vous empêche d'être heureux.

Pour éliminer les conflits relatifs à vos fonctions corporelles, vous devez tout d'abord admettre jusqu'à quel point votre répugnance est le résultat d'*évaluations savantes*.

Il n'est pas naturel de vouloir mépriser l'une ou l'autre partie de son organisme! Vous ne devez pas vous préoccuper en ce moment-ci de savoir pourquoi les gens ont appris à considérer de façon aussi négative les fonctions corporelles fondamentales et sont souvent devenus dysfonctionnels dans ces mêmes fonctions corporelles qui sont tellement indispensables à leur propre survie. Ce dont il faut vous souvenir c'est que vous *n'avez pas besoin d'accepter l'attitude que d'autres, ou la* société en général, aimeraient vous voir adopter à l'égard de ces fonctions! Si vous le faites, vous aurez *choisi* d'avoir des complexes de seconde main.

Au lieu de vous fier aux gens qui disent combien vos fonctions corporelles sont contre nature, vous avez la possibilité d'apprendre des animaux. Ils considèrent leur organisme dans son ensemble et tout ce qu'ils doivent faire pour survivre comme normal. Il se peut que la chatte ne sache pas que son vagin soit la partie la plus propre de son corps, que ses sécrétions et sa chimie naturelles le conservent dans un état de stérilité qui ferait honte à la plupart des salles d'opération dans les hôpitaux, mais il ne lui est certainement jamais venu à l'idée de penser que cela puisse être *sale*. La nature maintient le vagin humain dans le même état stérile, et pourtant nombreuses sont les femmes qui considèrent que leur vagin est sale. Des problèmes sexuels peuvent naturellement s'ensuivre : ces femmes peuvent répugner à avoir des rapports sexuels car cela signifie révéler des parties aussi infâmes de leur corps. Pour rendre ces parties moins infâmes, elles peuvent les saturer de produits chimiques artificiels, dont certains détruisent éventuellement l'équilibre chimique naturel et exposent la femme à des infections.

Suivez l'exemple de la chatte, qui n'a jamais à s'inquiéter au sujet des différentes parties ou fonctions de son corps, et essayez les exercices suivants :

1. Prenez la décision de reconnaître immédiatement toutes vos attitudes de répulsion à l'égard de vos fonctions corporelles fondamentales, et convertissez-les en attitudes d'acceptation. Refusez de traiter négatif tout ce que votre corps fait de lui-même, et ne communiquez pas ce genre de jugement aux autres. Il n'y a pas lieu de vous extasier béatement sur les perfections de la nature chaque fois que vous déféquez, mais cela vaudrait mille fois mieux que de penser que vous êtes en train de faire quelque chose de révoltant.

2. Tous les jours, durant quelques minutes, pendant que vous prenez votre douche ou à l'occasion d'une annonce publicitaire à la télévision, faites une pause pour prendre conscience de votre corps et de tout ce qu'il doit faire pour survivre et pour *vous plaire*.

Combien de fois aujourd'hui vous êtes-vous rabaissé en passant des jugements critiques sur votre corps et ses fonctions fondamentales? Combien de temps avez-vous passé à apprendre à aimer votre corps et tout ce qu'il fait?

Avez-vous jamais pensé à vous exercer à être plus souvent en contact avec votre corps, en pratiquant par exemple le yoga ou la méditation?

Quand vous serez mieux informé sur votre corps et la manière dont il fonctionne, quand vous apprécierez davantage tout ce qu'il accomplit de façon miraculeuse pour vous entièrement par lui-même, vous n'éprouverez plus de sentiments d'aversion pour votre remarquable organisme.

3. Souvenez-vous que toute attitude négative de votre part à l'égard de vos fonctions corporelles naturelles constitue une attaque contre vos instincts animaux fondamentaux. Chaque fois que vous vous surprenez à dire, «Pouah, je commence à transpirer!» — arrêtez. Ne courez pas aussitôt chercher la serviette, prendre une douche ou appliquer l'antisudorifique. Prenez trois secondes pour réfléchir, «Il y a des personnes qui me diront qu'il est dégoûtant de transpirer, mais que se passe-t-il exactement dans ce cas-ci? Les pores du corps s'ouvrent pour dégager de l'eau qui refroidit la peau en s'évaporant. Il s'agit donc du système conçu par la nature pour le refroidissement de la peau, et je n'ai encore jamais dû faire appel à un spécialiste de la réfrigération pour le réparer. Il fonctionne comme prévu.»

Après cela vous pouvez encore toujours avoir un grand besoin naturel de vous détendre, de vous nettoyer et de vous refroidir sous la douche, mais vous n'allez pas courir anxieusement à la douche, évitant les gens sur votre chemin, en pensant: «Je dois me dépêcher de me débarrasser de cette horrible sueur avant que quelqu'un ne me voit ou ne me sente.»

4. Le même genre de technique qui consiste à «s'arrêter trois secondes pour réfléchir» peut être également appliqué quand vous allez aux toilettes, changez de serviette hygiénique, chaque fois que vous vous mouchez, que vous toussez, éternuez, vomissez, changez vos draps après une éjaculation nocturne, ou faites tout ce qui tombe dans la catégorie des fonctions corporelles.

Pour être un bon animal, vous devez toujours vous souvenir que les gens peuvent individuellement commettre des choses horribles envers eux-mêmes et les autres, mais que les fonctions corporelles ne sont jamais parmi les horribles choses qu'ils font. Au contraire, si vous acceptez votre nature animale et appréciez la capacité de votre corps à vous aider à aller de l'avant et à croître à tous les instants de votre vie, vous pouvez devenir l'*animal sans-limites*.

Manger

Comment vos habitudes alimentaires se comparent-elles avec celles des animaux sauvages, qui se fient, eux, exclusivement à leurs instincts pour savoir quoi manger et quand?

Il y a de très fortes chances que vos habitudes alimentaires soient de loin inférieures à celles d'un thon moyen.

Comment le thon, qui nage au fond de l'océan, décide-t-il ce qu'il va manger, et quand?

La réponse est très simple, il ne décide rien du tout, du moins pas à l'avance. Le thon se contente de savoir quand il a faim, vérifie ce qu'il y a dans le garde-manger (en l'occurence, autour de lui dans l'océan), mange ce dont il a envie sur le moment, et ensuite vaque à ses occupations habituelles, qui pourraient consister à nager vers le nord pour l'été.

Le thon prend-il jamais de l'embonpoint? Ou encore, sa mère lui dit-elle parfois, «Mon chéri, tu es maigre comme un clou, tu m'inquiètes»? Le thon souffre-t-il jamais de carence en vitamines parce qu'il néglige son quota journalier de tel ou tel aliment?

Il semble cependant que le thon conserve sa taille parfaite pendant toute sa vie non pas en s'inscrivant à des programmes coûteux d'amaigrissement, d'exercices physiques ou autres, qui promettent d'ajouter des années à sa vie, mais en suivant simplement ses instincts animaux fondamentaux en ce qui concerne les aliments à manger et quand, où nager et à quelle vitesse. La quantité de nourriture absorbée est strictement réglée par ses instincts selon ses besoins ou ses désirs.

Pour ce qui est de votre alimentation, votre corps comme celui de n'importe quel thon, sait comment se nourrir d'aliments appropriés pour conserver son propre poids normal et maintenir son équilibre alimentaire. Il déteste être suralimenté, et il vous le dira de mille façons différentes. Si vous mangez trop, votre corps réagira avec des ballonnements douloureux, une indigestion, des crampes d'estomac, il sera tout essouflé quand vous montez les escaliers, gonflé et gras.

Votre corps vous implore de le laisser manger juste ce qu'il a besoin pour être bien nourri et d'un poids normal, mais selon que vous ayez un «esprit grassouillet» ou un «esprit maigrichon», vous laisserez l'appareil de votre pensée rejeter les instincts naturels de votre corps en vue de conserver la santé.

Vous avez peut-être donné une dose excessive de sucre à votre corps, malgré ses protestations qui se traduisent par des dents cariées, des boutons sur le visage, une peau grasse ou des couches de gras. Vous avez peut-être également privé votre corps de vitamines, de protéines, de minéraux et d'autres éléments nutritifs, en mangeant moins sagement que l'animal moyen. Il est vraisemblable que vous avez passé toute une vie à consommer des produits qui ont travaillé contre votre corps, au lieu de laisser votre corps vous dire ce dont il a besoin pour vous maintenir en bonne santé. Si vous avez fait l'une ou l'autre de ces choses, et avez en conséquence engraissé à l'excès ou affamé votre corps ou les deux (beaucoup de gens obèses sont sous-alimentés en protéines, minéraux, vitamines essentiels et d'autres catégories), je ne crois pas que vous ayez besoin de participer à un programme diététique spécial pour corriger vos carences alimentaires. Je pense que si vous reprenez simplement contact avec vos instincts alimentaires, votre corps vous mettra au régime qui vous convient le mieux. Naturellement, vous êtes peut-être aujourd'hui tellement éloigné de vos instincts alimentaires fondamentaux que vous avez besoin d'un diététicien qualifié pour vous convaincre qu'il vous faut autant de carottes, d'épinards, de pommes de terre, de grammes de viande ou de livres de salade pour passer la semaine, mais en ce qui concerne vos habitudes alimentaires — comme avec toutes vos autres habitudes auto-destructives — *elles appartiennent toutes au passé*, et si vous désirez aujourd'hui devenir un bon animal en santé florissante en ce qui concerne vos habitudes alimentaires, vous pourriez peut-être envisager ce qui suit :

Mangez uniquement quand vous avez faim. Ne mangez jamais parce que les autres mangent. Rejetez les pensées comme celles-ci « C'est l'heure du souper, je pense que je devrais manger. » Consultez votre corps. A-t-il faim ? Ne désire-t-il pas plutôt attendre une heure, peut-être prendre un bain d'abord ? *Si vous n'avez pas vraiment envie de manger, ne le faites pas, alors!*

Écoutez votre corps. Il ne vous laissera pas mourir de faim. Posez-vous la question, avez-vous jamais vu un animal en liberté qui fût excessivement gros ?

Mangez jusqu'à ce que vous soyez rassasié — et pas davantage, quelles que soient les circonstances. Plutôt que de surcharger immédiatement votre assiette de nourriture, essayez d'en mettre moins que la quantité que vous pensez consommer. Mangez cette nourriture et ensuite consultez votre corps pendant quelques secondes. S'il est satisfait, vous n'aurez pas besoin de reprendre de la nourriture.

Votre corps préfère peut-être manger des petites portions quinze fois par jour, quand vous avez faim, plutôt que de se suralimenter quelques fois par jour.

Faites preuve de largeur d'esprit dans le choix des aliments que vous offrez à votre corps. Donnez-lui un grand assortiment d'aliments sains parmi lesquels choisir. S'il ne goûte jamais au brocoli, aux carottes ou à d'autres légumes à haute teneur en fer, il ne saura pas comment se nourrir s'il souffre d'une carence de fer. Si vous avez l'idée fixe que vous « n'aimez tout simplement pas »le brocoli, les carottes, le foie ou tout autre genre d'aliment nutritif, c'est probablement parce que vous avez été forcé de manger ces aliments quand votre corps n'en avait aucun besoin et quand ils ne vous mettaient pas en *appétit*.

« Tommy, mange tes carottes ! »

« Mais elles me donnent des haut-le-cœur ! »

« Peu importe, tu dois quand même les manger. Ton corps en a besoin ! »

« Je *déteste* les carottes ! »

C'est le genre de situation qui donne aux enfants des cauchemars concernant les carottes et d'autres «choses qui sont bonnes pour vous». Est-il surprenant après ça qu'ils finissent par manger de la nourriture de qualité inférieure?

Mais vous, un adulte, devriez avoir plus de bon sens. Vous savez que quand vous vous trouvez dans un restaurant et que votre mari commande des carottes, ce que vous avez détesté et plus jamais mis en bouche depuis que vous avez quitté la maison, et qu'il vous dise, «Hé, ces carottes à la sauce sont formidables!». Vous ne mourrez pas si vous lui répondez, « Puis-je y goûter ? ».

Ces carottes auront un goût *totalement différent* de celles qui vous ont donné des haut-le-cœur, vingt ans auparavant. Vous pouvez soit en raffoler, soit rester totalement indifférent à leur égard, mais elles ne vous feront pas de tort, et vous aurez au moins surmonté votre aversion contre les carottes. En outre, si votre corps a besoin des qualités spéciales propres aux carottes, il vous demandera, «Pourquoi ne cherches-tu pas une recette alléchante pour préparer ces carottes, pour le souper ? ».

Traitez vos enfants comme vous-même. Ne les forcez pas s'il ne veulent pas manger et ne leur faites pas avaler des aliments auxquels ils ont goûté et qu'ils ont rejetés. Contentez-vous de leur offrir un choix varié d'aliments sains. Ne faites pas tant d'histoires aux heures des repas, et laissez vos enfants manger ce que leur corps exige. Omettez les desserts, les récompenses sucrées pour avoir mangé ces horribles carottes. Ne gardez pas d'aliments sans valeur nutritive dans la maison et rapidement, vous verrez les enfants s'habituer à une nourriture saine et manger à des heures régulières. Quand vous capitulez devant des habitudes alimentaires malsaines, non instinctives, vous ne devez pas être surpris de voir vos enfants refuser de manger des aliments sains. S'ils étaient constamment tentés par une nourriture plus saine et appétissante, ils s'arrêteraient de manger des aliments pauvres.

Boire

Souvenez-vous du jour le plus chaud de votre enfance — le jour où votre gorge était toute sèche et où vous deviez encore courir un autre 400 mètres sous le soleil brûlant avant de pouvoir boire. Peut-être s'agissait-il d'une vieille pompe manuelle située dans une ferme voisine. Bien avant d'y arriver, votre corps goûtait déjà d'avance cette eau de puits. Vous trépigniez d'impatience pendant que votre ami et vous-même faisiez fonctionner de toutes vos forces le levier de la pompe et entendiez l'eau froide de puits jaillir hors de la terre.

La satisfaction que vous éprouviez à boire cette eau, à savourer le goût minéral tout particulier de l'eau provenant de ce *puits* (ou robinet, tuyau ou fontaine), était probablement ce que vous appeleriez « l'expérience ultime du boire » dans votre vie. C'était en réponse à un besoin de votre corps, et comme vous avez satisfait ce besoin sans tarder, vous avez fait plaisir à votre corps *et* avez été récompensé aussitôt en dégustant cette eau. Vous n'oublierez jamais le goût de l'eau bue ce jour-là.

Comparez cela avec la façon dont votre corps a réagi la première fois que vous lui avez fait absorber de l'alcool. Vous avez vraisemblablement eu une réaction violente. Vous avez été pris de vertige, vous avez eu mal au cœur et peut-être même vomi. Mais vous avez quand même persisté, consommant des substances qui empoisonnaient votre corps, uniquement parce que les autres disaient que c'était un comportement « mûr » ou « sophistiqué » qui vous plaçait soi-disant au-dessus « de ces animaux qui ne savent pas apprécier un bon verre ».

Je ne dis pas que vous ne devez jamais boire d'alcool. Il est même prouvé médicalement qu'un verre pris à l'occasion peut vous faire du bien. Ce que je dis en fait c'est de ne pas boire pour être social. Ne buvez pas automatiquement ce que tous les autres boivent, au même moment qu'eux. Écoutez ce que votre corps a à dire.

La prochaine fois que vous boirez quoi que ce soit, *posez-vous la question, mon corps le désire-t-il vraiment?* L'absorbera-t-il comme de l'eau de puits un jour de grande chaleur? A-t-il un besoin maladif des vitamines qui se trouvent dans cette boisson? Pourquoi faut-il que je le boive maintenant? Mon corps n'aimerait-il pas plutôt quelque chose d'autre?

Ne buvez que quand votre corps a soif, et buvez seulement jusqu'à ce que votre soif naturelle soit calmée. Soyez large d'esprit dans ce que vous offrez à boire. Si vous avez coutume de boire trois tasses de café, deux sodas, un whisky et trois verres de bière tous les jours, faites au moins un effort pour boire chaque jour quelque chose de différent : du jus de papaye, du lait battu, du cidre de pomme — n'importe quoi qui constitue un *changement que votre corps pourrait désirer à son régime habituel.* Si votre corps a un besoin irrésistible pour l'une des boissons que vous avez essayées, cédez! Vous ne serez peut-être pas capable de supprimer vos déjeuners arrosés de trois martinis uniquement par «la volonté pure», mais si vous vous accordez la permission d'essayer des choses différentes et laissez votre corps décider ce qu'il désire et quand, le repas à trois martinis deviendra tout naturellement une chose du passé.

Respirer
Que vous souvenez-vous de votre enfance concernant la respiration? Il est probablement arrivé un moment où vous vous êtes rendu compte que vos poumons fonctionnaient sans arrêt nuit et jour, et vous étiez abasourdi par ce miracle qui vous tenait en vie. Vous vous souvenez probablement d'une belle matinée de printemps où vous vous rendiez à l'école et où l'air était tellement vif, clair et embaumé qu'une simple bouffée aspirée profondément vous mettait en extase. Vous vous souvenez peut-être des occasions où vous couriez à perdre haleine, ensuite vous vous arrêtiez et étiez aux anges en écoutant le rythme stable de vos poumons à mesure qu'ils rétablissaient rapidement votre équilibre d'oxygène.

Comparez ces simples joies animales avec la réaction atroce de votre corps quand vous avez pour la première fois introduit de la fumée de tabac dans vos poumons. Vous avez toussé, les larmes vous sont venues aux yeux, vous aviez le vertige. Vous avez peut-être même vomi. Est-ce que vous vous êtes efforcé de ne pas tenir compte de ces avertissements et avez entraîné votre corps à accepter le tabac? Êtes-vous à présent un fumeur «invétéré»? Si tel est le cas, je n'ai pas besoin de vous dire le tort que cela fait à votre santé ou à la santé de ceux qui vous entourent, ou combien il est important pour vous d'arrêter. Mais j'aimerais cependant attirer votre attention sur le conflit interne que vous avez créé entre vous et votre corps. Votre corps *ne vous fait désormais plus confiance* et, d'une certaine façon, il vous combat sans répit.

Les animaux sont plus avisés que ça. Passez votre cigarette sous le nez de votre chat. D'un seul mouvement, il va tressaillir, grimacer et fermer les yeux, secouer la tête et filer comme un éclair à travers la pièce, en vous regardant avec ressentiment comme si vous étiez le Marquis de Sade.

Aucun animal ne va inhaler volontairement la fumée de cigarette ou toute autre fumée délétère. En fait, les seuls animaux qui, à ma connaissance, fument sont des chiens que l'on oblige à fumer — pour fournir des données expérimentales sur les dangers de fumer pour les êtres humains! Non seulement nous passons outre et abusons de nos propres instincts animaux, mais nous abusons également des autres animaux, ce qui me frappe comme étant une hideuse pratique et à laquelle personne n'aurait jamais pensé si les êtres humains n'avaient pas violé leurs propres instincts animaux, en premier lieu.

Mon intention n'est pas de vous donner ici un cours abrégé sur la façon d'arrêter de fumer. Ce ne sont pas les programmes qui manquent, et si vous en ressentez le besoin, inscrivez-vous à un programme. Mais que vous fumiez ou non, voici quelques suggestions pour vous remettre en contact avec vos bons instincts de respiration :

Une ou deux fois par jour, arrêtez-vous un instant et savourez simplement l'air. Quelle est sa saveur? Pouvez-vous sentir les pins, les fleurs ou l'herbe fraîchement coupée? Vos poumons *désirent-ils* respirer profondément, de façon à vous détendre et vous «inspirer»? Ou bien ne sentez-vous que les gaz d'échappement des voitures ou la fumée d'une usine avoisinante? Vos poumons disent-ils : «J'en veux aussi peu que possible», et automatiquement mettent le moteur au ralenti? Simplement en ce faisant, vous apprendrez une fois de plus à apprécier et à respecter ce que vos poumons font pour vous, à chaque instant de votre vie, seuls sans aide.

Que vous soyez sur le point d'allumer votre première cigarette ou la dix-millième souvenez-vous du chat: n'oubliez surtout pas que votre moi animal est en train de tressaillir, de

217

grimacer, de se lever d'un bond et de filer à travers la chambre. Demandez-vous quand vous allez le laisser revenir.

Que vous vous exerciez ou non régulièrement, organisez-vous pour que chaque jour vous fassiez quelque chose qui vous fasse respirer très fort. Ensuite, vous vous asseyez et observez la façon dont vos poumons règlent automatiquement votre admission d'oxygène.

Le yoga, la méditation et d'autres disciplines orientales vous donnent merveilleusement les moyens de rétablir le contact avec votre respiration. Si vous voulez vraiment les pratiquer «à fond», inscrivez-vous à un groupe.

Toute cette section peut être résumée ainsi :

Si vous *savez que l'une ou l'autre chose que vous mangez, buvez ou inhalez est malsaine, cessez d'en faire usage, un jour à la fois.* Refusez simplement d'introduire des boissons, des drogues, du tabac, du sucre et d'autres substances suspectes dans votre corps aujourd'hui, pour cette journée, cette heure, minute ou seconde, pour aussi longtemps que votre corps animal continue à les rejeter, ce qui pourrait très bien être pour toujours. Un jour à la fois : dès que vous aurez pris l'habitude instinctive de laisser votre corps *devenir sain,* vous perdrez rapidement ces mauvaises habitudes, ces kilos en trop, ces trois martinis, ces cigarettes. N'oubliez jamais qu'il est naturel d'être en bonne santé. C'est instinctif. La seule façon pour vous de rendre votre moi animal malade c'est quand vous cessez d'écouter votre corps et cédez aux pressions culturelles.

Dormir

Vous savez comment dormir. Votre corps sait exactement de combien de repos il a besoin, et comment vous expédier au monde des rêves en un rien de temps, en laissant derrière soi la totalité des soucis et des ennuis de ce monde pendant qu'il se répare lui-même et rafraîchit votre esprit avec une efficacité extrême.

Et pourtant, vous pouvez dormir trop, parce que vous ne savez pas comment remplir toutes vos heures de veille, ou que vous avez succombé à des occupations monotones, à l'ennui ou à l'inertie.

La plupart des gens passent effectivement beaucoup plus

218

de temps à dormir ou à essayer de dormir qu'ils n'en ont besoin. Les huit à dix heures de sommeil strictement observées constituent une mauvaise habitude que même votre corps n'aime pas. Après un sommeil excessif, votre corps réagit par de la faiblesse, de la courbature dans le dos, de la raideur ou même des étourdissements. Si vous insistez pour aller au lit tous les soirs à onze heures et pour vous lever à huit heures chaque matin (sauf les fins de semaine, où vous pouvez dormir jusqu'à midi), vous forcez votre corps à observer un horaire artificiel qui, en fait, entrave votre sommeil.

L'insomnie ne devient un problème que si vous ne faites pas confiance à votre corps. Si vous allez au lit avant que votre corps ne désire dormir, vous resterez allongé là à remâcher tous vos ennuis, ou à *essayer* de vous endormir. Votre corps refusera simplement de collaborer à votre effort pour vous endormir. Aussitôt que votre corps est prêt, il va se détendre, apaiser votre esprit, et vous serez en mesure de vous endormir sans exercer de pression sur vous-même.

Outre la plupart d'entre nous qui passons la majeure partie de notre temps à connaître un sommeil de pauvre qualité ou dérangé, il y a naturellement ceux qui se privent entièrement de sommeil — l'étudiant qui reste debout pendant quarante heures à étudier pour un examen ; le camionneur qui doit parvenir à tout prix à Des Moines dans la matinée, quelle que soit sa fatigue ; le chef de la publicité qui est obligé de travailler 24 heures sur 24 pour pouvoir produire son annonce publicitaire avant la date limite. Naturellement tous ces gens, qui tentent de nier qu'en leur qualité d'animaux *ils doivent absolument dormir* selon les besoins de leur corps s'ils veulent fonctionner à leur niveau optimal, doivent avoir recours au café, aux amphétamines ou à d'autres substances artificielles pour réprimer leurs instincts de sommeil. Mais rien ne peut éliminer les effets du manque extrême de sommeil sur votre corps : nervosité, irritabilité, intestins dérangés, et toute une gamme d'effets psychosomatiques qui peuvent finalement aboutir à une « crise sérieuse » — il se produit un effondrement de la raison chez l'étudiant et lors de l'examen, il gribouille du charabia ; le camionneur s'endort au volant et verse dans le fossé ;

le chef de la publicité attrape des ulcères et une colite nerveuse et souffre peut-être même d'une dépression nerveuse.

En fait, la recherche psychologique a établi que vous pouvez très rapidement rendre les animaux fous simplement en les empêchant de dormir, en interrompant constamment leur cycle de sommeil; en *provoquant l'insomnie.*

Vous avez peut-être compris à présent que l'*insomnie,* qui est l'incapacité prolongée et «anormale» à obtenir un sommeil convenable, possède deux visages. L'un est notre tendance à passer un temps excessif à vouloir dormir, ce qui est le résultat de l'inertie qui caractérise l'ensemble de notre vie. C'est un fait reconnu que les gens occupés qui sont enthousiastes et se consacrent à la vie, ne semblent pas passer leur temps à dormir comme ceux qui mènent une vie fastidieuse. Dormir trop longtemps c'est une insomnie de sommeil inadéquat parce qu'il garde votre corps au lit pendant plus longtemps qu'il ne le désire. Peut-être que le corps préférerait courir dans le parc, mais il est ici cloué au lit. Il se révolte et dérange le peu de sommeil que vous avez. Cela vous prend deux fois le temps dont vous avez réellement besoin, pour obtenir la moitié seulement du véritable repos.

Le revers de la médaille «insomnie» se manifeste quand notre anxiété concernant certaines situations de notre vie atteint le point critique (toujours au bord de la panique), et que nous nous refusons le temps de dormir. Nous prenons des drogues, nous nous obstinons. Quand finalement nous nous endormons, nous nous réveillons quatre heures plus tard couvert d'une sueur froide d'anxiété; nous interrompons le cycle de notre sommeil et de nos rêves; c'est, en définitive, la dépression nerveuse.

Vos instincts animaux, si vous leur prêtez l'oreille, vous guideront infailliblement, entre ces deux types d'insomnie, vers le genre de sommeil qui vous convient le mieux, en tout temps et en toute situation. Pour vous remettre en contact avec ces instincts et être un bon animal dans vos habitudes de sommeil, examinez ce qui suit :

Fiez-vous à votre pendule intérieure. Vous n'ignorez pas que vous avez quelque part dans votre cerveau un mécanisme d'horlogerie qui est aussi précis qu'une montre suisse, et il est accompagné d'une garantie à vie. Voilà comment il fonctionne. Vous savez que vous devez vous lever à une certaine heure pour respecter votre rendez-vous ou attraper le train. Au moment de vous endormir, votre corps est parfaitement conscient de l'importance de ne pas dormir trop longtemps le matin, et il règle le mécanisme de façon à vous réveiller à l'heure voulue. Chose certaine, cinq minutes avant que votre réveille-matin ne sonne, vous vous réveillez.

Ce n'est pas une coïncidence. C'est ce qui se produit chaque fois. Et pourtant vous continuez à régler votre réveille-matin chaque soir. Pour quelle raison? Parce que vous craignez de ne pas donner à votre corps suffisamment de temps pour dormir, et peut-être ne se réveillera-t-il pas à l'heure dite! La phase suivante, c'est que vous ne pensez plus à votre pendule intérieure et que vous vous fiez uniquement à votre réveille-matin pour faire respecter vos strictes habitudes de sommeil.

Bientôt vous vous surprenez à dire : « J'avais vraiment envie d'aller au lit deux heures auparavant. Je vais devoir régler le réveille-matin pour être sûr de ne pas manquer le train. »

La prochaine fois que vous êtes prêt à régler le réveille-matin, abstenez-vous en. Consultez votre pendule intérieure. Si elle sait que vous devez vous lever à 6 heures du matin, elle vous dira exactement quand aller au lit de façon à pouvoir dormir en paix et vous réveiller frais et dispos à 6 heures précises. Vous n'aurez pas envie de dormir ni avant, ni après — mais à l'heure prévue. Si vous appréciez cette merveilleuse précision de votre pendule intérieure, vous irez au lit au moment précis où elle vous le dira, et vous dormirez comme « un enfant ».

Quand vous vous surprendrez à ESSAYER de vous endormir — cessez immédiatement. N'arrêtez-vous pas de vous tourner et de vous retourner en pensant combien vous serez fatigué demain si vous ne vous endormez pas immédiatement, combien vous avez de difficulté à vous endormir?

Détendez-vous un instant. Si vous arrêtez d'essayer aussi fort de vous endormir, vous constaterez que l'insomnie disparaît. Si vous ne pouvez pas dormir, levez-vous. Lisez un livre, écoutez votre disque préféré, faites la vaisselle. Ayez suffisam-

221

ment confiance dans votre corps pour savoir que même si vous ne vous endormez que deux heures plus tard, vous saurez quand même fonctionner efficacement le lendemain — mais croyez aussi dans la possibilité que votre corps voudra s'endormir dans une quinzaine de minutes.

La prochaine fois que vous vous sentirez fatigué — *arrêtez.* Être fatigué n'a absolument rien en commun avec l'envie naturelle de dormir. « Vous fatiguer » signifie épuiser votre force physique ou votre patience, ou vous ennuyer ferme.

Avez-vous jamais remarqué combien vous vous sentez fatigué quand vous avez quelque chose de désagréable à faire ? *La fatigue* découle fondamentalement de l'ennui, de l'impatience et de l'angoisse plutôt que d'un épuisement physique. Si vous êtes fatigué mentalement, l'insomnie sera vraisemblablement la cause et le symptôme. Pour vous en guérir, vous aurez peut-être à restructurer votre vie sur les bases que je suggère tout au long de ce livre. Mais pour ce qui est d'apprendre à dormir selon vos instincts animaux fondamentaux, *apprenez à faire la distinction entre quand vous êtes fatigué* (fatigué de vous inquiéter de l'une ou de l'autre chose, comme par exemple ce que vous avez à faire le lendemain ou l'année prochaine) *et quand vous avez sommeil* (lorsque votre pendule intérieure est prête à vous mettre au repos pour une sieste ou pour la nuit).

Souvenez-vous : quand vous êtes *fatigué, mais n'avez pas sommeil,* la solution n'est pas d'aller au lit et d'essayer de trouver dans le sommeil un moyen d'échapper à vos soucis ! La source de votre insomnie consiste-t-elle du fait que vous avez le sentiment d'avoir remis au lendemain ce que vous considérez comme des tâches futures déplaisantes ?

Attelez-vous à la tâche et finissez-en ! Votre fatigue disparaîtra à mesure que vous payerez les factures, ferez la vaisselle, écrirez vos lettres ou toute autre chose qui vous tient éveillé. Si, par ailleurs, vous êtes prêt à vous arrêter d'écrire une lettre à mi-chemin pour faire une sieste, quand vous avez sommeil — aussitôt que la pendule intérieure de votre corps vous avertit — vous serez en bonne voie de réintégrer le sommeil dans votre nature de bon animal.

Guérir

Votre corps a des capacités curatives naturelles que personne dans le domaine de la médecine ne semble pouvoir expliquer. Si vous vous fracturez un os, il se soude tout seul. Tout ce que le médecin fait c'est de s'assurer que les fragments d'os sont convenablement maintenus en place afin que la guérison puisse suivre son cours normal. Si vous vous coupez, votre corps saignera, le sang se coagulera et formera une croûte, la plaie se cicatrisera et sous la croûte elle disparaîtra.

Observez un animal malade ou blessé. Remarquez comme il se repose, boit de l'eau et évite tout effort excessif. Pour une raison ou pour une autre, il sait comment prendre soin de lui-même. Mais peut-être n'êtes-vous pas aussi intelligent que ces êtres «inférieurs». Quand vous savez que vous êtes malade ou blessé, peut-être vous forcez-vous au-delà des limites permises. Vous refusez de vous reposer ou de manger convenablement, ou vous ne laissez pas à votre corps le temps nécessaire pour se remettre d'une maladie ou d'une blessure grave.

Racontez-vous toujours à tout le monde, tous vos problèmes de santé en précisant que vous vous attendez à voir les choses empirer? Vous attendez-vous à attraper le dernier virus de la grippe dont beaucoup de gens sont atteints? Vous faites-vous constamment du souci au sujet de votre santé physique *parce que vous savez au fond de vous-même que vous abusez de votre corps depuis longtemps et que vous vous demandez combien de temps il pourra encore résister?*

Si vous vous inquiétez constamment au sujet de votre santé, ou de la capacité de votre corps à se guérir lui-même et à continuer à vivre, en mentionnant pratiquement toutes les crises qu'il a affrontées, n'allant toutefois pas jusqu'à la blessure mortelle ou la maladie dans sa phase terminale, vous *pensez malade* — vous attendant à voir vos problèmes de santé empirer, et ne tenant aucun compte des avertissement reçus de votre corps indiquant que celui-ci peut guérir toute maladie ou blessure que vous pourriez avoir. Si vous voulez faire confiance à votre corps et à sa capacité à rester en bonne santé, oubliez que vous êtes une «personne maladive», et écoutez votre corps chaque fois qu'il essaye de vous expliquer ce qui lui est nécessaire pour redevenir « de nouveau entier ».

Essayez certaines de ces suggestions :

La prochaine fois que vous êtes malade ou blessé, soyez assuré que votre corps est capable de se guérir. Fiez-vous à ses instincts. Ne vous fiez pas exclusivement aux médecins ou aux drogues. Essayez d'éviter d'avoir une dépendance psychologique à l'égard de n'importe quel produit chimique uniquement parce que vous voulez passer par ce processus curatif sans interrompre votre vie organisée. Si vous êtes malade ou blessé, vous pouvez vous fier à votre corps pour qu'il se rétablisse à son gré, à condition *que* vous en preniez bien soin — ce qui pourrait bien inclure un traitement médical. Si tel devrait être le cas, allez voir un médecin qui ne soit pas exclusivement orienté vers les drogues, mais qui croit qu'il faut aider le corps à s'aider lui-même.

Bien sûr, allez voir un médecin si c'est nécessaire. Mais ne vous prenez pas d'affection pour vos médicaments, ou ne vous figurez pas que les drogues peuvent guérir vos maux. Toute la médecine repose sur l'aptitude du corps à se guérir lui-même, et tout médecin digne de ce nom vous dira que le mieux que vous puissiez faire pour l'aider à vous aider est de respecter vos propres instincts curatifs animaux.

Cessez de penser malade ! Cessez de vous imaginer que votre santé va aller de mal en pis. Commencez par vous convaincre que vous pouvez éviter la plupart de vos maladies pourvu que vous changiez totalement d'attitude ! Si vous vous obstinez à penser que votre état va empirer, si vous parlez constamment de votre maladie, vous vous préparez à devenir votre propre victime. Si vous pensez bonne santé — c'est-à-dire, respectez le besoin de guérir de votre corps dans certaines situations, et d'être en bonne santé pour la majeure partie de sa vie — vous souffrirez alors d'un bien plus petit nombre de ces «maladies humaines normales», telles que les migraines, les rhumes, les douleurs corporelles, les crampes ou l'hypertension.

Vous souvenant de ce que j'ai dit au chapitre 1 concernant la supersanté, ne limitez pas votre perception des capacités de guérison de votre corps uniquement à celles qui peuvent rétablir votre santé après une blessure ou une maladie.

Considérez aussi ce que la « guérison » peut faire pour *favoriser la supersanté*. Ne pensez pas seulement à la façon dont la blessure se cicatrise et disparaît sous la croûte, mais comment vous pouvez guérir chaque carence que vous avez infligée à votre corps, allant de la carence en vitamines, à l'embonpoint ou au tonus musculaire flasque, aux migraines ou aux maux d'estomac causés par la tension, en suivant vos instincts animaux — comment vous pouvez devenir une personne Sans-limites en ce qui concerne votre santé totale — physique et mentale — en demandant seulement à votre corps : « Suis-je actuellement en conflit avec toi ? Est-ce que je te consacre le temps et les soins qui te sont nécessaires pour guérir et mûrir à ta propre perfection ? ».

L'aptitude miraculeuse de votre corps à *se guérir lui même* est le *passe-partout* qui vous permet de devenir un bon animal. Si vous en êtes parfaitement conscient, si vous vous y fiez, lui faites confiance, cette aptitude naturelle à guérir qui est la vôtre vous aidera à satisfaire tous vos besoins animaux, et vous conduira à une vie remplie de plus de vitalité que quand vous étiez enfant.

S'exercer et jouer

Vous savez que vous avez des instincts pour vous exercer, que votre corps a un grand besoin d'activité. Il veut être en pleine forme physique. Vous avez hérité de ces instincts de vos plus « primitifs » ancêtres, des chasseurs qui devaient courir pour attraper leur proie ou pour éviter d'être eux-mêmes mangés, dont la vie même dépendait de leur force, leur endurance et leur coordination. Nos environnements et nos styles de vie ont radicalement changé pendant les quelques milliers d'années qui viennent de s'écouler, mais notre nature fondamentale animale, elle, n'a pas changé : chaque nourrisson humain naît avec l'instinct puissant de s'exercer et depuis le moment où il commence à serrer et desserrer ses poings, à se rendre compte comment ses doigts fonctionnent et à les fortifier, suivi de l'époque où il se met sur ses genoux et commence à se traîner à quatre pattes, et enfin la période de la course folle à travers la maison ou dans la cour de l'école, il suit infailliblement ses instincts. L'exercice est un jeu, le jeu est un exercice. Les enfants courent, grimpent, luttent jusqu'à ce qu'ils n'en aient plus envie. Dès que l'envie les reprend, ils recommencent tout simplement.

Mais ensuite que se passe-t-il? L'enfant «grandit», il prend un emploi de neuf à cinq, il est assis derrière un bureau où il répète les même gestes toute la journée, et soudain il est trop occupé ou trop fatigué pour s'exercer ou jouer. Le corps se détériore, devient difforme. L'adulte a des difficultés pour respirer. Il se met dans l'idée que seuls les enfants «jouent», que les exercices «adultes» comme par exemple trente redressements chaque matin sont assommants. Sans rime ni raison, ses muscles deviennent douloureux, il a des migraines — ce ne sont que des prétextes pour éviter de suivre ses instincts de s'exercer.

Les instincts ne nous quittent jamais. Le corps s'assied là-bas au bar ou devant le téléviseur pendant que la colère monte en lui de minute en minute devant cet esclavage artificiel.

Et enfin peut-être, le médecin de l'adulte lui dit, « Vous devez absolument faire de l'exercice », et le met au régime. Il se peut qu'il le suive mais à contrecœur. Par contre, il se peut aussi qu'il y renonce. Ou peut-être, au mieux, il reconnaît à quel point il se sent mieux, devient entièrement réceptif à ses instincts « exercice-et-jeu », cède à sa soif d'exercices physiques sous différentes formes jusqu'à ce qu'il soit de nouveau *en bonne forme*, et en bonne voie de réaliser la supersanté.

Quand vous êtes en bonne condition physique, tout marche beaucoup mieux. Si vous vous exercez régulièrement, vous n'avez aucune envie de faire des excès de table. Vous êtes constamment stimulé, plutôt que fatigué, Votre cœur est plus robuste. Votre rate, votre foie, vos poumons, vos artères, tous en bénéficient, ainsi que d'ailleurs votre esprit : votre cerveau reçoit davantage d'oxygène, a une meilleure circulation, et vous êtes en parfait accord avec vos instincts, plutôt qu'en conflit constant avec eux. Les exercices prolongent votre vie, ils vous arment physiquement et vous permettent plus facilement d'éviter les maladies, ils vous donnent la vigueur nécessaire pour combattre l'épuisement. En fait, c'est l'essence de votre survie, et c'est là précisément la fonction des instincts;

d'aider l'organisme à survivre d'une façon aussi saine que possible.

Quand vous vous *fiez à votre corps pour choisir ses propres activités «exercice-jeu»*, il accomplira des miracles. Si vous le laissez marcher, courir, nager, jouer au golf, au volley-ball ou au tennis quand il le désire, il se transformera à son gré en un modèle de force, d'endurance, de coordination et, disons-le, de séduction. Si vous le laissez agir à son propre rythme, en vous fiant à lui pour qu'il s'arrête quand il en a assez, et en le laissant prendre de l'exercice tous les jours, vous serez alors avant longtemps dans une excellente condition physique. Votre corps se contrôlera lui-même. Bientôt il demandera de lui-même à marcher ou à courir sur de plus grandes distances, augmentera la vitesse de lui-même, s'entraînera, développera ses muscles, se débarrassera tout seul de ces kilos en trop. Contentez-vous de le suivre! Il vous mènera là où il va sans jamais vous ennuyer ou vous blesser.

Par ailleurs, si vous commencez un programme d'exercices prédéterminés avec votre attitude habituelle orientée vers le rendement, si vous fonctionnez avec un chronomètre à la main, décidez d'avance le nombre de tractions que vous «devez faire» ou combien de kilomètres vous devez courir, en vous forçant à faire mieux jour après jour, avant longtemps vous serez malade et fatigué de votre programme. Ce sera exclusivement du « travail sans jeu » et cela abusera presque autant de vos instincts que le fait de négliger totalement les exercices et le jeu. Vous allez connaître une souffrance et une frustation   inutiles. Vous irez probablement au-delà des capacités de votre corps et vous vous blesserez vous-même — ce qui naturellement vous empêchera de vous exercer pendant quelque temps et vous donnera peut-être un prétexte pour dire : « Les exercices font plus de mal que de bien, ça n'en vaut pas la peine. »

Si vous voulez reprendre contact avec les moyens instinctifs naturels de votre corps pour rester en bonne forme physique, essayez ce qui suit :

Chaque jour, gardez-vous du temps pour faire des exercices, mais ne décidez pas d'avance ce que vous allez faire (à moins que vous ayez à l'organiser avec quelqu'un d'autre). Ne vous exercez jamais au point de vous épuiser et de devoir abandonner bien longtemps avant d'être en forme. Courez (ou faites autre chose) sans forcer jusqu'à ce que vous ayez le sentiment d'en avoir eu assez, et allez même un peu plus loin, après avoir repris votre souffle. Si vous vous décidez à faire la même chose tous les jours pendant deux semaines, sans essayer de battre vos records précédents, *sans qu'il y ait pression en raison du temps,* vous serez alors en bon chemin.

Par exemple, quand vous courez souvenez-vous que *personne n'est à vos trousses! Il est fort possible que vos ancêtres primitifs aient été forcés de courir pour éviter d'être mangés, mais ce n'est pas le cas pour vous. Vous courez strictement pour le plaisir, comme un jeu.* Vous n'avez pas besoin de courir en ligne droite à une allure constante. Imaginez-vous que vous vous trouvez dans un vaste champ ouvert, à regarder les enfants se donner la chasse, jouant peut-être même au jeu de chat. Ils courent par-ci, ils virevoltent par-là, ils courent ailleurs, ils s'accroupissent et se reposent. Vous pouvez courir de cette manière si vous voulez!

Ou bien imaginez que vous faites un tour à la campagne, que vous vous déplacez au grand trot comme un éclaireur indien, que vous courez sur une route qui vous est très peu familière, que vous passez par un quartier de la ville ou un coin de bois qui vous est totalement inconnu, faisant des détours quand vous voyez quelque chose que vous désirez examiner de près, vous arrêtant quand vous sentez le besoin de vous reposer et d'examiner de près une pièce d'architecture ou un vieux chêne. Vous pouvez aussi courir de cette façon si vous le désirez.

Considérez votre exercice comme une aventure et comme un jeu, non pas comme une corvée assommante que vous devez accomplir à la satisfaction d'une autorité extérieure. Souvenez-vous que courir *n'est pas une chose ennuyeuse.* Vous ne pouvez quand même pas dire qu'une promenade ou une baignade est ennuyeuse. Vous vous servez de l'ennui comme prétexte pour éviter au début d'aller courir, car c'est un processus pénible que de surmonter vos années d'inactivité.

Reconnaissez que toutes vos attitudes négatives concernant les exercices et le jeu proviennent de votre besoin de défendre votre vie adulte «normale» d'inactivité, et reconnaissez combien la vie est anormale *du point de vue de votre corps.* Tenez compte de la vérité pure, c'est-à-dire *que vous vous sentez bien d'être dans une forme physique,* que vous aurez davantage de vigueur et de résistance, davantage d'énergie et moins de maladies quand vous ferez tout ce qu'il faut pour être en bonne santé physique. Fiez-vous à votre corps, allez dans le même sens que lui et non contre, et accordez-vous suffisamment de temps pour aller au-delà des souffrances, des douleurs et de la fatigue que vous éprouvez uniquement parce que vous n'avez pas tenu compte de vos instincts toute une vie durant.

Pendant que vous faites des exercices, entraînez-vous à laisser votre esprit errer vers votre corps. Observez vos jambes qui avancent pas à pas. Mettez-vous au diapason de la splendeur de votre respiration, de la pulsation de votre cœur. Soyez joyeux et uni à votre corps et vous serez rapidement émerveillé par cet organisme fantastique qui est le vôtre, à un point tel que vous n'aurez pas le temps de vous tourmenter ou de vous énerver en raison de vos soucis quotidiens.

Vous savez que vous avez le pouvoir de penser comme vous le désirez. Une partie de l'objectif de rajeunissement des exercices et du jeu est de laisser vos pensées se détacher momentanément des «responsabilités du monde» pour retourner à l'essentiel de l'existence humaine. Si vous ne pouvez pas vous empêcher de vous inquiéter pour d'autres choses pendant que vous vous exercez ou jouez, vous êtes alors toujours esclave de vos convictions ou «normalités» de la société, et laissez toujours quelqu'un d'autre assumer la responsabilité du centre de vos pensées. Mais si vous laissez vos propres instincts animaux assumer la responsabilité, vous jouirez d'une supersanté et d'une vie Sans-limites.

Le sexe

Regardez tous ces gens autour de vous. Pensez à tous ces milliards d'êtres humains qui vivent aujourd'hui sur notre planète. Aucun de nous ne serait ici si la nature n'avait pas fait l'acte sexuel aussi agréable!

Tout le monde fait l'amour. Tous savent instinctivement comment s'y prendre. Personne n'a besoin d'aller à l'école pour l'apprendre. C'est naturel, sensationnel, excitant, magnifique — à moins que nous réprimions ou imposions des contraintes externes sur notre sexualité, à moins que nous tombions dans le piège qui consiste à prétendre que nous sommes «au-dessus» de tout ce qui est sexuel.

Les êtres humains aiment naturellement copuler. Nous aimons embrasser, toucher, sentir, lécher, caresser. Le seul moment où nous pourrions arrêter notre corps de fonctionner d'une façon sexuellement parfaite est quand nous commençons à juger nos activités sexuelles à la lumière des critères sociaux «normaux», en nous faisant du souci à ce sujet, en créant des conflits inutiles avec nos instincts.

La première fois que vous avez des rapports sexuels, cela peut être parfait. Si vous vous y donnez totalement, votre corps réagira normalement parce que vous le laissez agir à sa guise. Si vous éprouvez librement de l'amour et de la passion l'un pour l'autre, vos corps feront automatiquement ce qu'ils savent faire. Ils deviennent moites sans qu'on les incite. Ils connaissent des sensations — la chair de poule, une respiration haletante, une érection, des paroxysmes, des orgasmes et des éjaculations — entièrement par eux-mêmes.

Votre corps est, «au début», un parfait instrument sexuel, car vous ne le contrecarrez en aucune manière. Mais après avoir eu des rapports pendant quelques temps, vous pourriez laisser des pensées ou des inquiétudes extérieures s'immiscer. Vous pourriez vous inquiéter au sujet de l'affaire que vous devez conclure le lendemain. Vous pourriez vous inquiéter que les enfants puissent vous entendre, ou penser à la réception du vendredi suivant, à une autre personne avec qui vous aimeriez faire l'amour, au fait que vous n'avez pas eu d'orgasme, ou à n'importe quoi d'autre, y compris les lézardes dans le plafond.

Quand votre esprit est détourné des activités sexuelles de votre corps, ce dernier cesse de se comporter parfaitement dans les situations sexuelles.

Au pis, vous pourriez même avoir honte de votre sexualité, et tout d'abord, de vos «organes génitaux». Vous pourriez considérer le sexe comme une chose «sale» (exactement de la même façon que vous le faites avec la miction, la défécation, la transpiration, etc. Vous pouvez alors devenir impuissant, «sexuellement inactif». Vous n'aurez plus la chair de poule, une respiration haletante, des orgasmes. À la place, vous connaîtrez la frustration. Vous prendrez l'habitude d'éviter les choses mêmes dont votre corps a un grand besoin : être caressé et aimé sexuellement. Naturellement, vous payerez le prix pour cette frustration de vos instincts sexuels, pour cette «inertie sexuelle», par un accroissement général des tensions, des dépressions, peut-être même de toutes sortes de maladies psychosomatiques.

Si vous trouvez votre vie sexuelle dans cet état de panique ou d'inertie, il ne vous reste qu'une chose à faire. Réveillez-vous! Commencez par accepter votre sexualité comme un bon animal.

Avez-vous jamais vu un animal en train de copuler avec son esprit ailleurs? Naturellement pas. Les animaux ont absolument raison sur ce point, de se concentrer *maintenant* sur leur jouissance. Ils ne s'inquiètent pas que le chien un peu plus bas dans la rue soit jaloux. Ils ne s'inquiètent pas au sujet de l'inflation ou des taux d'intérêt sur l'hypothèque. Ils ne souffrent pas de migraines. Ils n'ont jamais le sentiment de le faire par obligation. Ils se donnent entièrement à ce qu'ils font. Ça ne les gêne même pas que vous les regardiez faire. Ils n'ont pas honte d'eux-mêmes. Si vous avez honte de ce qu'ils font, séparez-les et chassez-les de là ; ils vous en voudront probablement, mais ils iront un peu plus loin et recommenceront.

Nous pouvons tous apprendre des animaux. Nous n'avons pas besoin de nous accoupler dans les rues ; il y a certainement des endroits plus confortables et plus romantiques où faire l'amour. Mais si nous cultivons en nous les mêmes instincts animaux auxquels ils se fient pour se concentrer sans restriction sur *l'acte* pendant qu'ils le font, nous éviterons en grande partie l'ingérence de la société dans nos réactions sexuelles humaines naturelles.

Il est évident que les êtres humains semblent *naturelle-*

ment vouloir plus que les autres animaux prendre leur temps lors de leurs rencontres sexuelles, faire un art de l'acte d'amour. C'est peut-être parce que les être humains se trouvent parmi le nombre très restreint d'animaux qui ont un instinct apparent pour « s'unir pour la vie » — afin de guider leurs enfants à travers leurs années de dépendance et de croissance, afin de passer ensemble leurs années de vieillesse. Ainsi, outre la capacité des êtres humains à réprimer la sexualité naturelle comme aucun autre animal ne peut le faire, vient la capacité à apprécier le miracle du sexe comme peut-être aucun autre animal n'est en mesure de le faire : *de le conduire à la limite de* son potentiel unique d'inspiration, de rapports intimes et de *signification immédiate.*

Peut-être l'art supérieur *muga* de faire l'amour est-il avant tout à la portée des êtres humains en raison de leur grande aptitude à s'aimer mutuellement pendant des périodes prolongées. Peut-être est-ce pour cette raison que les êtres humains sont capables de passer des heures à se toucher, à jouer, à s'embrasser, à faire durer leur volupté, à connaître un paroxysme des sens, à atteindre ensemble l'orgasme, à reprendre doucement contact avec la réalité, en se donnant la main pour descendre des hauteurs atteintes ensemble — parce que leurs instincts leur disent que chaque expérience sexuelle est une image de toute leur vie commune, une affirmation de ce qu'ils ont été et seront l'un envers l'autre, une célébration du fait qu'ils sont, en tant qu'animaux, *unis à jamais.*

Ou peut-être les gens qui n'ont aucun désir de s'unir pour la vie peuvent tout aussi facilement satisfaire leurs instincts sexuels en y accédant simplement quand ils sont véritablement et librement stimulés sexuellement, quand nulle considération morale ou éthique *qu'ils* peuvent comprendre, ne vient les empêcher de vivre et d'aimer maintenant.

Bien que l'incroyable capacité humaine à transformer l'amour / le sexe en l'art de vivre le moment présent, provienne de l'institution humaine du mariage (signifiant l'engagement à vie de s'aimer l'un l'autre) ou simplement de l'aptitude humaine innée à éprouver un intérêt et une sensibilité incroyables *(prévenance)* en toutes circonstances, *un amour*

232

Sans-limites est à la portée de tout être humain qui le recher-
che en se fiant à ses propres instincts animaux fondamentaux.

Que vous vouliez retourner à vos rapports érotiques originaux avec votre époux / épouse de quarante ans ou que vous
ayez vingt ans et «jouiez toujours sur plusieurs tableaux», que
vous soyez ou que vous ne soyez pas «homosexuel», que
vous apparteniez à l'aristocratie, au peuple ou à la bourgeoi-
sie, vous pouvez trouver la tranquillité d'esprit en ce qui concerne votre sexualité et cultiver vos rapports sexuels au maximum de votre potentiel comme être humain en gardant ces
pensées présentes à l'esprit :

*Débarrassez-vous de vos idées inflexibles quant au
moment, à l'endroit ou à la manière dont vos rencontres érotiques sont censées prendre place.* Cessez de vouloir les organiser à l'avance. Il faut que vous compreniez que tout endroit,
toute heure ou toute condition conviendra du moment que
vous vous désirez sexuellement l'un l'autre et convenez que le
temps et l'endroit sont parfaits. Si vous devez faire un rituel de
l'acte sexuel, en vous assurant que vous ne le faites que
quand les enfants sont endormis, seulement la nuit ou dans
une certaine chambre, vous êtes en train de limiter vos instincts sexuels libres et spontanés.

Faites l'amour dans la voiture, la cuisine, partout où vous
en avez envie! Si vous exigez une intimité absolue, fiez-vous à
vos instincts pour que votre corps ne soit pas prêt avant que
votre corps soit conscient qu'il dispose de l'intimité que vous
désirez! Ne jugez pas qu'une chose que vous désirez faire soit
mauvaise aussi longtemps que vos instincts vous diront que
vous ne faites de tort à personne.

Chaque fois que vous vous surprendrez à raconter vos
prouesses ou vos exploits sexuels à vous-même ou à d'autres
— arrêtez aussitôt. En parlant et en vous vantant constamment à ce sujet, vous exercez de la pression sur vous-même
afin de vous montrer à la hauteur de votre prestige sexuel imaginaire, ou de votre image sexuelle telle que vous essayez de
la projeter à d'autres, au lieu de satisfaire vos propres instincts
sexuels intérieurs conformément à votre propre notion, la
meilleure du genre d'animal que vous êtes. Si vous tenez une
liste mentale de tous les hommes ou les femmes dont vous

avez fait la « conquête » — débarrassez-vous-en sur le champ. Considérez plutôt vos amours passées comme une série de peintures dans lesquelles vous êtes pour quelque chose. Conservez dans votre mémoire les œuvres que vous aimez; savourez et chérissez-les. Tirez-en la leçon. Quand aux pièces de rebut — oubliez-les sans attendre, point final.

Il n'existe qu'une feuille de marque de votre vie sexuelle sur cette planète et je pense que c'est votre propre compte rendu de si, quand et à quel point vous avez joui de votre sexualité animale.

Passez en revue vos propres tabous concernant le sexe. Hésitez-vous beaucoup à faire des attouchements aux autres? L'attouchement est un instinct, dont il ne faut pas avoir honte. Hésitez-vous à témoigner de l'affection sexuelle à votre mari quand les enfants sont présents? Craignez-vous qu'ils vous surprennent à l'embrasser, le caresser, l'enlacer?, Sinon comment vont-ils eux-mêmes apprendre?

Quels sont vos autres tabous?

Un tabou est *une attitude que vous avez adoptée* qui dit que certains aspects de votre expérience éventuelle vous ont été interdits uniquement parce que d'autres, un groupe d'individus «d'un niveau plus élevé» : les grands prêtres, les sorcières ou n'importe qui d'autre ont décidé que ce sol est sacré — qu'il est imprégné d'un pouvoir surnaturel *malfaisant* que seuls eux peuvent vous faire franchir si vous désirez goûter à ses fruits défendus.

Si vous laissez les publicistes, les psychiatres ou quiconque d'autre vous dicter ce que vos propres tabous sexuels (les «interdits») doivent être, vous oublierez que dans votre propre monde sexuel privé il n'y a pas de choses acceptables ou correctes à faire. Tout ce qui vous fait plaisir, qui vous procure de la jouissance à vous et à votre amant(e), est parfait.

Quand vous avez une union charnelle, soyez sûr(e) de cesser de penser *et de cesser d'essayer!* Commencez par *agir!* Si votre esprit ne se concentre sur rien d'autre que votre amour sexuel pour votre partenaire à cet instant précis, vous vous rendrez compte qu'il n'y a pas de limites aux voluptés que vous pouvez connaître ensemble.

Fiez-vous à vos corps. Laissez-les faire ce qu'ils savent le mieux faire.

Flaner, voyager, explorer

Cela peut vous surprendre de voir ces besoins groupés avec les huit autres que j'ai déjà mentionnés. Il semble évident pourquoi ces besoins biologiques fondamentaux, sont satisfaits par un comportement instinctif — mais, vous pouvez vous demander s'il y a vraiment un besoin humain fondamental pour flâner, voyager, explorer? Il est certain, par exemple, qu'il est agréable de prendre des vacances, mais n'est-ce pas plus un luxe qu'une nécessité, et nos *instincts* nous disent-ils vraiment de le faire?

Réfléchissez encore. Examinez toute l'histoire de l'évolution de la vie sur cette planète. C'est une longue histoire ininterrompue de choses vivantes en mouvement — s'aventurant dans de nouveaux environnements, les explorant, s'adaptant à eux, repartant de nouveau. L'ours s'est aventuré par-dessus les montagnes pour voir ce que celles-ci dissimulaient, la graine de laiteron s'envola huit cents kilomètres avant de retomber au sol et d'y prendre racine; Christophe Colomb a pris la mer malgré que certains pensaient qu'il naviguerait au-delà des limites de la terre.

Il y a rarement eu, peut-être jamais, une culture de choses vivantes qui a simplement tracé un cercle autour de son habitat actuel et dit : « Et voilà, nous ne nous soucions pas de ce qu'il y a au-delà de ce cercle, nous allons rester ici à jamais. » Or avant tout, l'homme est doté de plus de curiosité naturelle et d'esprit d'aventure que n'importe laquelle des autres espèces.

Vous n'êtes pas sans savoir que nous, les êtres humains, adorons voyager, flâner autour du globe, explorer notre environnement, notre planète et même les autres planètes de l'univers. Nous sommes des explorateurs instinctifs! Il n'y a rien de plus naturel et passionnant que l'exploration. Cela fait de nous de bons et excitants animaux, pleinement vivants.

Tous, nous rêvons un jour ou l'autre de « partir », de « prendre la route », pour une période indéterminée — simplement pour voyager; de faire une randonnée à travers les montagnes, ou de partir en voiture sans avoir de destination précise ; de visiter de nouvelles villes et de nouveaux pays, de connaître de nouvelles cultures ; ou de simplement flâner sans but, « pour voir ce qu'il y a à voir ».

Parlez d'exploration aux enfants et ils sont aussitôt fascinés. Dites-leur que vous aimeriez les emmener dans une contrée déserte pour voir ce que vous allez y trouver, et vous verrez leurs yeux s'écarquiller d'excitation. Vous remarquerez que quand vous emmenez un enfant camper, vous avez à peine le temps de monter la tente qu'il ou elle est parti(e) reconnaître le terrain, explorer les environs, flâner le long des sentiers, patauger dans le ruisseau, grimper les collines, tout émerveillé et impatient de reprendre la route.

Je n'ai jamais rencontré une personne qui ne fût, au moins secrètement, excitée à la perspective de flâner, de voyager, d'explorer. Mais malheureusement, j'en ai aussi rencontré un grand nombre qui répriment ou rejettent leurs instincts de voyager à l'aventure. Au pire, vous voyez des personnes adultes qui s'en tiennent avec un tel acharnement à la monotonie de leur existence entre le foyer et le travail, conduisant et revenant par le même chemin des lieux où ils se rendent, allant toujours aux mêmes endroits, qu'ils ne voient littéralement jamais rien de nouveau ou d'inconnu. Quand ils prennent des vacances (plutôt que de traîner comme à l'accoutumée à la maison), il se rendent aux mêmes endroits, année après année — endroits qui sont d'ailleurs « tout à fait comme à la maison ». Inutile de dire que ces personnes tendent à être archiautoritaires, comptent parmi les gens les plus ternes, les plus intolérants, et aussi parmi les plus déprimés et misérables.

Vous l'entendez fréquemment de la bouche des « enfants adultes » âgés dans les vingt ou trente ans : « Je ne sais pas comment mes parents tiennent le coup. Ils ne vont jamais nulle part ! Ils ont suffisamment d'argent pour prendre de belles vacances, mais vous savez, ils ont encore cette mentalité de l'époque de la Crise : ils sont convaincus que voyager constitue un tel luxe frivole, et qu'on n'est nulle part mieux que chez soi, et ainsi de suite. Je crains qu'ils ne deviennent de plus en plus grincheux avec l'âge. »

John Steinbeck a mis le doigt sur la manière dont beaucoup d'entre nous réprimons nos instincts de voyager et de partir à l'aventure, dans *Travels with charlie*, son récit de la façon dont il fit son baluchon et partit avec son chien pour voir ce qu'il pouvait voir de ce pays.

Et je vis alors ce que j'avais vu si souvent au
cours du voyage
... un regard de nostalgie ...
« Seigneur, j'aimerais pouvoir m'en aller. »
« N'aimes-tu donc pas être ici ? »
« Oh oui, c'est bien, mais je désire m'en aller. »
« Tu ne sais même pas pour où je vais »
« Peu importe, j'irais n'importe où ».

S'il s'avère que vous combattiez vos instincts nomades, peut-être en raison de vos craintes déraisonnables de l'inconnu, peut-être parce que vous considériez qu'en leur *cédant,* vous feriez preuve d'irresponsabilité, vous amputez alors une série d'instincts pour lesquels tous les autres étaient peut-être faits — votre chance d'aller dans le monde et d'en faire la découverte dans toute sa gloire et son mystère infinis.

Il existe de nombreuses façons de flâner, de voyager, d'explorer. Vous pouvez le faire à pied ou dans un costume de plongée sous-marine, à travers un microscope ou un télé-scope, un livre d'histoire ou une revue d'histoire naturelle. Vous pouvez le faire dans votre propre ville, dans les jungles d'Afrique, sur la lune. Cela peut vous conduire à la découverte de la cité perdue de Krossos ou d'un excellent restaurant hongrois dans la rue voisine. Mais quelle que soit la manière dont vous le faites, *faites-le!* Si vous vous êtes accoutumé à étouffer cette voix de la curiosité intriguée quand elle essaye de demander, « Je me demande ce qui se trouve au bout de ce sentier, je ne suis jamais allé dans cette direction auparavant », envisagez de changer vos attitudes et vos comportements en ce qui concerne la satisfaction de cet instinct, des façons suivantes :

Prenez quelques minutes chaque jour, pour fantasmer sur la façon dont vous flâneriez, voyageriez ou exploreriez, si

237

vous le pouviez. Si vous trouvez cela difficile à faire en vous disant qu'il est irresponsable de vouloir flâner sur cette planète, arrêtez-vous! Souvenez-vous qu'il est important de tenir compte de ces instincts pour votre propre contentement personnel, car ils sont aussi essentiels que de manger et de dormir. Vous avez besoin de connaître de nouveaux endroits. Vous avez besoin de partir à la découverte d'un nouveau territoire. Si les autres veulent vous considérer comme un «cinglé» parce que vous semblez «errer» tout le temps, c'est leur affaire. Votre solution est de prendre vos fantaisies d'exploration sérieusement.

Laquelle d'entre elles devriez-vous prendre en considération? Peut-être ne pouvez-vous pas encore piloter un vaisseau spatial autour du soleil, mais vous pouvez aller camper, ou vous pouvez conduire sur une petite route de campagne jusqu'à ce que vous parveniez à une grange où ils fabriquent le cidre d'une nouvelle cueillette de pommes pour le vendre, dans des cruches, sur le bord de la route. Vous pourrez observer les presses en fonctionnement, vous réjouir de voir le cidre préparé à la manière ancienne, humer le lourd parfum des pommes écrasées et du jus, échanger quelques mots avec le fermier concernant les pommes ou le cidre ou un tout autre sujet.

Vous pouvez prendre la décision de prolonger votre trajet de dix minutes en suivant un parcours différent pour conduire du travail à chez vous, de prendre vos vacances à un endroit différent cette année, dans une région que vous aimeriez explorer.

Quelles que soient vos fantaisies, donnez-y libre cours. Aussi souvent que vous le pouvez. Si vous faites appel à votre imagination, vous réaliserez que vos fantaisies qui se rapportent à l'exploration et vos expériences subséquentes dans ce domaine sont littéralement illimitées.

Souvenez-vous que l'exploration ne se limite pas seulement à voyager; elle signifie que vous serez accessible à beaucoup de variété dans votre vie. Aucun animal ne désire faire les mêmes choses jour après jour! De nouveaux aliments, de nouveaux amis, de nouveaux violons d'Ingres, activités sportives, musique, art ou autre chose, ils vont tous céder à vos instincts animaux fondamentaux de flâner, de voyager, d'explorer. Le fait de changer constamment d'environnement dans tous les domaines de votre vie ne vous rendra pas instable! Au contraire, en vous procurant la variété et l'excitation dont vous avez un grand besoin naturel, ils vous donneront une idée harmonieuse et complète de ce qu'est la vie humaine — bien plus complète que vous ne pouvez l'imaginer.

Si vous avez sérieusement réfléchi à votre attitude envers ces neuf besoins animaux parmi les plus fondamentaux et aux instincts qui les accompagnent, comment vous pouvez *les faire travailler pour vous*, en étant simplement accessible à eux et en laissant votre corps être l'animal qu'il veut être — en renonçant désormais à *essayer trop fort* et à tous les autres jugements négatifs concernant votre corps — vous êtes prêt à présent à laisser votre corps fonctionner de façons parfaites qui lui sont naturelles dans toutes les situations de la vie. Quand vous aurez appris le secret qui consiste à respecter votre corps et à vous fier à lui pour faire les choses comme il faut, vous connaîtrez alors une des joies essentielles d'être une personne Sans-limites, celle d'être simplement un bon animal.

5/ *Redevenez un enfant*

Il fut un temps où les ruisseaux, les bocages et les prés,
La terre, et tous les spectacles familiers,
Me semblaient
Revêtus d'une céleste clarté,
De gloire et de la fraîcheur d'un songe.
Alors que d'antan ce fut, ce n'est plus aujourd'hui ;
Partout où mes regards plongent,
De jour ou de nuit,
Les choses que j'ai vues, maintenant sont encore mensonges.

WILLIAM WORDSWORTH
Intimations of immortality
from recollections of early
childhood (1807)

Le poète évoque ici une époque de la vie que nous avons tous connue : ces magiques moments de l'enfance où la vie semblait si purement belle et merveilleuse, quand nous étions fascinés par nos univers, engagés à fond dans leur exploration, indifférents aux tragédies ou au dur labeur que nous pouvions connaître le lendemain.

Je partage l'enthousiasme de Wordsworth pour la façon dont les enfants vivent. À mon avis, les enfants sont, dans l'ensemble de meilleurs animaux que la plupart d'entre nous. J'évoque souvent avec tendresse et émerveillement les expériences, consistant à « vivre l'instant », les plus intenses de ma propre enfance. Mais en raison de mes propres pensées et expériences de la vie, je sais que la personne adulte n'a aucun besoin d'idéaliser l'enfant ou de souhaiter (sans espoir) redevenir un enfant *en âge*, pour pouvoir connaître une existence innocente d'enfant — pour atteindre un état de conscience dans lequel la terre et tous les spectacles familiers semblent « revêtus d'une céleste clarté ».

Peu d'entre nous pouvons prétendre que nous n'envions pas les enfants pour beaucoup de choses. Vous marchez le long d'une cour d'école, vous voyez et entendez les enfants jouer, et vous réalisez à quel point ils sont absorbés par ce qu'ils font ; la façon dont ils se bagarrent, courent, rient et plaisantent sans arrêt, inconscients des problèmes futurs qui sont tout aussi réels pour eux que les vôtres le sont pour vous. Ils doivent bientôt rentrer en classe, ils doivent passer des examens, ils ont des notes à améliorer, des amis au sujet desquels ils s'inquiètent, des professeurs qui les contrarient, et bien d'autres difficultés à affronter dans leurs jeunes existences. Mais d'une façon ou d'une autre, ils ont la faculté magique d'oublier temporairement leurs problèmes et de se laisser simplement aller ; de se donner à eux-mêmes la permission d'être libres, et d'être totalement absorbés par leurs jeux. En somme, la manie de *vivre dans le futur* n'a pas encore été martelée en eux au point qu'ils soient incapables d'être totalement absorbés par le moment présent. Ils n'ont pas encore perdu leur talent à *vivre le présent*. Pourtant pour une raison ou pour une autre, peut-être avez-vous le sentiment d'avoir perdu ce talent, croyez-vous que vous ne le retrouverez plus jamais. Par conséquent, vous dépasserez la cour d'école, peut-être en marmottant, « Quand j'étais un enfant, je parlais comme un enfant, je raisonnais comme un enfant ; quand je devins un homme, j'abandonnai mes manières enfantines »* ou toutes autres paroles de sagesse qui rationalisent votre résignation à ne plus jamais avoir de plaisir. Vous êtes jaloux des enfants, peut-être même éprouvez-vous du ressentiment à leur égard. Mais que faites-vous à ce sujet ?

---

* I Corinthiens 11.

J'ai observé pendant de longues années des enfants et leurs parents dans les restaurants. Les parents semblent généralement d'accord que les restaurants sont des endroits où les enfants ne devraient pas agir comme des enfants, mais plutôt «se conduire comme des adultes». Il est même probable que les enfants aient reçu un sérieux avertissement «de ne pas se comporter comme des enfants», avant même d'entrer dans le restaurant. Dans le fond, c'est comme si vous disiez à un chien de ne pas faire le chien quand vous le promenez dans le parc, et naturellement, c'est sans effet. Par conséquent, les parents ne jouiront pas de leur repas, ayant le sentiment de passer beaucoup trop de temps à surveiller le comportement de leurs enfants. «Remets ta serviette sur tes genoux. Arrête de remuer! Ne ris pas à haute voix. Cesse d'importuner ces gens. Mange tes épinards sinon tu n'auras pas de dessert. Coupe un ou deux morceaux de viande, tiens ta fourchette dans l'autre main. Combien de fois dois-je te le dire ? ». En réprimandant constamment les enfants, les parents souvent encouragent involontairement les enfants à être «turbulents» de façon à attirer encore plus l'attention sur eux. Quoi qu'il en soit, il finira par se produire l'une de ces situations.

Si les parents sont excessivement sévères et obligent les enfants à se conduire comme des robots, vient un moment où les enfants ne le supportent plus et «désobéissent» une fois de trop. De façon typique, ceci amène les parents à jeter leur serviette sur la table et à traîner les enfants hors du restaurant, peut-être en donnant quelques taloches, parfois à mi-chemin du repas. Pendant qu'ils se donnent en spectacle, tout en exigeant que leurs enfants agissent comme de parfaits adultes, vous pouvez souvent les entendre dire aux enfants : « C'est la dernière fois que nous *t'amenons au restaurant !* ». Et en réponse à cela vous pouvez presque entendre les enfants penser : « Que Dieu soit loué. Je *déteste* les restaurants ! ».

Par ailleurs, il y a des parents qui sont considérablement moins sévères dans les restaurants. Après avoir «essayé» pendant la moitié du repas, dès qu'ils se rendent compte que les enfants ont mangé à leur faim et ne peuvent être retenus plus longtemps contre leur gré, ils peuvent les laisser flâner un peu, aller aux toilettes, et ainsi de suite. Les enfants peuvent se lier d'amitié avec d'autres enfants, explorer le restaurant dans la mesure du possible. Ils échangent quelques mots avec les clients sympathiques, ils plaisantent avec les serveurs ou les serveuses aimables, ils jettent un coup d'oeil dans la cuisine, et peuvent même décider que les restaurants sont des endroits extrêmement fascinants si vous savez éviter les règles qu'il vous faut observer. Entre temps, les parents se détendent, font bonne chère, fumant et échangeant des propos anodins, gardant néanmoins un oeil vigilant sur les activités de leur progéniture afin de s'assurer qu'ils ne gênent personne, ayant toujours la conviction que le comportement de leurs enfants manque de maturité (contrairement au leur, qui est raffiné!), mais résignés au fait que «vous ne pouvez pas forcer les enfants à agir comme des grandes personnes *tout* le temps».

Même si les parents étaient beaucoup moins sévères, ils ne laisseraient certainement pas leurs enfants se déchaîner au point d'importuner les personnes présentes, mais ils seraient capables d'agir au restaurant de la même façon qu'ils le feraient à l'heure du dîner dans leur propre salle à manger — une situation avec laquelle les enfants sont déjà familiers. Les règles de table ne deviennent pas subitement plus sévères; il n'y a aucune raison soudaine pour que les enfants restent sagement assis quand habituellement ils reçoivent la permission de se lever de table. Devant une telle attitude, les enfants réagissent en général calmement — du moins, aussi calmement que quand ils sont chez eux, ce qui est le maximum que l'on puisse attendre d'eux en public. Ils font attention à leurs manières du mieux qu'ils peuvent. En flânant entre les rangées de tables, ils sentent instinctivement ceux des adultes qui sont à éviter et ceux qui méritent une pause à leur table. Ils retrouvent ceux des adultes qui aiment et comprennent les enfants et sont heureux de s'arrêter un instant de manger ou de boire, pour s'écrier, «Eh bien, bonjour! Comment t'appelles-tu, dis-moi? Tu viens donc nous rendre visite?». Cela se passe de la même façon que chez vous à la maison: il y a les personnes qui aiment les enfants et leur consacrent une bonne partie de leur temps, et celles qui tolèrent très peu les enfants, et se retrouvent généralement seules avec elles-mêmes.

Si les parents possèdent un esprit SZE, ils ne se laisseront pas convaincre par la conception autoritaire que les enfants peuvent être forcés d'agir comme «les grandes personnes» dans toutes les situations, et reconnaîtront que s'ils devaient penser différemment, ce seraient eux et non les enfants qui auraient perdu le contact avec la réalité. Le parent SZE est conscient que les enfants font ce qu'ils savent le mieux faire, c'est-à-dire d'être des enfants, mais que les adultes qui s'attendent à voir les enfants se comporter en adultes, devraient réexaminer leurs propres idées de façon à être simultanément des adultes et à nouveau des enfants. La personne SZE reconnaît que si elle pouvait apprendre de l'enfant et adopter certaines de ces qualités enfantines pour elle-même —apprendre à explorer, faire de nouveaux amis, fuir les conversations ennuyeuses, éviter les excès de table et la consommation abusive de substances toxiques — peut-être trouvera-t-elle l'expérience de manger au restaurant beaucoup plus agréable.

La personne Sans-limites est, tout simplement, la personne SZE qui tire parti de ces instincts enfantins qu'elle a tant admirés chez les enfants. Dans les restaurants, vous voyez à l'occasion des parents qui sont totalement absorbés par leur repas et leurs enfants, et que rien d'autre ne peut distraire. Les enfants sont assis à table et mangent, et échangent des plaisanteries avec leurs parents ou des personnes assises à proximité, exactement comme ils le feraient chez eux. Quand les enfants ont terminé leur repas et veulent flâner dans la salle, les parents les suivent peut-être nonchalamment, faisant la connaissance des personnes qui aiment les enfants et leur parlent au passage. Ils croisent parfois une serveuse, qui les amène faire le tour des cuisines. Quoi qu'ils fassent, les parents sont évidemment satisfaits de laisser leurs enfants agir en enfants, et heureux de redevenir à l'occasion des enfants eux-mêmes.

Lors d'un récent voyage à Denver, j'ai fait une promenade jusqu'au bâtiment du *State Capitol* où je remarquai un groupe de parents qui faisaient un tour organisé, accompagnés de leurs enfants. Pendant que leur guide débitait à toute allure un exposé monocorde farci d'une masse de faits et de statistiques dépourvus d'intérêt, clairement destinés aux adultes, et même dans ce cas-là, entièrement dénué de tout sens des drames historiques qui avaient dû se dérouler ici, ou de toute spontanéité ou d'excitation concernant le sujet, la plupart des enfants se désintéressèrent de ce qu'il disait et allèrent faire des descentes sur une pente voisine, et ensuite jouer à un jeu de chat. Les adultes, qui s'ennuyaient évidemment à mourir, continuaient néanmoins à faire les gestes rituels. Aucun d'entre eux ne songeait à quitter les rangs pour se joindre aux enfants.

Les enfants n'ont aucun problème pour savoir comment s'amuser, comment transformer la pire des situations en jeu. Mais l'adulte que nous sommes ne se laissera pas glisser sur une pente ou jouer au chat parce que — pourquoi?

Au fond de chacun de nous se trouve encore un merveilleux enfant qui aimerait tant se rouler dans l'herbe, sans se soucier des vêtements qu'il salit ou de ce que les autres pensent.

Vous n'avez pas besoin de glisser sur la pente en tenue de soirée pour saisir le message. En fait, James Kavanaugh, avec son beau poème «Petit garçon, Tu me manques», vous remettra peut-être en contact avec les sentiments que vous éprouvez à l'égard de l'enfant qui vit toujours en vous :

Petit garçon, tu me manques, avec ton sourire subit
Et ton indifférence à la douleur.
Tu as parcouru la vie, tu l'as dévorée — avec rien de
meilleur
Que des objectifs nébuleux pour te tenir compagnie.
Ton cœur battait très fort quand les grenouilles
tu chassais.
Et en capturais une trop grande pour ta main.
Avec tes amis dans les bois tu flânais et devenais
inquiet pour un porc-épic qui en traînant s'éloignait.
Les allumettes étaient un mystère qui des feux
allumait
Et dans une fringale sauvage, des feuilles mâchais.
Pour trouver un sens, à la vie que — seule une gui-
mauve donnait
Sur un jonc pointu embrochée,

Un canif dans ta poche te rassurait
Après le départ de tes amis,
Une fleur dans les bois dissimulée,
Par une vieille souche rabougrie,
Un chien qui gambadait, tes doigts il léchait,
et tes pantalons mordillait,
Une partie de ballon vraiment inespérée,
Un verre de cidre, l'appel d'un grillon.

Depuis quand es-tu sans yeux et sans oreilles,
Et que tes papilles ont cessé d'être vibrantes ;
D'où cette maussaderie, cette crainte envahissante,
Cette brouille avec la vie — exige-t-elle un sens ?
L'exaspérante recherche des loisirs
est la récompense,
D'être un garçon, t'interdit la souffrance !

S'il s'avère que vous regrettez l'enfant qui est en vous, peut-être commencerez-vous à reprendre contact avec lui en reconnaissant qu'il n'est pas aussi loin que vous le pensiez, après tout. En fait, la seule chose qui vous en empêche est votre propre mauvaise grâce à reconnaître et à accepter cet enfant.

Avez-vous remarqué combien il est agréable d'être en compagnie de gens qui savent se comporter comme des enfants. Ce sont généralement les personnes les plus heureuses, et qui vivent le plus intensément, à votre connaissance, qui n'ont pas oublié qu'il est possible d'être en même temps heureux et responsable, qui savent un peu plus que la plupart des gens comment laisser l'enfant en eux s'exprimer, qui ne redoutent pas ce que les autres pensent ; des gens qui à l'occasion se laissent totalement absorber par la fantaisie, exactement comme ils le faisaient quand ils étaient enfants. Ils savent que la « vie réelle » n'est pas uniquement travail, à l'exclusion du jeu, mais l'aptitude à grandir en coordonnant constamment la croissance avec le jeu, dans la mesure du possible. Ils gardent un genre d'innocence et de curiosité enfantines concernant la vie et savent, par conséquent, comment se conduire en bons adultes et simultanément, apprécier et cultiver l'enfant qui est en eux. Je pense que ce sont ces gens qui sont les meilleurs exemples pour les autres, ou des adultes que je considère comme des êtres Sans-limites.

COMMENT AIMEZ VOUS LES ENFANTS?

Laissez les enfants venir à moi, et ne les retenez pas; car le royaume des cieux leur appartient.

— Mathieu 19:14

Tout homme qui hait les enfants et les petits chiens ne peut être entièrement mauvais.

— W.C. Fields

Quels sont vos sentiments à l'égard des enfants? Tous les enfants — les vôtres, les enfants des autres, ou plus important encore, l'enfant qui est encore toujours blotti au fond de vous-même? Aimez-vous être en compagnie des enfants? Vous inspirent-ils en ce qui concerne les possibilités illimitées de la vie? Ou trouvez-vous que vous éprouvez de l'irritation, du ressentiment ou même de la jalousie quand vous vous trouvez en leur présence?

Nous connaissons tous des gens qui déclarent tout de go qu'ils n'aiment pas les enfants : qui ne supportent pas leur exubérance constante, leur énergie sans bornes. Nous connaissons tous l'histoire du vieil homme qui guettait à sa fenêtre toute la journée, attendant simplement le moment de chasser les enfants du voisinage hors de son arrière-cour ou de sa pelouse; le jeune couple que vous n'osez pas visiter avec des enfants, parce que leur intérieur est méticuleusement et minutieusement peint; les propriétaires d'une maison, tellement tendus en ce qui concerne leur mobilier que tout enfant normal aurait les plus grandes difficultés à ne pas briser un objet de valeur. Vous avez peut-être entendu ces gens dire, «La première chose qu'un enfant fera c'est de choisir l'objet le plus précieux dans la pièce et de le briser», ou encore «Le problème avec les enfants c'est qu'ils ne sont pas munis de bouton de réglage du volume» ou d'autres plaisanteries du genre soulignant combien ils se sentent supérieurs aux enfants. Le comble a été peut-être atteint par W.C. Fields, habile dans l'art de satiriser les gens qui haïssent les enfants, qui, lorsqu'on lui demanda, « Comment aimez-vous les enfants ? » répondit, « Bouillis ».

Par ailleurs, nous connaissons tous des gens qui aiment et comprennent les enfants, qui sont immédiatement sur la même longueur d'onde qu'eux, qui en l'espace d'une seconde peuvent pénétrer leur univers et les mettre à l'aise, les fasciner, leur faire donner le meilleur d'eux-mêmes. Nous connaissons tous le vieil homme qui est assis sur sa véranda et fait un signe de la main aux enfants en route vers l'école, qui répond aux petits coups frappés à sa porte, qui fait visiter son jardin aux enfants et leur dit, « Voici un plant de tomates. Savez-vous ce que c'est qu'une tomate ? Eh bien, dans un mois environ, ces bourgeons vont devenir des tomates. » Nous connaissons tous ce jeune couple qui dit, « Nous serions heureux que vous ameniez les enfants ! Vraiment, il ne nous faut pas plus de dix minutes pour mettre tous nos objets de valeur à l'abri, ne vous inquiétez pas à ce sujet. Nous n'avons pas vu Ginette depuis six mois. Elle a dû beaucoup grandir ! ».

Si vous passez en revue vos relations et analysez votre propre attitude envers les enfants, vous constaterez que les personnes qui aiment les enfants, qui les acceptent et apprécient leur compagnie, qui sont « bons avec les enfants », sont aussi généralement ceux qui sont le plus en paix avec eux-mêmes — alors que ceux qui n'aiment pas les enfants sont, de façon typique, les grincheux de ce monde, les perpétuels mécontents, les pessimistes au sujet de tout, généralement les gens les plus tristes qui soient.

Vous vous souviendrez qu'au Chapitre 1, j'ai fermement rejeté le modèle de la « maladie » de la psyché humaine, qui dit que pour une raison ou pour une autre il est « naturel » que les gens soient quelque peu névrosés et malheureux, que je suis aussi convaincu qu'il est essentiellement naturel que les gens soient heureux, forts, en bonne santé et vivant de façon créative. Je suis d'avis que nous sommes tous nés en parfaite santé mentale, et que nous n'apprenons à devenir malheureux et chancelants que sous les pressions culturelles, et en finissant par croire cette absurdité qu'il est normal d'être anxieux, déprimé et malheureux de façon continue. En admettant la prémisse que le bonheur est *instinctif*, il s'ensuit que toutes les personnes misérables, névrosées, déprimées et dysfonctionnelles que nous connaissons (ou sommes devenues) peuvent retrouver le chemin du bonheur *seulement* en observant les enfants qui restent naturels, qui n'ont pas encore eu une occasion d'apprendre la manière de devenir malheureux et névrosés, et en apprenant nous-mêmes à devenir davantage comme des enfants. Les individus qui insistent qu'ils n'aiment pas les enfants révèlent une zone erronée qui les isole du domaine de la vie SZE/Sans-limites avant même qu'ils aient eu une chance de savoir de quoi il s'agit. Ils refusent de prendre comme exemple les jeunes enfants qui *agissent naturellement*, ceux qui n'ont pas encore eu le temps d'être gâtés ou d'apprendre à être malheureux, qui font ce qui semble être le mieux pour eux-mêmes sans consulter des ouvrages spécialisés ou des experts, qui se fient exclusivement à leurs propres instincts et besoins pour être *heureux maintenant* — bref, ceux qui ne sont pas tombés sous l'influence des modèles névrotiques de la «condition d'adulte» qu'ils observent dans leurs familles, leurs écoles, à la télévision et pratiquement partout ailleurs dans la société.

Avant que ces influences ne prennent complètement le dessus, l'enfant est une merveille à contempler, qui se place naturellement parmi les êtres humains les plus évolués, d'un fonctionnement supérieur, personnifiant de nombreuses façons ce que cela signifie que d'être une personne Sans-limites. Quels que soient votre propre âge ou expérience, j'espère que vous comprenez que vous avez un enfant au fond de vous-même qui ne demande qu'à s'échapper de la prison que vous avez bâtie pour lui, et si vous n'aimez ni lui, ni les autres enfants, tant pis pour vous : cet enfant ne va pas disparaître pour cela. Vous ne pouvez pas le faire avorter. Vous ne pouvez pas le faire adopter. Vous pouvez le négliger, bien sûr. Vous pouvez refuser de vous en occuper quand il pleure, ne jamais le laisser sortir pour jouer, ne jamais répondre à aucune de ses questions «naïves » (« Pourquoi le ciel est-il bleu ? Qu'y a-t-il au bout de ce sentier ? »). Mais si vous agissez ainsi, vous allez être, et vous sentir secrètement, aussi coupable d'abandon d'enfant que le parent qui laisse tout simplement son enfant de deux ans seul à la maison pour aller au bistro — à jamais.

Si vous n'aimez pas les enfants — ou, plus correctement — si vous n'éprouvez aucun *amour* pour eux, même si vous n'aimez pas tout ce qu'ils font — il y a de fortes chances que vous n'aimiez pas non plus les adultes réellement heureux et en bonne santé. Ils vous paraissent menaçants parce que vous-même n'êtes pas comme eux. Il est plus facile d'accepter les gens quand vous savez qu'ils portent en eux des faiblesses, quand ils font preuve d'une tristesse ou d'une vulnérabilité telles que vous puissiez faire des commérages à ce sujet, quand vous pouvez exploiter leur fragilité et jouir de votre sentiment de supériorité sur eux, que d'accepter des gens qui fonctionnent pleinement, par lesquels vous vous sentez menacé parce qu'il est difficile de trouver des domaines où ils vous sont inférieurs. Il n'est pas surprenant que la manière habituelle pour «ceux qui délaissent les enfants» est d'acquérir un sentiment de supériorité sur les personnes qui ont l'innocence de l'enfance et de les cataloguer «d'irresponsables», «d'immatures», ou même de «trop heureux». Les qualités d'enfant qui contribuent à former des adultes sains sont essentiellement méprisées par la jalousie de ceux qui doivent avoir recours à des comparaisons de maturité pour se sentir eux-mêmes en sécurité. L'espièglerie, la spontanéité, l'aptitude à rire et à s'amuser et d'autres qualités «enfantines» semblables des adultes Sans-limites constituent quelque chose que tous les adultes aimeraient eux-mêmes posséder, mais que bien peu savent comment obtenir. Par conséquent, il devient plus facile de se moquer et de ridiculiser que d'apprendre des enfants ou des adultes proches des enfants.

De là, vous pouvez voir comment les cycles destructifs des enfants laissés à l'abandon se perpétuent dans la société. Si le fait d'agir comme un enfant est immanquablement accueilli avec mépris, il peut sembler plus facile de toujours se comporter «avec maturité». Le parent qui réprimande constamment son enfant avec des remarques comme celles-ci «Pourquoi ne te conduis-tu pas comme un enfant de ton âge? Quand vas-tu grandir? Cesse d'être immature!» apprend en fait activement à ce jeune être à abandonner l'enfant en lui.

Quand il s'avère que ces attitudes « d'adulte » qu'il a été obligé d'adopter proviennent et aboutissent aux attitudes et aux comportement autoritaires décrits au chapitre 2, l'enfant devient excessivement discipliné, intraitable, inflexible, critique, manquant d'humour — *contre nature*. L'enfant éprouve du mépris à l'égard de son propre désir inné de rester jeune et spontané. Il commence par exiger une maturité artificielle de ses jeunes frères et sœurs et de ses camarades de jeu et condisciples, et le cycle se poursuit.

Toute ma vie durant, les gens m'ont dit des choses comme « Wayne, vous n'avez jamais grandi; vous n'êtes qu'un petit garçon ! », « Wayne, vous êtes fou ; pourquoi ne vous conduisez-vous pas comme une personne de votre âge ? Comment quelqu'un de votre éducation et de votre expérience peut-il à ce point faire l'idiot ? Je n'arrive pas à croire que vous aller jouer au ballon quand nous avons tant de choses *importantes* à faire ! ».

Aussi longtemps que j'entendrai les gens « normaux » me dire que je suis trop enfantin, je sais que je suis en bonne voie. J'aime me conduire comme un enfant le plus souvent possible. J'adore la compagnie des enfants, de tous les enfants, à n'importe quel moment. Si vous me mettez dans une pièce où se trouvent des adultes, je regarde autour de moi pour voir s'il y a un enfant ou un animal. J'aime taquiner, jouer, faire « le fou », explorer, faire tout ce qui est typique des petits enfants. Je ne cherche pas à l'analyser. Je ne suis même pas capable de vous dire pour quelle raison j'aime être ainsi, sauf que c'est instinctif, mais ce dont je suis conscient c'est que cela égaye grandement ma vie. Je trouve, tout simplement, les jeunes enfants profondément honnêtes et indisciplinés, tellement libres du besoin d'impressionner les autres, tellement capables de jouer librement sans être trop sûrs d'eux ou essayer de se montrer supérieurs, qu'ils sont comme de l'eau fraîche de source par une chaude journée d'été. Je sais également que chacun de ceux de mes clients, de mes lecteurs ou de mes connaissances que j'ai aidés à devenir plus semblables à un enfant, éprouve un bien meilleur sentiment envers lui-même, et ressent pour cette raison plus de contentement dans sa vie, et que le processus prend place dès que vous avez compris que vous *aimez vraiment* cet enfant en vous.

RESTER ENFANT OU ÊTRE ENFANTIN

Dans la section précédente, j'ai mentionné que la façon habituelle de rabaisser les adultes *et* les enfants «qui restent enfants» est de les appeler «enfantins».

Il y a une différence énorme entre être «*enfantin*» et rester «*enfant*», bien que ces deux mots soient parfois employés de façon interchangeable. Être *enfantin* signifie pour moi, soit d'être enfant et d'agir comme tel, ce qui est parfaitement normal, ou d'être un adulte et d'agir comme un enfant d'une façon qui indique que votre croissance a, pour une raison ou une autre, cessé plusieurs années auparavant, et que dès lors vous avez stagné, ce qui naturellement n'est sain ni pour vous, ni pour personne d'autre. Ce que je veux dire c'est qu'en ce qui concerne les adultes «être enfantin» et «rester enfant» sont *opposés* et non des synonymes, que dans les deux citations au début de cette section, W.C. Fields faisait la satire d'une attitude *puérile* envers les enfants (et principalement envers l'enfant qui est en vous), et Jésus faisait preuve d'une attitude véritablement mûre et pourtant *d'enfant* envers les enfants. Rester enfant signifie fondamentalement être *innocent* de toutes les idées étranges, autoritaires de ce qu'un adulte devrait être, de tout ce que les autres ont tenté de nous *imposer*; d'être *confiant*, dans le sens de ne pas développer une paranoïa autoritaire qui aboutisse à une méfiance injustifiée à l'égard des autres; d'être *sincère*, ou franc, et «simple» dans nos rapports avec les autres et dans la façon dont nous considérons le monde.

Le message central ici c'est de ne pas penser qu'il vous faut renoncer à être adulte pour être davantage enfant. Nul besoin de devenir puéril, ni le moindrement irresponsable, pour redevenir un enfant dans le sens dont je parle. La personne entièrement intégrée est capable d'être simultanément un adulte et un enfant. Pour en être capable, il est nécessaire que vous appreniez la manière de *régresser volontairement de façon positive* à votre propre enfance. L'accent est ici sur

« volontairement », étant donné que les personnes qui régressent jusqu'à leur petite enfance sans en connaître la raison, sans avoir maîtrisé leur vie adulte, s'exposent à être internés.

Volontairement, la régression positive à l'état d'enfant n'est pas aussi difficile que cela en a l'air. Cela signifie simplement de se laisser aller un peu, de faire le fou parfois, de rire, de plaisanter, de cultiver votre propre sens de l'humour à votre propos, de faire le pitre, de savoir comment jouer. Cela exige de renoncer aux masques de l'adulte en faveur du plaisir et de l'amusement, n'ayant pas *toujours* à être solonnel, ordonné, sérieux et plein de dignité. Cela signifie se souvenir de votre tendre jeunesse où l'excitation vous écarquillait les yeux, et de votre appréciation spontanée du monde et de tout et tous ceux qui s'y trouvent, éprouvant une crainte révérentielle et de l'émerveillement à l'égard de cet univers magnifique dans lequel nous vivons, cédant *au maximum* à votre curiosité naturelle d'enfant et réalisant qu'il n'y a aucune limite à ce qu'elle découvrira. Le philosophe français Maurice Merleau-Ponty baptisa d'un nom l'essence de l'attitude d'enfant dont je parle : il l'appela «l'émerveillement face au monde». Il la considérait comme cet état d'esprit primitif qui donne naissance à la façon de penser la plus généreuse la plus humaine, la plus adulte et empreinte de maturité. Telle est également mon opinion, mais avant tout je considère «l'émerveillement d'enfant face au monde» comme un plaisir pur.

Après avoir lu jusqu'à ce point, vous vous dites peut-être, «Bien sûr, j'aimerais redevenir un enfant comme il le décrit, mais il doit être certainement plus facile d'en parler que de le faire». Vous pourriez finir par défendre votre position actuelle «d'adulte» avec des pensées comme celles-ci : Naturellement, j'aimerais de nouveau être un enfant et ne pas avoir de soucis. Mais j'ai une famille à nourrir, des centaines de responsabilités à prendre en considération, des soucis financiers et de nombreux autres problèmes. Comment puis-je justifier le temps pris pour être un enfant, tout en étant un adulte responsable? C'est peu réaliste. »

Des raisons comme celles-là prouvent que vous n'êtes pas vraiment intéressé par une vie Sans-limites. Quand vous discutez de cette façon avec vous-même, vous discutez *pour* vos problèmes, et les seules choses que vous obtiendrez par votre attitude sont vos problèmes. *Une des choses les plus responsables que vous puissiez faire comme adulte c'est de devenir davantage un enfant!* Si vous considérez que vous pouvez et devez être un enfant et un adulte simultanément — et surmontez les tendances dichotomes, autoritaires de vos pensées, qui ont fait artificiellement divorcer l'adulte de l'enfant en vous, en faveur de la pensée *holistique* qui reconnaît sur-le-champ l'enfant — adulte original, vous pourriez prendre plaisir à toutes vos tâches quotidiennes plutôt que d'être vaincu par elles. Vous pouvez attaquer *tous* vos problèmes de façon plus directe et avec moins de sérieux, avec une attitude moins maussade ; et vous pouvez rendre toutes vos responsabilités plus agréables sans en négliger aucune. Ce n'est que si vous choisissez de défendre votre position consistant à toujours être « un adulte », à être pour toujours sévère et sérieux, que vos problèmes demeureront toujours les mêmes, et se multiplieront.

Si vous constatez que vous êtes devenu un adulte obsédant qui, en raison de sa qualité de « grande personne » pleine de dignité, renonce constamment à son aptitude à rester enfant et à s'amuser, que vous avez perdu l'aptitude à être créateur et à prendre des risques sociaux qui vous aideraient ultérieurement à devenir expert à résoudre des problèmes, vous saurez alors qu'il faut que vous soyez prêt à renoncer à certains de ces contrôles « adultes » artificiels qui vous ont empêché de redevenir un enfant pendant toutes ces années. À mon avis, les deux *contrôles essentiels* auxquels vous devez renoncer sont *de remettre à plus tard votre satisfaction personnelle et les influences destructives de votre éducation scolaire.*

L'ABSURDITÉ DE REMETTRE VOTRE SATISFACTION PERSONNELLE À PLUS TARD

Dès leur première année au collège, les étudiants deviennent familiers avec la « psychologie de l'enfant », et une des premières choses qui leur est enseignée c'est que les enfants

n'ont pas encore appris à *remettre leurs satisfactions personnelles à plus tard*, alors que les adultes sont des gens qui ont
acquis ce talent précieux. Les professeurs du monde entier
vous diront que l'enfant à qui on offre un sucre d'orge aujour-
d'hui ou bien trois sucres d'orge demain, prendra sans hésiter
«un sucre d'orge aujourd'hui». Des générations d'étudiants en
psychologie élémentaire, ont obtenu «un diplôme» qui leur
confirme combien ils sont supérieurs aux enfants parce qu'ils
ont eu le bon sens adulte de choisir trois sucres d'orge pour
demain (ce qui, pour beaucoup d'adultes, signifie littéralement de ne jamais goûter à un sucre d'orge). Cette notion
puérile de la «psychologie infantile» a aliéné d'innombrables
millions d'entre nous de notre propre moi-enfant.

À l'époque où je pratiquais comme thérapeute, j'ai reçu
d'innombrables cas d'enfants «perturbés» soumis pour consultation par des travailleurs sociaux, des orienteurs pédagogi-
ques, des psychologues et des instituteurs bien intentionnés.
Inévitablement, les avis de consultation suivaient la formule de
«remise à plus tard de la satisfaction personnelle» pour développement adulte : «Johnny doit apprendre à cesser de traiter
tout d'une façon aussi superficielle, cesser d'agir par impulsion. Son problème fondamental c'est qu'il est incapable de
remettre sa satisfaction personnelle à plus tard. Il ne semble
pas comprendre qu'il ne peut pas faire tout ce qu'il désire
exactement au moment où il le désire... ».

Comment peut-on envoyer un jeune enfant à un thérapeute pour qu'il lui apprenne à perdre la qualité même qui le
distingue de tant d'adultes malheureux! Comme on pouvait le
prévoir, les enfants qui m'étaient envoyés pour «endoctrine-
ment en vue de remettre à plus tard leur satisfaction personnelle» avaient tendance à être «derrière» les autres enfants de
leur groupe d'âges dans les catégories de «maturité» conventionnelles, telles que de se maquiller et de porter un soutien-
gorge rembourré, et d'oublier comment courir. Ils avaient tendance à être les farceurs, les «clowns de la classe», ceux qui
étaient totalement incapables de «s'asseoir sans bouger
comme des adultes» plusieurs heures d'affilée. Mais, pour
moi, c'était les enfants les plus délassants dans leur groupe
d'âges, souvent même les plus authentiquement mûrs. Peut-

être n'étaient-ils pas toujours attentifs quand le professeur les interrogeait. Peut-être fabriquaient-ils des avions en papier qu'ils lançaient dans la classe quand le professeur avait le dos tourné, ou se passaient-ils des notes les uns aux autres. Mais ils étaient aussi souvent les élèves les meilleurs, les plus « brillants » de la classe, car quand ils faisaient leurs devoirs, ils ne les considéraient pas comme une tâche pénible, à être remise au lendemain, et dont il fallait se plaindre de la façon dont ils entendaient les adultes se plaindre de leur travail, mais comme un défi à leur curiosité « naïve », qui leur permettait une concentration bien plus grande qu'à leurs camarades plus « mûrs ». C'était souvent eux qui rendaient tous leurs condisciples furieux parce que, assis sur les marches de l'école au milieu d'un chaos épouvantable, ils étaient capables de faire dans les quinze minutes précédant leur entrée en classe, les mêmes devoirs qui avaient pris aux autres deux pénibles heures à faire chez eux. C'était ceux qui répondaient à toute allure aux questions d'examen, donnant toutes les réponses exactes, et tapotant ensuite leur crayon sur le pupitre ou faisant des avions en papier. Pour cela, ils étaient appelés des « crâneurs », une autre façon de dire « immatures ».

J'ai toujours traité avec le plus grand respect les « Johnny » qui venaient à mon bureau, envoyés en consultation par des adultes inflexibles qui sollicitaient mon aide pour étouffer les étincelles de vie qui animaient ces jeunes gens. Je voulais apprendre d'eux, et aussi les aider à s'accoutumer à l'idée de jouir de la vie dans l'immédiat plutôt que de remettre cette jouissance à tout jamais. Je leur disais parfois que cette philosophie de « remettre à plus tard leur satisfacton personnelle » était d'une absurdité sans pareille, un écran de fumée lancé par des adultes qui organisaient à l'avance toute leur vie pour finalement découvrir qu'ils ne savaient pas comment profiter de ce qu'ils avaient acquis après la réalisation de leurs plans. Je tentais de les tenir à l'écart des cycles vicieux de l'idéalisation et de la planification extrêmes, qui sont engendrés par les syndromes « adultes » de l'anticipation sur le futur. Par ailleurs, beaucoup d'entre eux étant soumis à un conflit intense parce qu'ils « ne sont pas capables de se contrôler eux-mêmes », et souffrant vraiment de devoir endurer la condamnation de leurs parents, de leurs pairs, de leurs professeurs et de bon nombre d'autres figures d'autorité, je m'efforçais de les aider à trouver des moyens de contourner «le système» afin de préserver leurs qualités d'enfant tout en évitant qu'ils ne se rendent vulnérables à ce genre de condamnation. Un exemple typique pour un enfant entre la cinquième année et la huitième année, serait :

MOI :   Aimez-vous lire?
JOHNNY :   Certaines choses. Les romans d'aventure, les histoires de l'Ouest américain. Il y a quelques auteurs que j'aime vraiment...
MOI :   Quand vous vous ennuyez, au lieu de lancer des avions en papier, pourquoi ne pas ouvrir un de ces livres sur vos genoux et le lire?
JOHNNY :   J'aimerais pouvoir le faire, mais l'institutrice ne me le permettra jamais.
MOI :   Parce que ce serait un mauvais exemple pour vos camarades, ou parce que vous ne sauriez pas quoi répondre si elle vous interrogeait?
JOHNNY :   Je l'ignore. Elle ne me le permettra tout simplement pas.

Une conversation ultérieure avec l'institutrice.

MOI :   Johnny n'a pas de problème; seulement il s'ennuie la plupart du temps. Au lieu d'essayer de le forcer à remettre sa satisfaction personnelle à plus tard, pourquoi ne lui accordez-vous pas un peu de satisfaction maintenant? Quand le cours ne l'intéresse pas, laissez-le lire son roman préféré.
L'INSTITUTRICE : C'est impossible. Quel horrible exemple il donnerait aux autres. Ceux-ci ne mettraient pas longtemps pour commencer à lire, eux aussi, au lieu de suivre le cours. Je serais incapable d'enseigner quoi que ce soit. Ce

	serait faire de Johnny un cas particulier, un individu privilégié.
MOI :	Mais Johnny m'a été envoyé parce qu'il est déjà un cas particulier. Votre rapport dit qu'il perturbe la classe, sortant des blagues, criant les réponses aux questions posées avant même que vous ayez le temps d'interroger quelqu'un d'autre. Croyez-vous que s'il lisait tranquillement son livre, il perturberait la classe davantage qu'il ne le fait à l'heure actuelle ?
L'INSTITUTRICE :	C'est bien possible. Son pupitre se trouve à l'avant de la classe, car je dois le surveiller sans cesse, et toute la classe le remarquerait.
MOI :	Déplacez alors son pupitre à l'arrière de la pièce. Faites un marché avec lui : il peut lire quand il s'ennuie ; vous ne le dérangerez pas s'il s'abstient de vous importuner.
L'INSTITUTRICE :	Mais si je lui pose une question, il ne saura pas de quoi je parle. Il n'apprendra jamais rien ! Mon devoir comme enseignante —
MOI :	J'ai remarqué que Johnny n'a généralement que des bonnes notes dans son dernier bulletin. Et ses seules « notes faibles » étaient pour la maîtrise de soi et son comportement envers l'école.
L'INSTITUTRICE :	Oui, c'est un très bon élève quand il s'y applique, mais il n'a pas appris à se maîtriser.
MOI :	En fait, un de ses problèmes est qu'il connaît toutes les réponses avant même que vous lui posiez les questions, et comme il n'a pas la patience d'attendre les autres enfants - il lâche tout simplement les réponses.
L'INSTITUTRICE :	C'est exact. C'est un crâneur incorrigible.
MOI :	Il n'est ni crâneur, ni incorrigible. Placez-le à l'arrière de la salle et laissez-le lire quand il en a envie ; et ne l'interrogez pas quand vous le voyez absorbé par sa lecture ! Ou, si vous le faites, soyez prête à répéter la question

quand il lève la tête et dit, « Comment dites-vous ? ». Et, si j'étais vous, je ne m'inquièterais pas au sujet des autres enfants. *S'ils peuvent tous obtenir des bonnes notes tout en lisant des romans sous leur pupitre pendant la moitié de leur journée en classe,* tant mieux pour eux.

L'INSTITUTRICE : Mais supposez que les notes de Johnny deviennent mauvaises ? Ses parents...

MOI : Que cela fasse partie de votre marché avec lui : vous le laisserez lire en classe aussi longtemps qu'il aura de bonnes notes. Faites-en une expérience ! Je suis convaincu que Johnny n'aura pas de problèmes de ce côté-là. Je pense plutôt que le fait de savoir qu'il peut faire tout ce qu'il désire pendant les heures de classe aura une influence positive sur son développement intellectuel. Et de lire des romans n'aura aucun effet préjudiciable sur ses aptitudes linguistiques. Je vais en toucher un mot à ses parents, je vais leur dire qu'à mon avis nous devrions en faire l'essai pendant la période qui précède le prochain bulletin. Ce qui les préoccupe surtout c'est de voir Johnny devenir moins perturbateur et obtenir de bonnes notes. Je parie qu'ils seront d'accord que ça vaut la peine d'essayer.

Quand on donnait à de telles techniques une chance de réussir, elles fonctionnaient généralement très bien, mais l'essentiel était d'obtenir des autorités qu'elles concèdent que le « problème de Johnny » ne résidait pas dans le fait qu'il ne savait pas remettre à plus tard sa satisfaction personnelle ; son problème était de savoir parfaitement bien, *instinctivement*, que quelqu'un s'efforçait de lui faire acquérir une sorte de pensée d'anticipation sur le futur, qu'il ne pouvait manquer de réfuter. Quand les parents, les professeurs et les travailleurs sociaux étaient disposés à tenter l'expérience, neuf fois sur dix

Johnny lisait plus de livres à l'école qu'il n'en lisait chez lui, avait de meilleures notes dans son bulletin, dérangeait la classe bien moins souvent et, plus important encore, il était sensiblement plus heureux et plus sécurisé dans la vie. (Alors qu'il est vrai que beaucoup d'étudiants *médiocres* sont également punis pour ne pas «avoir remis à plus tard leur satisfaction personnelle», la logique n'en reste pas moins la même. S'il leur est permis de faire des études d'une façon qui les engage *maintenant*, leurs notes et leur comportement s'améliorent aussi pour la plupart du temps.)

Examinons un instant l'origine des «problèmes de remise à plus tard de la satisfaction personnelle» de Johnny. Le fait qu'un grand nombre d'adultes considèrent les enfants comme des êtres humains incomplets, qui sont encore toujours *en voie* de devenir de véritables personnes humaines, comme des «apprentis adultes», est au cœur du problème. Cette façon de penser absurde encourage les enfants à se considérer comme incomplets, seulement *en chemin* vers la «véritable vie», mais pas encore vraiment là. Ce processus de la pensée peut devenir une habitude. Par conséquent, quand l'enfant atteint l'âge adulte et se rend compte qu'il n'est pas plus complet qu'auparavant, il examine encore plus avant sa vie et conclut que c'est vers la trentaine qu'il jouira enfin de la vie. Dès que la trentaine est atteinte, c'est la quarantaine qui devient «l'âge de la plénitude», et ainsi de suite. Et enfin, vous voyez des personnes âgées se demander ce qu'elles ont fait de leur vie, pourquoi elles n'ont jamais éprouvé ce sentiment magique de plénitude comme être humain.

C'est là l'histoire de «s'efforcer mais ne jamais réusssir» qui se répète et la seule solution est d'admettre que nous sommes *toujours* des êtres humains complets et entiers, quels que soient nos âges ou étapes présumés de maturité; de *toujours* penser que nous *avons réussi*, et de voir nos moments présents comme un temps qu'il faut vivre et dont il faut profiter au maximum. C'est seulement en libérant l'enfant au fond de vous que vous réussirez à gagner le jeu de la remise à plus tard de la satisfaction personnelle.

Virginia Woolt a, un jour, écrit : «Qu'est-ce qui peut être plus charmant qu'un garçon avant qu'il n'ait commencé à cultiver son intellect? Il est beau à regarder; il ne prend pas de grands airs; il comprend instinctivement la signification de l'art et de la littérature; il profite de la vie et en fait profiter les autres. »

L'adulte en vous, quand il exclut ses aptitudes d'enfant à jouir du présent, est votre *ennemi*. Souvenez-vous que ces enfants que vous admirez tant pour leur aptitude à jouir de la vie ne sont pas des créatures étrangères pour vous. Vous avez été un de ces enfants à l'intérieur de vous. La question est de savoir si vous allez le laisser sortir ou être menacé à un tel point par lui que vous insisterez pour essayer de changer les véritables enfants qui vous entourent afin qu'ils vous ressemblent, qu'ils remettent leur satisfaction personnelle à plus tard, qu'ils se sentent aussi incomplets que vous. En fait, devenir une personne Sans-limites signifie précisément que vous vous débarrassiez des limites que vous vous êtes imposées à vous-même, qui sont inhérentes dans la remise à plus tard de votre propre satisfaction. Vivre pleinement dans le présent signifie Sans-limites, alors que le fait de remettre sans cesse à plus tard votre plaisir constitue une limitation sévère de votre pleine humanité.

Il est ironique que beaucoup de professeurs qui m'envoyaient des enfants afin que je leur apprenne à remettre la satisfaction personnelle à plus tard, « enseignaient » en même temps Robert Frost :

> Donnez-nous par des fleurs, le plaisir de ce jour;
> Ne nous permettez pas d'imaginer déjà
> L'incertaine moisson; laissez-nous simplement
> Profiter avec joie de cet instant présent.*

SURMONTER VOTRE MAUVAISE ÉDUCATION

Votre éducation scolaire n'était guère conçue pour vous aider à devenir une personne Sans-limites. En fait, à moins d'avoir beaucoup de chance, vous étiez soigneusement formé

---

* « Une prière au printemps », de *Country things and other things*.

pour devenir exactement l'opposé, un être autoritaire. L'accent aurait dû être sur un véritable développement intellectuel, votre aptitude à poser les questions qui vous fascinaient et à trouver ou déduire vos meilleures réponses. Mais les méthodes auxquelles vous étiez soumis étaient souvent les moyens les moins efficaces pour aider quiconque à apprendre quelque chose. Vous étiez entraîné à apprendre par cœur des listes de faits afin de pouvoir les réciter précipitamment, bien que vous ne sachiez pas ce que ces faits signifiaient pour votre vie ou celle d'autrui. Le résultat fût qu'aussitôt les examens terminés, vous aviez oublié les faits et étiez passé à de nouveaux faits tout aussi dénués de sens. (Croyez-vous que vous seriez capables de subir aujourd'hui un examen d'algèbre ? Un examen sur l'histoire du monde ?) Votre éducation n'a pas suivi le chemin de votre curiosité naturelle, d'enfant. Si elle l'avait suivi — si vous aviez été familier avec l'histoire de la Révolution américaine ou le système circulatoire de la grenouille et ensuite, encouragé à poser vos *propres questions* à ces sujets, par exemple — vous vous souviendriez *naturellement* de ce que vous avez appris jusqu'à ce jour.

Mais la triste vérité c'est que vraisemblablement la plus grande partie de votre éducation scolaire s'est passée à apprendre la façon de plaire aux professeurs et aux administrateurs. Vous étiez rarement, peut-être même jamais, encouragé à penser par vous-même, à écrire de façon créative, à dessiner hors des lignes, à attaquer les problèmes de votre propre perspective unique. Vous avez été placé dans un programme et vous avez appris que, par-dessus tout, vous deviez vous conformer aux règles de ce programme — ou être « expulsé » comme un fauteur de troubles incorrigible. Vous avez appris que la soumission produisait plus de satisfaction personnelle à long terme que la créativité, que de plaire au professeur était la manière la plus sûre de connaître la réussite dans vos études et votre vie. Vous étiez réprimandé quand vous pensiez de façon indépendante, que vous étiez différent ou que vous vous avisiez de défier l'autorité, quelle qu'elle fût. Vous avez appris à vous adapter au système plutôt que de créer votre propre système ou de demander pourquoi le système ne pouvait être modifié même légèrement pour mieux satisfaire les besoins des individus. Vous avez été soigneusement sevré en devenant un *bon* enfant. Vous avez été détourné de votre «émerveillement naturel et spontané face au monde» en vous inquiétant à propos d'un échec possible à être admis à l'université dans dix ans d'ici, et autre comportement de zone erronée. Vous avez apppris qu'il était plus important d'obtenir des bonnes notes que d'avoir une sérieuse compréhension d'un principe d'assimilation. Votre recherche d'une sanction en passant des examens, en obtenant certaines notes dans les bulletins, en recevant l'approbation des professeurs et autres apparences, devinrent vraisemblablement les «forces motrices» de votre vie d'étudiant. Mais la vanité de tout ça ayant incité l'enfant-en-vous à freiner votre éducation scolaire, d'autant plus énergiquement, car vous saviez d'une façon ou d'une autre que beaucoup de vos professeurs étaient des charlatans, ne vous aimaient pas vraiment, ne vous acceptaient pas tels que vous étiez, ou n'étaient pas dédiés à *leur* tâche; vous trouviez que votre présence en classe pour être traité «comme n'importe qui d'autre» était une expérience humiliante.

Quand vous étiez enfant, vous saviez qu'une fois la longue division maîtrisée, c'était une perte de temps de rester assis à attendre que le professeur fût prêt à passer à un autre sujet pour la classe entière. Vous vous rendiez compte que certaines matières étaient plus facilement assimilées par vous que par d'autres et de s'attendre à ce que tout le monde fût au même niveau dans la maîtrise des sujets uniquement parce qu'ils étaient tous exposés aux mêmes cours était absurde. Vous étiez «en avance» sur vos condisciples dans certains sujets, «en retard» dans d'autres, mais vous étiez toujours traité comme «faisant partie de la classe», une de ces «personnes apprenties» que les professeurs considéraient comme étant semblables les unes aux autres plutôt qu'une personne avec vos propres intérêts, instincts, possibilités, désirs spéciaux. Vous saviez que la rivalité artificielle que le système éducatif vous avait imposée, ainsi qu'à vos condisciples, était simplement un immense outrage que les professeurs brandissaient comme un fouet pour vous mettre au pas. Vous saviez *tous* à quel point vous étiez mortifiés quand vos notes étaient affichées ou annoncées à haute voix et que certains avaient des mauvaises notes dans un sujet uniquement parce qu'ils n'étaient pas aussi préparés, ou aussi intéressés que d'autres dans ce sujet à ce moment-là. Vous avez pu vous demander pourquoi, bien que l'étudiant aux mauvaises notes possédât son sujet à fond quelques mois plus tard, tout le monde n'apprenant pas à la même vitesse, cette même mauvaise note puisse l'accompagner à *jamais*.

Vous étiez contrarié par ces comparaisons et ces rivalités inflexibles de votre éducation scolaire. Vous saviez que vous, comme tous vos amis, étiez des individus et que toute personne ou tout système raisonnable vous traiterait de la sorte, plutôt que comme des soldats à régimenter dans des rangs autoritaires uniformes, sans aucune individualité permise à l'un de vous. Mais selon toute probabilité, vous avez poursuivi votre chemin parce que «le système» paraissait être la seule solution. En conséquence, vous avez peut-être appris à détester «l'éducation,» et êtes même devenu un anti-intellectuel autoritaire.

L'enfant en vous avait du bon sens à l'époque, et il a encore du bon sens aujourd'hui. Surmonter les influences destructrices de votre éducation scolaire signifie réveiller votre curiosité naturelle d'enfant à l'égard de toutes choses et de la suivre partout où elle vous mène. Cela signifie de reconnaître que vous n'avez pas à entrer en lice avec qui que ce soit pour obtenir des bonnes notes, que vous êtes parfaitement libre d'apprendre davantage au sujet de ce que votre curiosité d'enfant désire connaître — que ce soit l'histoire de la Révolution américaine ou russe, ou la façon de réparer votre voiture — sans que personne (et particulièrement l'adulte autoritaire en vous) ne regarde par-dessus votre épaule et ne règle vos activités d'étude ou de croissance.

Si vous désirez transcender votre éducation scolaire et devenir une personne Sans-limites, vous feriez bien de vous souvenir de ces quelques professeurs excellents et hautement motivés qui vous enseignaient à l'école, qui prenaient un véritable intérêt en vous et voulaient apporter quelque chose de différent dans votre vie, se consacraient à satisfaire votre curiosité naturelle d'enfant à mesure que celle-ci se développait. Oubliez que ces professeurs n'étaient qu'une petite minorité et que, comme vous, ils étaient considérés comme des perturbateurs du système quand ils s'efforçaient de répondre aux besoins individuels des étudiants au cours de leur enseignement et des «activités» de classe! Souvenez-vous seulement de la façon dont ces professeurs spéciaux *vous* aidaient, et *qu'aujourd'hui vous êtes parfaitement libre* de poursuivre *leurs* idéaux et exemples de ce que l'éducation peut être si vous le désirez!

Pendant mes nombreuses années comme enseignant et administrateur d'école, j'ai été en rapport avec des milliers d'éducateurs de toutes sortes. Sans exception, les professeurs qui étaient capables d'atteindre presque tous leurs étudiants et de cultiver leur curiosité intellectuelle naturelle, qui étaient les plus professionnels en ce qui concernait leurs devoirs et qui jouissaient d'une grande popularité auprès de chacun à l'école, étaient ceux qui avaient le taux le plus bas de traits autoritaires. Et, en particulier, ils avaient le moins tendance à *dichotomiser* leurs classes sur des bases «conventionnelles». Je n'ai jamais entendu un de ces professeurs hautement évolués, catégoriser les étudiants comme bons ou mauvais, doués ou stupides, ayant ou non de la maturité, fauteurs de troubles ou bien adaptés, sous ou surréalisateurs, ou toute autre classification conçue pour la commodité des professeurs. Ces éducateurs supérieurs étaient uniques et, il faut en convenir, très rares selon ma propre expérience, mais ils se trouvaient là et tout étudiant qui a passé quelque temps au sein du système d'éducation de notre pays, a dû avoir au moins quelques professeurs qui étaient plus ou moins comme eux. C'était ceux à qui on ne reprochait jamais de favoriser un groupe d'étudiants plutôt qu'un autre. Par contre, ces professeurs «Sans-limites» semblaient toujours être à la disposition de tous les étudiants à tous les niveaux de leur formation. Les étudiants des groupes minoritaires et ceux qui s'attiraient constamment l'ire du système considéraient que ces professeurs montraient de la bienveillance envers leur cause. Les étudiants qui avaient un problème d'assiduité les considéraient comme leurs défenseurs. Il en était de même pour les étudiants ayant de très bonnes notes. Les membres du conseil des étudiants allaient souvent bavarder avec ces professeurs après les cours, imités en cela par les «coriaces» parmi les étudiants. Autrement dit, ces professeurs exceptionnels semblaient, pour une raison ou une autre, avoir la qualité propre à l'enfant d'être accessibles à tous. Par conséquent, tous les étudiants sans distinction de leur intérêts, affiliations ou coteries, venaient en masse à ces professeurs qu'ils considéraient comme des amis spéciaux.

Leur qualité d'enfant, consistant à être accessibles à différents points de vue, à montrer de la tolérance pour les différences des autres, adultes ou enfants, et à refuser de mettre les gens dans des catégories, signifiait naturellement que ces professeurs exceptionnels avaient transcendé leurs pensées dichotomes, autoritaires et considéraient fondamentalement le monde d'une façon holistique, accessible.

Vous avez peut-être passé par un système «normal» d'éducation, sans connaître de problèmes particuliers, mais même si cela a été couronné de «succès», je parie que vous n'avez vraiment pas cru dans ce système; que vous avez souvent connu l'ennui et la crainte d'être un «fauteur de troubles», incapable de se faire entendre, et malmené jour après jour par un système qui récompensait la conformité et punissait l'individualité. Cependant, de votre expérience scolaire vous avez dû acquérir une *certaine* notion du plaisir d'apprendre et de penser par vous-même, vraisemblablement de vos quelques professeurs Sans-limites. Quand vous y pensez, c'est d'eux que vous avez dû apprendre que pour devenir une personne Sans-limites, vous devez *surmonter* la majeure partie de votre éducation scolaire et examiner honnêtement *ce qui importe réellement dans votre vie*. Cela signifie accepter que les écoles ne soient simplement pas préparées à enseigner aux enfants comment devenir aussi pleinement humains qu'ils pourraient l'être. Cela signifie reconnaître que dans le système scolaire idéal, il n'y aurait ni classes, ni bulletins, ni notes et ni tricheries! Comment pourriez-vous décemment tricher quand vous apprenez pour vous-même au lieu de rivaliser avec d'autres? Comment pourriez-vous tricher dans vos efforts pour devenir aussi éduqué et en bonne santé qu'il vous est possible de l'être? Personne qui pourrait vous aider à apprendre, rien pour faire de vous un « tricheur ». Les rangs, les examens, les crédits et autres mesures extérieures du « succès » n'auraient aucune place dans un système à orientation humaniste au sein duquel les gens ne se préoccuperaient que d'apprendre la manière de devenir heureux, vivants de façon créatrice et fonctionnant pleinement dans leur vie. Les cours enseignés dans une école idéale seraient conçus pour apprendre aux gens comment penser de façon indépendante, comment ne pas craindre l'échec, comment devenir capable de faire n'importe quoi plutôt que d'être rigoureusement spécialisé à faire uniquement une chose, comment ne pas souffrir de névrose ; autrement dit, comment vivre en être humain heureux. L'école idéale aurait pour mission l'éducation totale de l'enfant. Les enseignants encourageraient les enfants à devenir tout ce qu'ils sont capables de devenir, plutôt que de les obliger à être d'une nature limitée, docile ou « adulte ».

Les écoles ne doivent pas nécessairement être des endroits trop tolérants avec des attitudes ou des atmosphères de laissez-faire, mais elles doivent devenir des endroits responsables et humanitaires fréquentés par des professeurs qui comprennent que d'apprendre aux gens à s'aimer euxmêmes, à se sentir positifs en ce qui concerne leur curiosité naturelle et maîtres de leur vie, devrait recevoir au moins autant d'attention que la géométrie, la grammaire ou toute autre chose que la tradition place exclusivement du côté intellectuel ou *académique* de l'éducation.

« Mais, vous direz-vous peut-être, il n'existe d'école idéale semblable à celle dont il parle nulle part dans le monde, et selon toute probabilité, il n'en existera jamais. Ces professeurs Sans-limites — je me souviens de quelques-uns qui agissaient ainsi, mais il y a tellement longtemps de ça. »

Arrêtez-vous. Cette école idéale dont je vous parle se trouve dans votre propre tête ! Vous êtes à *présent* pleinement humain. Vous êtes *venu* au monde comme une personne entière, *qui* que vous soyez et quel que soit votre âge ! Même si vous fréquentez encore l'une ou l'autre école, vous pouvez commencer à transcender les efforts destructeurs de votre éducation scolaire dès à présent, en reconnaissant que cela ne vous sera d'aucune aide maintenant de rester assis à nourrir de la rancune pour ce que «le système» vous a fait quand vous étiez enfant. Ce que *vous pouvez* faire aujourd'hui c'est de vous résoudre à ne plus vous laisser malmener par ces expériences négatives d'antan, de surmonter les effets cumulatifs dès *aujourd'hui*, et de vous souvenir de ces quelques professeurs Sans-limites et du genre d'éducation qu'*ils* préconisaient. Rappelez-vous qu'il y a toujours un enfant au fond de vous qui *a survécu* aux épreuves, aux tactiques abusives et aux limitations artificielles que le système vous a imposées. Du fait que cet enfant survivant est conscient, à présent, des embûches comme des avantages de l'éducation scolaire, il sera d'autant plus fort pour leur résister et pour insister qu'il *veut apprendre*, mais uniquement sur la base de sa propre curiosité naturelle et à son gré. L'enfant sait que vous ne pouvez rien changer au passé; vous pouvez seulement décider de ne pas continuer à abuser de vous-même de la façon dont on vous avait appris à le faire. Si vous faites le nécessaire pour redevenir cet enfant, mais cette fois-ci en le laissant agir d'une position de force plutôt que de faiblesse, cela vous apprendra à dominer vos émotions, à réfléchir par vous-même, à poser et à répondre aux questions qui sont importantes pour vous ou *vous* fascinent, afin que vous puissiez vivre utilement dans n'importe quelle situation, penser et ressentir de façon positive au cours de votre existence. Vous allez alors pouvoir passer le reste de votre vie à être véritablement et heureusement éduqué.

LA FONTAINE DE JOUVENCE SE TROUVE EN VOUS

La mythologie a toujours maintenu qu'il existe quelque part sur terre une fontaine, une source ou un étang magique dont les eaux vous redonneront la jeunesse, vous garderont éternellement jeune. Le bon sens dit cependant que «vous êtes aussi jeune que vous le pensez», et que la grand-mère de quatre-vingts ans qui a cultivé ses qualités d'enfant et sait comment en jouir peut être essentiellement beaucoup plus jeune, plus énergique et plus alerte qu'un individu de vingt-cinq ans sans humour, qui lutte à la faculté de droit pour devenir le premier de sa classe, se frayant un chemin à travers d'éventuels ulcères et dépressions nerveuses dans le but de devenir un associé d'une importante firme dans dix à quinze ans, et peut être avec une haine profonde de la vie.

La véritable signification des mythes sur la Fontaine de Jouvence pourrait être de souligner l'absurdité superstitieuse de rechercher votre jeunesse perdue sous les rochers, de « l'autre côté de la montagne », dans un verre d'eau, un pot de cosmétique, une salle de conseil d'administration — dans *n'importe quoi* qui soit extérieur à vous. Elle pourrait être de vous faire retrouver votre bon sens qui dit que vous avez une Fontaine de Jouvence abondante en vous qui peut être captée n'importe quand, tout le temps, en vous laissant simplement redevenir un enfant.

SEPT CHEMINS MÈNENT À LA FONTAINE

Un vieux chant religieux dit que « douze portes donnent accès à la ville ». Les chemins qui mènent à la Fontaine de Jouvence sont bien plus nombreux encore ; en fait, il faudrait une vie entière pour que l'enfant-en-vous puisse les explorer tous. Mais en voici sept que vous pourriez désirer explorer pour commencer :

Riez !

L'enfant en vous, comme tous les enfants, aime rire, aime être en compagnie de gens qui savent rire d'eux-mêmes et de la vie. Instinctivement, les enfants savent que plus nous rions dans la vie, mieux nous nous sentons. Ils feront un effort particulier pour rester auprès de quelqu'un qui sait les faire rire, qui apprécie leurs plaisanteries. Ils seront saisis d'un rire convulsif pour des choses qui feront dire à l'adulte sérieux, lourd, rébarbatif, « ce n'est simplement pas drôle » ; ces grosses blagues « immatures » d'école primaire, où les gens portent même des abat-jour sur la tête. Parfois, ils riront « sans rime ni raison », simplement par joie de vivre, ou parce que leurs instincts leur ont dit, « C'est maintenant, le temps de rire » !

Vous souvenez-vous des professeurs dont vous aimiez vraiment les cours et dont vous avez le plus appris ? N'était-ce pas ceux qui avaient un vif sens de l'humour, dont les classes avaient l'atmosphère la moins désagréable de toute l'école? N'étaient-ce pas eux qui *plaisantaient avec vous*, qui vous racontaient des anecdotes sur l'Histoire ou sur la façon dont l'ordinateur à la banque s'était emballé et avait envoyé à tous les clients un chèque d'un million de dollars? N'était-ce pas ces mêmes professeurs qui savaient vous aider à *apprendre par vous-même*?

Nous recherchons naturellement tous la pointe d'humour et le rire, car ce sont là des « remèdes naturels » dont nous disposons pour faire disparaître la dépression, l'apathie et même la panique. Pendant que vous riez, il vous est tout simplement impossible d'être déprimé, angoissé ou nerveux. Un sens de l'humour aigu et un rire de bon cœur quelques douzaines de fois par jour sont la meilleure garantie contre la névrose et la tristesse. En outre, le rire est gratuit, n'exige pas d'ordonnance de votre médecin, et vous n'avez pas besoin d'aller à la pharmacie pour vous le procurer.

Nous connaissons tous des gens dont nous pensons : « son véritable problème c'est qu'il se prend trop au sérieux ». Il s'agit là des gens les plus inflexibles et crispés qui soient. Ils sont incapables de rire de leurs propres erreurs et, en fait, ils peuvent rarement les admettre car ils sont tellement anxieux au sujet de leur avenir personnel qu'ils craignent les plus légères déviations de leur programme de vie préétabli et méprisent les exceptions à leur système fixe de valeurs. Seul groupe au sujet duquel de véritables généralisations peuvent être faites : ils se situent typiquement « en tête de ligne » en ce qui concerne tous les traits de personnalité autoritaire, et sont très déprimants pour les autres car ils peuvent être très bons dans ce qu'ils font pour vivre et ont de nombreuses qualités attachantes. Ce qui est déprimant, c'est que les autres voient combien ils pourraient être plus heureux et plus agréables à fréquenter, si seulement ils faisaient « preuve de plus de légèreté en ce qui les concerne eux et le reste du monde ». « Cela changerait beaucoup de choses, disent les gens, si seulement ils pouvaient acquérir le sens de l'humour et une certaine perspective de la vie. »

Réfléchissez aux personnes qui, parmi vos connaissances,

ont le sens de l'humour et une perspective de la vie et combien cela les rend heureux. Demandez-vous ensuite comment vous vous comparez à eux et à quel point *vous* êtes heureux. Combien de fois avez-vous ri aujourd'hui, et pour quelle raison? Pouvez-vous vous rappeler les choses qui vous ont frappé comme vraiment drôles cette semaine, ou la semaine d'avant? Avez-vous récemment ri de vos propres erreurs «idiotes»? Ou avez-vous juste eu un petit rire en pensant combien les autres sont idiots, immatures ou inférieurs — en entendant des propos sarcastiques rabaissant les autres? Votre vie n'est-elle qu'une corvée déprimante ou est-elle envahie par tout le rire que vous pouvez souhaiter? Combien de personnes avez-vous fait rire ces temps-ci?

Si vous trouvez que le rire commence à faire défaut dans votre vie et aimeriez retrouver votre humour d'enfant, vous pourriez essayer les stragédies suivantes :

Faites rire quelqu'un d'autre aujourd'hui, demain, tous les jours. Vous verrez que cela ne signifie pas nécessairement *essayer d'être drôle*, qui est juste une autre forme de «faire son possible»; cela signifie vous détendre pour un instant seulement et observer ce qui «vous semble drôle» dans ce que vous dites ou pensez, ou consentir à vous souvenir de quelque chose qui vous a paru drôle tout récemment et le partager avec quelqu'un d'autre. Si vous avez toujours été sérieux, une fois par jour renoncez à votre attitude austère et vous vous rendrez compte combien la vie sera plus agréable. Donnez-vous la latitude de rire *une fois toutes les heures* pendant une journée entière, tout seul ou avec d'autres, et vous constaterez rapidement que d'être un *créateur du rire*, d'un humour authentique, est une voie essentielle menant à la vie Sans-limites.

Trouvez un enfant ou un groupe d'enfants — plus ils seront jeunes mieux ça vaudra — à qui vous tiendrez compagnie au moins deux fois par semaine, uniquement dans l'intention de prendre plaisir à leur compagnie. Abstenez-vous de surveiller leur comportement, de les corriger, de les éduquer sur la façon de se comporter adulte ou de leur dire quoi que ce soit. Soyez *avec eux* simplement pour au moins une demi-heure plusieurs fois par semaine. Si vous allez vers les jeunes enfants avec un esprit ouvert, d'une tournure Sans-limites, le rire et le plaisir deviendront rapidement «la règle» dans votre vie, plutôt que la rare exception. Vous réaliserez qu'il est très facile de faire rire les enfants, et pour eux, de vous faire rire. Au moment de les quitter, posez-vous la question, «Quel a été le point culminant de ma journée : d'accomplir toute cette tâche ou de rire avec ces enfants ? ».

De temps à autre, faites-vous un devoir de vous souvenir des expériences de votre enfance qui étaient malheureuses à cette époque, mais dont vous pouvez rire aujourd'hui. Riez-en!

Un de mes amis m'a raconté l'histoire suivante : « Quand j'étais en classe de huitième, j'ai été exclus de l'école pendant quelques jours pour avoir lancé des pois dans la cafétéria. J'essayais à l'époque d'obtenir une bourse pour une école secondaire privée où je désirais désespérément aller ; je rentrai donc à la maison totalement déprimé et désespéré, en me disant, «Eh bien, j'ai tout gâché à présent. Ils n'accorderont jamais une bourse à un gamin comme moi qui lance des pois dans la cafétéria, même si c'est Ricky qui a commencé. Maman et papa vont être terriblement déçus. » J'avais le sentiment que ma vie était arrivée à un terme. Je venais d'anéantir mes chances de succès, il ne restait plus rien. Le néant.

« Soudain, cette drôle de petite voix en moi me dit, «Qui veux-tu faire marcher ? Tu n'as que treize ans et tu crois qu'un renvoi temporaire de l'école est la fin du monde ? Crois-moi, dans dix ans tu vas bien en rire en y pensant — tout cela est tellement ridicule ! ». Et sans plus tarder j'ai éclaté de rire. Mon chagrin intérieur s'est dissipé et j'ai ri bruyamment, et j'aurais recouvert toute l'école de pois si j'avais pu.

« Eh bien, cinq ans plus tard j'étais en première année à Yale et un beau soir de printemps où je dinais en paix dans la cafétéria, brusquement les pois, les pommes de terre et les hamburgers commencèrent à voltiger dans l'air et quelqu'un hurla, «Bataille de nourriture», et dans les cinq minutes qui suivirent les légumes filaient de plus en plus nombreux à travers «le ciel» dans la salle à manger, bien plus que j'aurais jamais pu lancer en cent ans à l'école primaire.

« À présent, laissez-moi vous demander si j'ai ri ce jour-là? Une conduite qui m'avait valu l'exclusion temporaire de l'école primaire ne pouvait me valoir le même sort à Yale! Il y était simplement accepté qu'une fois par an, généralement au printemps, tout le monde se devait de participer à une bataille de nourriture. C'était *un rituel accepté*! S'ils le désiraient, les étudiants pouvaient enterrer leur école sous les pois — bien qu'ensuite, ils devaient la vider, nettoyer le plancher et ainsi de suite, car personne ne voulait patauger à travers un marécage de pois déséchés pour aller déjeuner. Oui, j'ai beaucoup ri. J'ai lancé mes légumes avec les meilleurs d'entre eux, et j'ai connu le premier de beaucoup d'éclats de rire sur ce système d'école publique ridicule qui m'avait jadis exclu pour avoir lancé des pois dans la cafétéria. J'étais plus qu'heureux de passer une heure à faire du nettoyage pour avoir eu la joie de pouvoir lancer librement ma portion de pois. »

Tout comme vous n'avez pas besoin de vous laisser rouler jusqu'au pied d'une colline en tenue de soirée pour comprendre ce que j'ai dit sur la question de redevenir un enfant, vous n'avez pas à jeter des pois pour vous souvenir de ces moments malheureux ou embarrassants de votre enfance et pour en rire aujourd'hui. Si vous êtes disposé à envoyer votre tenue de soirée chez le teinturier ou à enlever les pois et nettoyer le plancher, alors allez-y, roulez jusqu'au pied de la colline, lancez les pois. Mais, peu importe le nom que vous donnez à cet enfant délaissé en vous, souvenez-vous : il *peut rire* de beaucoup de ses expériences malheureuses du passé, et il *tient* à en rire pour les chasser de votre perspective actuelle de la vie.

Dans le même esprit, la prochaine fois que quelque chose se produit et vous bouleverse ou vous met en colère ou vous fait dire, «C'est la fin du monde», arrêtez-vous et posez-vous la question, «S'agit-il de quelque chose dont je vais pouvoir rire plus tard?». Si tel est le cas, peut-être pourriez-vous en rire dès maintenant!

Réintroduisez la fantaisie dans votre existence

Les enfants aiment rêvasser, inventer des histoires, se laisser emporter par leur imagination — et il en serait de même pour vous si vous vous laissiez aller. Vous souvenez-vous du temps de votre jeunesse, des lutins ou des farfadets qui se manifestaient pendant la nuit dans votre chambre, des Indiens ou des pionniers qui parcouraient les sentiers dans les bois coiffés d'un bonnet en fourrure de raton, de la petite branche qui se transformait en baguette magique, du manche à balai qui devenait un cheval ? Vous souvenez-vous de vos petits copains imaginaires, qui pour vous étaient tout aussi réels que n'importe qui d'autre ? Vous souvenez-vous quand vous jouiez à vous déguiser, et le chapeau de votre père vous transformait en directeur de banque, de la monnaie fictive faisait un caissier d'un de vos camarades, un bloc-notes devenait un carnet de chèques et changeait en client un autre camarade ? Vous souvenez-vous à quel point vous aimiez dessiner, écrire des vers ou des chansons, écouter des contes, inventer vos propres jeux, vagabonder sans but dans des excursions fabuleuses avec quiconque était disposé à vous écouter ou à y participer ?

Cette riche existence fantastique de l'enfance était non seulement amusante au plus haut point mais un des aspects les plus sains de votre vie dans son ensemble. Elle apportait une évasion dont vous aviez grand besoin, de la tâche ardue de grandir ; elle chassait votre ennui en un rien de temps ; et il y a des chances que plus vous y cèderez et serez encouragé à y retourner, plus vous serez un créateur aujourd'hui.

En tant qu'adulte, vous pouvez vous accorder le même luxe de vivre de fantasmes et de rêver avec les mêmes plaisirs et avantages pour la « santé mentale ». En outre, vous allez rapidement vous rendre compte que certains de ces rêves qui, pour commencer, étaient de purs fantasmes deviendront éventuellement des réalités.

Les réalités les plus agréables de la vie trouvent leur origine dans les fantasmes « d'enfant ». Les voyages les plus sensationnels lors des vacances commencent par des fantasmes. Vous devez bâtir la maison de vos rêves dans votre esprit romanesque avant de pouvoir la construire en réalité. Obtenir un nouvel emploi, déménager dans un nouvel endroit, commencer une nouvelle liaison amoureuse — tout ce qui est précieux pour vous en tant que personne commence d'abord par un fantasme. Plus vous accepterez d'être romanesque et de faire des fantasmes, plus vous serez en mesure d'améliorer votre vie. Naturellement, vous ne devez pas oublier de jouir de vos fantasmes pendant que vous les faites, uniquement pour le plaisir de fantasmer, plutôt que les laisser devenir une *anticipation sur le futur* — lors de laquelle vous détruisez vos fantasmes en les limitant à des choses que vous comptez faire ou accomplir un jour ou l'autre — et ensuite, vous vous demandez si vos rêves vont jamais se réaliser. Mais si vous évitez cette embûche, vous constaterez que de laisser l'enfant en vous s'échapper de temps en temps dans son propre monde de fantasmes assouplira vos attitudes négatives et inflexibles envers les choses, dissipera considérablement les tensions psychiques dans votre vie, et vous ouvrira des champs entièrement nouveaux de possibilités.

Pour reprendre contact avec votre vie de fantasmes, vous pourriez essayer ce qui suit :

Si vous trouvez des jeunes enfants avec lesquels vous pouvez rire et jouer, encouragez-les (ainsi que vous-même) à faire autant de fantasmes que vous voulez, à être aussi créateur et «déraisonnable» que vous le désirez. Si vous prenez part à un jeu, arrangez-vous pour qu'il soit aussi éloigné de la réalité que possible. N'imposez aucune des règles ou des règlements «adultes»; acceptez l'expérimentation, l'exploration et l'imagination. Ne pensez pas que vous soyez contraint d'établir une série de règles; tenez-vous simplement à l'écart et admirez-les pendant qu'ils s'efforcent de trouver une solution. Vous verrez que, même en établissant des règles, les enfants sont étonnamment spontanés et créateurs.

Quel que soit le jeu de fantasmes auquel s'adonnent les enfants — ils se trouvent à bord d'un engin spatial en route vers la lune, ils fuient la méchante sorcière de l'Ouest — laissez-les vous conduire à bord. S'ils déclarent que ce bouton est le « zapofritzer » qui permet d'écarter les « starflunkies » de votre trajectoire afin que vous puissiez «alunir», ne les interrompez pas pour leur demander ce que sont les «starflunkies» ou comment le «zapofritzer» vous en débarrassera! Faites ce que les enfants font : créez vos propres images fantastiques de ce que ces choses pourraient être. Peut-être vous confieront-ils leurs idées, ou peut-être appuyeront-ils simplement sur le bouton. Peut-être le «zapofritzer» est-il hors d'usage et vous avez, à présent, de sérieux ennuis avec les «starflunkies»!

En plus d'écarter les starflunkies de la trajectoire de votre engin spacial, ne manquez pas d'aller voir le plus souvent possible des films ou des pièces de théâtre classiques pour enfants, un spectacle de marionnettes ou d'aller au cirque ou à une séance de lecture d'histoires pour enfants à la bibliothèque de votre quartier. Une génération entière de jeunes gens troublés de l'époque de la guerre du Vietnam conservèrent leur santé mentale et renouvelèrent leur foi dans la vie en allant voir en masse la «pierre angulaire classique» dans ce domaine, de Walt Disney, datant de l'époque de la Deuxième guerre mondiale, qui n'aurait pu avoir d'autre nom que *Fantasia*. Vers la fin des années soixante et au début des années soixante-dix, les cinémas de quartier pouvaient projeter ce film chaque année et remplir leurs salles pendant plusieurs semaines avec des «jeunes» du secondaire et de l'université qui encore la veille manifestaient peut-être devant les bureaux du conseil de révision, et pouvaient le jour d'après se retrouver en prison pour avoir résisté à la conscription. Vous pouviez entendre ces «enfants hippies» s'écrier, «Fantasia est de retour! Je l'ai déjà vu quatre fois, mais je veux le revoir. Tu m'accompagnes?».

Dans la mesure où *Fantasia* et d'autres «histoires pour enfants» ont aidé cette génération de jeunes adultes à garder l'enfant en eux vivant, ils n'en sont que plus sains aujourd'hui. Pour vous, c'est peut-être *Peter Pan, Le magicien d'Oz, Winnie-the-Pooh*, le rodéo, la fête foraine — n'importe lequel de ces «magnifiques spectacles» qui pendant des années ont fait la joie de vivre des «enfants de tous âges».

La prochaine fois que vous passerez devant un terrain de jeu — arrêtez-vous. Imaginez-vous que vous êtes de nouveau un enfant. Posez-vous la question: que saviez-vous faire à cette époque que vous ne savez plus faire aujourd'hui, du point de vue physique?

Entrez sur le terrain de jeux. Votre corps désire-t-il se balancer sur la balançoire? Tout le monde, à *tout* âge, peut le faire. Si vous êtes âgé de quatre-vingts ans, peut-être ne désirez-vous vous balancer que quelques centimètres dans chaque sens — mais vous pouvez néanmoins vous balancer, vous pouvez toujours être tout aussi enfant que vous l'étiez quand votre mère vous plaçait sur la balançoire et ensuite, vous poussait quelques centimètres en avant, vous tirait quelques centimètres en arrière.

Si vous avez trente-cinq ans, il se peut que votre corps désire encore se balancer aussi haut qu'il le peut, qu'il aimerait toujours se laisser glisser sur le toboggan. Tout ce que votre corps désire faire il *peut* le faire, à condition que vous oubliiez que certaines gens pourraient penser qu'il est tellement enfantin pour une personne de *votre* âge de se laisser glisser sur la glissoire d'un terrain de jeux. Si vous vous considérez comme âgé et rouillé, le fait de pénétrer sur le terrain de jeux et de vous demander de combien d'années *l'enfant en vous* est plus âgé qu'*il* ne l'était quand vous aviez dix ans, peut ôter de votre vie autant d'années que vous l'imaginez.

Si vous avez une famille avec des enfants d'âges divers encore à la maison, essayez d'organiser de temps à autre des réunions de famille lors desquelles vous pourrez tous parler librement de ce que vous aimeriez faire le plus au monde ou simplement faire durer vos fantasmes favoris tels que vous les avez vécus durant la semaine. Vous vous apercevrez rapidement que vos fantasmes ne sont pas du tout des rêves lointains et impossibles! Ce sont les produits libres et créateurs de votre imagination — l'étoffe même de la vie. Dès que ces fantasmes auront émergé au grand jour, vous pourriez vous apercevoir que vous pouvez en vérité, vivre beaucoup d'entre eux, et que de prendre quelques risques sans vous soucier de la façon dont les autres « adultes » pourraient vous juger, vous aidera vous et toute votre famille à vivre autant de ces fantasmes que possible, parmi ceux qui méritent vraiment d'être transférés à la réalité. Les fantasmes qui surgissent des rêves que vous avez eus la nuit précédente ou de votre rêvasserie de cet après-midi, les libres élans de l'imagination concernant l'ami imaginaire qui occupait le siège vacant à côté de vous sur l'autobus — quels qu'ils soient, de les partager avec votre famille enrichira infiniment toute votre vie de famille.

Décidez-vous à vivre certains de vos fantasmes. Si vous avez toujours désiré voguer en radeau sur la rivière, vous promener seul dans les bois pour une journée, courir dans un marathon, visiter le pays voisin en vélo, vous rendre en Bulgarie, escalader une montagne au Canada, vous laisser pousser la barbe, poser votre candidature au Congrès, paraître à la télévision, n'importe quoi, n'hésitez pas à le faire.

Asseyez-vous à présent et établissez une liste de vingt choses que vous avez depuis longtemps rêvé de faire. Biffez dans l'ordre celles que vous ne pouvez pas mettre à exécution *dans l'immédiat*. Il devrait vous en rester au moins une que vous pouvez faire dès aujourd'hui! Faites à présent le nécessaire pour réaliser ce désir — mais conservez votre liste, afin d'avoir une idée de ce que vous pouvez encore faire pour vivre vos fantasmes les «plus réalistes».

J'ai pris plaisir à faire dans ma vie beaucoup de choses qui n'avaient absolument aucun sens pour d'autres que moi. Par exemple, un jour j'ai vu plusieurs jeunes gens faire du deltaplane. J'ai commencé à fantasmer que je pratiquais ce sport moi-même, me disant ensuite, «Pourquoi pas ?» et je l'ai finalement fait. Je l'ai rayé de ma liste des «Fantasmes qui peuvent se matérialiser», et je me suis senti beaucoup mieux pour avoir réalisé un objectif *personnel* plutôt que l'objectif d'un quelconque vieil «adulte» grincheux en moi. Je devais me souvenir, de façon consciente ou instinctive, que je n'avais pas à expliquer mon comportement à quiconque, et que si quelqu'un d'autre venait par hasard à penser que j'étais ridicule, que je n'agissais pas comme une personne de mon âge, la seule chose que je pouvais alors faire était de lui souhaiter bonne chance et de le laisser penser ce qu'il voulait. De vivre mes propres fantasmes m'a souvent donné l'inspiration d'accomplir des choses que je n'aurais pas tentées autrement, et tout d'abord, si je ne m'étais pas donné une chance d'avoir ces fantasmes d'enfant, je n'aurais certainement jamais été capable de réaliser autant de mes rêves.

Accordez-vous tous les rêves que vous pouvez décrocher!

Soyez un peu fou!

Il n'y a aucun doute à ce sujet, tous les enfants, y compris celui qui est en vous, sont légèrement fous. Ils jouent la plupart du temps aux « niais » ou « idiots ».

Tous les enfants se souviennent que ce que les adultes condamnent comme « fou » constitue un sentiment formidable. L'enfant en vous vous dira que vous avez peut-être rejeté tous ces moments « fous » de votre vie pour devenir à jamais « mûr et raisonnable », et l'idée d'être un peu toqué et d'avoir des réactions imprévisibles de temps à autre peut vous sembler insensée — mais l'enfant éprouve vraiment du plaisir à porter des vêtements « drôles » lors de certaines réceptions, à aller nager à quatre heures du matin, à jouer au gendarme et au voleur, ou à toute autre chose qui pourrait faire dire aux gens : « Il est complètement fou ! ».

Il existe naturellement un genre de « fou » que personne ne désire être, c'est celui qui perd tout contrôle sur sa vie, il est pris de panique et il se retrouve dans un hôpital psychiatrique.

Mais ce n'est pas le genre de folie auquel je me réfère. Je parle plutôt du genre de fou que vous voyez parfois sur un vase, le type de petites fêlures, ou de craquelures, décrivant la façon dont son vernis s'est « fêlé » : celui dont vous faites preuve quand vous laissez « fêler », témoignant d'un « comportement bizarre » et de rires, de temps à autre, « comme un gosse ».

D'être ce genre de « fou » signifie relâcher certains des contrôles qui restreignent votre vie. Vous pouvez être sérieux au travail, faire preuve de maturité pour affronter vos responsabilités, être consciencieux en abordant les problèmes qui exigent des méthodes directes et raisonnables, tout en sachant vous détendre et vous laisser aller de temps à autre. Non seulement vous aurez plus de plaisir ; tout le bureau se détendra, et ils seront tous plus efficaces quand viendra le moment d'être sérieux.

Vous pourriez adopter quelques-unes de ces suggestions si d'être un peu « fou » de temps à autre vous tente :

Demandez aux membres de votre famille quelles sont les personnes « en compagnie desquelles ils aiment se trouver tout particulièrement ». Vérifiez si leurs favoris (surtout les

enfants) ne sont pas ceux capables d'être un peu plus foli-
chons et de s'amuser davantage que la plupart des gens.
Demandez-leur s'ils vous voient de cette façon, ou s'ils aimeraient que vous soyez davantage ainsi. Quand vous voyez
l'immense plaisir que les autres ont à être en compagnie des
gens «fous», vous accepterez plus facilement que la folâtrerie
fasse partie intégrante de votre vie — de lancer des boules de
neige, de jouer au chat dans la piscine, de ramener un gâteau
d'anniversaire à fêter, de commettre n'importe quelle espièglerie qui vous passe par la tête.

*La prochaine fois que vous entendrez soit vous-même ou
quelqu'un d'autre qualifier le comportement d'autrui de
«fou», réfléchissez un instant pour savoir de quelle «folie» il
s'agit.* La personne a-t-elle vraiment «perdu tout contrôle» et,
par conséquent, elle se rend elle-même et les autres malheureux? S'il en est ainsi, la solution est de l'aider et non de la
condamner. Ou est-elle simplement accessible à cette espèce
d'espièglerie d'enfant dont j'ai parlé plus haut, et pour cette
raison, une personne plus heureuse? Si tel est le cas, cessez
de la condamner et essayez de suivre son exemple. Vous avez
autant droit à votre liberté que n'importe qui, et puis d'abord,
si vous cessiez de passer des jugements, vous seriez plus porté
à aimer vous amuser. Quand vous êtes contrarié que les
autres s'amusent et se conduisent de façon folâtre, en fait vous
êtes contrarié par quelque chose en vous-même. Si ce n'était
qu'une question de désapprouver leur comportement, vous
n'y prêteriez simplement pas attention, mais quand vous choisissez d'en être contrarié, vous combattez alors quelque chose
qui vous rappelle ce que vous aimeriez vraiment être vous-
même. Et plutôt que de l'admettre et de changer, vous en
venez tout simplement à *les* juger comme mauvais, et «vous
vous libérez de votre obligation» d'être heureux.

*Décidez-vous à faire quelque chose de «folichon» tous
les jours pendant toute une semaine* — une ou deux fois à la
maison, une ou deux fois au travail et les autres fois quand
l'envie vous en prend. Fiez-vous à votre bon sens pour ne pas
devenir un farceur ou faire quoi que ce soit qui puisse nuire ou
incommoder quelqu'un d'autre, et pour observer comment les
autres réagissent. Si quelqu'un vous condamne uniquement

parce qu'il vous considère comme « enfantin » — tant pis pour lui ! Mais neuf fois sur dix vous verrez que les gens réagissent avec plus d'enthousiasme que vous n'en attendiez et que tous vos doutes proviennent de votre propre esprit.

Soyez spontané

Observez comme les enfants montrent de la bonne volonté à essayer n'importe quoi sur-le-champ. L'enfant-en-vous désire être impulsif et aventureux, sans avoir toujours à organiser les choses à l'avance. La spontanéité est à bien des égards la clé de tous les comportements d'enfant. Cette aptitude à vous arrêter tout à coup au bord de la route quand quelque chose d'intéressant attire votre regard, et à éprouver la même excitation enthousiaste concernant les nouvelles choses que vous rencontrez par hasard que vous aviez quand vous étiez beaucoup plus jeune, mène directement à un caractère spontané d'enfant et à un « émerveillement face au monde ». C'est également une des choses les plus faciles, pour les « gens grands et forts » mais désensibilisés, à s'imposer, en rappelant constamment à leurs enfants qu'ils doivent *être prudents ou toujours prêts*, en leur hurlant : « revenez ici sur-le-champ ! » quand ils s'aventurent sur des sentiers peu familiers au lieu de suivre le « plan de promenade » des adultes et par tous les autres genres de tactiques dont les adultes se servent pour insuffler la peur de l'inconnu aux enfants et leur retirer leur curiosité naturelle concernant la vie.

Bien entendu, certains enfants ne perdent jamais leur qualité de liberté personnelle ; quelle que soit la détermination avec laquelle vous vous y efforcez, vous ne rendrez jamais vains leurs efforts créateurs et spontanés. S'ils veulent explorer un nouveau sentier, ils vous fuiront d'une façon ou d'une autre (mentalement, physiquement ou les deux) aussitôt qu'ils sauront courir plus vite que vous.

Les enfants peuvent être des collectionneurs spontanés de n'importe quoi. Ils peuvent ramener à la maison des escargots, des chenilles, des lézards, des fleurs, des vieilles clés à écrous, des clous, des pièces de monnaie et bien d'autres choses qui excitent leur curiosité. Si vous combattez assez énergiquement ce genre de collection instinctive et impétueuse qui procure tant de joie à ces enfants en particulier, vous pourriez éventuellement leur apprendre à *prétendre* qu'ils croient que d'avoir une maison propre et ordonnée vaut mieux que « d'avoir tout ce bric-à-brac malpropre chez eux», mais la curiosité d'enfant et l'envie spontanée de collectionner des objets singuliers survivront toujours en eux. Et si un jour, ils deviennent d'heureux archéologues, conservateurs de musée, collectionneurs d'art, botanistes, antiquaires ou brocanteurs, ils auront toujours à triompher de l'adulte qui un jour essaya de leur dire « Non, je ne veux pas de ça dans la maison ! ».

La spontanéité de l'enfant en vous est telle qu'il sait comment vous amuser avec n'importe quoi, n'importe quand. Il peut ramasser des bobines, des pierres, des morceaux de craie ou des vieilles balles de base-ball, et s'en servir pour vous captiver pendant des heures. Vous pouvez avoir appris à réprimer ces envies de quitter la route et de lire la plaque historique sous le chêne vieux de deux cents ans, mais ces envies sont toujours là. Si vous menez une vie organisée dans le moindre détail, avec tous vos objectifs bien clairement expliqués et sachant où vous allez à chaque instant; si vous êtes obsédé par le souci d'organisation, de propreté et d'ordre dans tout ce que vous faites — mettez-y fin. Vous avez oublié comment être un enfant.

Pour raviver votre spontanéité d'enfant, vous pourriez essayer ce qui suit :

Examinez votre agenda pour les quelques semaines à venir. Votre temps est-il pris à ce point que vous ne disposez *jamais* de dix minutes pour quitter spontanément les « sentiers battus » ? S'il en est ainsi, à combien de ces activités organisées pouvez-vous renoncer pour consacrer votre temps à vagabonder «tout autour du globe»? Organisez votre temps de façon à pouvoir sauter dans votre voiture et à vous diriger vers le nord sans vous servir de carte routière, en roulant tout simplement là où bon vous semble. Ou, si vous le désirez, jouez au jeu qu'un enfant que je connais a inventé pour lui-même : chaque fois que vous avez un doute sur le chemin à suivre, arrêtez-vous et tirez à pile ou face. (Cet enfant a ri, quand sa pièce de monnaie l'envoya faire quatre fois le tour du même pâté de maisons. Il dit qu'il trouva cela chaque fois un peu plus fascinant, et il était toujours irrésolu quand la pièce changea de sens.)

Cessez d'imposer des exigences intransigeantes en vue d'organiser et de programmer la vie d'autrui. Encouragez plutôt leur spontanéité. Souvenez-vous que ce que vous appelez une chambre ou une maison ordonnée n'est pas « mieux que » la « chambre désorganisée » de votre enfant, qui est « encombrée » avec ce que vous considérez du « bric-à-brac ». La prochaine fois qu'un ami vous appelle pour vous suggérer de faire quelque chose ensemble « sous l'impulsion du moment » et que vous vous surprenez à dire, « Oh, je ne peux pas » —arrêtez. Demandez-vous si vous pouvez vous permettre de continuer à dire, « je ne peux pas » à vous-même et aux autres pour toujours. Aussi « dur » que cela puisse être pour vous de dire, « Eh bien, je ne vais simplement pas tondre le gazon comme je l'avais prévu » — abandonnez vos plans pour ce seul samedi matin ! Accompagnez votre ami spontané au marché aux puces ! Si vous acceptez une invitation sous l'impulsion du moment et s'il s'avère que vous vous amusez vraiment, bientôt vous recevrez d'autres invitations — et vous ferez vous-même des appels.

Donnez-vous une chance de vous enthousiasmer spontanément pour ce que vous faites Simplement parce que vous avez assisté à des matchs de football ou de base-ball auparavant, vous pourriez penser que vous allez vous ennuyer en allant à un autre match. Débarrassez-vous de cette attitude en considérant chaque nouveau match comme une expérience unique, ce qui est vrai ; vous n'avez jamais assisté à *ce* match avant *ce* jour. En outre, si vous assistez à une réception ou toute autre réunion mondaine essentiellement pour accompagner votre époux ou épouse ou par obligation mondaine, il se peut que vous lui disiez : « Je sais d'avance que ce sera une soirée ennuyeuse, et j'insiste pour que nous partions dans une heure au plus tard. » Ce genre de décision anticipée d'être malheureux deviendra, naturellement, une prophétie auto-réalisable à moins que vous ne la supprimiez en vous résolvant à décider *après* avoir assisté à la réception, dans quelle mesure vous vous y êtes plu — en vous donnant une chance de vous y faire, et en vous fiant à vous-même pour décider à quel moment vous serez prêt à quitter.

Dans l'ensemble, apprenez à distinguer entre les choses que vous devez ou pouvez le mieux décider sur-le-champ et les choses que vous pouvez décider tout aussi bien, ou mieux encore, ultérieurement. Par exemple, supposez qu'il y ait un match de base-ball auquel vous aimeriez assister le samedi suivant, mais par ailleurs, vous pensez que vous aimeriez aller à la pêche, ou visiter une exposition d'art dans votre quartier. Même si aucune de ces choses n'exige une préparation préalable, l'être autoritaire en vous pourrait vouloir décider sur-le-champ de ce que vous allez faire, uniquement pour éviter toute incertitude. Par contre, l'enfant qui est en vous dira, « Je n'ai pas besoin de décider maintenant. Je verrai comment je me sens samedi matin. Peut-être même que quelque chose de mieux se présentera d'ici là. »

Prêtez une oreille à l'enfant toutes les fois que vous pourrez, aussi bien pour les choses légères que sérieuses. Si vous êtes déchiré par une décision à prendre concernant un changement d'emploi, un mariage éventuel ou autre chose, il se pourrait que l'enfant en vous sache que vous n'avez pas vraiment à prendre de décision immédiate, que vous essayez artificiellement de précipiter les choses, ne tenant pas compte du fait que plus tard vous disposerez de plus amples renseignements ou que vous éprouverez des sentiments plus clairs, au moment où la décision devra être effectivement prise (si vraiment il existe une date limite), et qu'une décision spontanée prise ultérieurement sera de loin préférable à une décision forcée dans l'immédiat. Vous pouvez perdre beaucoup de temps et causer énormément d'angoisse inutile à vous-même et aux autres en vous efforçant essentiellement de conjecturer sur vos sentiments, en essayant de prédire vos sentiments futurs avec les données insuffisantes d'aujourd'hui. Si vous *n'avez pas* à prendre de décisions immédiatement, abstenez-vous en! Laissez suffisamment d'espace pour que votre spontanéité d'enfant puisse s'épanouir.

N'ayez pas peur de commettre des erreurs

Quand vous étiez un jeune enfant, vous ne craigniez pas de commettre des erreurs. Vous étiez disposé à essayer n'importe quoi et si, pour commencer, vous n'étiez pas très bon dans ce qe vous faisiez, vous étiez comme le chaton qui a manqué ses cinquante premières souris : vous êtes simplement devenu un peu plus intelligent et un peu plus rapide à chaque tentative, jusqu'au moment où vous avez enfin maîtrisé le patinage sur glace, la couture et la préparation de la soupe. En fait, si vous avez appris à faire du patinage sur glace, la première chose que votre corps a appris c'est la manière de *tomber* sur la glace sans se faire mal : comment vous détendre et replier vos jambes au-dessous de vous ou rouler et glisser afin d'éviter de vous fendre le crâne ou de vous briser une jambe, et de façon à pouvoir chaque fois vous relever en riant, impatient de recommencer. Un «échec» n'était rien dont il fallait avoir honte ou éviter ; en fait, vous lui faisiez bon accueil car vous saviez instinctivement que vous ne pouviez rien apprendre à moins d'être prêt à essuyer un échec au début. Donc, comme enfant, vous étiez un *expérimentateur* naturel, acceptant le fait que nul ne savait comment lancer une balle, nager en eau profonde, rouler à bicyclette, ou autre chose encore, avant d'en avoir fait l'essai. Si les enfants venaient au monde effrayés d'essayer de nouvelles choses en raison d'un échec possible, ils ne sortiraient jamais de leur berceau! En outre, les adultes qui ont peur d'un échec finissent toujours par végéter. La peur d'un échec devient la peur du succès pour ceux qui n'essayent jamais rien de nouveau.

Les enfants cessent d'essayer seulement quand on leur met en tête la notion névrotique que tout échec de leur part signifie qu'ils sont quelque peu inférieurs ou qu'ils devraient comparer leur performance avec celle des gens qui ont déjà passé par les tatonnements que comporte la maîtrise de ce que le «novice» va aborder pour la première fois.

Pourquoi faut-il que parmi les adultes qui n'ont jamais appris à nager quand ils étaient enfants, peu d'entre eux l'apprennent quand ils deviennent des *adultes*. Uniquement parce qu'ils croient qu'il est humiliant d'être «classés avec des débutants» dans *quoi que ce soit*, de montrer le côté embar-

286

rassant des premières étapes de l'apprentissage en public. Toutefois, si l'adulte laisse l'enfant en lui prendre le dessus, il peut apprendre à nager tout aussi aisément, sinon plus que l'enfant car, pour commencer, son corps a l'avantage de la pleine coordination adulte. C'est uniquement l'angoisse de la performance, le sentiment qu'il est là pour se montrer à son avantage devant tout le monde, plutôt que de pouvoir apprécier la sensation de l'eau et d'apprendre à se mouvoir dans cet élément, qui le rend lui, et même ces adultes qui s'inscrivent dans des classes de débutants, beaucoup plus gauches que la plupart des enfants, et lui fait prendre beaucoup plus de temps qu'il n'est nécessaire pour apprendre à nager.

Demandez-vous si, en vieillissant, vous avez appris à éviter toutes les choses qui pourraient entraîner un «échec» de votre part; si vous avez appris à chercher à obtenir des «bonnes notes» dans tout ce que vous faites — tout le temps, en vous évaluant vous-même comme une *mauvaise personne* si vous faites partie de «la moitié inférieure de votre classe» en quoi que ce soit. Vous êtes-vous résigné à l'idée de ne rien faire à moins que vous ne sachiez le faire bien, et avez ainsi corrodé vos impulsions enfantines naturelles à essayer tout ce dont vous avez envie?

S'il est ainsi et si vous craignez toujours de commettre des erreurs, vous pouvez surmonter cette crainte en reconnaissant que vous évitez la seule chose qui puisse tout vous enseigner, cette chose étant l'échec! Si vous voulez retrouver une attitude d'enfant face à vos propres erreurs, vous pourriez : *Établir une liste des activités que vous avez évitées dans le passé de peur de vous «montrer à votre désavantage» pendant votre apprentissage.* N'avez-vous jamais évité de jouer aux boules, au golf, de chanter, de gratter une guitare, de faire de la peinture, des mots croisés — n'importe quoi — uniquement parce que vous craigniez que ceux de vos amis qui sont réellement des experts dans ces activités vous méprisent? *Faites preuve d'audace et essayez l'une d'elles!* Si un de vos amis devait montrer du mépris pour vos efforts d'amateur — si le bon chanteur et joueur de guitare s'exclame : «Oh, que tu chantes faux», et vous décourage en affirmant sa propre supériorité — cela va sans dire que son amitié n'était pas des plus sincères, de toute façon. Rejetez l'opinion de tous ceux qui se préoccupent de votre échec ou de votre succès! En ce faisant, la chose que vous craigniez le plus, c'est-à-dire les opinions et les jugements négatifs d'autrui, sera dénuée de tout sens, et les seuls «maîtres» dont vous vous soucierez seront ceux qui sont sincèrement disposés à vous aider à apprendre.

Souvenez-vous que vous pouvez échouer dans pratiquement tout, sans pourtant être un échec comme individu! Ne confondez pas ce que vous faites, ni comment vous le faites, avec votre valeur comme être humain. Votre valeur en tant qu'individu provient de l'intérieur — du fait même que vous êtes une personne au même titre que n'importe qui d'autre, et possédez ce que j'appelle une valeur propre, qui fait autant partie de vous que votre cœur ou votre cerveau. Votre valeur propre ne provient de la feuille de marque d'aucune de vos activités.

Par ailleurs, quand vous avez commis une erreur, n'ayez pas peur de l'admettre devant les autres! Que vous ayez fait une erreur de calcul dans votre carnet de chèques ou méjugé d'une personne, n'essayez pas de le dissimuler, de le nier ou de le rationnaliser (c'est une réaction autoritaire typique). Dites simplement : «J'ai fait une gaffe», et faites le nécessaire pour redresser la situation. Vous constaterez que ces personnes à la pureté d'enfant qui admettent spontanément leurs erreurs commandent le respect.

Cessez de faire un aussi grand cas de l'obligation de réussir tout ce que vous ou vos enfants entreprenez. Permettez à l'enfant en vous et à vos enfants «d'échouer totalement» dans certaines choses. Supposez, par exemple, que vous essayiez de faire des réparations sur votre voiture et que vous ne sembliez pas y parvenir ; ou supposez encore que votre enfant ait échoué à l'examen de français à l'école secondaire. Il se peut que vous ne vouliez plus passer de temps sur la voiture, et que votre enfant ait été recalé en français parce que cela ne l'intéressait pas tel qu'on le lui enseignait, mais si vous êtes un «perfectionniste» inflexible vous ne confierez jamais votre voiture à un mécanicien ou ne laisserez pas l'enfant décider qu'il n'a aucun désir de reprendre ce cours de français au prochain trimestre ; même s'il préférait suivre d'autres cours. Vous continuerez à combattre vos impulsions spontanées propres et celles de l'enfant, d'appeler ce qui précède « un échec » et de les laisser provisoirement tomber.

« Si vous ne réussissez pas la première fois, essayez encore et toujours » n'est une bonne devise que si vous êtes toujours intéressé à faire ce que vous avez tenté de faire en premier lieu ! Si vous avez fait un essai et avez perdu tout intérêt — que ce soit pour préparer du brocoli, chanter des airs d'opéra, jouer au poker, réparer une voiture ou apprendre le français, alors quel sens cela a-t-il que vous insistiez sur la nécessité de réussir ?

Ce qui est ironique, naturellement, c'est que si vous vous forcez à « réussir dans tout ce que vous entreprenez » vous finirez par vous trouver dans la même situation difficile qui consiste à *essayer seulement ce que vous savez pouvoir réussir!*

Qui sait? Si vous renoncez à vos tentatives de réparer la voiture en disant, « Je m'obstine à le faire uniquement parce que je ne supporte pas les échecs, ce qui n'est pas une très bonne raison», peut-être un jour allez-vous de nouveau vouloir essayer de réparer une voiture, étant entendu que si vous « échouez » encore une fois, vous la ramènerez à un mécanicien ; et après?

Mais si vous continuez à persister dans quelque chose qui ne vous donne plus aucun plaisir, uniquement parce que vous l'avez *commencé*, et éprouvez l'obligation de *réussir tout ce que vous entreprenez* — vous finirez par entreprendre de moins en moins d'activités qui auraient fait plaisir à l'enfant en vous.

Acceptez le monde tel qu'il est

Quand le bébé vient au monde, la pensée ne l'effleure pas que le monde pourrait ou devrait être différent de ce qu'il est. Le bébé se contente d'ouvrir des yeux émerveillés et fascinés à ce qui l'entoure et traverse ce monde de son mieux.

En grandissant, l'enfant apprend petit à petit à contrôler certaines choses : comment boire d'une tasse, tondre le gazon, se faire des amis ou influencer certaines personnes ; et vraisemblablement c'est alors que les ennuis commencent. Le « jeune adulte » qui cultive une inflexibilité autoritaire en ce qui concerne *la manière dont les choses devraient être* se met probablement en colère contre le monde parce que ce dernier ne se conforme pas à son attente ou ses exigences, ce qui conduit au syndrome du jeune-homme-furieux : les gens *deviennent frustrés en raison de leur incapacité à contrôler des choses que nul être humain ne peut matériellement contrôler.*

Prenez, par exemple, l'attitude des gens envers le temps, un excellent exemple d'un phénomène naturel qu'il nous est impossible de contrôler. Les enfants acceptent que le temps *se manifeste* de sa propre façon mystérieuse, et quelle que soit l'ampleur des critiques à l'égard du temps, celui-ci ne changera en aucune façon. Les enfants acceptent les tempêtes de neige comme une condition naturelle de l'hiver et, en fait, ils les accueillent chaleureusement, s'amusent et y prennent un énorme plaisir, alors que les adultes se plaignent les uns aux autres que «Le temps est exécrable!» et sont contrariés que leurs projets doivent être annulés.

Si vous vous surprenez à penser, «Bien sûr, les enfants ne doivent pas gagner leur vie, ils peuvent prendre plaisir aux tempêtes de neige car ils ne perdent pas de journées de travail», cela signifie que vous ne tenez pas compte du fait pourtant évident que, quelle que soit l'étendue de votre contrariété, la tempête de neige ne va pas disparaître pour autant et toute la neige remonter au ciel simplement pour vous faire plaisir. Votre colère ne compensera pas pour votre journée de travail perdue; elle se contentera de vous gâcher votre journée de repos forcé. L'enfant en vous aimerait simplement sortir et s'amuser dans la neige, mais l'adulte peut s'obstiner à réfléchir de façon névrotique à ce sujet et vous garder à l'intérieur, à maudire les cieux.

Il est certain qu'en ce qui concerne votre propre monde immédiat, vous pouvez faire votre possible pour changer les choses qui vous déplaisent : vous pouvez aider à combattre le racisme dans votre ville, votre état, votre pays; vous pouvez contribuer à mettre fin à la course aux armements autour du globe, à nourrir ceux qui ont faim, à prendre soin des orphelins ou des invalides, à sauvegarder le charmant vieil immeuble historique non loin de chez vous, ou toute autre chose qui vous tient à cœur. *L'astuce est de le faire sans être furieux contre le monde pour les problèmes qui l'affligent* et que la colère vous bouleverse ou vous rende malheureux.

Un vieux proverbe dit, « Seigneur, donne-moi la force de changer toutes choses qui peuvent être changées, la *patience* d'accepter toutes choses qui ne peuvent être changées, et la sagesse de faire la différence. »

Cet enfant en vous sait comment accepter tout ce qui ne peut être changé, sans tirer la conclusion que le monde est pour cela fondamentalement mauvais ; comment ne pas être immobilisé en s'efforçant de faire ce que personne ne peut faire et ne pas tomber ensuite dans l'inertie ou la panique parce que cela ne peut être fait. En somme, il a instinctivement et immédiatement la sagesse de « savoir faire la différence », il ne s'agit donc pas d'une nouvelle sagesse que vous avez à apprendre, mais d'une sagesse oubliée dont vous avez seulement à vous souvenir en faisant appel à l'enfant perdu en vous.

Examinez l'attitude des enfants envers les grandes personnes qui les ont blessés ou froissés. Les enfants sont prêts à les accepter, les gens étant ce qu'ils sont, qu'ils se fassent du mal les uns aux autres de temps à autre, tout comme la mauvaise température va parfois les tremper sous une pluie glaciale sur leur chemin de retour de l'école.

Par conséquent, ils sont prêts à pardonner et à oublier en quelques heures, alors que les adultes auto-destructeurs s'accrochent à des rancunes tenaces pendant toute une vie. Votre enfant intérieur sait, sans réfléchir, qu'il est douloureux et auto-destructeur de garder rancune, et ainsi, il pardonnera ou oubliera automatiquement — à moins que l'adulte censeur en vous ne l'emporte, auquel cas vous continuerez à haïr pour toujours, sans vous soucier combien c'est dur pour vous.

Cet enfant consentant en vous peut vous aider par l'entremise de toutes vos expériences humaines. Il prendra simplement « les choses telles qu'elles se présentent » et les résoudra conformément à ce qui semble être le plus logique à ce moment-là. Comme enfant, vous avez d'abord simplement accepté toutes les choses et tous les gens sur leur « apparence », sans reprocher aux nuages de neiger, à vos cubes de ne pas rester debout de la façon dont vous le vouliez, à votre mère de vous avoir empêché de tomber dans la rivière, ou à l'inflation de vous avoir empêché d'acheter un nouveau téléviseur cette année. Le fait de pouvoir retourner à volonté à cet état merveilleusement naïf et consentant aiderait à supprimer de nombreuses causes de chagrin dans votre vie. Si vous désirez retrouver un peu de cette acceptation d'enfant du monde tel qu'il est, et seulement sur cette base, pour voir ce que vous pouvez aider à changer pour le mieux (tout en acceptant les inévitables échecs en chemin), peut-être aimeriez-vous :

Établir une liste des choses qui généralement vous irritent, ou dont vous réalisez que vous avez commencé à vous plaindre. Inscrivez d'abord celles qui vous viennent immédiatement à l'esprit. Peut-être la chaudière ne fonctionne pas depuis hier, ou un arbre dans la cour est en train de mourir et devra être abattu, ou le prix de l'essence a de nouveau augmenté, ou votre enfant de trois ans a répandu des paillettes de savon dans tout le salon et il joue *toujours* des tours semblables ; ou peut-être aimez-vous faire du ski mais il n'a presque pas neigé cette année, et vous restez dans votre coin à grincer des dents. Quoi que ce soit, ajoutez-le à votre liste et mettez celle-ci de côté. Ensuite, pendant les quelques jours qui suivent, appliquez-vous à ajouter l'une ou l'autre chose qui vous ennuie un peu plus chaque jour. Gardez vos oreilles grandes ouvertes à vos propres propos, et si vous vous entendez «râler», notez aussitôt sur votre liste l'objet de vos plaintes. Peut-être pourriez-vous ranger votre liste près du téléviseur et y enregistrer vos propres réactions aux nouvelles du soir. Peut-être devriez-vous demander aux autres ce dont ils vous entendent vous plaindre le plus fréquemment.

Peu importe comment vous l'établissez, mais aussitôt que vous aurez vingt ou trente articles, parcourez votre liste et vérifiez pour chacun d'eux (a) si vous auriez pu faire quelque chose pour *changer la situation, au départ,* si vous l'aviez voulu (vous n'y pouvez rien si la chaudière est hors d'usage, si l'arbre est «moribond», si le prix de l'essence a augmenté ; vous pourriez trouver des choses moins destructives pour tenir votre enfant de trois ans occupé ; vous ne pouvez pas provoquer une chute de neige) ; et (b) s'il y a quelque chose que vous puissiez ou devriez faire pour *redresser la situation maintenant* (vous devriez faire réparer la chaudière et couper l'arbre, peut-être même en planter un autre ; il n'y a rien que vous puissiez faire concernant le prix de l'essence si ce n'est de soutenir les solutions à long terme de la crise de l'énergie, vous pouvez cependant prendre la résolution de ménager l'essence, d'utiliser votre voiture plus efficacement ou d'en acheter une qui consomme moins de carburant, de marcher ou d'utiliser les transports en commun quand c'est possible etc. ; vous ferez de votre mieux avec votre enfant de trois ans jusqu'à «ce qu'il en perde l'habitude» ; et quant à la neige, *n'y pensez plus* — trouvez un autre moyen de jouir des plaisirs de l'hiver).

Vérifiez, à présent, votre liste. Combien de « N'y pensez pas» avez-vous? Quel qu'en soit le nombre, n'y pensez plus! La prochaine fois que vous sentez que vous allez être contrarié par tout ça ou d'autres choses semblables, mettez aussitôt le holà et riez-en : c'est simplement que le monde est ainsi fait.

Parmi toutes les choses auxquelles vous *pourriez* remédier, choisissez celles auxquelles vous portez suffisamment d'intérêt pour y consacrer du temps et de la réflexion, et occupez-vous en aussitôt que vous en avez l'occasion et l'inspiration. Quant aux autres — ajoutez-les à la colonne des «N'y pensez plus», du moins pour le présent.

Celles pour lesquelles vous pouvez et voulez, sans aucun doute, faire quelque chose, soit en modifiant l'état premier ou en redressant la situation actuelle (en y remédiant), bien sûr que vous devez le faire ; mais quant à vous laisser contrarier parce que la chaudière ne fonctionne plus, que l'arbre se meurt, etc., *N'y pensez plus!* Ces choses font également partie du monde tel qu'il est!

À vrai dire, si vous examinez soigneusement votre liste afin d'y découvrir une raison valable pour être déprimé ou immobilisé, vous verrez qu'il n'en existe aucune! Ce qui ne veut pas dire que vous ne vous laisserez jamais gagner par la colère ou la frustation, et cela plus ou moins régulièrement. Vous seriez un automate si cela ne vous arrivait pas. Mais la question est de savoir combien de temps vous resterez dans cet état, et combien de fois vous y succomberez inutilement parce que vous ne pouvez pas accepter le monde actuel?

Faites abstraction du standing et des mesures extérieures de succès quand vous jugez votre monde et que vous vous interrogez dans quelle mesure vous êtes prêt à l'accepter, et quels changements vous aimeriez y apporter. Acceptez de jouir d'un plus grand nombre de choses telles qu'elles se présentent plutôt que de vous inquiéter de savoir comment elles se comparent avec les normes que la culture nous impose. Tâchez de surseoir *tous* jugements négatifs qui vous concernent pour une courte période tous les jours, en comptant sur votre acceptation du monde tel qu'il est (vous y compris!) pour rejeter toutes ces idées sur la manière dont les autres disent que vous devriez être. Si vous analysez soigneusement tout le manque d'acceptation de soi dont vous faites preuve envers vous-même et votre propre monde personnel, vous comprendrez que dans sa quasi-totalité il provient de sources culturelles extérieures! (Demandez-vous combien de ces sentiments de culpabilité et d'insuffisance vous éprouviez déjà à l'âge de deux ans.) Ces choses que vous désirez changer en vous-même, pour votre propre satisfaction intime, s'avèreront être des choses que vous *voulez ramener* à la condition d'enfant qui devrait être la leur!

Pour ce qui est de juger les autres, agissez de la même façon que les enfants. Les enfants ignorent tout des préjugés parce qu'ils acceptent chacun sans restriction jusqu'au moment où les gens deviennent mauvais à leur égard. Ils n'attendent rien de négatif de personne, et jusqu'à ce qu'ils soient assez âgés pour être influencés par les stéréotypes ou les jugements préconçus et les commérages des personnes «plus mûres», ils acceptent simplement chacun (e) tel(le) qu'il ou elle est, ne se soucient guère si l'individu est noir ou blanc, s'il est «cultivé» ou non, s'il appartient à un parti politique plutôt qu'un autre, s'il est riche ou pauvre, puissant ou faible, et ainsi de suite. Tout ce qui les intéresse est de savoir si cette personne est amusante maintenant. Ils ne se donnent pas la peine de s'inquiéter si les gens de couleur devraient être blancs ou si les femmes devraient « agir comme des hommes », ou d'autres complexes ridicules «d'adultes» semblables. Fiez-vous à vos impulsions d'enfant, quelle que soit la personne qui croise votre chemin, et vous vous apercevrez que vous êtes devenu une personne qui accepte beaucoup plus les autres et qui est donc plus heureuse.

Soyez confiant

La prochaine fois que vous en aurez l'occasion, observez attentivement des petits enfants qui se rencontrent pour la première fois. Ils peuvent faire ou ne pas faire preuve de timidité au début, jusqu'à ce qu'ils aient fait plus amplement connaissance, mais si la première impression est bonne (et avec les petits enfants, elle n'est presque jamais mauvaise), cinq minutes plus tard, ils auront établi un rapport entre eux que les adultes n'ont qu'avec des amis de longue date. *Avant tout*, ils se font mutuellement et entièrement confiance, et même quand l'un d'entre eux devient un peu trop arrogant, l'autre accepte simplement que son camarade soit ainsi et apprend rapidement à « ne plus y penser », ou à résister jusqu'à ce que celui qui est arrogant comprenne d'où l'autre vient (non-arrogance), ou à régler la question de quelque manière que ce soit pour que tous les enfants s'amusent le plus possible maintenant. Il s'ensuit que les enfants deviennent presque toujours des amis plus intimes et se connaissent mieux les uns les autres en une heure que la plupart des adultes ne pourrait le faire en un mois.

Comparez cela à présent avec votre propre façon d'aborder vos nouvelles connaissances. Combien de temps votre période de « timidité initiale » dure-t-elle? Avec les enfants, cela ne demande généralement que quelques regards et quelques mots avant qu'ils ne se donnent la main pour aller transformer un coin de la chambre à coucher en engin spatial, et pas plus de trois minutes avant qu'ils ne mettent le « zapofritzer » en marche. Quand vous faites de nouvelles connaissances, il est possible que vous craigniez « d'y aller un peu trop fort », ou de commencer des « relations » quand vous avez déjà à vous inquiéter de trop de relations, de trop d'interdépendances permanentes. Ou vous pouvez sans raison vous méfier des motifs de l'autre personne. Vous pouvez, par conséquent, témoigner d'une attitude « froide » (un mot ayant de nombreuses significations), ou garder vos distances, préférant tuer le temps avec les propos typiquement banals d'un adulte plutôt que d'apprendre rapidement à traiter cette nouvelle connaissance comme vous traiteriez votre meilleur (e) ami(e) et avoir autant de plaisir en sa compagnie.

Si votre réaction quand vous rencontrez de nouvelles personnes (même si ce n'est que le préposé à la pompe à essence qui remplit votre réservoir et échange quelques mots avec vous) est typiquement «froide», cela signifie que vous souffrez probablement d'un accès de paranoïa autoritaire qui a transformé vos instincts d'enfant naturellement confiant et vous a rendu *pour commencer* méfiant à l'égard des gens. Naturellement, si vous êtes soupçonneux envers *tout* le monde, *si vous vous méfiez tout d'abord de vous-même* (étant, après tout, l'un d'entre eux), par conséquent la majeure partie de votre défiance envers les autres est probablement enracinée dans un manque de confiance envers vous-même, ce qui est une source douleureuse de conflits intérieurs. Si c'est l'enfant en vous qui vous donne la réplique et que vous vous fiez à vos instincts animaux pour vous avertir (à la lumière de votre expérience de toute une vie) quand votre ingénuité est sur le point de vous causer de «sérieux ennuis» (qui, vraisemblablement, ne se concrétiseront jamais), vous pourrez vous débarrasser de ce point de conflit douloureux *et* apprendre à apprécier la compagnie de *toutes* les personnes dont vous faites la connaissance.

Je parle d'abord de faire de *nouvelles* connaissances dans le contexte de devenir plus confiant, car le fait de comparer vos réactions au moment où vous faites de nouvelles connaissances, avec celles des jeunes enfants (ou de l'enfant en vous) est une des méthodes les plus rapides et sûres pour savoir combien de votre ingénuité d'enfant, ou *confiance naturelle*, vous avez conservé, et combien a été rongé par la paranoïa autoritaire. Réciproquement, votre attitude à l'égard de vos vieux amis ou connaissances, votre famille ou vos associés d'affaires, est également importante, et plutôt, une méfiance à leur égard devrait vous inciter encore davantage à vous demander si fondamentalement vous vous défiez de vous-même ou si vous avez fortement abusé, négligé et aliéné l'enfant en vous.

Vous pouvez vous surprendre à penser : «Bien sûr que

j'aimerais être de nouveau aussi confiant qu'un enfant. Je n'*aime* pas être méfiant. Mais l'attitude dont il parle est la raison pour laquelle les gens qui ont un caractère d'enfant sont escroqués de leurs économies de toute une vie, payent pour des réparations inutiles ou jamais effectuées sur leur voiture, et mille autres incidents semblables. »

Si c'est ainsi que vous pensez, c'est à moi de vous dire qu'il n'en est rien. N'importe quel détective de la brigade des fraudes vous dira qu'une «confiance aveugle dans des étrangers» (ce que je ne recommande pas de toute façon — vous ne devriez jamais être aveugle à quoi que ce soit) n'est pas suffisante pour permettre à un escroc de vous dépouiller de votre argent, car la réussite de toute escroquerie dépend essentiellement de la *cupidité de la victime*, qui s'abuse elle-même au point de croire qu'elle peut vraiment doubler son argent du jour au lendemain, obtenir quelque chose pour rien, «réussir un beau coup». Si pour commencer vous êtes prudent de nature, quelle que soit votre confiance dans les gens, vous ne vous séparerez jamais à la légère de vos économies pour des opérations véreuses conçues soi-disant pour vous enrichir instantanément. En vérité, le genre de confiance d'enfant dont je parle vous permettra beaucoup *mieux* de reconnaître les escrocs pour la simple raison que si vous vous méfiez automatiquement de la plupart des gens, si vous croyez que chacun est plus ou moins malhonnête, vous avez alors «faussé» votre aptitude instinctive à reconnaître un *véritable* filou quand vous en voyez un. Même si votre instinct essaye de vous avertir, votre cupidité peut vous faire faire la sourde oreille en disant, «Il n'y a aucune raison de croire que ce type est plus salaud qu'un autre», et vous faire remettre vos économies à lui. Et la même chose s'applique au mécanicien d'auto, au vendeur à domicile ou à n'importe qui d'autre.

L'aptitude à se fier à soi-même et aux autres est réellement une question de développement d'attitude. Si vous croyez que le monde est un endroit pourri et que la plupart des gens ont résolu votre perte, non seulement vous serez selon toutes probabilités la victime de véritables escrocs ; vous serez déjà votre propre «victime» en vous isolant inutilement de tous les gens honnêtes et sincères autour de vous. Si vous laissez votre confiance d'enfant prendre le dessus, et si vous vous sentez positivement en mesure de faire face à pratiquement toutes les situations, votre attitude ferme et positive vous aidera très souvent à éviter d'être dupé. Pour acquérir cette mentalité confiante et la mettre en pratique, vous pourriez essayer ces stratégies :

La prochaine fois que vous ferez une nouvelle connaissance, contrôlez vos réactions. Avez-vous l'impression de faire preuve d'une attitude froide, réservée, de garder la personne à distance par de menus propos ? Êtes-vous légèrement mal à l'aise, n'étant pas du tout sûr que vous désirez « vous lier » avec cette personne, étant même soupçonneux de ses motifs « véritables » ?

S'il en est ainsi, relâchez votre vigilance et fiez-vous à elle pour se manifester quand c'est réellement nécessaire. Posez-vous la question, « Qu'ai-je à perdre dans ce cas-ci ? ». Si vous craignez de « vous lier », souvenez-vous que vos rapports n'ont pas besoin d'aller au-delà de cette seule rencontre, si vous ne le désirez réellement pas. Que les enfants vous donnent la réplique, car ceux-ci peuvent s'amuser follement ensemble même s'il *savent* qu'ils ne vont plus jamais se revoir, et ne craignent pas de créer des liens de peur de les perdre à jamais. Arrangez-vous pour faire appel au sens de l'humour de votre nouvelle connaissance, ou pour trouver un autre moyen de la mettre à l'aise. Aussitôt qu'elle se rendra compte que vous lui faites immédiatement confiance et la respectez, que vous la jugez sur les apparences, vous la verrez se détendre elle aussi. Souvenez-vous, il ne faut pas que cela vous prenne plus de trois minutes pour parvenir au « zapofritzer » !

Faites un effort particulier cette semaine pour faire la connaissance d'au moins une personne qui soit sensiblement différente de vous. Si vous êtes professeur, faites connaissance avec un chauffeur de camion, ou arrêtez-vous pour échanger quelques mots avec le vendeur de journaux au coin de la rue — avec toute personne qui vous semble sympathique. Fiez-vous à lui et à vous-même pour tirer le meilleur parti possible de la situation. Si vous sentez une méfiance à votre égard, si vous avez le sentiment que cette personne pense en elle-même, « Que me veut cet individu ? », vous avez alors le parfait exemple de la méfiance inutile dont je vous parlais, car vous savez que vous n'avez aucune arrière-pensée, que vous n'essayez pas de duper cette personne. Mais, par la même occasion, il y aura un enfant dans cette autre personne qui pressentira votre honnête ingénuité (aussi longtemps que vous êtes à l'aise avec vous-même). Alors, l'astuce est de ne pas laisser le fait que l'enfant en vous soit devenu un professeur et que l'enfant dans l'autre personne soit devenu un chauffeur de camion empêcher les enfants de se faire mutuellement confiance.

La prochaine fois que vous soupçonnerez avoir été volé, ou que vous allez vous trouver dans une situation ou vous pourriez l'être, réfléchissez à la manière la plus pratique et la meilleure de savoir si vous avez été réellement volé, ou si vous êtes sur le point de l'être et ce que vous pouvez faire pour l'éviter.

Chaque année, des millions d'entre nous confions notre voiture à des mécaniciens. Et, en particulier, quand nous ne connaissons pas grand-chose aux voitures, il y a des chances que nous amenions la voiture, demandions un devis, faisions faire le travail, payions la facture — même si le garagiste nous compte cinquante pour cent de plus que le devis (parce que la voiture avait, n'est-ce pas, tous ces autres problèmes?) — et quittions le garage après avoir entendu une explication technique quelconque que nous n'avons pas comprise mais qui nous trotte dans la tête, en grommelant pour nous-même, « Je parie que je me suis fait avoir. »

Dans des cas semblables, les études et les enquêtes révèlent que les gens qui croient avoir été volés pour des réparations de voiture ont raison cinquante pour cent du temps. *Mais cela ne veut pas dire que votre prochaine visite chez Sammy le mécanicien doive se faire sous le signe de la méfiance!*

Après tout, il y a une chance sur deux que Sammy soit aussi honnête que vous-même (aussi honnête que cela puisse être!). Commencez, par conséquent, par lui laisser le même bénéfice du doute que vous vous accordez à vous-même. Si vous craignez de vous faire avoir, tâchez d'être franc avec lui au sujet de vos craintes. Vous pourriez lui dire quelque chose comme ceci : « Je redoute vraiment les mécaniciens d'auto et de devoir amener ma voiture dans un garage pour la faire réparer. Vous entendez toutes ces histoires concernant les innombrables personnes qui ont payé des frais excessifs. Je présume que vous êtes honnête, exactement comme vous présumez que je le suis, car vous me faites confiance pour payer le montant des réparations faites. Mais je me demande si vous pouvez m'aider à surmonter cette crainte des mécaniciens en prenant quelques minutes pour m'expliquer comment pour cette réparation, par exemple, je peux *être sûr* que je n'ai pas été volé. Mettons, par exemple, que cette voiture soit la vôtre et qu'ayant les mêmes ennuis mécaniques dans une ville inconnue, vous soyez obligé de l'amener au garage le plus proche pour la faire réparer. Comment sauriez-vous si le prix est raisonnable ou si l'on vous facture pour des réparations qui n'ont pas été faites ? ».

Si, pour commencer, Sammy n'avait pas l'intention d'être malhonnête avec vous, il n'y a pas de doute qu'il sera aussi furieux que vous contre les autres mécaniciens qui volent les gens et donnent à tous les mécaniciens, lui y compris, une mauvaise réputation. S'il en est ainsi, il sera tellement heureux de votre désir sincère de démasquer les escros dans sa profession, que vous en saurez plus que vous n'avez demandé — un cours intensif de trente minutes sur la réparation des soupapes, le remplacement des arbres à cames, des radiateurs, ou sur votre problème en particulier, avec force schémas de manuel et prix courants des pièces de rechange à l'appui, pourquoi la réparation prend trois heures, quelque temps passé à surveiller le type qui en est chargé, et — au moment de payer la facture — une poignée ou un coffre rempli des pièces défectueuses qui ont été remplacées dans votre véhicule, qui vous appartiennent si vous les voulez, accompagnées d'une explication de ce qui est défectueux pour chaque pièce, et de la suggestion que si vous avez encore des doutes vous pouvez montrer les pièces à un autre expert en mécanique pour avoir son avis.

Qu'il puisse ou non vous consacrer autant de temps, *supposant qu'il est honnête*, il fera tout son possible pour vous aider à reconnaître les honnêtes gens des escrocs dans sa profession — comme vous le feriez (supposant que vous êtes honnête) dans votre domaine. Il répondra à votre question d'enfant avec une fierté d'enfant de sa propre honnêteté, et sera heureux d'avoir l'occasion de vous familiariser avec son monde de soupapes, d'arbres à cames et de radiateurs. Après une demi-heure, vos rapports seront peut-être ceux de deux amis de longue date.

Toutefois, si le mécanicien élude vos questions et essaie de vous envoyer promener, vous saurez immédiatement qu'il n'aime pas les clients qui posent trop de questions, ou qui ne font pas aveuglément confiance « aux experts », et vous saurez aussi qu'il est temps de lui retirer votre clientèle et de faire faire vos réparations ailleurs.

Le point à retenir ici en premier lieu, c'est que si vous retrouvez votre aptitude d'enfant à faire confiance aux autres et, ensuite, à être franc avec eux en ce qui concerne vos propres inquiétudes, vous trouverez toujours un moyen pour déterminer si oui ou non ils essaient « de vous avoir », dans l'éventualité où votre instinct vous signalerait cette possibilité. La pire chose que vous puissiez faire c'est d'apporter votre voiture dans un garage, ou ailleurs, en vous disant d'avance, « Je parie que je vais me faire voler », et de quitter le garage en pensant, « Je parie que je me suis fait avoir ». Si vous le faites, vous aurez *choisi* de persévérer dans votre méfiance paranoïde sans fondement, plutôt que de vérifier par vous-même si vos suspicions sont vraiment justifiées dans le cas présent. Plus vous « *parierez* », sans réellement *savoir*, que les autres essaient de vous avoir, plus vous les considèrerez coupables jusqu'à preuve du contraire. L'enfant en vous a une bien meilleure idée de la justice que cela : « Présumé innocent jusqu'à ce qu'il ait été déclaré coupable » c'est la seule voie possible pour une personne Sans limites.

Les « Sept chemins qui mènent à la fontaine » décrits ci-dessus me semblent être parmi les voies les plus évidentes et facilement accessibles pour vous conduire vers une réunion attendue depuis longtemps avec cet enfant perdu en vous — mais j'aimerais souligner le fait qu'il existe d'innombrables moyens vous permettant de retrouver cette jeunesse heureuse. L'enfant en vous sait exactement comment prendre le plus efficacement et le plus tranquillement soin de tout et de tous ceux qu'il rencontre sur cette planète, parce qu'il est libre de toutes impositions culturelles, de tous comportements appris ou de tous jugements paranoïdes sur la manière de «s'intégrer» en permanence. Peut-être le message essentiel de tout ce chapitre c'est qu'en vous donnant la possibilité de retrouver cette essence d'enfant dans votre être, vous pouvez rester «jeune de cœur à jamais».

Ces glorieuses qualités d'enfant qui peuvent vous aider à jouir de tous les jours de votre vie ne sont pas plus éloignées de vous que vos doigts ne le sont de vos mains. Elles constituent une partie inaliénable de votre être. Si vous essayez de les réprimer, si vous persistez à négliger l'enfant en vous, vous attacherez plus de chaînes à vos jambes qu'un marchand d'esclaves ne pourrait jamais le faire. Mais si vous aimez vraiment cet enfant en vous, et désirez vraiment *redevenir un enfant* de la façon dont je parle, vous ne pouvez faire autrement que d'être en paix avec vous-même.

Quand vous connaîtrez cette paix intérieure, vous pourrez faire pratiquement tout. Jouissez davantage de cette paix intérieure d'enfant dès aujourd'hui, en vous permettant de redevenir ce brave enfant espiègle, aimant s'amuser, et alors cet enfant perdu ne vous manquera plus. Ou, comme Friedrich Schiller l'a dit, « Restez fidèle à vos rêves de jeunesse. »

6 / *Fiez-vous à vos signaux intérieurs*

Un des principaux thèmes de cet ouvrage jusqu'ici a été la mesure dans laquelle les instincts naturels des gens pour le bonheur, la croissance et la créativité, les instincts pour ce que j'appelle une existence Sans-limites, ont été refoulés systématiquement et souvent pervertis par l'autoritarisme qui sévit dans notre société. Une caractéristique de l'autoritarisme est sa capacité insidieuse à entraîner les gens dans la poursuite interminable des récompenses extérieures : richesse, prestige, avancements, approbation de leur style de vie par les autres, honneurs, cérémonials, et marques de standing de tous genres. Pour assurer votre «succès» dans la poursuite de ces carottes, vous disposez des guides, des règles, des coutumes, des traditions, etc. de l'étiquette. En fait, vous êtes constamment submergé sous la propagande et les directives provenant d'une variété déconcertante de *sources extérieures* qui ont été conçues dans le but de vous faire rechercher «à outrance» ces récompenses pour vous sentir comblé. La leçon infructueuse est que plus vous accumulez de récompenses extérieures, plus vous *devriez être* satisfait de votre vie.

Une partie de l'attrait de ces récompenses et signaux extérieurs, pour les gens qui exigent des méthodes quantitatives ou numériques pour évaluer tout, provient du fait que ces symboles leur permettent de jauger plus facilement leur valeur comme individus et leur situation relative dans l'ordre des préséances sociales. Par exemple, si vous suivez Emily Post à la lettre, vous pouvez être assuré que vous avez de «bonnes manières » et vous sentir supérieur à tous ces rustres qui ne connaissent pas Emily Post et, par conséquent, ne savent pas comment être « polis » envers les gens. Si vous possédez trois voitures, personne ne dira que vous *n'avez pas* réussi.

En opposition avec les signaux extérieurs qui constamment vous incitent à courir plus vigoureusement et plus vite après ce que ces messages sont censés vous vendre, vous avez toutefois en vous de nombreuses sources de *signaux intérieurs* qui rivalisent avec les signaux extérieurs en vue de contrôler votre vie. Ces signaux intérieurs se traduisent par des pensées ou des sentiments et, parmi leurs sources se trouvent les instincts animaux et la voix de l'enfant en vous, auxquels j'ajouterais l'appel de vos « besoins supérieurs » en tant qu'être humain (je veux dire par là ceux des besoins dont la satisfaction « peuvent vous porter au pinacle ») et votre propre résolution ou mission dans la vie, qui seront exposés dans les deux prochains chapitres.

Mais avant de poursuivre l'examen en profondeur de ces besoins supérieurs, ainsi que de cette résolution ou mission, il est crucial pour vous de vous arrêter pour comprendre combien votre aptitude à vous connaître vous-même provient du fait que vous apprenez la manière de consulter vos signaux intérieurs, plutôt que de vous fier essentiellement aux indications que les autres essaient de vous donner. Ceci constitue l'une des étapes les plus difficiles à franchir vers une existence Sans limites, pour la plupart des gens, car nous avons tous été profondément conditionnés pour répondre à ces ordres extérieurs et avons peut-être acheté tellement de couvertures de sécurité que nous sommes littéralement enfouis sous elles. Mais vous fier à vos signaux intérieurs peut également constituer l'étape la *plus importante* que vous puissiez franchir vers votre objectif personnel : apprendre à fonctionner aussi pleinement et à devenir aussi créativement vivant que vous le pouvez.

Certains chercheurs ont employé le terme « point de contrôle » pour faire la différence entre les gens des types « intérieurs » et « extérieurs ». Quand votre vie est contrôlée d'une manière prédominante par des signaux provenant de l'extérieur de vous-même, il est dit que vous avez *un point de con-*

304

trôle extérieur. Les psycholoques ont estimé que soixante-quinze pour cent des gens dans les cultures occidentales sont essentiellement *contrôlés de l'extérieur*, il est donc évident que beaucoup d'entre nous avons énormément à faire pour transformer nos centres de contrôle de principalement extérieurs à essentiellement intérieurs. Mais alors, chacun de nous est *parfaitement libre* de décider à quel point nous désirons contrôler nos propres destinées, et à quel point nous accepterons de nous laisser manœuvrer par les systèmes de signaux extérieurs, dans la vie. Si vous jugez important d'acheter un vêtement parce que vous pensez que quelqu'un ayant meilleur goût ou un meilleur « œil pour la mode » que vous l'aurait approuvé (et non pas parce que c'est confortable, d'un prix abordable, et que *vous* aimez votre apparence dans ce vêtement), vous faites alors des autres des dictateurs de la façon dont vous allez vous vêtir. La même chose est vraie quand vous décidez que votre manteau le plus chaud est de trop pauvre apparence pour le porter à une réception mondaine par une nuit glaciale, et que vous finissez par geler uniquement pour ne pas faire une « pauvre impression » sur les autres.

Quand les contrôles extérieurs dictent des décisions plus sérieuses pour vous, telles que comment élever vos enfants, comment gagner votre vie, où vous allez habiter et, plus important encore, comment jouir de votre propre vie, les effets peuvent donner lieu à des conflits accablants avec ces signaux intérieurs que votre propre esprit refoule constamment. Vous pouvez devenir littéralement l'esclave de n'importe quel manipulateur choisi par vous — et vous savez qu'il n'existe pas vraiment d'esclave bien adapté.

Par ailleurs, en vous habituant à ces effets réciproques constants de tous vos signaux intérieurs, vous pouvez acquérir une véritable sécurité, la tranquillité d'esprit et la joie. Plus vous agirez d'une perspective où vous vous fiez à vos signaux intérieurs et faites de moins en moins confiance à ces signes extérieurs toujours présents, plus vous allez apprendre à tenir entre vos propres mains, où il appartient, le point de contrôle sur votre vie.

Avant d'examiner en profondeur les moyens de devenir plus confiant à l'égard de vos signaux intérieurs, cela peut vous aider de vous souvenir que chacun de nous a des « points de contrôle » les uns intérieurs, les autres extérieurs, tout le temps, et que certains jours ou dans certaines circonstances, nous sommes plus « orientés » vers l'extérieur que l'intérieur ou vice versa. Vous pourriez être beaucoup plus sensible aux signaux extérieurs de votre patron que vous ne l'êtes à ceux de votre voisin ou de votre époux/épouse. Vous ne devez certainement pas vous considérer comme intérieurement ou extérieurement contrôlé dans tout ce que vous faites, tous les jours de votre vie, ou faire un effort pour vous catégoriser vous-même ou les autres comme des personnes « extérieures » ou « intérieures », car ce serait un autre de ces exercices futiles, consistant à dichotomiser, qui ne vous mènent nulle part. L'essentiel est d'éviter que ces signaux externes ne bloquent vos impulsions intérieures dans des situations où vous êtes susceptibles de réagir d'une façon extérieure, afin que vous puissiez assumer au maximum le contrôle de votre propre vie, être aussi indépendant des opinions d'autrui et prendre autant de décisions importantes que possible par vous-même.

Il est certain qu'il n'est pas possible d'éliminer le besoin d'avoir *certains* centres extérieurs de contrôle sur notre vie à tous. Nous vivons tous ensemble au sein de cette culture, et nous devons avoir certains systèmes que tous nous pouvons respecter de façon à ce que notre société puisse au moins fonctionner, même si ce n'est pas à son niveau le plus élevé. Un excellent exemple d'un « contrôle extérieur » nécessaire et légitime est le feu de signalisation. Personne, qui jouit de toutes ses facultés, ne dira : « Ce feu extérieur est rouge, mais mon feu intérieur est vert », et ne brûlera le signal uniquement pour prouver combien il est indépendant de tous les contrôles extérieurs. Il est certain que vous devrez faire certaines concessions aux contrôles extérieurs légitimes dans votre vie, et vous allez devoir apprendre à supprimer, à l'occasion, vos propres impulsions intérieures. mais si vous vous fiez à vos signaux intérieurs, vous savez qu'ils ne vous diront jamais de brûler un feu rouge sans une raison valable. Ils peuvent vous dire d'en brûler un en cas d'urgence, mais pas avant que vous ne vous soyez assuré que vous ne mettez en danger ni vous, ni les autres, et seulement alors vos contrôles intérieurs pourront «vous donner le feu vert».

Un autre obstacle que vous devrez franchir quand vous êtes en voie de devenir plus intérieurement orienté, sera la nécessité de *surmonter ces signaux extérieurs qui vous disent que vous êtes égoïste si vous prenez un trop grand contrôle sur votre propre vie.*

Il ne fait aucun doute que nous savons tous ce qu'est l'égoïsme. Les gens égoïstes se soucient excessivement ou exclusivement d'eux-mêmes, cherchant constamment à obtenir des avantages des autres sans jamais se préoccuper du bien-être d'autrui; piétinant de façon typique les droits ou la liberté des autres. L'enfant égoïste était celui qui, une fois le sachet de friandises ouvert, en enfournait autant qu'il pouvait dans sa bouche, se mettait en colère quand d'autres enfants en voulaient, en distribuait deux à chacun des autres enfants, et mettait le reste dans sa poche.

De toutes les critiques qui m'ont été faites sur mes livres précédents et ma façon de penser, celle qui est ressortie avec le plus de force est que je suis un promoteur d'égoïsme. Je n'ai certainement jamais dit ou écrit que je pensais que les gens devraient être égoïstes aux dépens des autres, et en fait, j'ai toujours pris soin de dire exactement le contraire. Mais il semble que beaucoup de personnes quand elles ont lu que je désirais voir les gens penser par eux-mêmes, consulter leurs ressources intérieures et devenir le capitaine de leur propre âme, n'ont pu s'empêcher d'interpréter mes mots comme une incitation à un égoïsme général.

Je vais suivre mon propre conseil dans le chapitre précédent et supposer que vous, le lecteur, et moi, l'auteur, abordons ce vaste monde que j'ai appelé l'existence Sans-limites, avec un désir honnête d'enfant de nous comprendre mutuellement. S'il en est ainsi, je devrais commencer par dire que peut-être la moitié ou même plus de ce malentendu entre moi et ceux de mes critiques qui m'ont accusé d'encourager l'égoïsme, est de ma faute. Peut-être dans mes précédents ouvrages ai-je omis de m'expliquer clairement, de m'exprimer de manière à ce que personne ne puisse interpréter ce que je disais comme une incitation à l'égoïsme.

Par ailleurs, peut-être que mes critiques me feront la faveur de relire encore une fois Vos Zones *erronées* et *Tirez vous-même les ficelles* et de se demander s'ils ont pu lire dans le texte des choses que je n'ai pas écrites. J'aimerais en particulier que vous, le lecteur de ce livre, vous vous demandiez si vous avez lu quoi que ce soit dans cet ouvrage qui ait pu vous faire penser, « Il me dit d'être plus égoïste. » Si tel est le cas, je ne l'ai certainement pas voulu et, à présent, j'aimerais vous poser la question suivante : utiliseriez-vous le mot «égoïste» pour décrire quelqu'un qui suit ses signaux intérieurs plus que vous, et qui est peut-être pour cette raison sensiblement plus heureux, *même s'il ne profite jamais de personne d'autre?* Dans l'affirmative, vous abusez peut-être du mot «égoïste» pour condamner des gens qui ne se conforment pas à votre idée autoritaire de ce qu'ils devraient être, les traitant de noms pour les dominer de la même façon que vous laissez les autres vous dominer.

De quelque manière que vous répondiez à la question ci-dessus en ce qui vous concerne, laissez-moi préciser sans ambiguïté mes opinions sur l'égoïsme. Il n'est nullement dans mes intentions d'encourager qui que ce soit à manquer d'égards ou à être grossier envers les autres. Au contraire, je conçois la personne Sans-limites comme étant précisément cet être qui instinctivement aime et accepte les autres comme lui-même et, par conséquent, est plein d'égards pour les autres, simplement parce que de ne pas l'être signifierait qu'il ne tient aucun compte de ses propres signaux intérieurs qui s'efforcent constamment de le guider vers la joie d'enfant qui consiste à établir un rapport avec les autres, comme des pairs, des «amis de longue date» ou des «copains».

Par ailleurs, je ne peux pas accepter le jugement de quelqu'un qui me dit qu'il est égoïste de ma part ou de la vôtre de diriger nos vies comme nous l'entendons. Je ne crois pas qu'il soit égoïste de vous aimer vous-même et de vous traiter comme une personne d'une valeur indépendante et d'une dignité naturelle, comme il n'est pas égoïste de désirer le genre de vie qui est le plus important et le plus agréable pour vous.

Pour franchir l'obstacle qui consiste à permettre à d'autres de vous mettre mal à l'aise en vous appelant égoïste quand vos signaux intérieurs — dans ce cas-ci *votre conscience* — vous disent que votre comportement est parfaitement normal, vous devez seulement vous souvenir que si vous savez que votre propre conscience est nette, et que vous n'avez en aucune manière fait du mal ou profité de quiconque, la personne qui appelle votre comportement «égoïste» doit être en train d'essayer, pour une raison ou l'autre, de vous conformer à certaines valeurs autoritaires extérieures, afin de vous placer *au-dessous de lui* dans l'ordre des préséances sociales.

Ce que j'essaie de dire c'est que de vous fier à vos signaux intérieurs n'a rien à voir avec l'égoïsme en soi, mais avec le choix. Si quelqu'un vous accuse d'être égoïste, vous avez un choix : le croire sur parole et changer votre comportement pour le satisfaire sans y accorder davantage de réflexion, ou vous arrêter pour examiner votre comportement à la lumière de votre propre conscience et le changer uniquement si vous décidez qu'il a raison après tout. Je vous laisse le soin de décider quelle solution est à orientation intérieure et a le plus de sens.

Les trois points suivants étant bien compris : que nous sommes tous toujours contrôlés en partie de l'extérieur, en partie de l'intérieur, que les contrôles extérieurs sont nécessaires et justifiés dans une certaine mesure (mais que seuls vos signaux intérieurs peuvent vous dire lesquels le sont), et qu'il n'est pas égoïste de se fier à ses signaux intérieurs, je crois fermement que plus vous prendrez de décisions fondées sur vos signaux intérieurs, et plus vous apprendrez à ne tenir aucun compte de ces pressions extérieures qui essayent constamment de vous manipuler ou immobiliser, meilleure sera notre vie à *tous*. La culture bénéficiera dans son ensemble d'avoir des gens forts et motivés intérieurement comme dirigeants et citoyens. Des citoyens qui pensent par eux-mêmes, un pays où les gens se connaissent et se font mutuellement confiance comme individus, seraient pratiquement à l'abri des manipulations de dirigeants dénués de scrupules. Dans les familles où les membres connaissent et se fient à leurs signaux intérieurs propres et à ceux des autres membres, le respect mutuel, plutôt que les hiérarchies de l'autorité, est le lien qui les garde unis. Et dans les rapports individuels, quand les deux personnes sont prêtes à se fier à leur propre voix intérieure, c'est pour vous la meilleure garantie qu'elles ne vont pas essayer de se manipuler mutuellement et, par conséquent, c'est l'occasion unique d'établir des rapports affectifs durables.

DE L'EXTÉRIEUR VERS L'INTÉRIEUR

La première tâche pour pouvoir vous fier à vos signaux intérieurs sera d'examiner vos pensées et votre comportement et de déterminer les secteurs de votre vie où vous êtes « allé trop loin » en vous soumettant à des contrôles extérieurs. Vous trouverez ci-dessous un tableau qui, je crois, pourrait vous aider. Il s'agit d'un tableau révisé qui provient d'un ouvrage auquel j'ai collaboré il y a un certain nombre d'années, intitulé *Counseling techniques that work*.

ÉTATS ÉMOTIONNELS ET DIMENSIONS DU CONTRÔLE INTÉRIEUR ET EXTÉRIEUR

BONHEUR	Déclarations identifiant les causes extérieures des états émotionnels	Déclarations identifiant les causes intérieures des états émotionnels
Maîtrise		
	1. Le monde est un endroit formidable.	1. Je fais du monde un endroit formidable.
	2. Mes parents sont bons pour moi.	2. J'aime et je respecte mes parents.
	3. Mes amis me traitent bien.	3. J'aime la compagnie de mes amis.
	4. Les choses vont bien.	4. J'ai travaillé pour avoir une bonne vie.
Adaptation	5. Personne ne m'importune.	5. Je ne laisse personne m'importuner.
NEUTRALITÉ ÉMOTIONNELLE		

Lutte	1. Mes parents me mal-traitent.	1. Je permets à mes parents de me contrarier.
	2. Mes amis me traitent mal.	Je n'ai pas de bons
	3. Tout est contre moi.	2. amis.
Apathie	4. Ils essayent tous de m'avoir.	3. Je gâche tout.
		4. Je laisse toujours les autres m'avoir.
Panique	5. Le monde est un endroit infect.	5. Je suis incapable d'affronter le monde.

MALHEUR _____

Il est évident que nous nous servons tous des deux genres d'arguments pour expliquer ce que nous ressentons et, souvent, il existe un rapport étroit entre eux. Par exemple, si vos parents ne sont pas bons pour vous, si vous croyez qu'ils ne vous aiment pas vraiment mais se servent de vous comme de quelqu'un à dominer et mener à la baguette de façon à pouvoir alimenter leurs propres illusions, il va vous être difficile de dire que vous les respectez (que vous puissiez ou non dire que vous les aimez).

Cependant, si vous êtes essentiellement un penseur extérieur, vous vous direz, «Eh bien, mes parents me maltraitent, ils me rendent simplement malheureux, voilà tout», et resterez malheureux. *Il n'existe aucune issue hors de la boîte contenant un chagrin causé de l'extérieur, que vous puissiez ouvrir pour vous-même autrement que par la voie intérieure.* Si vous reprochez vos misères à vos parents, vos amis, le monde ou à autre chose, si vous insistez qu'*ils* sont seuls responsables de la manière dont vous vous sentez, vous allez devoir attendre qu'*ils* décident de changer de comportement avant de vous sentir mieux.

Ce n'est qu'en examinant les *causes intérieures* de vos sentiments, ou en «traduisant» les déclarations de cause-extérieure en déclarations de cause-intérieure, que vous pourrez trouver quelque chose que *vous puissiez faire* pour améliorer votre situation.

Si vous vous trouvez constamment dans un état d'esprit

de tristesse causée extérieurement, votre premier pas pour en sortir sera envers votre droite. Vous pouvez commencer en disant, « *Je hais* mes parents *parce* qu'ils me maltraitent. » À présent, vous vous concentrez sur votre propre haine comme étant en partie la cause de votre tristesse. Naturellement, si votre père s'enivre sans cesse et vous bat comme plâtre sans raison si ce n'est sa propre méchanceté, vous ne pouvez rien faire concernant la misère physique sans vous débarrasser de la cause extérieure, en trouvant un moyen de ne pas être battu. Cela pourrait signifier fuir de chez vous, trouver quelqu'un qui sache comment le contrôler pour vous protéger, ou d'autres solutions. Mais remarquez que bien qu'il soit vraisemblable que vous n'atteigniez jamais le bonheur causé intérieurement parce que vous êtes en mesure de dire : « J'aime et je respecte mon père parce qu'il est bon pour moi », vous pourriez cependant arriver au même résultat par une combinaison de « Je ne laisse personne m'importuner (me maltraiter) », « Je ne vais pas me laisser immobiliser par ma haine pour mon père », et « Je fais de mon mieux pour aider mon père à surmonter son problème afin que je puisse l'aimer et le respecter. »

Si vous finissez généralement dans la colonne « extérieure », si vous pouvez toujours trouver vingt raisons expliquant pourquoi vous êtes malheureux, mais que vous ayez de la peine à produire même quelques motifs « d'être heureux », je parie tout ce que vous voulez que la plupart des raisons que vous avez invoquées pour vos misères se situent du côté « extérieur ». Que j'aie raison ou non, j'espère que vous envisagez sérieusement de vous servir de *l'une ou de l'autre* méthode pour déterminer si vous avez été trop loin en renonçant à contrôler votre propre bonheur et cela en tombant dans le piège de la « tristesse causée extérieurement » ; que vous réfléchissiez à la manière de vous sortir de cet état d'esprit en devenant une personne plus intérieurement contrôlée, ce qui à mon avis est *la seule voie* vers la maîtrise de votre vie.

PARVENIR À UNE VÉRITABLE HONNÊTETÉ ENVERS SOI-MÊME

Ceci par-dessus tout : envers toi sois loyal,
Et il doit s'ensuivre, comme la nuit le jour,
Qu'envers aucun homme ne peux être déloyal.

Polonious à Laertes
Hamlet, Acte I, Scène III

Envers toi... La seconde démarche pour pouvoir vous fier à vos signaux intérieurs sera de *vous assurer qu'ils sont fiables*, ou de *cultiver votre propre conscience,* jusqu'au point où vous pourrez vous fier à vos propres jugements moraux (quand il est question de savoir comment *vous personnellement* allez agir) en dépit de tous les signaux extérieurs qui vous bombardent afin de vous influencer dans un sens ou dans l'autre.

Il peut vous sembler qu'« envers toi sois loyal » ne garantisse seulement « qu'envers aucun homme ne peut être déloyal », ou que vous ne *pouvez* rien faire d'immoral, ni manquer d'égards, ni être offensant envers les autres *si pour commencer vous avez une conscience.* Vous pourriez vous dire, par exemple, que « Le tueur à gages de la maffia est parfaitement loyal envers lui-même. Son seul problème est que son « moi » n'a aucune conscience. »

Moi, je dirais exactement l'opposé : que le tueur de la maffia et tous les autres êtres humains sur cette planète sont *nés avec* une conscience, dont la « semence » est peut-être la perception d'enfant que la paix avec soi-même réside dans le fait de faire aux autres ce que vous voulez qu'ils vous fassent. Le problème du tueur est qu'il a *refoulé et aliéné sa conscience,* étouffé ses signaux intérieurs, en permettant que son comportement lui soit dicté par cette « pègre », une des « sociétés » les plus strictement hiérarchiques et autoritaires que l'on puisse imaginer — autrement dit, il est, pour commencer, déloyal envers lui-même.

Essentiellement, d'être loyal envers vous-même signifie d'être *scrupuleusement honnête envers vous-même.* Ou encore, de reprendre contact avec vos instincts humains fondamentaux pour la justice et l'impartialité envers vous-même et tous les autres. Cela veut dire d'identifier les défenses que vous avez érigées contre votre conscience et toutes vos autres sources de signaux intérieurs, qui vous ont empêché de devenir tout ce que vous auriez pu devenir, et de vous débarrasser de toute cette façon de penser défensive (ou paranoïde) sur laquelle vous avez fini par vous reposer pour expliquer pourquoi vous êtes aussi malheureux.

Ce que j'essaye de dire c'est qu'une conscience «bonne» ou «tranquille» ne peut provenir que de *l'harmonie entre vos signaux intérieurs et extérieurs*, ou autrement dit, de *l'intégrité personnelle* : l'intégration de votre moi total, dans tous les domaines allant de vos instincts animaux à votre résolution dans la vie. Souvenez-vous : vous *seul pouvez être le créateur de votre propre intégrité*. Vous seul pouvez diriger votre propre symphonie intérieure.

Mais n'oubliez pas : si vous acceptez l'entière responsabilité de diriger la symphonie de *tous vos signaux* (pensées et sentiments), vous allez devoir *écouter l'ensemble de l'orchestre*. Vous ne pouvez pas simplement défiler aux battements de tambours des ordres extérieurs. Vous devez aussi prêter une oreille aux cordes de votre conscience, à la voix de l'enfant en vous et à toutes les autres voix d'origine *intérieure* que vous avez le privilège de diriger.

Une des meilleures images populaires de la conscience est contenue dans l'histoire classique pour enfants *Pinocchio*, qui est probablement connue de la plupart des gens, comme film de Walt Disney. Pinocchio était une marionnette métamorphosée en garçon, dont le problème tout particulier était que son nez s'allongeait chaque fois qu'il mentait. Cependant, pour compenser cet énorme handicap à pénétrer dans le monde des adultes, il reçut une belle conscience tranquille et audible (dans la version de Disney, sous la forme d'un grillon, dénommé *Jiminy Crickett*, qui le suivait partout et donnait l'alarme chaque fois qu'il était sur le point de violer sa conscience).

Le fond de l'histoire c'est que si vous n'êtes pas loyal envers vous-même, si vous n'écoutez pas votre propre *Jiminy Crickett* privé et agissez «par-dessus tout» à partir de votre propre point de contrôle intérieur, vous serez et vous vous sentirez secrètement comme un autre robot de plus, artificiel et peut-être monstrueux.

Comme La Rochefoucauld, moraliste français du dix-septième siècle, l'a dit, « Si nous n'avons pas la paix en nous-mêmes, c'est en vain que nous la chercherons à des sources extérieures. »

Les origines du leurre de soi

Je crois que le leurre de soi qui éloigne tant d'entre nous de nos signaux intérieurs, commence en fait par des tentatives de leurrer les autres.

Naturellement, le nouveau-né est incapable de se leurrer lui-même ou quiconque d'autre. Ne connaissant absolument rien aux impulsions externes, il agit uniquement à partir de ses signaux intérieurs. Ce n'est que quand le système extérieur de signaux-et-récompenses commence à se manifester qu'il y a la tentation d'essayer de tricher, de s'aventurer dans des pensées et un comportement automutilants en essayant de duper les autres à penser que nous sommes quelque chose que nous ne sommes pas — autrement dit, d'émettre des « signaux falla-cieux » dans le but de manipuler les autres, de nous donner un sentiment de supériorité par des normes « extérieures ». Ces pensées et ces comportements infructueux finissent par inclure des préjugés qui n'ont aucun fondement dans la réa-lité, la vanité, la prétention, la fausseté, l'hypocrisie (en parti-culier celle de condamner les autres quand ils font le même genre de choses que nous-mêmes faisons généralement), et nous servant souvent de la colère, la fausse humilité, l'embar-ras simulé, la rapidité à se froisser, l'arrogance, et ainsi de suite, dans nos tentatives à tourner le système de signaux extérieurs à notre propre avantage.

Notre honnêteté envers nous-même peut être surtout mesurée par l'effort particulier que nous sommes prêts à faire pour convaincre les autres que nous sommes quelque chose que nous ne sommes pas en réalité. Nous connaissons tous des personnes qui vont louer une limousine avec chauffeur pour impressionner les gens avec leur fortune, quand en réa-lité ils n'ont pas les moyens de se les payer, ou qui vont aller aux mêmes extrémités en «s'exhibant» eux-mêmes. Nous connaissons des gens qui prétendent être francs et impartiaux quand les circonstances extérieures leur disent qu'il est de bonne politique de le faire, et qui ensuite font volte-face pour parler entre eux des Italiens ou des Juifs qui ruinaient leur vie. D'autres vont tempêter en parlant des conséquences funestes pour les jeunes de fumer des cigarettes de marijuana, alors qu'eux-mêmes tirent des bouffées de leur cigare, avalent leurs «pilules de régime» ou s'enivrent.

Quand vous vous demandez, «Qui donc ces gens essayent-ils de faire marcher?», vous reconnaissez qu'ils ont commencé par essayer de duper d'autres comme vous, mais depuis longtemps ils se leurraient eux-mêmes, pour finir par s'égarer. Ils se rendaient compte qu'ils devaient défendre les signaux fallacieux qu'ils avaient émis, ou se montrer à la hauteur des images mensongères qu'ils avaient projetées d'eux-mêmes. Et, comme les «images mensongères» provenaient en premier lieu du système des signaux extérieurs, essayer de se montrer à leur hauteur conduisait inévitablement à une plus grande dépendance à l'égard des signaux extérieurs pour guider leur vie, à un plus grand refoulement des signaux intérieurs.

Pour vous duper vous-même, vous devez essentiellement vous convaincre vous et les autres que vous êtes quelque chose que vous n'êtes pas, vous *défier* des signaux intérieurs qui tentent de vous dire qui vous êtes en réalité. Cela signifie vraiment de vous leurrer vous-même, et plus vous vous duperez, plus vous éprouverez du mépris pour vous-même que vous ayez ou non l'honnêteté de le reconnaître.

J'ai eu un exemple très concret des conséquences intérieures de ce genre de leurre de soi dans ma propre vie. Cette expérience m'a fait prendre la résolution de me changer, et cela suggère que vous devrez peut-être passer par plusieurs expériences où vous ferez preuve de mauvaise foi avant de vous rendre compte de ce que c'est et ensuite de faire le serment de l'éliminer de votre vie.

Je participais à un tournoi de tennis où mon adversaire était largement supérieur à moi — où je devais jouer «comme jamais» pour le battre. Mais je voulais gagner le tournoi à tout prix et le jeu était très serré quand il fit un lob par-dessus ma tête, que je savais ne pas pouvoir renvoyer. Je crois que ce qui me passa par la tête, tandis que la balle tombait sur le sol, fût quelque chose comme ceci « Cette balle *doit être dehors* ». Je criai « Out ! » une fraction de seconde avant que mes signaux intérieurs ne me disent : « C'était très près d'être dehors, mais en réexprimant l'image, la balle doit avoir seulement rasé le bord de la ligne de fond. »

Dans une fraction de seconde je devais décider si j'allais renverser mon appel et renoncer à ce point, ou si j'allais le maintenir. Mon adversaire n'avait aucune idée si la balle était allée au dehors ou non, car à ce moment-là je lui bouchais la vue.

Je ne fis rien pour changer mon appel malhonnête. Je pris le point et le jeu, mais je me sentais très mal à l'aise en y pensant et ayant fortement perdu le respect de moi-même, mon jeu se désagrégea. Je perdis les trois jeux suivants, ensuite le set et, enfin, le tournoi, bien que j'eus été en mesure d'améliorer mon jeu et même de gagner.

Je me sentais exactement comme Pinocchio, mon nez s'allongeant à vue d'œil, et je pris la décision à cet instant précis que je ne me laisserais plus jamais aller à faire un mauvais appel, quelle que fût l'importance « extérieure » du tournoi ou dans n'importe quelle autre circonstance.

Je ne ressentis pas le besoin de donner à mon adversaire la raison pour laquelle mon jeu s'était désagrégé. Mon propre sentiment intérieur de dégoût de moi-même était suffisant pour me donner la seule leçon dont j'avais besoin : que, pour moi, l'intégrité personnelle et être honnête envers moi-même devaient être des choses bien plus importantes que de gagner n'importe quel tournoi de tennis.

En fait, depuis ce jour mémorable, je me suis trouvé très souvent dans des situations semblables, et quelquefois même je me suis surpris à appeler « Out » ! quand ma balle avait seulement frôlé la ligne de fond. Mais, à présent, je dis toujours immédiatement : « Non, attendez une minute, c'était à l'intérieur, la balle a seulement rasé la ligne, c'était bien joué ! ». Quand je le fais, je me rends compte que je peux continuer à jouer avec adresse par la suite, parce que je suis en paix avec moi-même.

Le fait d'être honnête envers les autres et loyal envers vous-même non seulement vous aidera à éprouver de meilleurs sentiments envers vous-même en tant qu'être humain, mais améliorera votre aptitude « à bien jouer » à n'importe quel jeu ; à vraiment *apprécier votre propre compagnie* et votre intégrité intérieure personnelle. Je crois fermement que si vous décidez de vous prendre vous-même sur le fait dès que vos signaux intérieurs tentent de vous avertir que vous êtes sur le point de devenir malhonnête envers vous-même *ou* les autres, vous pouvez mettre le holà au leurre de soi *à son point d'origine* en vous demandant «Qui est-ce que j'essaye de tromper ? ».

Le chemin de l'honnêteté envers soi-même

Si vous êtes déterminé à vous demander qui est-ce que vous essayez de leurrer avec votre façon de penser et de vous comporter contrôlée extérieurement, et êtes arrivé à la conclusion que c'est une erreur que d'essayer de tromper *qui que ce soit* sur ce que vous êtes, vous êtes sur le bon chemin de ce que j'appelle *l'honnêteté totale envers soi-même*. Vous avez peut-être déjà commencé à identifier, dans une certaine mesure, la défensive et la simulation dont vous avez fait preuve jusqu'à présent. S'il en est ainsi, la phase suivante vers l'honnêteté envers soi-même ne consistera pas à aller se confesser ou à se sentir coupable au sujet de tout ce que vous avez pu faire dans le passé. Cela signifie simplement accepter que vous ayez pu faire certains choix consistant à vous leurrer vous-même *et vous efforcer de les résoudre* en travaillant un jour à la fois à votre aptitude à vous fier à vos signaux intérieurs.

L'honnêteté demande de vous débarrasser du besoin d'évaluer votre propre valeur en termes extérieurs, et au lieu de cela de vous regarder le plus objectivement possible, avec un œil vers une existence qui soit davantage celle que vous désirez vivre aujourd'hui, plutôt que d'être essentiellement loyal à «la manière dont vous avez toujours vécu». Ce qui exige que vous vous regardiez droit dans le miroir, que vous

318

éprouviez de la joie parce *qu'aujourd'hui* vous êtes disposé à être honnête avec vous-même et avec les autres, et même s'il vous en coûte extérieurement (peut-être même que cela vous coûte votre emploi, votre mariage, votre meilleur ami), cela vous procure une plus grande paix intérieure que de céder aux pressions extérieures pour devenir quelqu'un que vous n'êtes pas.

L'honnêteté envers vous-même exigera que vous évaluiez de façon réaliste vos points forts et vos points faibles afin d'identifier celles des défenses que vous avez érigées contre vos signaux intérieurs et que vous travailliez à les éliminer de votre vie quotidienne.

Il n'est pas nécessaire que vous fassiez des déclarations publiques ou que vous parliez de votre programme à âme qui vive si vous désirez pratiquer l'honnêteté envers vous-même. Vous avez uniquement à prendre l'engagement intérieur d'être tout ce que vous pouvez être, et à reconnaître que *personne d'autre ne peut vous donner la vérité ou l'honnêteté envers vous-même*. Vous devez vous confronter avec vous-même et chercher la vérité à l'intérieur de vous-même par vos propres moyens, parce que vous considérez cela comme important. Vous pouvez décider de continuer à envoyer des signaux intérieurs fallacieux afin de tromper les autres sur vous, mais même si vous le faites, du moins vous commencez *dès à présent* à être totalement honnête *avec vous-même*. Si vous avez apprécié ce que j'ai dit jusqu'ici, vous savez alors ce dont je parle. Vous n'ignorez pas que vous avez votre propre Jiminy Crickett, vos propres voix intérieures, qui vont vous interrompre pour de brefs dialogues avec vous quand vous êtes sur le point de succomber au leurre de soi. « Pourquoi fais-je cela? Quand vais-je m'arrêter de prétendre que je suis quelqu'un que je ne suis pas? Je sais que je trouve plus facile d'être arrogant que d'être honnête, mais je vais m'efforcer de changer cela. ».

De tels dialogues avec vous-même sont les séances intérieures de questions et réponses dans lesquelles vous vous engagerez lors du processus pour devenir plus honnête avec vous-même, vous dépouillant de tous les masques que vous avez mis pour vous dissimuler de vous-même et du monde. Si vous voulez continuer à porter les masques devant les autres pour un temps encore, faites-le; mais si vous êtes capable de faire face à une évaluation honnête de ce que vous êtes et de la raison pour laquelle vous vous comportez comme vous le faites, avec la détermination de changer les choses qui en vous sont fallacieuses, avant longtemps vous n'aurez plus à porter de masques pour les autres. L'essentiel c'est de comprendre que vous le faites pour vous-même, car l'objectif c'est de vous permettre de vivre en paix avec vous-même, et si vous savez vous fier à vos signaux intérieurs pour vous guider de leur mieux dans *votre* vie, vous saurez aussi naturellement vous fier à eux dans vos rapports avec les autres.

Un autre exemple provenant de ma propre vie illustre parfaitement combien il est important pour moi de me fier à mes signaux intérieurs pour assurer ma tranquillité d'esprit *et* des rapports honnêtes avec les autres.

Après avoir soumis le manuscrit de mon premier livre, je reçus un certain nombre de critiques de la rédaction de l'éditeur, leur lettre exigeant que je fasse de nombreux changements qui auraient fondamentalement transformé le message du livre. J'étais évidemment disposé à faire toutes les modifications qui pouvaient améliorer la qualité du manuscrit, cependant mes signaux intérieurs m'avertissaient clairement de refuser les changements qui violeraient mes intentions premières en l'écrivant.

Je fus informé par l'éditeur, les rédacteurs, les agents et même beaucoup de bons amis, que je devais «simplement accepter» de faire les changements suggérés, car si je refusais la maison d'édition refuserait de publier le manuscrit et je n'aurais finalement pas de livre. Mais ma décision était prise dans ce cas-ci, et aucune persuasion, qu'elle fût discrète ou menaçante, ne me la ferait changer. Mon livre communiquerait le message tel qu'il était. J'irais voir un autre éditeur, ou je le publierais moi-même si nécessaire, avant de renoncer à ce principe.

Mon attitude devint encore plus difficile à chaque appel extérieur de revenir à la raison, de prendre l'argent et de m'estimer heureux, de ne pas opposer d'objections et de marquer mon accord, et ainsi de suite. J'envoyai à mon éditeur une longue lettre exliquant ma position, et une fois qu'il eut compris ma détermination, le livre fut publié tel que je le désirais, disant exactement ce que je voulais dire.

Très peu de gens comprirent mon entêtement dans cette affaire. La plupart d'entre eux aurait plutôt voulu que je cède à ces demandes extérieures. Mais mes signaux intérieurs me disaient, « Tu ne peux pas aller au-delà d'un certain point, et il est impossible que tu envisages même ces changements. » Dans le cas présent, contrairement à celui où j'ai essayé de vivre avec ce mauvais appel lors du tournoi de tennis, je savais sur-le-champ que je devais vivre avec ma conscience et je n'étais pas prêt à transiger avec les pressions extérieures même si les autres m'assuraient qu'une « attitude plus souple » m'aurait facilité les choses.

Mais, en fait, il était évident que dans ce cas-ci, une attitude conciliante n'aurait rien arrangé à long terme ; elle aurait été désastreuse. Comment aurais-je pu discuter de ce livre avec mes collègues, l'employer avec des clients, en parler en public, si j'avais accepté de lui faire dire des choses contraires à mes opinions ?

Mais, aussi absurde que cela puisse paraître, les éditeurs et les auteurs ont constamment ce même genre de discussions, les éditeurs disant très souvent des choses comme « Cela ne se vendra jamais si vous le faites ainsi », et faisant référence à diverses formules éprouvées pour écrire un livre, ou en mentionnant le dernier succès de librairie, pour dire « Vous devriez le faire comme *cela* » ; ou en vous montrant le dernier rapport d'étude de marché disant ce que les lecteurs achètent en ce moment-ci et ce qu'ils *veulent qu'on leur dise*, afin que vous puissiez le leur redire — et souvent, par la même occasion, vous rappelant à quel point le lecteur moyen est une personne stupide et superficielle, et par conséquent que vous devriez toujours écrire pour le plus bas commun dénominateur et ne jamais lancer un défi au lecteur.

À ce stade-ci vous pourriez vous demander à quel point un livre est bon s'il se limite à copier le best-seller du mois dernier, vous dit ce que vous pensez déjà, et n'offre qu'un faible défi — si vous saisissez mon idée maîtresse. Heureusement, après cette première expérience j'en savais assez pour rendre dès le départ, ma position bien claire auprès des éditeurs, et ne conclure un contrat qu'avec ceux qui, dès le début, convenaient qu'aucune règle ou formule extérieure ne devait me dicter comment écrire mes livres. Il est certain que j'ai toujours eu de la gratitude pour toute aide provenant des rédacteurs, qui rendait mes livres plus clairs, et pour les suggestions constructives de tous genres — mais étant entendu que je n'accepterais aucun changement qui violerait ma propre intégrité personnelle, et que seuls mes signaux intérieurs détermineraient cela en particulier, sans question ou discussion possible à ce sujet. J'ai la ferme conviction que la seule raison pour laquelle mes livres se sont placés en tête des listes de best-sellers est parce que j'ai rejeté toutes les directives extérieures sur la manière d'y parvenir, et qu'au lieu de cela, je me suis exclusivement fié à mes propres directives intérieures pour avoir un contrôle total sur ce que mes livres allaient dire.

L'ESPRIT CRÉATEUR ET VOS SIGNAUX INTÉRIEURS

L'exemple ci-dessus m'amène à mon dernier point pour ce qui est de se fier à vos signaux intérieurs, concernant ce qu'on a appelé « l'esprit créateur » qui, de toute évidence, dépend *entièrement* de votre empressement à consulter vos propres ressources intérieures — plus précisément, *votre imagination* — et à entreprendre toute tâche de votre propre position exceptionnellement individuelle.

Vous vous souviendrez que j'ai dit plus haut qu'il n'existe pas et qu'il ne peut exister de formule pour créer des œuvres, des pensées, etc. *originales*, et de moyen de prédire quand, où et par qui elles seront produites. Les grands artistes, musiciens, écrivains, poètes, architectes, savants, inventeurs — les innovateurs authentiques de notre monde — ont tous sans exception et par-dessus tout, non seulement appris comment se fier à leurs signaux intérieurs quand il a été question de savoir quelle serait l'œuvre de leur vie et la manière exacte dont ils allaient la réaliser, mais ils refusèrent de permettre à quiconque d'autre de leur dicter leurs pensées et leurs projets originaux. Autrement, la Fontaine de l'inspiration (ou l'Esprit créateur) tout comme la Fontaine de Jouvence, se trouve en nous.

D'après la mythologie, «la muse» est chargée de visiter les gens avec, par exemple, des vagues d'inspiration poétique brillante. Ce mythe est parfait aussi longtemps que vous savez que «la muse» ne représente aucun être extérieur qui doit d'abord «s'emparer de vous» avant qu'il ne vous soit possible de créer (auquel cas vous devrez vous résigner à scruter le ciel en marmonnant, «Pourvu que la muse fasse son apparition et que je puisse créer quelque chose»), mais représente plutôt *le dégagement par vos soins de l'ouverture du puits de vos propres signaux intérieurs de créativité.*

Il est vrai que seuls ceux qui trouvent le puits tellement fascinant qu'ils ne peuvent jamais se résoudre à remettre le couvercle dessus, puissent être suffisamment enthousiasmés pour y «verser» leur vie entière et finir par bâtir des Parthénons ou créer des théories mathématiques de la relativité. Mais *chacun de nous possède en lui un puits d'une profondeur infinie*, qui contient un potentiel de créativité bien plus vaste que ce que nous pouvons imaginer. L'unique raison pour laquelle beaucoup d'entre nous gardons le couvercle sur notre propre puits c'est, ainsi qu'il en a été discuté plus haut, parce que nous craignons un échec par comparaison avec ceux que les autres, les étrangers, la «société» ou «l'histoire», ont jugés comme «les plus grands». Vous entendrez, par exemple, les gens souvent dire des choses comme «J'aimerais écrire des chansons, mais, vraiment, je ne suis pas créatif. Je n'ai pas ces vagues d'inspiration qui sont propres aux grands paroliers.»

Mais c'est absurde! Comment croyez-vous que les grands auteurs de chansons font? Ils ne peuvent pas se permettre de s'inquiéter, «Est-ce que quelqu'un d'autre dira que c'est sensationnel?». Ils n'ont jamais perdu les signaux intérieurs d'enfant qui pour une raison ou une autre, composent les chansons, les poèmes, ou autre chose, en différentes occasions. Ils n'ont jamais perdu confiance dans leur propre goût, parce que la seule chose qui importait pour eux c'était de savoir s'ils aimaient ou non leurs propres chansons, et ils aimaient se rappeler et chanter un grand nombre d'entre elles *pour eux-*

mêmes, pour ou avec leurs amis les plus intimes, ou pour quiconque aurait plaisir à les écouter plus tard.

Je suis sûr que vous pouvez vous souvenir de l'époque
de votre enfance où vous composiez des chansons pour vous-
même. «Des petites chansons ridicules», direz-vous. À quoi je
vous répondrai, «Et alors ?». Reprenez contact avec ceux des
signaux en vous qui veulent écrire de nouvelles chansons,
inventions, recettes, théories scientifiques ou autre chose, et
mettez-les à l'œuvre! Et, en outre, souvenez-vous que si ce
que vous faites *a du bon sens pour vous*, si tous vos signaux
intérieurs, de vos instincts animaux et votre conscience à votre
imagination et votre capacité de raisonnement, vous disent
sur tous les tons que *vous aimez ce que vous faites actuellement*, que vous avez vraiment le sentiment de créer une belle
vie Sans-limites pour vous-même, comment pourriez-vous
vous tromper? (Et si vous voulez écrire une chanson pour
exprimer et commémorer vos sentiments à l'égard de la vie
maintenant, comment pourriez-vous écrire une mauvaise
chanson ?)

Tout le message de ce chapitre peut se résumer comme
ceci : vous, comme tous les autres êtres humains sur cette
planète, êtes nés libre de cultiver toute la potentialité créatrice en vous *et* pour vivre en paix avec votre propre conscience. Mais vous ne pouvez réclamer votre droit acquis en
naissant en tant que personne que si vous êtes prêt à accepter
les risques sociaux ou «extérieurs» que comporte le refus de
tenir compte des pressions extérieures qui veulent vous forcer
à faire les choses de la manière dont les autres «vous disent»
de le faire.

Les gens dirigés intérieurement n'ont aucun respect pour
le système de signaux ou de récompenses extérieurs quand
cela signifie transiger avec les choses auxquelles ils croient
vraiment. Les personnes Sans-limites peuvent être rares sur
terre essentiellement parce que la *franchise intérieure* est tellement rare. Pythagore, le philosophe de la Grèce antique,
disait à ses élèves et à ses disciples, il y a près de deux millénaires et demi : «Par-dessus tout, respectez-vous vous-
même.» Si vous décidez de suivre ce sage conseil, vous aurez
fait un pas de géant vers une existence Sans-limites.

LES STRATÉGIES POUR VOUS FIER À VOS SIGNAUX INTÉRIEURS

Vous — oui, vous et n'importe qui d'autre — pouvez commencer à développer une personnalité plus intérieurement dirigée sans vous soumettre à une thérapie qui dure des années ou sans discuter avec vous-même que vous ne pouvez pas vraiment changer parce que vous avez été la même personne extérieurement contrôlée pendant toutes ces années. Si vous aspirez à goûter à la véritable joie intérieure de savoir que vous êtes véritablement votre propre personne, si vous êtes disposé à considérer votre paix intérieure plus importante pour vous que la manière dont vous êtes jugé par les autres ou comment vous vous évaluerez par rapport aux normes extérieures, et si les récompenses extérieures que vous avez recherchées pendant toutes ces années perdent de plus en plus rapidement de leur signification et de leur nouveauté, vous pouvez littéralement *renverser la situation* en adoptant une nouvelle façon de penser et de vous comporter qui soit dirigée intérieurement plutôt qu'extérieurement.

Vous avez ci-dessous plusieurs choses précises que vous pouvez essayer aujourd'hui même, certains changements d'attitudes que vous pouvez adopter dès maintenant, si vous (pas *eux* ou *lui* quelconque) décidez de « précipiter les choses » entre vous et votre voix intérieure :

Faites que vos objectifs soient clairs pour vous-même. Essayez d'éliminer autant que possible les explications extérieures de votre comportement, des circonstances extérieures de votre vie, de vos pensées ou de vos sentiments. Par exemple, au lieu de dire : « J'ai une crise d'anxiété », comme si une escadrille d'avions ennemis vous attaquait soudain avec des bombes d'anxiété, essayez de traduire cette déclaration par « Je réagis avec anxiété devant cette situation. » Ou au lieu de dire : « Ma femme m'a donné un complexe de persécution », qui est ridicule, dites « Je permets à l'opinion que ma femme a de moi, de prendre plus d'importance que ma propre opinion de moi-même. » Plutôt que de dire : « J'ai peur des hauteurs », essayez de dire : « Je me fais peur à moi-même quand je me trouve dans des endroits très élevés, même quand je me sais en parfaite sécurité. » Voyez alors ce que vous pouvez faire pour «traduire» ces déclarations en vérités vous concernant qui reflètent un bonheur causé intérieurement :

« Je réagissais anxieusement dans cette situation parce que j'avais peur que le patron n'aime pas mon travail, mais c'était là une réaction inutile car il ne l'avait même pas encore vu ; je me faisais peur à moi-même avec le pire qui pouvait arriver. Je décidai donc de ne pas me faire de souci à ce sujet. Même s'il *ne l'aime pas*, en quoi mon angoisse pourrait-elle être utile ? Nous allons en discuter, décider *ce que nous allons faire ensuite*, et peut-être apprendrai-je quelque chose. La *pire* chose que je puisse faire c'est d'être sur la défensive avec lui à ce sujet ! S'il désire être agressif et tente de me *rendre* anxieux, ça c'est *son* problème, mais je ne vais pas me laisser prendre par ça. Je fais le meilleur travail possible par mes propres moyens, et c'est vraiment tout ce que je peux faire ! »

« J'ai décidé de ne pas permettre à ma femme de me manipuler en me contredisant pour des choses que mes signaux intérieurs me confirment comme étant parfaitement normales. »

« J'ai réalisé que je craignais les hauteurs parce que je me voyais en train de tomber même quand je n'étais pas en danger, *sauf si j'avais décidé de sauter*. Mais, en réalité, je craignais de perdre le contrôle sur moi-même et de vraiment sauter ! Je résolus le problème en décidant de *me fier à mes instincts animaux* et d'imaginer que j'étais un chat, quand je me trouvais dans un endroit élevé. Le chat regarde-t-il par-dessus bord ? Sans aucun doute. *Fera-t-il jamais un bond pour sauter par-dessus bord ?* Jamais. Je m'exerçais à faire le chat dans un certain nombre d'endroits les uns plus hauts que les autres, grimpant prudemment en haut d'une échelle et passant, ensuite, de l'échelle sur le toit du plus haut immeuble de la ville, et j'ai réussi. À présent, je n'ai plus la crainte des hauteurs. »

Observez attentivement où et quand les autres essaient *vraiment* de contrôler votre vie de façon illégitime, et par conséquent, qui ou ce que vous auriez à confronter directement. Si vous croyez que vos parents outrepassent les limites dans leurs efforts pour contrôler votre vie, la meilleure façon de sortir de cette boîte à chagrin causé extérieurement serait de vous asseoir avec eux et d'avoir une conversation sérieuse à ce sujet, leur mentionnant ce que vos signaux intérieurs rejettent de leurs efforts de vous contrôler. Qu'ils vous fassent donner des leçons de piano que vous détestez, vous disent que vous ne pouvez pas aller camper seul avant l'âge de seize ans, ou vous poussent à devenir médecin quand vous ne savez pas *ce que* vous voulez devenir, après quelques honnêtes confrontations avec eux, ou avec des gens que vous avez laissé devenir des manipulateurs extérieurs, si vous êtes immédiatement ferme et calme — même enjoué — vous allez les voir se détendre et vous respecter davantage. Souvenez-vous, chaque fois que vous sentirez que les récompenses ou les signaux extérieurs vous contrôlent et se heurtent péniblement avec vos signaux intérieurs, *que cela arrive uniquement parce que vous avez permis que cela arrive.* Personne ne peut vous manipuler sans votre consentement!

Peut-être la chose principale dont vous devriez être conscient c'est que *vous ne devriez jamais être une personne qui réagit à son environnement quand vous pouvez être celle qui prend l'initiative*; que vous ne devriez pas accepter ce que la «vie» vous donne si vous êtes intéressé dans quelque chose d'autre. Si vous vous rappelez à vous-même que vous êtes encroûté dans une routine dans l'un ou l'autre domaine de votre vie uniquement parce que vous permettez à votre passé, votre emploi actuel, votre famille ou quiconque d'autre, de vous dicter de rester dans cette routine, et si, quand tous vos signaux intérieurs essayent de vous montrer l'issue, vous décidez que vous devez simplement prendre quelques risques «extérieurs» pour effectuer un changement, vous commencerez à *créer votre propre environnement* plutôt que de juste réagir à ce que vous obtenez des sources extérieures. Une fois que vous aurez décidé de ne *dépendre que de vous-même* pour sortir de votre routine, vous constaterez que les occasions se présentent à vous aussi rapidement et furieusement que les taxis de la ville de New York. Vous pourriez considérer chaque situation individuelle de votre vie comme une occasion de croissance pour vous, si seulement vous faites le serment de vous tourner vers vos signaux intérieurs et d'accepter les risques que vous courez en *les* suivant vers de nouvelles possibilités de bonheur.

Jetez un coup d'œil sur la liste de contrôle des choses extérieures sur lesquelles notre culture nous demande de compter pour notre bonheur. Demandez-vous en toute honnêteté jusqu'à quel point vous vous reposez sur elles, et dans quelle mesure vous leur permettez de vous empêcher d'être dirigé intérieurement.

Les pillules, l'alcool, le tabac et les «drogues sociales»

Nous sommes une nation de gens extérieurement orientés, obsédés par l'idée que nous devons dépendre des «substances commerciales» pour guérir nos maux ou nous intoxiquer.

Combien de fois vous êtes-vous dit, ces temps derniers, «Je ne peux pas faire passer ces maux de tête, aussi vais-je me fier à ces petites pilules pour en prendre soin»; «Je n'arrive pas à m'endormir»; «Je ne peux pas rester éveillé»; «Je ne m'en sors plus avec les enfants»; «Je n'arrive plus à me détendre»; «Je ne peux pas contrôler cette constipation ou cette diarrhée, ces nausées du matin, ces crampes menstruelles, ce nez qui coule, cette légère douleur musculaire, ce malaise, mais puis-je prendre n'importe laquelle de ces pilules?». Il s'agit là des annonces publicitaires qui s'ingèrent dans votre vie quotidienne par la radio et la télévision, et vous avez fini par leur donner créance.

Le message que vous envoyez chaque fois que vous avalez une de ces «pilules magiques» est le suivant: «Je ne peux moi-même y remédier, donc, je me fie à ce produit pour qu'il le fasse pour moi.» Et chaque pilule que vous avalez vous aide à avoir davantage confiance dans les pilules qu'en vous-même.

Je ne veux pas dire que jamais vous ne devriez prendre de pilules. Il est évident qu'elles sont indispensables dans bon nombre de traitements médicaux. Ce que je veux *dire* c'est qu'avant d'avaler votre prochaine pilule, vous devriez vous demander ce que vous pourriez faire, ce que vos signaux intérieurs vous disent de faire, pour guérir votre mal *sans* prendre de pilule. Essayent-ils de dire : « Pour guérir cette migraine, prenez un bain chaud, mettez de la musique douce, allez vous promener dans le parc» ou toute autre chose que vos instincts animaux de guérison ou n'importe lequel de vos autres signaux intérieurs aimeraient que vous fassiez? Si tel est le cas, *oubliez la pilule* ! Essayez le remède que vos signaux intérieurs vous proposent. Vous serez surpris du nombre de maladies de tous les jours *que vos signaux intérieurs savent déjà comment éliminer*; combien de maux de reins pourraient être guéris par des exercices appropriés (bien que peu de médecins en fassent mention), combien de cas de diarrhée ou de constipation vous pouvez contrôler par un régime convenable, le sommeil et des exercices. Ainsi que je l'ai précédemment, si vous devez consulter un médecin, assurez-vous que vous en avez un qui sait que sa tâche consiste *à vous aider à maitriser votre problème* avec l'accent principalement sur les pouvoirs curatifs naturels de votre corps et une dépendance minime sur une aide extérieure.

Quant aux substances extérieures qui ne sont *jamais* médicalement nécessaires pour vous : le cocktail pour vous détendre, la cigarette pour vous aider à dissiper la tension, la marijuana pour vous mettre en état d'euphorie et vous permettre de vous amuser, ce sont tous des produits inutiles et toxiques que vous avez choisis plutôt que de prendre la pleine responsabilité de vos propres euphories personnelles. Chaque fois que vous vous fiez à une de ces substances pour «vous remonter», vous avancez encore d'un pas vers le moment où le contrôle de votre vie vous échappera pour passer à un système de signaux extérieurs à vous-même. Vos signaux intérieurs, si vous leur faites confiance, ne vous permettront jamais d'empoisonner votre vie avec des pilules, de l'alcool, du tabac ou des drogues sociales, quelle que soit l'importance des pressions extérieures qui tentent de vous vendre toutes ces choses.

Les codes vestimentaires en vue du prestige
Combien de fois avez-vous dépensé de l'argent pour des vêtements qui ne vous impressionnaient pas outre mesure, car vous ne vous *sentiez pas prestigieux* à moins de porter

l'étiquette d'un couturier connu, ou de vous conformer à la « mode actuelle » ? Peu importe le nombre de fois que c'est arrivé, mais chaque fois vous avez placé la responsabilité de votre amour-propre personnel entre les mains des couturiers dont c'est la tâche de faire croire qu'ils sont « dans le vent » et que leurs concurrents ne le sont pas ; que vous aimiez ou non vraiment la nouvelle mode, que vous ayez ou non besoin de nouveaux vêtements. Vous pouvez donner aux codes vestimentaires un contrôle formidable sur votre vie si vous l'acceptez et n'êtes pas à l'aise sans *leur* approbation (quels *qu'ils* soient), et alors *ils* vous tiennent entre leurs mains, même si vous n'êtes pas prêt à l'admettre.

Arrêtez-vous une seconde et pensez à votre penderie. Combien de vêtements avez-vous achetés pour vous conformer aux codes vestimentaires ou pour des raisons de « mode », et combien d'entre eux parce que vos signaux intérieurs vous ont dit : « Achète ce costume ou cette robe, car tu auras du plaisir à le ou la porter » ? Qu'est-ce que vos signaux intérieurs vous disent d'acheter la fois prochaine ? Une nouvelle paire de chaussures pour remplacer la « vieille paire favorite » qui est en train de s'user, ou une nouvelle paire de chaussures pour remplacer celles qui sont « démodées » à présent, bien que vous puissiez encore les porter longtemps ?

Je ne dis pas que vous deviez absolument transgresser les codes vestimentaires. Le fait de porter une combinaison de plongée de couleur violette pour aller à l'opéra, aussi drôle que cela puisse vous sembler, serait aussi malcommode et superflu (vraisemblablement) que d'avoir à acheter quatre nouveaux costumes pour ne pas se trouver en reste avec la mode, à chaque printemps, ou avec votre « image » en tant que « quoi-que-vous-soyez ». Tout ce que je dis c'est que vous devriez déterminer à quel point les codes vestimentaires extérieurs en vue du prestige régissent *votre vie*, et vous résoudre à réduire au minimum ce contrôle en consultant vos signaux intérieurs quant à ce que vous avez envie de porter ou d'acheter, et quand.

330

Les guides de l'étiquette et les codes du savoir-vivre

Dans quelle mesure permettez-vous aux signaux extérieurs de dicter comment vous allez vous conduire dans des situations sociales? Vous fiez-vous à vos signaux intérieurs pour savoir comment être vraiment poli et prévenant envers les personnes que vous rencontrez ou croyez-vous devoir consulter Amy Vanderbilt, Emily Post ou toute autre «autorité en matière de savoir-vivre» avant de décider comment tenir votre fourchette, comment répondre à une invitation, ou comment réagir en présence d'une autre personne?

Vous vous souvenez de l'enfant que j'ai décrit en train de flâner entre les tables du restaurant, au chapitre 5? Cet enfant, ai-je dit, *montre les plus belles manières qu'il a apprises* et fait confiance aux autres pour en faire autant. Mais, par ailleurs, cet enfant ne ressent absolument pas le besoin de consulter les livres sur l'étiquette pour décider comment être vraiment poli avec les gens.

Si vous, un adulte, avez décidé d'adopter une attitude *d'enfant* à l'égard de la véritable politesse, vous connaissez alors toutes les règles de tous les livres publiés à ce jour sur l'étiquette, ou vous n'en connaissez peut-être aucune, mais *cela n'a aucune importance*. Ce qui importe c'est de savoir si vous pouvez être à l'aise avec vous-même et mettre les personnes autour de vous à l'aise dans n'importe quelle circonstance.

Il existe de nombreuses histoires classiques qui montrent comment les gens vraiment polis «n'ont pas respecté les règles» quand il s'agissait de mettre les autres à l'aise, mais mon histoire préférée m'a été racontée par un de mes amis :

«Il n'y a pas longtemps, j'étais placeur au mariage d'un ami. Les futurs mariés appartenaient à la haute société, et leurs familles avaient organisé un événement des plus recherchés et officiels. Cependant, le garçon d'honneur, ancien camarade de collège du futur marié, était un pauvre fermier de l'Arkansas — un brave garçon, mais vraiment désorienté quand il s'agissait de toutes ces choses que vous êtes censé faire d'après les livres sur l'étiquette. Ainsi, au dîner de répétition, où l'on servait des poitrines de poulet braisées dans une sauce à la crème, il fit ce qu'il faisait toujours chez lui — il prit le poulet entre ses doigts et le mangea.

« Eh bien, vous pouviez observer les regards horrifiés tout autour de la table et tous ces fanatiques d'Emily Post empesés, ricanant dans leur barbe — jusqu'au moment où la mère de la future mariée, qui se trouvait être une des dames les plus en vue de la ville, se rendit compte de ce qui se passait et saisit aussitôt son propre poulet entre ses doigts.

« Le garçon d'honneur ne réalisa jamais ce qui s'était passé. Il continua avec bonheur à être lui-même, amical envers chacun, dégustant son poulet, tandis que les autres invités qui avaient aussitôt saisi ce qu'était le *véritable* savoir-vivre, oublièrent eux ausi de se servir de leurs couteau et fourchette, et ceux qui étaient encore trop sous l'influence des livres sur l'étiquette restèrent assis désemparés, ne sachant plus quoi faire, ni comment manger. Il est probable qu'ils se demandent encore toujours ce qu'Emily Post aurait proposé quand la mère de la future mariée prit son poulet entre les doigts au dîner de répétition. »

Le message ici est clair : les guides de l'étiquette et tous les autres codes du savoir-vivre extérieurement formulés sont utiles dans la mesure où ils vous disent quelles sont les normes acceptées d'un certain groupe *extérieurement orienté* de la société, à un moment donné. Ainsi, vous saurez tout concernant le « savoir-vivre » des Américains du vingtième siècle, car des documents ont été écrits à ce sujet par l'une ou l'autre autorité, mais seuls vos signaux intérieurs peuvent vous dire comment vous mettre à l'aise vous et ceux qui vous entourent, en n'importe quelle circonstance.

Si vous vous respectez et vous fiez à vos signaux intérieurs pour *constamment* vous inspirer des « belles manières », vous verrez que votre *savoir-vivre naturel* est de loin supérieur à toute idée de politesse humaine que vous pourriez puiser dans un livre ou d'un code.

Les normes extérieures du goût

Quand vous dégustez un verre de vin, réagissez à un film, une pièce de théâtre ou un spectacle télévisé, ou décidez si vous aimez ou non une chanson, consultez essentiellement vos signaux intérieurs, indépendamment de ce que les forces extérieures disent que vous êtes «censé» penser à ce sujet. Évaluez-vous le vin en vous basant sur le prestige de l'étiquette ou le prix de la bouteille, ou en préjugeant de sa qualité sur ce que les «critiques» ont déjà dit à ce sujet? Les Français ont un dicton : *chacun à son goût*. Ce que cela signifie essentiellement c'est qu'en matière de goût *vous seul êtes* et devez être le seul juge de ce qui vous plait. Si vous avez exclu vos signaux intérieurs en ce qui concerne vos propres goûts pour dire plutôt ce que vous êtes supposé dire ou pour prétendre aimer quelque chose quand ce n'est pas le cas, vous pouvez vous remettre en contact avec vos propres goûts véritables et personnels en essayant quelques-unes des expériences suivantes :

La prochaine fois que vous serez sur le point de commander une liqueur d'une marque connue dans un bar, demandez au barman de vous servir un verre de cette liqueur de bonne marque et un verre d'une liqueur bon marché régulièrement servie au bar, sans vous indiquer ce que chaque verre contient. Goûtez aux deux et décidez ce que vous aimez le mieux. Si vous n'êtes pas capable de percevoir la différence, adoptez alors la liqueur au prix plus raisonnable! Si vous trouvez que vous préférez vraiment la marque la plus chère, prenez-y plaisir pour son goût et non par snobisme pour la marque.

La prochaine fois que vous visiterez un musée d'art, la maison d'un ami qui collectionne des peintures, ou tout autre endroit où se trouvent des œuvres d'art que vous avez remarquées, *décidez quelles œuvres vous aimez*, en vous basant sur votre propre évaluation intérieure de la beauté que ces œuvres d'art ont à vos yeux, avant de vous renseigner sur les artistes ou la valeur des pièces en question. Si les autres n'aiment pas les choses qui vous attirent et s'extasient sur des choses qui ne vous disent rien, ou même vous traitent de peu raffiné parce que vous n'êtes pas sur la même «longueur d'onde» que les «experts» au sujet des œuvres qu'ils disent que vous êtes supposé aimer, vous ne devez simplement pas tenir compte de leur opinion à votre égard *et* à celui des œuvres d'art. En effet, vous savez qu'eux-mêmes ne font attention qu'à ce que d'autres pensent — et s'il en est ainsi, pourquoi devriez-vous donner de l'importance à ce qu'ils pensent *eux*? L'ironie de cet exercice sera que ceux à qui vous vouliez le plus plaire en vous conformant à leurs normes extérieures, vous respecteront inévitablement davantage pour la confiance que vous avez en vous-même, que quand ils savaient secrètement que vous suiviez aveuglément les experts ou les critiques et étiez aussi charlatan qu'eux-mêmes.

Les messages publicitaires

Chaque fois que vous êtes exposé aux annonces ou aux messages publicitaires de toutes sortes, souvenez-vous qu'il s'agit simplement d'une propagande conçue en vue de vous convaincre que l'opinion que les autres personnes ont de vous est plus importante que l'opinion que vous avez de vous-même ; que ces messages s'efforcent par-dessus tout de vous conditionner à penser extérieurement plutôt qu'intérieurement. Quels que soient les produits vendus par ces messages, allant des parfums, qui doivent mettre votre mari à vos pieds, aux désodorisants qui doivent mettre fin à l'intérêt que votre chien porte aux odeurs de vos pieds, les messages publicitaires sont tous universellement conçus pour miner votre confiance en vous et vous rendre esclave de n'importe quelle « récompense » extérieure imaginable qui soi-disant doit vous rendre heureux si seulement vous vouliez acheter. Le message universel c'est que ce que les autres *pourraient* penser de vous est tellement important que vous devriez étouffer votre propre opinion intérieure et être ainsi sûr de plaire aux autres.

La prochaine fois que vous entendrez ou lirez une annonce publicitaire, demandez-vous ceci, « Quels renseignements vrais ai-je pu extraire de tout cela pour m'aider à décider si ce produit est suffisamment bon et utile pour que je l'achète, et dans quelle mesure n'est-ce qu'un simple attrait (ou une demande) pour le produit et si je ne l'achète pas, *les autres pourraient-ils me condamner ?* ».

Si vous examinez suffisamment de messages publicitaires à la lumière de ce qui précède, vos signaux intérieurs vous diront bientôt comment les écarter presque tous par une plaisanterie — et comment faire ressortir les quelques-uns qui vous offrent une bonne aubaine sur un produit que vous trouverez utile votre vie durant.

Les bureaucraties

Nos bureaucraties sont suffisamment lourdes pour nous faire perdre à tous la raison si nous leur en donnons la possibilité. Nos différents niveaux de gouvernement, nos grandes entreprises, nos services publics, nos grands syndicats et toutes nos autres vieilles superorganisations vénérables qui ont donné naissance au cours des années à d'énormes bureaucraties pour les administrer, sont essentiellement *des centres établis de contrôle extérieur* qui *sans cesse tentent* de nous réglementer au-delà des limites raisonnables. Telle est la nature de la bureaucratie : contrôler la vie d'une masse de gens par « la filière habituelle», pour forcer les gens à se conformer à autant de règlements que possible (afin de rendre la vie des paperassiers et des ordinateurs aussi «facile», indolore et insouciante que possible). Ainsi, plus une bureaucratie peut vous faire attendre dans cette file pendant une heure, passer une demi-heure à remplir ce formulaire, payer le prix qu'elle dicte, oublier votre cas particulier parce que l'ordinateur est incapable de s'en occuper, vous faire patienter pour parler à l'homme qui se trouve dans tel bureau (et qui vous enverra voir un fonctionnaire dans tel autre bureau), plus elle pourra faire entrer dans votre cerveau obtus que vous n'êtes pas une personne mais un objet extérieur que la bureaucratie peut manipuler, et plus les bureaucrates essayeront de contrôler à outrance vous et tous les autres.

La question est de savoir comment nous allons faire face à la situation?

Il est évident que la première chose à faire est de ne pas permettre aux bureaucraties de nous faire perdre la raison, et la seconde est d'éviter si possible la pagaille bureaucratique, et de lui résister quand nos signaux intérieurs nous disent de le faire. Ce n'est que quand suffisamment d'individus auront décidé « Je ne vais plus me laisser faire », que nos bureaucrates décideront qu'il est plus « facile » de traiter les gens avec dignité et respect individuel que comme du bétail à assembler dans tel ou tel enclos, selon le bon vouloir du «système».

335

La prochaine fois que vous vous surprendrez à maudire votre indéchiffrable formulaire d'impôts sur le revenu, les longues files dans lesquelles vous devez attendre pour toucher votre argent à la banque ou toute autre pagaille bureaucratique qu'un merveilleux système de règlements extérieurs vous a imposée, posez-vous la question : « Qu'est-ce que *mes signaux intérieurs* me disent de faire à ce sujet ? ».

Vous verrez que vous avez trois choix : (1) tolérer la pagaille et passer à travers avec bonne humeur, (2) vous extraire de la pagaille d'une manière ou d'une autre, ou (3) faire du grabuge parce que la bureaucratie vous soumet à cette pagaille inutile — c'est-à-dire *résister*.

Votre bonheur intérieur entre en jeu, à présent : comment pouvez-vous aboutir du côté «bonheur» de l'échiquier *quel que soit* le choix (ou l'ensemble de choix) que vous avez fait ?

Compte tenu de votre objectif de remplir autant de cases possibles dans la colonne du bonheur intérieur de votre vie, vous verrez rapidement que si vous attendez par exemple dans une file de quarante personnes pour encaisser votre argent à la banque, vos trois choix fondamentaux sont :

1. Dites-vous : «Je m'attendais à une telle file à la banque et je me suis organisé en conséquence ; il est heureux que j'aie apporté un livre avec moi. »

2. Dites-vous : «Cette file est ridicule. Je vais voir si je peux encaisser mon chèque ailleurs. »

3. Dites-vous : «Cette banque est vraiment devenue impossible. Ils s'attendent à ce que je reste une heure dans cette file pour le privilège de déposer mon argent chez eux et ensuite de le retirer si je peux me permettre l'attente et l'ennui! Je vais avoir une véritable confrontation avec un des directeurs de la banque en ce qui concerne mes droits comme déposant ; je vais transférer mon compte ailleurs si je n'obtiens pas satisfaction, je vais déchirer mon carnet de chèque et en semer les morceaux dans la banque », ou quelque chose d'approchant.

L'astuce suprême, quelle que soit la stratégie adoptée dans ce cas précis de «tracasserie bureaucratique», sera de vous assurer que vous vous êtes conformé à vos signaux intérieurs de façon à *être heureux de la stratégie qu'ils ont choisie pour vous en ce moment.*

Si vos directives intérieures vous ont dit d'accepter la longue file à la banque avec bonne humeur, peut-être aimeriez-vous lire le chapitre six de votre livre en attendant dans la file, ou plaisanter avec les autres clients (ou les caissières) au sujet des longues files et combien la banque ne se préoccupe pas de ses clients, mais vous pouvez quand même subir cette «perte de temps» en disant : «J'ai *tiré parti du temps* que j'ai passé dans la file à la banque, et je ne me suis pas ennuyé un seul instant.»

Si vos signaux intérieurs vous ont dit d'adopter la seconde solution et de vous sortir de cette situation impossible aussi vite que possible, vous vous êtes peut-être dit : «Il existe un moyen rapide d'éviter l'attente à la banque, en encaissant un chèque à l'épicerie.» Dans ce cas-là, vous devriez être heureux d'avoir compris qu'une marche rapide jusqu'au magasin serait plus agréable qu'une longue attente à la banque et siffler en vous dirigeant vers l'épicerie.

Et si, en troisième lieu, vos signaux intérieurs vous disent: «En voilà assez!» et vous font adopter la troisième solution qui est la résistance, vous devriez également vous résoudre à y prendre plaisir. Que vous décidiez de déchirer votre carnet de chèques en riant et sortiez en courant de la banque, ou que vous ayez une conversation sérieuse avec le directeur concernant le service inacceptable que la banque assure aux clients et votre intention de transférer votre compte ailleurs s'ils ne font pas un effort pour améliorer les choses, ou encore, que vous réussissiez à faire chanter en chœur toutes les autres personnes qui attendent dans la file, «Nous sommes absolument furieux et nous n'allons plus nous laisser faire!», vous *constaterez que même la résistance peut être divertissante!*

Aussi longtemps que vous savez que vous avez une plainte légitime contre la bureaucratie, en raison des demandes absurdes qu'elle impose sur vous et votre temps précieux, cela vous réchauffera le cœur de faire fi de la bureaucratie et de voir comment «les ordinateurs du monde» réagissent, pourquoi pas? Après tout, les bureaucrates essayent peut-être de vous dire que vous «devez vous résigner à vivre avec» leurs systèmes absurdes et demesurés de contrôle extérieurs, mais s'il en est ainsi, vous avez également le droit de leur dire qu'ils doivent, eux, se résigner à vivre avec des individus en colère qui lancent des clefs anglaises dans les rouages de temps à autre, et tant pis pour eux s'ils n'entendent pas la plaisanterie.

Les notes et les rangs

Jardin d'enfants, classe de première année, classe de deuxième année... A-B-C-D-E... novice, première classe, Aigle... premier violon, second violon... soldat de deuxième classe, commandant, général... Nous appartenons à une culture obsédée par les classes, les rangs et les hiérarchies de tous genres — avec des structures extérieures qui nous permettent d'évaluer le «progrès» ou la «position» de chacun, nous y compris, dans pratiquement tous les domaines imaginables de notre vie.

Si nous nous donnons la peine d'y penser, nous reconnaîtrons immédiatement que, bien que nous ayons été lourdement conditionnés à accepter toutes ces classes et tous ces rangs comme nécessaires et pour les défendre en nous disant les uns aux autres que la société ne pourrait pas fonctionner sans eux, en réalité, beaucoup d'entre eux sont complètement inutiles et même avec ceux que nous considérons comme légitimes, nous y attachons une bien trop grande importance, avec des effets destructeurs et parfois même dévastateurs sur nos chances de bonheur.

Par exemple, pourquoi diable est-il nécessaire d'organiser un groupe de garçons en six classes d'éclaireurs, avec des uniformes, des épingles, des insignes et des écharpes et toutes sortes d'autres babioles pour indiquer le rang, pour les séparer en «patrouilles», afin de les emmener camper? Bien entendu, ce n'est pas nécessaire, mais certains adultes pensent qu'un garçon n'apprendra jamais à dresser une tente s'il ne reçoit pas un insigne de mérite pour l'encourager, alors que d'autres maintiennent que, malgré que rien de tout cela ne soit nécessaire *maintenant*, l'intention est d'initier les enfants à la façon dont le monde des adultes fonctionne.

Le second argument a pour moi presque autant de bon

sens que l'idée d'un soutien d'entraînement, mais c'est plus insidieux, car il admet que le but des éclaireurs, dans le cas présent, est de conditionner les enfants à répondre aux systèmes extérieurs de signaux et de récompenses, et de refouler leurs propres signaux intérieurs qui tentent de leur dire que tout cela est idiot. Très rapidement, cela conduit à enrégimenter même les jeunes enfants dans les rangs des louveteaux, ce qui est nécessaire pour initier les tout jeunes aux méthodes de travail des éclaireurs. À ce rythme-là, c'est un véritable miracle que nous n'ayons pas six classes de bébé-louveteaux, avec des insignes de mérite pour apprentissage de la propreté, épinglés sur leurs couches.

Après tout, ne serait-ce pas une façon parfaite de les préparer aux tâches que les louveteaux remplissent? (Même s'il est vrai que les éclaireurs donnent une excellente formation en vue de devenir plus indépendant, et j'approuve énergiquement de tels efforts, une trop grande insistance sur l'extérieur, si ce n'est pas freiné, peut pervertir l'objet même de la formation.) Aussi absurde que l'exemple ci-dessus puisse paraître, c'est vraiment la logique qui régit tout notre système «d'éducation», où pratiquement tous conviennent que vous devez commencer à obtenir des notes en classe de première année (sinon comment sauraient-ils si vous devez être admis en seconde?), et ainsi de suite pendant huit ou douze ans et même plus d'éducation, des notes pour pouvoir passer d'une étape à l'autre (sinon comment le collège saurait-il si vous devez être admis et l'employeur, s'il doit vous embaucher?).

Il ne fait aucun doute qu'avec ces systèmes de notes vous n'apprendrez pas plus facilement, ainsi que nous l'avons vu au chapitre 5 « Surmonter votre mauvaise éducation ». Leur véritable but est fondamentalement de vous transformer en un être humain orienté vers l'extérieur, de vous faire accepter que la partie la plus importante de votre éducation est mesurée par les notes que vous donnent les professeurs, et par d'autres récompenses extérieures. Le système d'éducation est entièrement conçu pour vous traîner à travers un labyrinthe extérieur de signaux constitués de notes, plutôt que de vous enseigner la façon d'apprécier les joies intrinsèques ou *intérieures* des études. Et une fois que vous avez été conditionné à l'école à accepter la poursuite des hautes notes dans tous les sujets, et « d'être admis dans la classe supérieure » (école secondaire, collège, université) comme une mesure de votre « succès », vous êtes alors prêt à l'initiation au « monde des adultes », où tous ceux qui ont été conditionnés de la même manière que vous conspirent à faire de la nécessité, annoncée depuis longtemps, des notes dans la société une prophétie qui se réalise de soi-même.

Voyez les choses ainsi : le « chef de patrouille » des éclaireurs va recruter de nouveaux membres, parce qu'il a lourdement investi (et sacrifié beaucoup de choses que ses signaux intérieurs lui avaient dit de faire dans sa jeunesse) pour atteindre un rang vraiment dénué de sens. Il sait que s'il n'a pas « d'éclaireurs » dans sa « patrouille », il ne peut même pas prétendre que son rang signifie quelque chose. (Il en serait réduit à se diriger lui-même, à Dieu ne plaise !) Il part donc à la recherche de quelques novices, et toute la charade continue. La même chose peut se produire n'importe où, des sociétés sociales (quel rang avez-vous atteint dans la franc-maçonnerie ?) à la classification des postes (êtes-vous devenu lieutenant ? professeur titulaire ?).

Il est évident qu'il n'y a rien de mal, en soi, à avoir le rang de lieutenant, ou à devenir professeur titulaire. L'armée sur le champ de bataille doit avoir un réseau de commandement clairement défini, et une faculté d'université doit être suffisamment organisée pour protéger ses libertés académiques. À mon avis, les questions que nous devons tous nous poser quand il s'agit de classes, de rangs ou de notre position dans la hiérarchie, à tout moment, sont : « Si j'obtiens la plus haute note dans ceci et, ensuite, je suis promu à cela, en sera-t-il ainsi parce que des signaux extérieurs m'ont dit que je n'avais qu'à gravir l'échelon suivant ? Ou, mes signaux intérieurs m'ont dit que j'aurais du plaisir à apprendre davantage à ce sujet et le système extérieur m'a donné cette note ou cet avancement parce que c'est de cette curieuse façon que le système fonctionne — il vous décerne un papier appelé 'diplôme' et toutes sortes d'autres insignes de mérite (y compris de l'argent) quand vous apprenez de nouvelles choses ou que vous les faites vraiment bien ? ».

Autrement dit, avez-vous reçu la note ou l'avancement vraiment « par accident » (vous ne faisiez pas un effort particulier pour l'avoir, mais le système vous l'a tout simplement offert), ou l'avez-vous obtenu parce que vous avez travaillé dur *en vue de cela* (extérieur) ?

Faites une liste de toutes les façons dont vous êtes extérieurement « noté » de nos jours. Vous pourriez être franc-maçon de troisième classe, membre de l'équipe en première place de votre association de jeu de boules, le douzième de votre classe... Inscrivez autant de notes, de rangs ou de postes que vous pouvez, pour vous-même.

À présent, en marge de chacun d'eux, en étant aussi honnête que vous pouvez l'être avec vous-même, incrivez la note la plus haute si vous avez obtenu ces « résultats » essentiellement pour l'accomplissement de quelque chose que, selon vos signaux intérieurs, vous vouliez faire de toute façon. Donnez la note la plus basse si vous les avez eus (et désirez obtenir de « plus hautes notes » dans ce même domaine) uniquement parce que vous étiez disposé à éliminer vos signaux intérieurs et à rechercher ces notes ou ces rangs extérieurs au prix de grands sacrifices dans l'immédiat.

Votre liste devrait vous donner une idée précise de ce que vous avez investi dans le système de notes-et-de-rangs extérieurs, et de ceux qui ne sont pas vraiment nécessaires ou sont en conflit avec vos signaux intérieurs. Prenez la détermination de résoudre tous ces conflits en faveur de vos signaux intérieurs en éliminant vos « mauvaises notes » intérieures pour « de bonnes notes uniquement ».

Si cela peut vous amuser, relisez votre liste ou réexaminez vos expériences passées en ce qui concerne les « notes reçues » et *donnez des notes à tous ces systèmes extérieurs qui ont noté votre rendement dans le passé, en vous basant sur la manière dont ils vous ont servi en votre qualité de personne.* Par exemple, comment notez-vous votre éducation du niveau primaire en ce qui concerne l'enthousiasme qu'elle vous a inspiré pour les études ? Je serais surpris que vous puissiez lui donner une note au-dessus de la moyenne.

Reprenez vos vieux bulletins. Comment noteriez-vous ces professeurs qui vous ont donné toutes ces bonnes et mauvaises notes ? Si vous êtes honnête envers vous-même, vous allez donner autant de notes faibles qu'ils en ont donné eux-mêmes, ou peut-être davantage.

Vous vous souvenez quand vos notes d'examen étaient affichées sur le tableau au vu et au su de tous ? Vous rappelez-vous de tous ces tableaux d'honneur, ces résultats d'examen normalisés, ces récompenses et ces humiliations que ces donneurs-de-notes mettaient «tout naturellement» dans le domaine public ? Peut-être qu'un exercice de fantaisie vous aidera à les écarter d'une plaisanterie. Par exemple, j'ai souvent fantasmé que j'entrais dans une école pour faire un sondage d'opinion auprès des étudiants pour voir comment ces derniers noteraient leurs professeurs sur *leur* façon d'enseigner et que j'affichais les résultats à l'entrée de l'immeuble. Naturellement, les professeurs dont les mauvaises notes sont affichées publiquement trouveraient des centaines de raisons pour souligner l'illégitimité de cette manière de procéder : les étudiants n'aiment pas les professeurs «sévères» qui sont disposés à les *punir* pour qu'ils travaillent et obtiennent de bonnes notes ; ils n'ont pas le jugement «adulte» nécessaire pour noter leurs propres professeurs ; ils ne donnent de bonnes notes qu'aux professeurs qui les laissent s'amuser ; et, surtout, «Vous ne pouvez pas évaluer tous les professeurs d'après les même normes, car chaque professeur travaille de façon différente. »

S'il vous prend la fantaisie de vouloir «noter» tous les gens et toutes les institutions qui vous notent ou vous classent, exactement de la même façon publique dont ils vous traitent, vous ne vous ennuierez certainement pas et vous aurez une bien meilleure perspective *intérieure* sur toutes les notes, les rangs et les hiérarchies extérieurs.

Cela pourrait également vous aider de reconnaître que dans les systèmes d'enseignement ou de réalisation, où des notes sont données conformément à des règles artificielles et arbitraires, la motivation pour vraiment exceller, ou «vous surpasser,» diminue. Par exemple, de bonnes notes c'est la récompense pour votre participation à un cours d'éducation physique, si le professeur établit un tableau arbitraire où la plus haute note correspond à cinquante tractions, la note suivante à quarante, celle d'après à trente, l'avant-dernière à vingt tractions et la plus mauvaise note à dix, la plupart des étudiants se limiteront à faire cinquante tractions et ensuite, s'arrêteront. Très peu d'entre eux seront intéressés à aller jusqu'à cent tractions ou à cent cinquante. Pour quelle raison le feraient-ils? Ils recevront la même note que ceux qui peuvent en faire cinquante. Le même effet de «limitation de la motivation» qui est propre aux notes, s'applique à n'importe quelle sorte d'enseignement ou de réalisation. Si votre objectif dans le travail se limite à l'avancement, vous en ferez vraisemblablement assez pour réaliser cet objectif. *Ce n'est que quand vos motivations sont intérieures, et que vous recherchez la récompense intrinsèque d'avoir conçu une meilleure méthode pour faire ce que vous faites, pour acquérir plus de talent, pour devenir une personne plus sensible, ou pour toute autre chose désirée pour vous-même, que les motivations de développement deviennent illimitées.* En conséquence, par définition, la personne Sans-limites ne peut pas se préoccuper des systèmes extérieurs de notes et de classements, car ces mêmes systèmes imposent des limites à la motivation et la réalisation.

Le statut familial

Comment êtes-vous classé ou noté dans votre famille? Représentez-vous le personnage de «l'aîné», du père ou du grand-père? Ou êtes-vous seulement «l'un des enfants»? Êtes-vous «celui qui a bien réussi» ou la «brebis galeuse» de la famille? À quel point vous préoccupez-vous de votre rang dans la famille et dans quelle mesure permettez-vous à cet aspect de votre statut extérieur de régir votre vie?

La famille elle-même dans notre culture est le plus souvent organisée sur des bases de notes et de rangs extérieurs, ou des hiérarchies autoritaires, plutôt que sur des bases mieux appropriées au bonheur intérieur des gens concernés. Ceci est en accord avec la tradition qui veut que la famille entière soit supposée (ait été conditionnée à) réagir par-dessus tout aux systèmes extérieurs de signaux-et-de-récompenses, ce qui fait de la «famille autoritaire» une pierre angulaire du système de signaux extérieurs. C'est la raison pour laquelle les familles essayent de dissuader toute pensée indépendante et punissent ceux des membres qui vont trop loin de ce qu'on en attend, selon les normes extérieures. « L'appartenance à la famille » devient plus importante que de penser par soi-même, qui est souvent interprétée comme une violation de la responsabilité familiale. Ceux qui se révoltent à l'instigation des signaux intérieurs doivent le faire au prix des critiques ou même de l'ostracisme familial. Sauf dans les familles les plus saines, le fait de se fier à ses signaux individuels est considéré comme un acte de trahison. Chaque membre de la famille est soigneusement entraîné à supprimer ses propres opinions en faveur de la « loyauté familiale », et vous entendez souvent des remarques comme : « Pourquoi ne ressembles-tu pas davantage à ta sœur ? Comment peux-tu penser uniquement à toi-même quand tu as toute la famille à prendre en considération ? Tu vas contrarier ton père si tu ne fais pas ça à sa manière. Souviens-toi, en tant que fils aîné, tu as certaines obligations. Qui d'autre assumera la direction de l'affaire familiale ? »

Quand vous réfléchissez au nombre d'entre nous qui sommes contraints de mettre notre propre individualité en veilleuse par égard pour des systèmes familiaux orientés vers l'extérieur, et à quel point notre « rang » au sein de la famille peut nous obliger à renoncer à notre propre individualisme pour « jouer le rôle » que notre statut familial nous a légué, vous pouvez commencer à voir pourquoi la famille en tant qu'institution est en train de se désagréger.

Au cas où votre famille subirait une forte tension, ou se désagrègerait, il est vital pour vous de comprendre que *c'est seulement quand les individus entreprennent de noter ou de classer les uns les autres conformément aux normes extérieures de la hiérarchie familiale*, c'est seulement quand quelqu'un en « impose hiérarchiquement » à d'autres, essayant de forcer ceux-ci à réprimer leurs propres impulsions et à s'adapter à un jeu de valeurs et de comportements extérieurement imposés au nom de la famille, que le ressentiment et l'hostilité éclatent.

Si vous trouvez qu'il vous est impossible de « contrôler » votre adolescent, c'est probablement parce que vous continuez à insister que votre rang comme sa mère ou son père devrait vous donner le droit de dicter ses signaux intérieurs à lui ou elle jeune adulte, chose qui lui déplaira car il ou elle aura le sentiment que vous essayez de retarder sa croissance. La solution est d'oublier votre « statut familial » pour un temps, que vous soyez la mère, la fille adolescente, le riche oncle, le cousin pauvre ou la brebis noire, dans n'importe quelle situation. Traitez simplement les autres membres de votre famille et vous-même comme si vous étiez de même statut ou rang, et vous verrez très vite que la meilleure manière d'entretenir le respect, l'amour et la responsabilité « intérieure » dans une famille est d'encourager individuellement chaque membre à réfléchir et à agir aussi indépendamment que possible.

Je l'ai vu maintes et maintes fois : les familles qui sont les plus préoccupées de leur statut en tant qu'unité dans la société, et les plus inflexibles en ce qui concerne le rang et le rôle de chaque membre, sont celles où les enfants sont les plus susceptibles de s'enfuir de chez eux à la première occasion, et de revenir le plus rarement possible. Par ailleurs, les familles où les enfants reçoivent toute l'aide voulue pour quitter aussitôt que possible le nid et s'envoler chacun dans la direction qu'il a choisie, au sein de laquelle *chacun* se sent absolument libre des liens du « statut familial » extérieurement imposés, sont celles où les enfants reviennent le plus fréquemment à la maison, et qui se serrent étroitement les coudes en temps de crise.

Votre psychologie

Un des commentaires les plus tristes sur la psychologie académique et professionnelle d'aujourd'hui c'est la manière dont elle encourage la pensée extérieurement orientée, exprimée en théorie psychologique, mais s'abstient d'aider les gens à se remettre en contact avec leurs propres signaux intérieurs et à apprendre à *se fier à eux-mêmes*. Les psychothérapeutes encouragent souvent leurs clients à devenir encore plus dépendants d'eux, de leur approbation, qu'ils ne l'ont jamais été de leurs parents, époux, enfants, patrons ou quiconque d'autre, et font comprendre à leurs clients qu'ils ne seront jamais entièrement capables de résoudre leurs propres problèmes.

Les thérapeutes n'entreprennent pas cela de propos délibéré et, en fait, souvent ils parlent longuement des problèmes de « transfert » et de dépendance. À mon avis, ils ne réalisent pas à quel point leurs théories, noms et étiquettes pour l'état de leurs patients, l'ensemble de l'appareil extérieur de la psychologie en tant que discipline de recherche, empêchent leurs clients de rétablir une confiance directe dans leurs propres signaux extérieurs, d'atteindre une intégrité véritable et la santé ou la super-santé mentale.

Au lieu d'apprendre à interpréter leur agitation, leurs aspirations, leurs fantaisies et même leurs rêves *par eux-mêmes* les clients reçoivent l'impression qu'ils ne peuvent établir la vérité *vraie* en ce qui les concerne que si un expert en psychologie interprète leurs signaux intérieurs pour eux ; ou, s'ils deviennent eux-mêmes psychologues en étudiant la psychologie pendant plusieurs années et en obtenant un diplôme. (Et même ceux qui suivent cette voie confirment rarement que leur discipline *les* a aidés à devenir des êtres entièrement heureux.)

Dans le cas extrême, cette interposition des théories de psychologie entre le client et ses propres signaux intérieurs peut le renvoyer constamment chez le thérapeute semaine après semaine, des années durant, dépensant peut-être plus d'argent qu'il ne peut se le permettre (une autre cause d'angoisse), ce qui devrait constituer une preuve largement suffisante que le thérapeute est en train d'entretenir d'une manière ou d'une autre une dépendance extérieure malsaine. S'il en est ainsi et que le patient envisage d'abandonner la thérapie, la conversation suivante pourrait avoir lieu.

CLIENT : Je crois que j'aimerais arrêter la thérapie. Je viens chez vous depuis plusieurs années à présent.

THÉRAPEUTE : Vous me semblez être en colère et déçu.

CLIENT : Je suis quelquè peu déçu. Toutes ces années de traitement et je ne vois vraiment pas d'effet.

THÉRAPEUTE : Vous êtes en colère contre moi, n'est-ce-pas ?

CLIENT : Oui, je suppose que c'est vrai. Je désire vraiment m'arrêter. J'aimerais essayer de résoudre mes problèmes tout seul.

346

THÉRAPEUTE : Si vous ne pouvez toujours pas maîtriser votre colère, cela démontre que vous n'êtes pas encore prêt à abandonner la thérapie. Ce problème de transfert devrait être résolu avant de voler de vos propres ailes.

Ce dialogue peut vous sembler absurde, mais il s'agit là de la transcription authentique d'une séance lors de laquelle la cliente parlait à son thérapeute de le quitter après sept ans de thérapie hebdomadaire, une cliente qui se sentait vraiment prise au piège et qui était sérieuse dans son intention d'abandonner la thérapie et de se fier à ses propres signaux intérieurs; seulement elle ne pouvait pas se décider à le faire sans la permission de son thérapeute! Quand elle me le mentionna, je lui dis que je ne voyais pas comment elle pourrait avoir une *obligation* envers son thérapeute, et que si elle ne sentait plus le besoin d'une thérapie, c'était là une raison suffisante pour arrêter les séances, avec une simple lettre ou un appel téléphonique au thérapeute pour l'informer de sa décision.

Elle était peu enthousiaste, effrayée, car étant donné que son thérapeute n'était pas d'accord, il devait savoir quelque chose à son sujet qu'elle-même ignorait, et qui reviendrait la hanter plus tard si elle reconçait à la thérapie avant qu'il ne lui dise qu'elle était «prête».

Ce genre de thérapie qui encourage la dépendance est une chose tellement courante dans la «psychologie» de notre culture extérieurement orientée, et l'idée que nous ne pouvons pas nous passer du thérapeute professionnel pour nous aider à résoudre nos problèmes est tellement ancrée en nous, que beaucoup de gens n'ont plus leur libre arbitre quand il s'agit de décider s'ils ont besoin ou non d'un thérapeute, et ils finissent par avoir le sentiment qu'ils ont encore une *obligation* supplémentaire envers leur thérapeute, outre le temps et l'argent qu'ils lui ont consacrés jusqu'à présent.

Les thérapeutes peuvent encourager la façon de penser et de se comporter extérieure dans tous les domaines de leur méthodes diagnostiques et de traitement, souvent avec une dépendance excessive vis-à-vis des données de tests psychologiques extérieurs d'une validité extrêmement douteuse. Si l'on vous pousse à croire que les causes de vos problèmes ont leurs racines dans l'ordre de votre naissance, le comportement de vos parents, votre petite enfance ou votre enfance, votre statut social ou économique, la personnalité de votre père, la rivalité de vos frères et sœurs ou de toute autre source extérieure à vous-même ; si on vous incite à vous complaire dans votre passé avec l'idée que seul un thérapeute qualifié peut vous y ramener et vous aider à démêler le réseau complexe des influences destructives « qu'il » exerce sur vous ; vous êtes alors essentiellement formé comme une personne extérieurement plutôt qu'intérieurement dirigée, et essentiellement encouragé à vous adonner à la thérapie plutôt qu'à prendre la responsabilité de tout ce qui vous arrive, et à prendre le contrôle de votre propre vie.

Il est important de reconnaître que vous n'avez pas nécessairement besoin d'un thérapeute qui encourage la dépendance, pour vous transformer vous-même en esclave de votre propre « psychologie ». La psychologie extérieurement orientée est tellement répandue dans notre culture que vous pouvez finir par vous « psychanalyser » vous-même. Vous apprendrez à chercher des sources extérieures à blâmer pour vos difficultés ou à les analyser à la lumière des complexes d'Oedipe, des complexes d'infériorité, des contraintes et ainsi de suite. Il est donc essentiel de vous mettre vous-même en garde *dès que* vous commencez automatiquement à chercher un salut psychologique à n'importe quelle source autre que celle de vos propres signaux intérieurs. Si vous suivez une thérapie, et si votre thérapeute ne vous aide pas à vous libérer de votre dépendance envers ces « déterminants » extérieurs tout en s'efforçant de vous faire cesser la thérapie, renoncer à ces pilules, et adopter de nouveaux choix intérieurement dirigés, je vous recommande alors, soit que vous renonciez à la thérapie ou que vous trouviez un thérapeute qui ne risque pas de devenir une nouvelle force extérieurement dirigée, dans votre monde. Et nombreux sont les thérapeutes qui *sont* intéressés à vous aider à devenir intérieurement dirigé — vous devez simplement être persévérant dans votre recherche de professionnels intérieurement plutôt qu'extérieurement orientés.

Les lois et les figures d'autorité

Quelle est la réaction au creux de votre estomac quand vous voyez un policier? Éprouvez-vous une certaine crainte qu'il va vous attraper en flagrant délit de quelque chose? Procédez-vous à un examen immédiat de votre comportement pour être sûr qu'il ne vous remarquera pas?

Que faites-vous quand un policier vous donne une contravention que vos signaux intérieurs essayent de vous signaler comme étant vraiment injuste et injustifiée, et invoque quelque règlement obscur comme «Vous ne pouvez pas stationner à moins de cinq mètres d'une bouche d'incendie», que vous étiez «censé connaître» même si la ligne jaune au bord du trottoir à été peinte sur seulement trois mètres de chaque côté de la bouche, et que vous étiez sous l'impression (on vous a induit en erreur) que vous étiez légalement stationné?

Que faites-vous si vous avez été la victime d'un léger accident de la circulation et que votre avocat insiste pour que vous exagériez la gravité de vos blessures de façon à obtenir la «plus belle compensation possible» (vous disant constamment, «Mais tout le monde le fait.»)?

Quelle serait votre réaction si vous étiez soldat et que votre supérieur vous donnait l'ordre de tirer sur une foule de civils désarmés?

Et si on promulgait une loi disant que tous les Américains d'origine japonaise doivent être immédiatement mis dans des camps de concentration? Iriez-vous dans un camp si vous étiez un Américain d'origine japonaise, ou feriez-vous respecter la loi, si vous n'en étiez pas un?

Quelle que soit la façon dont vous répondrez vous-même à des questions comme celles-ci (nous savons tous ce que nous *dirions*, mais combien d'entre nous savons vraiment ce que nous *ferions*, si nous nous trouvions dans des situations semblables?) vous savez déjà de vos propres signaux intérieurs que les gens extérieurement dirigés auront tendance à obéir aux lois et aux figures d'autorité uniquement parce que le policier porte un uniforme, que l'homme de loi sait mieux que quiconque ce qu'ils font en pareil cas, que c'est de la trahison que de désobéir à un officier supérieur en temps de guerre, et que si le Président des États-Unis dit que les Américains d'origine japonaise constituent une menace potentielle pour notre sécurité nationale, il doit avoir raison.

Il est manifeste que c'est hautement autoritaire de croire que toute personne qui porte un uniforme, qui a un titre ronflant ou qui se trouve dans une position prestigieuse est digne d'être obéie aveuglément, et « l'antidote égalitaire » est d'accepter que tous les gens, vous y compris, quels que soient leurs positions ou leurs titres, peuvent commettre des erreurs et donner des ordres qui méritent d'être défiés ou désobéis. Une obéissance aveugle aux lois, aux règles, aux règlements et aux figures d'autorité est, par conséquent, au cœur même de l'autoritarisme extérieurement dicté.

Une fois de plus, ceci ne veut pas dire que les gens intérieurement dirigés sont des personnes qui trangressent la loi d'une façon compulsive ou sont habituellement dédaigneuses de l'autorité. Au contraire : quand les gens intérieurement dirigés sont d'accord ou s'associent avec ceux qui détiennent l'autorité, ils vont instinctivement payer leurs billets ou devenir des as comme pilotes de chasse pendant la guerre ou des agents de renseignements qui vont assembler les meilleures preuves de qui *est* vraiment un espion ennemi. Mais ils peuvent faire ça uniquement parce que quand les autorités leur demandent de faire quoi que ce soit qui viole leurs propres valeurs personnelles, ils ont appris à ne pas tenir compte de ces ordres et de ces règles — et, en ce qui concerne vos propres aspirations vers une existence Sans-limites, vous voudriez peut-être vous exercer à ne tenir aucun compte des figures pompeuses d'autorité et des lois absurdes aussi longtemps que possible sans faire de tort à personne.

La prochaine fois que vous serez sur le point de céder à des personnes autoritaires qui se trouvent également être des figures d'autorité, ou à des lois seulement parce que ce sont des lois, souvenez-vous qu'au Massachussetts il existe encore une loi dans les livres qui dit qu'il est illégal de s'asseoir sur le siège rond des cabinets.

La religion organisée (dans certains cas)

Nous sommes pour la plupart parfaitement conscients que les religions officielles ou «organisées», quand elles exigent que leurs membres se conforment aveuglément à des préjugés ethnocentriques, des traditions inflexibles et autres nombreux « codes » dictant la façon dont les individus doivent mener leur vie, quand elles enseignent aux gens de ne pas tenir compte de leur propre sens intérieur de la moralité, constituent alors des forces extérieures ou autoritaires puissantes au sein de notre culture, parfois dangereuses de façon catastrophique, surtout quand elles encouragent les chasses aux sorcières, les guerres religieuses ou la loyauté excessive au culte.

L'ironie de cette conscience quasi-universelle c'est que les catholiques les plus autoritaires diront de tous les musulmans que « c'est une bande de fanatiques au regard vitreux qui ne pensent jamais par eux-mêmes, et qui suivent aveuglément les préceptes de leurs Ayatollahs », tandis que les plus autoritaires parmi les protestants diront la même chose des catholiques, les Juifs les plus autoritaires diront de même pour tous les chrétiens, et les plus autoritaires parmi les musulmans répéteront la même chose pour tous ceux ou presque de la tradition judéo-chrétienne. À ce rythme, c'est peut-être Bouddha qui rira le dernier (à moins qu'il ne soit trop occupé à pleurer sur la façon dont tant de soi-disant bouddhistes sont devenus extérieurement orientés).

Le fait est que même si vous pouvez légitimement voir une très forte orientation extérieure dans les « religions organisées » des autres gens, plus vous êtes vous-même extérieurement dirigé, et plus vous serez vraisemblablement aveugle à l'orientation extérieure de votre propre église. Ainsi qu'un homme nous l'a demandé à tous à une époque où aucune religion, basée sur ses enseignements, n'avait encore été organisée : « Pourquoi voyez-vous la paille dans l'œil de votre frère et ne voyez pas la poutre dans le vôtre ? Ou comment pouvez-vous dire à votre frère, 'Frère, laisse-moi enlever la paille que tu as dans l'œil', quand vous-même vous ne voyez pas la poutre dans le vôtre ? Vous, hypocrite, enlevez d'abord la poutre de votre œil, et alors vous verrez assez clair pour enlever la paille qui se trouve dans l'œil de votre frère. » *

Autrement dit, ceux qui ont la plus grande « poutre »

---

* Luc, 6:41-42

extérieurement placée dans leur œil, seront les derniers à l'admettre — et aussi les premiers à voir la paille dans l'œil des autres. Ils seront les premiers à dire, « L'avortement est bien » ou « L'avortement est mal », selon ce que leurs chefs religieux leur disent de penser, et aussi les premiers à dire, « Les gens à qui la religion interdit (ou permet) l'avortement, sont tout-à-fait semblables à de petits Hitlers, suivant aveuglément leurs chefs. »

Pour ce qui est de la religion et de votre propre santé psychologique intérieure, oubliez la paille ou la poutre qui se trouve dans l'œil d'autrui, et ne pensez qu'à vos propres yeux. Votre religion vous aide-t-elle à vous mettre directement en contact avec ce que vos signaux intérieurs reconnaissent sans hésitation comme votre Dieu ? Encourage-t-elle les gens à penser par eux-mêmes, à consulter leur propre conscience, à penser librement en matière de religion ? De telles religions et leurs membres forment une partie importante et noble de n'importe quelle culture. Mais quand elles en arrivent à dire aux êtres humains qu'ils *doivent* penser de la façon dont les « autorités religieuses » leur disent de penser, qu'ils doivent agir ainsi parce que Dieu le leur a dit (par l'intermédiaire des autorités ecclésiastiques), et à essentiellement transmettre le message que les « bons » membres de l'église sont censés être des automates sans libre arbitre, ou des « animaux » ou des « enfants » qui doivent être sévèrement punis s'ils n'obéissent pas aux directives de l'Église, « la religion organisée » émerge tout simplement comme une autre bureaucratie autoritaire qui préconise une dépendance infructueuse vis-à-vis des punitions et des récompenses extérieures.

Plus les gens sont encouragés par leur religion à devenir autodirigés et responsables de leur propre comportement, à faire preuve de *moralité* et de *justice*, parce qu'ils considèrent cela juste en eux-mêmes, plus les chances sont grandes que la mission de tous les grands chefs religieux Sans-limites soit un succès.

Réfléchissez à votre propre religion, et demandez-vous si un Dieu vraiment bon et aimant donnerait aux gens l'illusion d'avoir leur libre arbitre individuel et, ensuite, établirait une religion organisée avec des règles qui prennent toutes les décisions importantes dans la vie pour ces mêmes gens. Demandez-vous si *votre Dieu* (si vous y croyez) *croit en vous*, croit que *vous* devriez être un penseur indépendant, vous comporter d'une façon qui soit compatible avec la plus haute moralité car votre Dieu vous dit directement et personnellement (par l'entremise de vos signaux intérieurs) que vous éprouverez une plus grande paix intérieure si vous le faites, et si votre religion est une très belle expérience *personnelle*.

Si *vous considérez votre religion* comme étant essentiellement extérieure dans son enseignement et son orientation, souvenez-vous que certaines des pires injustices jamais infligées aux êtres humains ont été perpétrées au *nom* de la religion, et que pourtant votre religion peut être intérieurement et personnellement une des forces les plus significatives dans votre vie — aussi longtemps qu'elle accroît votre appréciation et l'exercice de votre propre libre arbitre individuel.

J'espère que ce chapitre vous a donné une idée très claire de la mesure dans laquelle les individus dans notre culture ont fini par être manipulés par les systèmes de signaux-et-de-récompenses extérieurs, et vous a enthousiasmé à propos de vos propres possibilités de bonheur et de croissance une fois que vous avez décidé d'explorer, d'exprimer et, par-dessus tout, de vous fier à ces voix intérieures, et aux impulsions qui tentent toujours de vous guider par vos propres lumières, sans censure ou répression de votre part ou de la part d'autrui.

En évoquant Diogène quand il disait à Alexandre le Grand que la seule chose que le grand conquérant pouvait faire pour lui c'était de s'ôter de son soleil, et la récapitulation de John Gardner que « L'une des meilleures choses que nous puissions faire pour les hommes et les femmes créatifs est de nous ôter de leur soleil », peut-être le message central de ce chapitre, en admettant que nous soyons *tous* des gens d'une créativité potentiellement illimitée, est-il que *la meilleure chose que nous puissions faire pour nous-mêmes serait de nous ôter de notre propre soleil intérieur.*

Voyez les choses comme ceci : un groupe de gens a été abandonné, en pleine nuit, dans le désert chacun avec une lanterne. Supposez qu'ils ne courent aucun risque et qu'il n'y a aucune raison particulière pour qu'ils restent ensemble, ils sont là uniquement pour avoir le plaisir de flâner jusqu'au matin, et seront alors repris où qu'ils soient. Quels sont ceux qui tiennent leur propre lampe haut devant eux et cherchent des endroits à explorer en suivant leurs propres fantaisies particulières ? Quels sont ceux qui se suivent les uns derrière les autres et laissent leur lanterne se balancer sur le côté, de façon que leur lumière n'éclaire que le sol sous eux et le dos de ceux qu'ils suivent ?

Quels sont ceux qui disent : « La première chose à faire est de nous organiser. Joe a la plus grande expérience des bois, par conséquent, qu'il nous guide ! ». Ceux qui disent : « Très bien, vous tous suivez en file indienne, hop, deux, trois, quatre. » Ceux qui disent : « Et pourquoi donc ? J'ai envie d'aller dans l'autre direction, et si quelqu'un désire m'accompagner, marchons côte à côte, déployés, de façon à pouvoir éclairer davantage la forêt et découvrir aussi plus, et si l'un d'entre nous trouve quelque chose de vraiment fascinant, il peut appeler les autres pour le partager avec eux. » En résumé, quels sont ceux qui veulent suivre leur propre lumière, et quels sont ceux qui veulent demeurer dans leur propre lumière, ou faire un écran devant leur propre lumière avec le dos des autres ?

Je vous laisse le soin de *décider* quel genre de personne vous désirez être. Bien entendu, cela a toujours été votre décision, mais il est probable que vous n'avez jamais considéré cela comme une chose à être décidée par vous seul. Il est très possible que dans beaucoup ou la plupart des domaines de votre vie, vous vous êtes aligné, en supposant que le type qui est en tête savait mieux que quiconque où chacun devrait aller. S'il en est ainsi, vous pourriez réfléchir à ce qu'un homme a dit avant que la religion, qui suivit ses enseignements, ne fût « organisée » : « Vous êtes la lumière du monde... Et les hommes n'allument pas de lampe pour la mettre sous un boisseau, mais sur un support, et elle éclaire tout le monde dans la maison. » *

Nous prétendons tous aimer et chérir la liberté, mais bien trop souvent, nous définissons la liberté extérieurement — par

---

* Matthieu 5:14-15

exemple, comme « ce que le système politique américain nous donne ». Nous sommes bien trop rarement engagés dans la poursuite, pendant toute une vie, dans cette glorieuse expérience que représente la liberté personnelle vers laquelle seule notre propre lumière peut nous conduire.

Il est normal que nous voulions être de bons membres d'une famille, des amants satisfaits, des citoyens responsables, et accomplir un travail important qui puisse améliorer la qualité de la vie autant pour nous que les autres. Mais la jouissance « de la vie, de la liberté et de la poursuite du bonheur » dans ces domaines comme dans tous les autres, commence avec vous, en apprenant à vous fier à vos signaux intérieurs. Ainsi que Platon l'écrivait : « L'homme qui fait que tout ce qui mène au bonheur, dépende de lui, et non des autres hommes, a adopté le meilleur des plans pour vivre heureux. » Voici des mots clairs et simples prononcés quelques millénaires auparavant, qui sont clairs et simples aujourd'hui : fiez-vous à vous-même.

7 / *Respectez vos besoins supérieurs*

Au début du dernier chapitre, j'ai mentionné que *le désir de vos besoins supérieurs comme être humain* se trouvait parmi les sources de signaux intérieurs auxquelles vous devez apprendre à vous fier sur le chemin qui mène à une vie Sans-limites. Par «besoins supérieurs» je veux dire ceux qui «vont au-delà» de vos besoins biologiques fondamentaux de survie en nourriture, eau, abri, sommeil et exercice, pour inclure vos besoins en amour, vérité, beauté, travail significatif et une masse d'autres qui ont été reconnus à travers les âges comme donnant aux êtres humains l'impulsion pour devenir tout ce qu'ils peuvent devenir.

En qualifiant ces besoins de «supérieurs», je ne veux pas laisser entendre qu'ils doivent être placés «au-dessus» de n'importe lequel de vos besoins fondamentaux en tant qu'animal humain, dans aucune sorte d'arrangement prioritaire. Vous pouvez soutenir, si vous le voulez, que vos besoins animaux sont «supérieurs» parce que ce sont ceux dont vous devez prendre soin d'abord et toujours si vous voulez satisfaire certains de vos autres besoins. Par ailleurs, vous pouvez aussi insister pour que vos «besoins supérieurs» : l'amour, la beauté, la vérité et d'autres semblables, soient placés «au-dessus» de vos besoins biologiques, si vous les considérez, comme je le fais, comme étant ces besoins dont la satisfaction peut «vous porter au pinacle», ou contribuer très puissamment à votre bonheur. En outre, il y a tout lieu de croire que de négliger ces besoins supérieurs peut être tout aussi destructif pour vous, à la longue, que de ne pas manger, boire ou dormir peut l'être à court terme.

Mais pourquoi tenter de classer vos besoins humains fondamentaux, de toute façon? Il n'existe aucune raison concevable, sauf que vous avez tendance à négliger certains de ces besoins aux dépens d'autres. Ainsi, fondamentalement, d'appeler certains de vos besoins «supérieurs» et d'autres «inférieurs» comme un moyen de mettre davantage l'accent sur les «supérieurs» ou négliger les «inférieurs» constitue un dangereux exercice de dichotomisation qui ne tient pas compte de votre unité fondamentale comme personne, qui vous dédouble et provoque de l'angoisse et des conflits. J'ai décidé d'appeler ces besoins d'au-delà de vos besoins biologiques de survie, « supérieurs » parce qu'ils vont aider à vous hausser à des niveaux de vie Sans-limites de plus en plus élevés, quand vous commencez à les considérer comme des *besoins authentiques* que vous devez satisfaire chaque jour de votre vie.

Pour éviter toute possibilité de malentendu concernant les rapports qui existent entre ce que j'appelle vos besoins «fondamentaux» et «supérieurs», il est essentiel de *penser à tous* vos besoins, la gamme complète allant du besoin de se nourrir au besoin de beauté, de bonté et de justice, comme un *réseau*, comme une sorte de tremplin. Quand vous sautez sur un tremplin, il importe peu que ce soient les pieds qui se brisent, une corde qui se casse ou la toile qui se déchire. Si l'un des éléments subit des dégâts sérieux, vous vous retrouverez sur le sol. De même, si le support est solide, les cordes sont résistantes et la toile est élastique, souple, un véritable ressort, vous allez pouvoir rebondir aussi haut que vous le voulez et faire autant d'acrobaties que vous le désirez sans avoir à craindre que le tremplin ne tombe en morceaux au-dessous de vous. Vos besoins «fondamentaux» en tant qu'être humain seraient le support et vos besoins «supérieurs» seraient la toile. Mais essayez de rebondir quand la toile est étendue sur le sol, ou de sauter au milieu du support quand la toile manque, et vous aurez une idée à quel point tous vos besoins sont véritablement interdépendants.

VOS BESOINS SUPÉRIEURS SERVENT D'INSTINCTS

Il est prouvé en recherche psychologique que vos besoins supérieurs donnent naissance à des instincts tout aussi puissants et nécessaires à votre survie et votre bonheur que pour vos besoins animaux fondamentaux. Vous vous rappelez que j'ai dit au chapitre 4 que les instincts sont des réactions à votre environnement, qui sont héréditaires et inaltérables, et n'engagent pas la raison ; que ce sont des réactions immédiates de votre corps pour soulager la tension corporelle créée par celles des situations dans la vie qui provoquent des réactions animales fondamentales. Aujourd'hui, j'ajoute que les pensées et les sentiments qui accompagnent nos réactions immédiates et instinctives quand nos besoins supérieurs sont violés, quand nous entendons un mensonge ou faisons une expérience qui nous est particulièrement déplaisante, *vont exactement de pair avec nos réactions quand nous recevons un coup de poing*. Notre corps peut ne pas réagir aussi dramatiquement, mais dans l'ensemble de notre être, corps-et-esprit, il se produit une tension immédiate, et nous éprouvons une forte envie instinctive de le résoudre : de dire au mensonge, « Attendez une minute, ce n'est pas vrai », ou à l'expérience déplaisante, « Cette confrontation devient vraiment désagréable, je dois essayer d'y remédier » ou « Seigneur, ce quartier devient vraiment laid. Nous devons nettoyer ce terrain vague, couper cet arbre mort et en planter un autre. »

La différence entre vos instincts animaux et les instincts engendrés par vos besoins supérieurs c'est que si vos besoins animaux fondamentaux ne sont pas satisfaits, vous allez tomber malade ou mourir de causes physiques, alors que si c'est la satisfaction de vos besoins supérieurs qui vous est refusée de façon aussi brutale, ce sera votre esprit qui se désagrègera, et c'est alors mentalement que vous mourrez, totalement impuissant à vous contrôler vous-même ou votre destinée (pour finir dans un hôpital psychiatrique ou devenir un suicidé d'un genre ou d'un autre).

En fait, le refus de satisfaire les besoins supérieurs est exactement ce dont toutes les formes extrêmes de lavage de cerveau se servent pour désagréger et reformer l'esprit de leurs victimes. Le prisonnier politique qui est condamné au régime cellulaire, à qui on ment quotidiennement et qui n'a aucun espoir d'obtenir justice ; celui qui est converti à un culte qui le soumet à des rituels conçus pour lui faire honte au point de perdre tout respect de soi, ou le force à s'asseoir dans un cabinet obscur pendant deux jours, complètement privé de contacts humains ou d'autres stimulants extérieurs ; les victimes des abus de la « formation de la sensibilité » psychologique : on les livre à tous les jeux de la privation-des-besoins - supérieurs et cela à l'extrême. Qu'ils soient capables de se replier suffisamment dans le moment présent et de conserver leur foi dans la signification et la valeur de la vie pour émerger avec leur sens d'eux-mêmes intact, ou qu'ils cèdent ou soient brisés au point d'être menés à jamais avec des anneaux dans le nez, *quelqu'un d'autre est intervenu entre eux et leur aptitude à satisfaire leurs besoins supérieurs*, dans un effort pour saisir les contrôles de leur esprit.

À cette lumière, *les besoins supérieurs semblent donner une orientation fondamentale à la vie*, un peu comme le soleil et le ciel vers lesquels les plantes s'orientent pour pousser. Ils montrent le « chemin vers le haut » en ce qui concerne une vie Sans-limites, mais si vous, en tant qu'être humain, n'avez aucune idée dans quelle direction vous diriger, vous êtes comme le rosier (inexistant) qui dirige toutes ses pousses vers le coin le plus obscur qu'il peut trouver et enfouit ses bourgeons dans la saleté.

C'est aussi simple que ça : sans le respect de vos besoins supérieurs pour vous guider, vous vous désagrègerez comme personne. Mais vous n'avez nulle part à aller ou quoi que ce soit à faire pour découvrir quels sont vos propres besoins supérieurs et comment vous y prendre pour les satisfaire, sauf de reconnaître les moyens dont ils se servent pour se signaler à vous tout aussi clairement que vos instincts sexuels, de conservation ou d'autres instincts fondamentaux, si toutefois vous vous mettez sur leur longueur d'onde.

VOS BESOINS SUPÉRIEURS ET COMMENT LES SATISFAIRE

Parce que nos besoins supérieurs exigent d'être reconnus comme tels *individuellement* par chacun de nous, nous devons *nous parler les uns aux autres à leur sujet* en termes très abstraits ou généraux; des termes philosophiques, en fait, révélant que même si chacun d'entre nous a découvert / formé sa propre opinion de ce qu'est l'amour idéal abstrait par exemple, nous nous basons sur des expériences très différentes pour savoir comment l'amour s'est révélé à nous. Nous serons donc vraisemblablement en désaccord avec nos définitions « catégoriques » de l'amour, et par conséquent, nous *avons besoin* de termes vagues et généraux comme « amour », qui soient sujets par définition à toutes sortes d'interprétations différentes, si nous voulons parler de nos besoins supérieurs entre nous.

De tels termes vagues, généraux ou philosophiques n'ont cependant pas beaucoup de signification à moins que nous trouvions un moyen de les rendre signicatifs dans notre propre vie. La fonction que les idées comme l'amour, la vérité et la beauté, peuvent remplir pour vous, peut être démontrée si je discute d'un groupe sélectionné de concepts qui *m'ont* orienté très directement vers une appréciation de ce que j'identifie comme *mes besoins supérieurs*, et comment vous pouvez vous en servir pour retrouver un nouveau respect envers vos propres besoins supérieurs. Souvenez-vous qu'une vie Sans-limites signifie vous permettre de plus en plus d'être motivé par ces besoins supérieurs et les reconnaître comme des besoins absolus plutôt que du luxe ou des récompenses secondaires.

L'individualité

Le besoin de créer sa propre individualité est un instinct qui régit chaque aspect de la vie, et plus on le rejette, comme dans les sociétés qui cherchent à forcer les gens à se conformer, à ressembler, à se vêtir, à penser et à se comporter « exactement comme les autres », plus un sentiment de malaise, d'ennui, de lassitude progressive envahit l'esprit des individus.

L'individualité n'est pas une chose que vous désirez exprimer purement ou originalement pour elle-même. Vos besoins supérieurs n'essayent pas de vous dire de porter un gros pompon vert sur votre nez uniquement pour vous faire remarquer dans la foule et prouver à chacun quelle personne (ou quel «drôle de numéro») vous êtes. L'individualité se manifeste plutôt «par accident,» dans votre recherche de la manière dont vous aimeriez faire ce que vous faites : vous vêtir, cuisiner, parler, penser, jouer au golf ou faire de la peinture. Dans la personne SZE, toutefois, l'individualité dans son ensemble finit par être cultivée quand elle respecte ses signaux intérieurs par-dessus tous les signaux extérieurs qui tentent de le priver de son *droit humain fondamental à l'individualité* — de lui faire peindre un même portrait de la même manière que tous les autres le peignent, de répondre à une question exactement de la même façon que chacun dans la classe est censé y répondre, de mettre le même chapeau qui est porté par tout le monde à « l'angle réglementaire ».

Au cours de ma propre vie, j'ai trouvé que beaucoup de personnes appréciaient mon individualité, la façon particulière dont je choisissais de faire les choses, autant qu'ils appréciaient leur propre façon de faire, alors que ceux qui ont fait les plus grands efforts pour condamner mon individualité et la restreindre, ont inévitablement montré le moins de signes d'individualité eux-mêmes, pareils à des automates.

Souvenez-vous du liftier qui vous jettait un regard hautain quand vous entriez dans «son» hôtel de premier ordre à sept heures du soir en tenue de sport et preniez «son» ascenseur en même temps qu'un groupe de clients en tenue de soirée. Son regard vous disait : « Monsieur, nous ne portons plus la tenue de sport dans les ascenseurs après dix-sept heures, dans cet hôtel.» N'est-il pas inévitablement celui qui porte l'uniforme le plus méticuleusement « approprié », *sans cette note personnelle* spéciale — sans jamais avoir une fleur à *sa* boutonnière — et l'une des personnes les plus rébarbatives et manquant d'humour qui soit? Si vous le saluez d'un «Salut» jovial, il vous répondra calmement et poliment d'un «Bonjour, Monsieur », ou encore il se contentera de grogner. Mais il ne répondra pas à votre invitation amicale de vous traiter mutuellement comme des êtres humains. Il a peur de sa propre individualité et craint la vôtre.

Par ailleurs, le liftier qui attache beaucoup de prix à sa propre individualité et apprécie les autres de la même manière est celui qui vous accueillera avec la même bonne humeur que vous-même lui témoignez, qui trouve très excitant de voir des gens en combinaison de sportif se mêler aux personnes en tenue de soirée, qui se souvient de vous, qui vous raconte des plaisanteries, qui reprend une conversation là où vous l'aviez laissée la dernière fois — et c'est encore lui qui vraisemblablement portera une fleur à sa boutonnière, un foulard autour du cou, la photographie de sa nouvelle petite-fille dépassant de sa boîte à sandwiches, ou tout autre signe discret de sa personnalité que chacun peut remarquer.

Pour la plupart des gens, l'individualité est irrépressible et même dans les pays où l'individualisme est sérieusement désapprouvé, ou dans les organisations comme l'armée où on le décourage activement, le besoin instinctif ressenti à son égard se révèle tellement puissant qu'il remonte à la surface de toute façon, bien que d'une manière plus subtile. Peut-être se manifeste-t-il par un morceau d'or dans une dent à l'avant de la mâchoire, ou un tatouage, ou l'angle particulier du calot porté par le soldat. Peut-être se trouve-t-il dans ces rideaux à motifs fleuris d'un rouge vif, accrochés dans une des fenêtres de ce projet interminable de constructions nouvelles où tous les appartements se ressemblent, ou dans la façon spéciale de sourire, de rire ou de danser propre à un individu. Mais peu importe où votre personnalité se manifeste, dans quelle partie de ce monde, dans quelle situation, *c'est la marque de votre propre originalité en votre qualité d'être humain qui n'a jamais été sur cette planète auparavant et qui n'y reviendra jamais (du moins dans le moment présent) et vous devez respecter votre besoin supérieur d'être cet individu unique maintenant,* ou vous « perdrez pratiquement votre vie ».

Voyez les choses comme ceci : vous n'êtes pas né dans une éprouvette comme ce fut le cas pour un million d'animaux sujets d'expérience de « votre génération », destinés à vivre dans des conditions des plus contrôlées dans quelque laboratoire, pour qu'un savant dément, puisse vous affecter au groupe de «contrôle», afin d'être traité exactement de la même manière, soumis exactement aux mêmes environnement, programme et stimuli que les membres du groupe «expérimental», simplement pour la différence expérimentale que le savant tient à introduire. Vous n'êtes pas né rat de laboratoire, dont quelqu'un dira un jour : «Eh bien, voici un membre du groupe de contrôle; vous remarquerez qu'il a une santé normale, alors que la moitié des rats là-bas, ceux sur lesquels nous avons fait le test de ce produit chimique, sont malades.»

Mais c'est précisément de cette façon que vous pensez quand vous frustrez votre besoin d'individualité! Vous vous affectez au «groupe de contrôle». Par la même occasion, vous omettez essentiellement de tenir compte d'un fait qu'aucun savant ne pourra jamais (je l'espère) modifier : que vous êtes né à un certain moment et en un certain lieu dans l'histoire humaine où *personne* d'autre n'était né. Vous avez grandi d'une façon dont nul autre n'a jamais grandi auparavant, et déjà vous avez créé pour vous-même une individualité qui est exclusivement vôtre, qui ne sera jamais copiée exactement par un autre être humain peu importe la *durée* du temps. *Votre destinée de naître, de vivre et de mourir comme un être humain individuel, unique et incalculablement complexe est quelque chose que vous ne pouvez renier que dans votre imagination; c'est une réalité que vous ne pourrez jamais effacer.*

Par ailleurs, c'est en acceptant votre destinée humaine et en appréciant pleinement votre individualité unique et celle des autres, que vous allez acquérir une vue holistique, Sanslimites de vous-même et finir par réagir à toutes les situations de votre vie en pensant : «Personne n'a jamais affronté auparavant *cette situation particulière*. En tant qu'individu, je suis appelé à faire les *choix les plus créateurs que je puis* faire dans cette situation, à mon propre profit et à celui des autres. *Mon individualité* — ma liberté de choix personnelle et ma responsabilité — est une réalité à laquelle je ne pourrais échapper même si je le désirais. Je dois respecter ma propre individualité *maintenant*, sinon je la perdrai et deviendrai aussi extérieurement contrôlé, aussi affamé d'individualité que le rat sujet d'expérience en laboratoire. »

Si vous tenez compte de vos instincts d'individualité dans tous les domaines, je crois que vous trouverez comme moi, qu'ils vous conduisent à un sentiment de jouissance créatrice de toutes vos activités.

Le respect

« Respecter » signifie considérer quelqu'un digne de la plus haute estime, et également s'abstenir de s'ingérer — ce qui est le cas quand vous respectez le besoin d'intimité d'autrui. Ainsi, il devrait être évident que le besoin de respect de soi et le besoin de respecter ceux qui vous entourent (du moins, ceux qui vous respectent) est essentiel à l'être humain, car si vous n'avez pas de respect pour vous-même, vous vous considérez vous-même comme indigne de haute estime ou — méritant d'être tenu en *piètre* estime, et vous demandez des autres un traitement pratiquement minable.

J'ai mentionné plus tôt que les techniques de lavage de cerveau et de contrôle psychologique en général se basent principalement sur l'attaque du sentiment de respect de soi de la personne, et que si cette dernière le perd, elle se désagrège pratiquement. Très peu d'entre nous sommes soumis à de telles tentatives de nous priver de notre propre respect au cours de notre vie, mais nous sommes tous engagés constamment dans des situations où le respect entre les gens est « censé » être *inégal*. Par exemple, nombreux sont les parents qui demandent constamment un respect total de la part de leurs enfants, mais exigent que leurs enfants *méritent leur* respect en faisant ce que les parents définissent comme responsable. Beaucoup de professeurs et autres figures d'autorité exigent eux aussi le respect uniquement en raison de leur situation, et cependant ils font clairement comprendre que les étudiants et leurs autres subordonnés n'ont, à ce titre, pas droit au respect. Richard Nixon était le parfait exemple de cette attitude car il demandait que la présidence soit respectée alors qu'il se sentait parfaitement libre lui d'exprimer un irrespect consommé pour les étudiants protestataires et autres « clochards » qui n'aimaient pas la manière dont il dirigeait les choses (en fait, de nombreux commentateurs ont réussi à établir que les problèmes de *Nixon* provenaient d'une confusion fondamentale, à savoir si oui ou non il était vraiment le Président ou la Présidence).

Certains types de policiers sont enclins à jouer ce jeu de vous-me-respectez-je-ne-vous-respecte-pas. Ce sont ceux qui, quand il vous ordonnent de vous arrêter pour avoir conduit trop vite, ne se contentent pas seulement de vous donner un procès-verbal, mais ils vont marcher d'un air important vers votre voiture, exiger avec un ricanement condescendant de voir votre permis de conduire et votre immatriculation, vous traiter comme si vous étiez le pire des criminels endurcis — des flics qui semblent vous mettre au défi de leur montrer le plus léger manque de respect (de façon à pouvoir, supposez-vous, vous donner un autre procès-verbal, vous arrêter ou *quelque chose du genre* pour «manque de respect envers un agent de police»). Ils vous font comprendre que votre horrible crime consistant à conduire à une vitesse dépassant de treize kilomètres par heure la limite de vitesse leur donne le droit de manquer totalement de respect à votre égard en votre qualité de personne, et ils attendent que vous rampiez devant eux, que vous *leur* demandiez pardon pour votre excès de vitesse (bien, qu'en vérité, vous ne devriez dire qu'à vous-même seulement, «Je suis navré de ne pas avoir surveillé l'indicateur de vitesse de plus près — mais je ferai désormais très attention»).

Vous avez certainement compris, à présent, que le respect des gens les uns pour les autres n'est du *véritable* respect, dans le sens salutaire du mot, que si c'est mutuel ou réciproque. Sinon, c'est seulement un hommage d'une personne envers une autre. Et l'idée d'*exiger* le respect de quiconque est absurde. Le parent qui exige le respect de ses enfants a le sentiment qu'il doit l'exiger précisément parce que pour commencer il n'a pas donné à ses enfants le respect fondamental dû à des êtres humains. S'il l'avait fait les enfants auraient répondu naturellement, de façon instinctive, à leur propre respect, et aucune exigence, de part et d'autre, n'aurait été nécessaire. La seule chose que ces parents recevront en réponse à leurs exigences seront des «semblants» de respect, et non un respect sincère et véritable, lequel quand enfin la domination des parents sur les enfants commence à s'amenuiser, devient aussi utile qu'un jerrycan plein d'eau quand il s'agit de recommencer les relations sur de véritables bases d'égalité.

Et il en est de même pour le respect de soi. Si vous constatez que vous devez *exiger de* vous respecter vous-même, c'est parce que vous avez, pour une raison ou pour une autre, oublié la vérité fondamentale que tous les êtres humains, vous y compris, ont *automatiquement droit au respect de tous.* Peut-être que si quelqu'un manque constamment de respect envers vous, vous finirez par dire : « Je n'ai aucun respect pour cette personne », mais si vous le faites, ce sera dans le contexte de « J'ai commencé automatiquement à accorder du respect à cette personne exactement comme tout le monde, mais il est clair qu'elle-même n'a aucune idée de la signification du véritable respect ; *elle ne respecte pas ce même besoin de respect chez les autres,* ne comprend pas que le respect fondamental d'un être humain n'est pas une chose qui puisse être manipulée, refusée, reniée. »

En outre, la différence entre les fois où (peut-être) vous avez dit des autres : « Je n'ai aucun respect pour eux », et où vous vous dites constamment à vous-même : « *Je n'ai pas de respect pour moi-même* », c'est que *vous avez un contrôle total sur vos propres pensées en ce qui concerne le respect,* et si vous l'acceptez comme un besoin humain supérieur qui vous est propre comme à d'autres, sur les bases que je suggère, vous n'aurez plus jamais à vous dire : « Je n'ai aucun respect pour moi-même. »

Vous devez avoir ce respect envers vous-même si vous voulez être un organisme sain. Si ce respect vous est refusé, vous vous verrez bientôt rétrograder de mille façons. Tout d'abord, vous ne mangerez plus convenablement, vous ne prendrez plus soin de votre corps, la vie perdra tout attrait pour vous, et finalement, vous deviendrez une personne extrêmement malade. L'instinct de respect est tellement fondamental qu'il s'applique à nous tous, et pourtant les gens les plus sérieusement malades (mentalement et, souvent, aussi physiquement) négligent simplement de se respecter eux-mêmes. Ils se montrent irrespectueux envers eux-mêmes, et par conséquent, les autres en font autant à leur égard. Le sentiment de respect est un besoin fondamental, et si vous ne le croyez pas, allez donc dans une clinique psychiatrique pour voir tous ces gens qui y demeurent en permanence. Observez les effets du manque de respect. Examinez attentivement le processus qui les a tellement déprimés mentalement qu'ils ont eu une «dépression nerveuse». Cela remonte à leur tendre jeunesse où des personnes importantes se montraient irrespectueux à leur égard; il ne leur faut pas longtemps pour commencer à ajouter foi à ces messages et ils ne sont plus capables de fonctionner comme des êtres sains.

L'appartenance

Le besoin d'*appartenance*, à une communauté d'êtres humains, à votre propre environnement ou au monde en général, dans le sens où vous vous sentez «chez vous» dans votre monde, est aussi vital à votre vie que la nourriture et le sommeil. Les êtres humains ne fonctionnent pas bien sans un sentiment d'appartenance. Même dans le cas de l'ermite ou de l'homme des montagnes qui parcourt les Rocheuses pendant des mois et des années, si son sentiment d'appartenance semble satisfait, c'est parce qu'il a le sentiment *d'être à sa place* dans les bois, les montagnes, dans une certaine partie de la nature, et que ceux-ci *lui appartiennent*.

Cependant, la plupart d'entre nous préférons (ou, comme la planète devient de plus en plus encombrée, nous sommes destinés à) triompher de notre appartenance dans des sociétés de plus en plus complexes. Que ce besoin supérieur puisse être aussi facilement renié dans les sociétés complexes que dans les situations plus simples se remarque facilement chez les épaves humaines, les «clochards», les drogués et d'autres encore qui ne peuvent avoir un sentiment d'appartenance dans les rues de nos grandes cités, ou chez les personnes âgées qui languissent dans les maisons de retraite, se détériorent et renoncent à elles-mêmes car elles ne se sentent plus *appartenir* à personne, *ni avoir leur place dans le monde*.

L'aliénation est l'opposé de l'appartenance, et comme toute personne isolée vous le dira, c'est peut-être une étape inévitable dans la plupart des vies. Parfois, vous avez juste besoin de vous éloigner de certaines personnes, communautés familiales ou même d'un pays.

Mais l'aliénation n'a de la valeur qu'en tant qu'échelon vers la satisfaction de votre besoin de mieux être ailleurs, avec quelqu'un d'autre, dans un autre pays, une autre profession ou autre chose. Ceci n'est constructif que si cela se produit en réponse à l'appel de votre propre besoin supérieur d'appartenance et de la façon dont vous pourriez satisfaire ce besoin. Chez ceux pour qui l'aliénation de tout et de tous est devenue un mode de vie, vous remarquerez une souffrance qui découle de la dépression, de l'angoisse, et même une détérioration physique, qui se traduit souvent par une hospitalisation ou la mort.

La première mesure à prendre pour satisfaire votre besoin d'appartenance est de vous demander avant tout si vraiment vous éprouvez le sentiment d'être à votre place dans le monde. Quand vous marchez dans la rue, avez-vous le sentiment que, « Oui, je suis exactement à l'endroit où je devrais être ; cet oiseau chante pour moi, et je suis à ma place ici à goûter le chant de cet oiseau ; voilà Joe — est-il également à sa place ici ? ». Ou bien pensez-vous, « Je ne suis pas à ma place ici ; je devrais vraiment me trouver au bureau en ce moment. J'aimerais tant me retrouver en Californie. Nous ne sommes pas à notre place dans ce quartier ; nous devrions être dans ce quartier plus cossu de l'autre côté de la ville. Qui est ce type ? Est-il à sa place ici ? » ou d'autres pensées de ce genre qui indiquent une aliénation chronique de « votre monde » ?

S'il s'avère que vous traversez précipitamment votre vie en vous efforçant *constamment* de trouver un endroit ou une communauté au sein de laquelle vous auriez *vraiment* un sentiment *d'appartenance*, c'est parce que vous n'avez pas accepté la réalité fondamentale que *vous êtes à votre place en vérité où vous êtes en ce moment*, dans le sens que personne sur terre a plus le droit que vous de se trouver dans ce monde.

Supposez que vous soyez un adolescent pauvre, déguenillé, qui se traîne de rue en rue dans un quartier riche, tirant votre tondeuse derrière vous, essayant de gagner quelques dollars en tondant des gazons, et qu'un type en Cadillac s'arrête à

369

côté de vous et dit : «Eh vous, le jeune, filez d'ici. Vous n'êtes pas à votre place dans ce quartier. »

Pendant que sa voiture s'éloigne, quels sentiments éprouvez-vous? Votre réaction est-elle : «Il a raison, je me sens vraiment étranger ici. J'ai cru qu'on me laisserait passer, du moins assez longtemps pour que je puisse m'acheter des vêtements décents et avoir quelques clients réguliers par ici, mais la pensée n'aurait jamais dû m'effleurer que j'étais à ma place ici»? Ou bien, vous dites : «Que diable veut-il dire, que je ne suis pas à ma place dans ce quartier? Veut-il dire que je devrais me sentir étranger sur terre, que si je ne peux pas me permettre d'acheter de meilleurs vêtements que ceux-ci, et pour cette seule raison je devrais me supprimer? Il s'est éloigné sur cette route, qui est à la surface de la terre, et une route publique par surcroît. Pour qui se prend-il pour me dire que je ne suis pas à ma place ici? J'ai autant le droit de marcher sur cette route que lui d'y conduire sa voiture. Je suis à ma place sur cette terre autant que lui . »

Ce que j'essaye de vous faire comprendre c'est qu'à moins que vous ne commenciez à accepter que *vous êtes à votre place là ou vous vous trouvez en ce moment*, dans le sens où vous avez autant le droit inaliénable à être au monde que quiconque d'autre, vous vous privez de la chance de jamais satisfaire votre besoin d'appartenance *où que vous soyez en ce moment*. Si vous êtes constamment occupé à vous répéter, «Je me sens étranger ici, ma place est ailleurs» alors le problème n'est pas que les autres vous ont repoussé ou ont dénié votre besoin d'appartenance, mais que vous vous êtes vous-même rejeté pour ce qui est «d'être à votre place dans le monde».

Si vous êtes disposé à admettre simplement que vous êtes à votre place dans ce monde, sur cette terre où vous vous trouvez *pour commencer*, et renoncez à toutes vos pensées comme «Je suis né dans le mauvais siècle — j'appartiens vraiment au dix-septième siècle», vous êtes alors prêt à satisfaire votre propre besoin d'appartenance *car vous le pressentez à présent pour vous-même*. Vous êtes prêt à vous poser des questions comme «Pourquoi n'ai-je pas le sentiment d'appartenir à cette famille, à cette communauté, à ce pays ? ». Vous êtes disposé à identifier ceux des domaines de la vie où votre besoin d'appartenance peut être satisfait, à distinguer ceux que vous désirez vraiment cultiver, et à répondre à vos propres instincts d'appartenance quand il s'agit de savoir comment les satisfaire.

Nous avons tous un instinct d'appartenance, le désir de nous sentir importants, d'avoir des relations importantes. Renier ces choses est aussi dévastateur pour votre organisme que le refus de nourriture ou de sommeil ; la seule différence c'est que les symptômes prennent juste un peu plus longtemps pour faire surface.

L'affection et l'amour

L'importance primordiale de l'affection et de l'amour envers le nourrisson humain est bien connue de tous les parents qui aiment le moindrement leurs enfants, et les effets de la privation extrême d'affection envers leurs bébés sont bien connus de tous. Un nouveau-né qui est nourri et changé à temps tout le temps, dont tous les « besoins animaux fondamentaux » sont satisfaits, mais qui n'est jamais pris dans les bras, carressé, bercé, embrassé, avec lequel personne ne joue — un nourrisson qui est totalement privé de tout contact humain et affectif — languira rapidement, montrera des signes qu'il rejette le monde, deviendra grincheux, perdra son appétit, rejettera toute nourriture solide ou liquide, et finalement, il se laissera mourir de faim. Dans les cas moins sérieux, où les parents traitent les nourrissons avec moins de négligence, les prennent dans les bras et jouent avec eux de temps à autre, pendant quelques minutes çà et là, mais toujours avec une grande hâte et un certain ressentiment, les nourrissons montreront également des signes de rejet de la vie, mais ils continueront à vivre et peut-être en grandissant, pourront-ils surmonter leur carence affective et reconnaître combien l'affection et l'amour sont importants pour eux comme pour les autres. S'ils gardent en mémoire à quel point ils se sont sentis privés, ils pourraient devenir les êtres les plus aimants et affectueux du monde. Mais que l'enfant en vous ait été privé d'affection ou non jusqu'à présent, vous devez néanmoins comprendre que vous pouvez être l'objet d'amour et d'affection

371

encore aujourd'hui et que vous refusez désormais de les remettre à plus tard. Non seulement vous méritez de connaître l'amour et l'affection, mais vous en avez un besoin absolu pour votre propre survie.

Nous connaissons tous des gens dont nous disons, par exemple : « C'est un mari et un père très consciencieux, mais il n'est pas très affectueux ». Peut-être entendons-nous le plus souvent ce genre de remarque venant de personnes qui parlent des membres de leur propre famille, et généralement il s'agit d'hommes car, conformément à la dichotomie homme/femme, les personnes du sexe féminin sont présumées être ouvertement affectueuses, plus particulièrement avec les enfants, mais les hommes ne le sont pas — ils sont supposés être les soutiens de famille, les protecteurs, les «rocs inébranlables», et le fait de montrer ouvertement de l'affection et de la tendresse est considéré comme un signe de faiblesse ou de vulnérabilité. Ce qui précède est naturellement absurde et ce qui est ironique n'est basé que sur mon expérience, mais les hommes qui respectent leur propre besoin d'affection et se laissent aller à toucher, à étreindre, à embrasser, à caresser et faire fi d'autres préceptes de coutumes sociales plus que traditionnels, sont inévitablement plus forts que les disciples inflexibles d'une image de *masculinité agressive*, du moins dans ce sens qu'ils sont davantage en paix avec eux-mêmes, d'une humeur beaucoup plus égale, moins irritables, ayant moins tendance à être ébranlés par des petites choses ou à se désagréger en temps de crise.

Très simplement dit, l'individu qui renie systématiquement son besoin d'affection s'éloigne de ceux qu'il aime et, qu'il l'admette ou non, il se sent jusqu'à un certain point isolé dans le monde. Bien qu'il se dise à lui-même, et aux autres, «Mon fils sait que je l'aime sans que j'aie besoin de l'étreindre constamment», il y a quelque chose d'irremplaçable en ce qui concerne le contact physique, quand il s'agit de « vraiment se sentir» faire partie de votre famille, de l'humanité, du monde.

Les animaux sont parfaitement conscients de tout ça. Les chats qui dorment pelotonnés les uns contre les autres, ne le font pas seulement parce qu'ils ont physiquement froid et recherchent la chaleur corporelle les uns des autres, mais parce qu'ils aiment la chaleur affective, si vous voulez, qui provient de faire physiquement partie de la vie, ou de l'espèce féline, comme un ensemble. Le chien qui accourt vers vous pour se faire caresser n'a aucune appréhension que « Les autres chiens puissent penser de moi que je ne suis pas un vrai dur si je fais cela ». Mais une chose étrange concernant les êtres humains c'est que, même si tout le monde ou presque respecte le besoin d'affection de son chien, de son chat ou de son canari, par coutume le père n'est pas censé mettre son bras autour des épaules de son fils quand ils sortent du terrain après la partie de ballon ; il *est* censé caresser son chien, et éprouver du plaisir de voir l'affection que son chien lui témoigne. Peut-être est-ce parce que tout le monde sait combien les *chiens* ont besoin d'affection — après tout, ce sont des animaux !

Il faut donc en tirer la conclusion que tout ce que nous avons à faire, en tant qu'animaux, c'est de nous traiter nous-mêmes et ceux que nous aimons aussi bien que nos chiens, et nous constaterons rapidement que le besoin d'affection de chacun est pleinement satisfait.

Le besoin d'aimer et d'être aimé est une chose plus problématique que le besoin d'être affectueux. Alors que l'affection est un moyen d'exprimer de l'amour pour les autres et « vient naturellement » une fois que nous aimons une personne comme un ami, un compagnon, l'amour entraîne des questions concernant le moi : « Et avant tout, saurai-je trouver quelqu'un que je puisse aimer, et qui m'aimera ? ». « Comment puis-je savoir si oui ou non j'aime vraiment cette personne, ou si cette personne m'aime vraiment ? ». Il semble que votre aptitude à satisfaire votre besoin d'aimer et d'être aimé ne dépend qu'à moitié de vous et, qu'en outre, si personne d'autre ne consent à vous aimer ou à être aimé de vous, il n'y a pas grand-chose que vous puissiez faire. Ce sont les autres qui vont vous priver d'amour.

Ce genre d'attitude n'est pas satisfaisant, car il n'y a absolument aucun avantage à ce que vous vous *préoccupiez* de trouver des gens à aimer ou de faire en sorte que les autres vous aiment. Il n'y a aucune nécessité pour vous à admettre que la satisfaction de n'importe lequel de vos propres besoins supérieurs, dépend de tout autre que vous ; et tout ce que vous faites psychologiquement quand vous pensez que la satisfaction de votre besoin d'aimer dépend du caprice des autres, c'est de vous préparer à reprocher aux autres le manque d'amour dans votre vie et à prétendre qu'il n'y a rien que vous ne puissiez faire.

Heureusement, si vous pensez un petit peu à l'amour, vous verrez que même la société insiste pour que vous trouviez cet homme unique ou cette fille parfaite, que vous êtes « destiné à aimer », on vous a appris à effeuiller la marguerite en récitant, « Il m'aime, il ne m'aime pas » ; tant de chansons populaires entendues répètent, « Ne voulez-vous pas aimer quelqu'un ? N'avez-vous pas besoin d'aimer quelqu'un ? N'aimeriez-vous pas aimer quelqu'un ? Vous feriez mieux de trouver quelqu'un que vous pouvez aimer. » Tous les parents que vous avez entendus disaient à leurs enfants « Assure-toi qu'il / elle *t'aime vraiment* avant de t'engager. » Enfin tant de personnes consacrent un temps et une énergie considérable à se demander comment elles peuvent « faire » pour que d'autres êtres qu'elles s'imaginent aimer les aiment à leur tour ! Cependant, le fait demeure que *votre aptitude à aimer et à être aimé dépend entièrement de vous.*

Réfléchissez au mythe des compagnons/compagnes idéaux, à l'idée que l'homme ou la femme que le destin ou Dieu veut vous faire épouser est perdu quelque part là bas dans le monde comme une aiguille dans une meule de foin, et que vous devez avoir assez de chance pour rencontrer cet être, le / la reconnaître et être reconnu par lui / elle, et convenir mutuellement que vous vous aimez, avant même de pouvoir aimer-et-être-aimé dans le sens romantique / érotique.

Même en supposant qu'il soit vrai qu'il y a quelque part dans le monde un tel être parfait pour chacun (e) (tout veuf ou veuve, par exemple, qui a fait un second mariage heureux vous dira que c'est absurde), si vous ne savez pas comment aimer et être aimé quand vous rencontrez cette personne et ne savez pas comment apprendre, aucun amour ne sera possible entre vous. Et si cette personne ne perçoit pas que vous savez comment aimer et être aimé ou que vous désirez apprendre davantage à ce sujet avec elle, vous allez poursuivre en hâte vos chemins séparés. Par la suite, vous pourrez dire, « Le goujat, il m'a repoussé », mais *que s'est-il passé*? Vous êtes parti à la recherche de cette «personne spéciale» et pendant tout ce temps, au lieu de vous dire : «Que puis-je apprendre au sujet de l'amour maintenant, avec cette personne?» vous vous êtes essentiellement préoccupé de «Est-ce donc lui, oui ou non? Comment vais-je savoir si je l'aime vraiment? Si je l'aime, comment dois-je m'y prendre pour me faire aimer? Que se passera-t-il si je l'aime, mais que lui ne m'aime pas? J'aurai le cœur brisé!» Vous avez été tellement anxieux d'arriver au dernier pétale de la marguerite pour savoir (ou décider) s'il vous aime ou ne vous aime pas que vous avez négligé d'arroser les fleurs! Vous vous êtes tellement préoccupé de l'état présent et futur «de vos relations» que vous vous êtes bloqué mentalement et avez omis de les cultiver activement.

En prétendant que l'amour est comme une sorte de soucoupe volante qui peut, ou ne peut pas, descendre en piqué du ciel, pour vous enlever et vous emmener à tout instant vers un monde magique d'extase, vous avez renié son caractère essentiel d'*art de vivre dans le présent, de travailler et de jouer maintenant*, un art comme la danse dont, si vous l'aimez et la pratiquez, vous pouvez jouir avec n'importe quel (le) cavalier (ère), en tout temps. Une personne qui ne peut trouver quelqu'un à aimer et ne peut se faire aimer par quiconque, est comme une personne qui *dit* vouloir danser, mais ne semble pas pouvoir trouver le cavalier/la cavalière idéal (e) (quelqu'un avec qui automatiquement il/elle danserait en tourbillonnant, de façon magique et sans effort, en faisant toutes sortes de pas compliqués qu'il/elle ne s'est jamais donné la peine d'apprendre).

Pour mieux comprendre ce qui précède, cela pourrait vous être utile de penser à ces gens que vous avez connus et au sujet desquels vous avez dit ou entendu d'autres dire : «Tout le monde l'aime.» Est-ce qu'il en est ainsi parce qu'il avait la chance de se trouver dans un environnement où étaient justement réunis les gens qui *lui* étaient favorables?

Croyez-vous que s'il était subitement plongé au milieu d'une culture étrangère à mi-chemin autour du globe, toutes les personnes qui lui sont hostiles pourraient s'y trouver, et que personne ne l'aimerait ?

Bien sûr que non. Tout le monde l'aime d'abord parce qu'il s'aime lui-même et, ensuite, qu'il sait comment aimer tout le monde d'une façon ou d'une autre. Il sait comment être plein d'égards dans toute interaction humaine sans s'en inquiéter (et peut-être en s'inquiétant à mort par des doutes sans fin et une anticipation sur le futur qui a par le passé détruit tant de relations amoureuses). Il montre comment être prévenant, comment mettre les autres à l'aise en sa compagnie ; comment être « communicatif » sans être sur la défensive ou effrayé à l'idée que les autres puissent le repousser ; ce qui le laisse d'ailleurs indifférent.

En ce qui concerne le rejet et la crainte qu'il inspire, l'amant Sans-limites demandera : « Qui veut courir après quelqu'un qui ne désire pas danser avec vous — et vous répond d'un ton brusque quand vous le lui demandez — quand il y en a tellement d'autres autour de vous qui aiment vraiment danser ? ». Et il terminera en disant que la personne qui le « repousse » ne lui fait rien à *lui* ; elle admet simplement sa propre incapacité à aimer ou à être amicale et enjouée dans une telle situation — essentiellement, se repoussant elle-même.

La moralité c'est que d'aimer et d'être aimé ne sont pas des situations qui vous « arrivent », mais un art créatif que vous poursuivez avec d'autres personnes de mille façons différentes, allant des amitiés d'un jour aux relations romantiques/érotiques qui durent toute une vie. Si votre besoin d'amour et d'affection sera satisfait durant votre vie (du moins, votre vie adulte), dépend uniquement d'une chose : que vous vouliez vraiment « danser », et êtes vraiment disposé à l'apprendre.

Naturellement, vous devez comprendre qu'il n'existe pas deux personnes qui peuvent apprendre à danser ensemble sans se marcher sur les orteils l'un de l'autre de temps à autre, et qu'à l'occasion, vous allez avoir un(e) cavalier(ère) vraiment bizarre dont le seul but apparent sera d'écraser vos orteils (et qui pourrait vous reprocher de mettre vos orteils sous ses pieds et cela au lieu d'essayer lui-même de ne pas répéter la même erreur), et avec lequel vous n'avez plus envie de recommencer. Mais si vous avez du cran, vous allez certainement trouver qu'il y a des masses de gens qui ont envie de danser la gigue de l'amitié avec vous, et un plus grand nombre encore qui sont disposés à danser un tango romantique/érotique. Aussi longtemps que vous vous souvenez que la danse n'a rien à voir avec l'«acquisition» d'une épouse ou d'un époux, avec le fait de «coincer» un groupe d'amis, «conduire» vos enfants à travers toutes leurs épreuves; que pour vous il s'agit uniquement d'apprendre à improviser dans une certaine mesure l'amour, l'affection, l'amitié ou quoi que ce soit d'autre qui semble approprié, avec quiconque vous vous trouverez à ce moment précis; de reconnaître que chaque danse est une chance pour vous «améliorer», de danser avec une inspiration plus grande que jamais; vous vous rendrez compte que votre besoin d'amour et d'affection sait parfaitement bien comment se satisfaire lui-même.

Vous avez déjà dû vous rendre compte à quel point votre besoin d'aimer et d'être aimé est important pour vous. Si vous vous dites en ce moment : «Eh bien, ce n'est pas *tellement* important après tout, je peux m'en passer si nécessaire», ou «J'ai essayé mais ça a causé plus d'ennuis que cela en vaut la peine», ou même ainsi que le titre d'une chanson populaire le proclame, «L'amour ne vaut rien!», vous devez savoir en vous-même que vous êtes en train de rationaliser, de marmotter en vain au sujet de raisins verts, de renoncer à danser parce qu'il faut parfois marcher sur des orteils. Vous devez vous douter que vous ne *savez pas vraiment vous aimer vous-même, dans les deux sens* : vous n'avez pas l'amour de vous-même (qui est pratiquement la même chose que le respect de soi), et vous ne savez pas comment faire pour aimer les autres.

S'il en est ainsi, et si vous ressentez un manque tangible d'amour dans votre vie (et, par conséquent, d'affection, vu que l'un est fonction de l'autre), ne vous demandez plus si les autres vous aiment ou non, et ne cherchez plus à savoir qui vous aimez et qui vous n'aimez pas ce qui est juste une autre façon d'abuser de la dichotomie amour/haine. Pensez seulement à la façon dont vous pouvez le mieux goûter à ce plaisir maintenant avec un ami, un amant, vos parents ou vos enfants, l'étranger avec qui vous échangez quelques mots dans le métro ou au magasin, toute personne que vous rencontrez. Laissez l'amour naturel que vous avez pour vous-même et l'humanité se résoudre de lui-même là ou il le désire, et vous verrez que l'amour *est* vraiment partout, toujours, pour ceux qui veulent vraiment danser, du nouveau-né dans les bras de sa mère à la personne de quatre-vingts ans, pour qui «tout le monde a une grande affection» à la maison de retraite.

Un travail significatif

Tout être humain a besoin de se sentir productif. Ce qui ne veut pas dire que nous devons tenir un emploi au service des autres pour nous réaliser dans la vie. Mais le sentiment d'être utile, d'être différent de façon créative, de poursuivre une tâche et de la mener à bien, est extrêmement important. Il s'agit de besoins fondamentaux. Tout manquement à leur égard se traduirait par l'ennui et par la plus douleureuse et débilitante de toutes les expériences humaines : *le manque d'intérêt*. Les gens qui perdent tout intérêt dans la vie sont simplement en train de dépérir. Ils n'ont plus aucun but et ils deviennent un fardeau pour eux-mêmes et l'ensemble de leur société. Ils souffrent de dépressions graves, d'apitoiement sur eux-mêmes et de symptômes physiques de toutes sortes, et à la longue, ils peuvent mourir de ce mal. Oui, en vérité, c'est un instinct extrême que d'être productif et d'effectuer un travail significatif. Pour ceux qui ne suivent pas cet instinct, l'alternative est un style de vie ennuyeux et l'éventuelle paralysie qui découle de l'inaction.

Dans ce sens, chaque être humain vivant veut travailler, du moins au début, et ce n'est que quand vous êtes immobilisé trop longtemps dans un emploi ennuyeux, qui exerce trop de pression sur vous ou que vous n'avez pas le sentiment, dans votre for intérieur, qu'il fasse du bien à quiconque, que vous penserez vraisemblablement : «Je ne veux plus travailler. Je désire prendre ma retraite et simplement me divertir et me détendre tout le temps.» Cependant, si c'est ainsi que vous pensez, je crois fermement que vous vous méjugez, et vous vous en rendrez compte rapidement si vous essayez de prendre complètement votre retraite. L'existence vous semblera vide ; vous commencerez à vous sentir inutile, et après un certain temps, vous serez à la recherche de choses utiles à faire, que ce soit du travail bénévole à l'hôpital, de conduire les enfants du voisin au terrain de jeux ou au cirque pour que les parents puissent se détendre un peu, ou d'essayer de faire déblayer le terrain vague   au bas de la rue de toutes les ordures qui l'encombrent.

L'importance du besoin de faire un travail significatif peut être observée chez les handicapés physiques et mentaux. Quel que soit leur état, ces individus peuvent tous faire *quelque chose* ; ils *veulent* toujours avoir une activité, et la différence entre ceux qui ont eu une chance de s'occuper et ceux qui ne l'ont pas, est comme la nuit et le jour. Ceux qui se voient refuser la possibilité de travailler, ou se voient confier une tâche insignifiante, un travail chimérique, qu'ils savent avoir reçu pour les tenir occupés et hors du chemin des autres, éprouvent de la rancune, sont déçus, déprimés. Leur infirmité est exagérée, leur état de santé se détériore et, comme toute autre personne qui se voit refuser la chance de travailler, ils peuvent à la longue soit perdre la raison, soit devenir inactifs et dépendants de façon chronique.

Toutefois, ceux à qui un travail est offert ou qui trouvent eux-mêmes quelque chose à faire, et reçoivent l'aide qui leur est nécessaire, s'épanouissent en tant que personnes de la façon la plus fascinante, et ils vous diront tous presque sans exception que ce n'est pas leur handicap auquel ils en voulaient mais à la possibilité de voir leur infirmité autorisée à leur retirer le droit de travailler, leur fierté et le respect de soi qui découlent de leur contribution à la société et de gagner leur vie. En général, ils apprécient le besoin de travailler de façon beaucoup plus profonde que les autres individus et sont abasourdis à l'idée qu'une personne pourrait jamais considérer le besoin de faire un travail significatif comme étant moins qu'absolument essentiel aux êtres humains. En outre, ils savent trouver un sens à n'importe quel travail qu'ils sont *capables* de faire, et ils ont de la difficulté à comprendre comment des gens robustes peuvent critiquer sans cesse leur travail, en se disant, «Attendez seulement d'avoir eu un accident ou d'avoir été malade, et de ne plus pouvoir faire ce travail. Vous vous plaindrez deux fois plus longtemps et plus fort à ce moment-là. »

Un autre groupe qui apprécie profondément le besoin d'un travail significatif, est constitué par des personnes âgées, celles qui ont été forcées de prendre leur retraite à l'âge de soixante-cinq ans quand elles savaient qu'elles avaient encore de nombreuses années de travail « en elles ». L'âge d'or, la vie montante et d'autres groupes semblables de personnes âgées ont répété avec de plus en plus de force, pendant ces récentes années : «Si vous nous refusez le droit de travailler, pourquoi ne nous enterrez-vous pas à soixante-cinq ans ? ». Ils ont tous vu de façon bien trop dramatique la différence entre ceux qui appartenaient aux domaines de la « retraite forcée », qui n'étaient pas en mesure de trouver un travail significatif après avoir été brusquement éjectés de leur profession à leur soixante-cinquième anniversaire, et ceux qui avaient leur propre affaire et que personne ne pouvait licencier, ou qui étaient dans un domaine où la retraite forcée n'est pas pratiquée. Ils savent pertinemment bien que le propriétaire d'une quincaillerie, l'avocat ou quiconque d'autre qui est vigoureux, alerte et productif dans ses quatre-vingts ans pourrait bien être mort aujourd'hui s'il avait été forcé de prendre sa retraite à soixante-cinq ans. Pour eux (et pour moi) c'est de l'hypocrisie consommée de la part des membres du Congrès, qui ont passé la législation de la retraite forcée pour les autres, mais ne passeraient jamais une loi semblable pour eux-mêmes, et insistent sur leur droit de continuer à servir au Congrès jusqu'à *leurs* quatre-vingts et quatre-vingt-dix ans, si tel est leur désir.

Que votre travail soit ou non significatif à vos yeux dans le sens où j'ai parlé de cette question, vous seul pouvez le dire, mais d'abord vous devez le demander sérieusement, ce que très peu de gens font. Si vous êtes instituteur, médecin, parent à temps plein ou que vous travaillez dans un domaine où votre service à la société est, ou du moins devrait être, l'évidence même, vous n'aurez pas beaucoup de difficulté à dire : « Bien entendu, mon travail est essentiel. » Mais si vous êtes ouvrier d'usine produisant un certain nombre d'amortisseurs par jour, si vous êtes dans la publicité produisant autant de couplets publicitaires par semaine, si vous êtes un donneur de vingt-et-un dans un casino, la question pourrait être un peu plus compliquée à répondre. L'ouvrier pourrait dire : « Eh bien, c'est essentiel dans la mesure où les gens ont besoin d'amortisseurs sous leur voiture. Je produis donc manifestement un matériel utile et nécessaire. Mais le travail est en soi-même extrêmement fastidieux ; il ne me donne pas beaucoup la possibilité d'exercer de la créativité ou de l'ingéniosité, donc ce n'est pas une activité tellement essentielle pour moi. » Ou l'ouvrier pourrait dire : « Eh bien, le travail est plutôt monotone, mais je trouve des moyens de faire preuve d'ingéniosité — par exemple, quand une machine tombe en panne, et que je trouve le moyen le meilleur et le plus rapide pour la réparer, ou quand je fais des suggestions pour améliorer le procédé ou le produit, pour créer des conditions de travail meilleures et moins hasardeuses ; je dirais que c'est essentiel dans son ensemble. »

Le publiciste pourrait dire : « C'est complètement dénué de sens. La plupart des articles dont nous faisons la publicité sont de la camelote bon marché pour laquelle nous essayons de créer une demande avec des couplets publicitaires idiots. Je le fais uniquement pour l'argent. Sinon, c'est une perte de temps et un gaspillage de talent. » (J'ai souvent entendu des publicistes dire la même chose de façons différentes.) Ou encore, il dira : « Eh bien, je pense que la publicité remplit une

fonction importante en fournissant au public des renseignements au sujet des produits, et même si certains de ces produits ne sont pas de premier ordre, d'autres dont nous faisons
la publicité sont excellents, à mon avis. Je m'efforce d'être
aussi créatif que je peux tout en donnant aux gens des renseignements utiles sur les produits, même si c'est sous forme de
couplets publicitaires et quelques lignes de texte d'accompa-
gnement. Je pense que je fais une contribution positive dans
cette affaire et, par conséquent, c'est un travail extrêmement
essentiel pour moi.»

Le donneur de vingt-et-un pourrait dire : «Naturellement, ça n'a pas de sens. Tout ce que je fais, c'est de soutirer
de l'argent aux gens pour le casino. Pour moi, c'est très intéressant, cette diversité de gens rencontrés, comment leur
esprit fonctionne, mais pour ce qui est d'une contribution à la
société, c'est zéro.» Ou encore, il dira : «Cela a beaucoup de
sens. Je trouve cela fascinant, et quant à une contribution à la
société, eh bien, les gens vont jouer quoi qu'il en soit, et au
moins ici, les taxes perçues du casino paient une bonne partie
du budget de l'éducation de l'État.»

Ainsi que je l'ai dit plus haut, si vous trouvez que votre
profession est dénuée de sens, vous avez deux choix : chercher un moyen de lui donner un sens ou la quitter pour faire
un travail auquel vous *pouvez* donner un sens. Cette dernière
solution peut demander une certaine patience, exiger de
prendre certains risques, d'accepter une nouvelle formation
ou une éducation complémentaire et certains «sacrifices»
financiers. En outre, vous pourriez rencontrer une certaine
désapprobation chez les autres qui ne peuvent tout simplement pas comprendre pourquoi vous renonceriez à ce qu'ils
considèrent comme la sécurité pour poursuivre ce que vous
avez décidé d'essayer, ces critiques qui semblent vraiment
croire que si vous gagnez suffisamment d'argent vous pouvez
satisfaire tous vos besoins humains d'une façon ou d'une
autre, et que si vous considérez ou non votre travail comme
essentiel n'a pas beaucoup d'importance. Mais si vous êtes
conscient de la nécessité primordiale d'un travail significatif
dans votre existence comme dans celle des autres, vous savez
aussi que si votre travail est dénué de sens vous n'avez pas de

véritable sécurité, et aucune somme d'argent ne vous compensera pour le vide dans votre existence.

La récréation et la détente

Si vous étudiez tous ces gens que vous connaissez, ou dont vous avez entendu parler, qui ont eu l'existence la plus productive et constructive qui soit sur une longue période de temps, vous découvrirez qu'ils respectaient tous leurs besoins supérieurs d'autorenouvellement, de rétablissement et de délassement spirituel qui découle de la récréation. Winston Churchill trouva dans la peinture le moyen idéal de tourner momentanément le dos aux problèmes de ce monde. Woody Allen joue de la clarinette une fois par semaine dans un bistrot de la ville de New York. Pour une raison que j'ignore, de nombreux universitaires connus sont des lecteurs avides de romans à suspense. Que ce soit les échecs ou le volley-ball, le camping ou la restauration d'antiquités, quelle que soit la forme de récréation que vous adoptez, il est essentiel pour vous de tenir compte de votre besoin biologique fondamental d'une récréation régulière. Si vous croyez que vous pouvez vous en passer, vous vous trompez, car si vous êtes devenu un « esclave du travail », poussé à un tel point par votre besoin de préparer votre prochaine affaire judiciaire à l'instant où vous avez terminé la précédente, vous ne vous donnerez jamais de répit, et votre travail en souffrira car vous allez tomber sous la loi des rendements décroissants. Vous pouvez travailler douze heures par jour, mais pendant les quelques dernières heures votre rendement sera négligeable, vous serez incapable de penser clairement, et vous pourrez vous considérer heureux d'avoir une bonne heure de travail pour quatre heures d'une lutte pénible contre le sommeil. Si vous persistez à ce rythme jour après jour, vous vous sentirez progressivement devenir plus lent et plus las et même vos premières heures de travail, le matin, ne seront pas aussi productives qu'elles devraient l'être. Bientôt, vos pensées commenceront à s'égarer, essayant de prendre le temps libre que vous refusez de leur donner. Devant la fenêtre, vous jetterez un regard dénué de toute expression vers l'extérieur. Vous direz : « Allons, ne te laisse pas aller ! Retourne au travail ! ». Mais quelques minutes plus tard, vous aurez de nouveau le regard perdu dans le vague.

Si, à cet instant précis, vous ne prêtez pas l'oreille à ces voix intérieures qui vous disent : « Que diable essayes-tu de me faire ? Je ne suis pas une machine qui va continuer à fonctionner sans incident uniquement parce que tu appuies sans cesse sur le bouton de marché ! Je désire aller me promener dans le parc ou ailleurs, *sur-le-champ* !, vous allez vous enfoncer de plus en plus profondément, tout en pensant : « Mon vieux, quelle journée stérile j'ai eue ! Et maintenant, je vais devoir travailler toute la nuit ! ». Et finalement votre esprit va commencer à se désagréger, votre anxiété atteindra des proportions castastrophiques, et vous devrez entrer à l'hôpital ou dans une clinique psychiatrique ou une station thermale ou *tout autre endroit ou vous* avez une chance de remettre les morceaux ensemble.

En fait, nous avons à présent la preuve que la majeure partie du processus de la pensée créative se poursuit à « notre insu », si vous voulez, en cours de récréation. Henri Poincaré, le grand mathématicien français, se creusait la cervelle des jours durant sur une série de problèmes complexes. Ensuite, comme il l'a écrit plus tard :

« Justement à ce moment-là j'ai quitté Caen où j'habitais à l'époque, pour faire une excursion géoloqique sous les auspices de l'École des mines. Les incidents du voyage me firent oublier mes travaux de mathématique. Ayant atteint Coutances, nous avons pris un omnibus pour visiter un certain endroit. À l'instant même où je mettais mon pied sur la marche l'idée me vint, sans que rien dans mes pensées ne me le laissait présager, que les transformations que j'avais utilisées pour définir les fonctions Fuchsiennes étaient identiques à celles de la géométrie non-Euclidéennes. Je n'ai pas vérifié cette idée ; je n'en aurais pas eu le temps car en reprenant mon siège dans l'omnibus, j'ai repris une conversation déjà entamée, mais je ressentais une certitude absolue. À mon retour à Caen, par aquit de conscience, je vérifiai le résultat à tête reposée. » [*]

[*] Henri Poincaré, « Création mathématique » dans *Le processus créatif*, éd. Brewster Ghiselin (Mentor, 1955).

Des exemples plus célèbres encore comprennent Newton sous le pommier et Archimède, dans sa baignoire. Donc, si vous croyez faire des faveurs à votre travail en vous privant de récréation, réfléchissez-y à deux fois. Quelles que soient vos activités, que vous soyez une ménagère «enfermée» toute la journée, tous les jours de la semaine, avec cinq petits enfants, ou un ouvrier du bâtiment obsédé par l'idée que vous devez travailler chaque minute des heures supplémentaires dont vous disposez, ou un candidat politique avec un agenda rempli pour les quatre prochains mois, votre corps et votre esprit vont se révolter si vous ne leur donnez pas une chance de «tourner complètement le dos» à l'activité que vous poursuivez à cet instant, et d'entreprendre quelque chose uniquement pour le plaisir.

Parallèlement au besoin fondamental de travailler de de se sentir productif vient l'instinct de se détendre, de ralentir et d'être capable de simplement s'éloigner des tensions. Votre instinct de détente est nécessaire du fait que vous vous tueriez simplement sous la tension et la fatigue, si vous ne l'aviez pas. Sans l'aptitude à vous détendre, vous seriez accessible à toutes sortes de maladies, y compris l'hypertension, les ulcères, la maladie de cœur, les éruptions, les crampes, les tics nerveux, et ainsi de suite. Votre corps est conscient qu'une trop forte tension peut tuer, et ainsi il est parfaitement équipé avec l'aptitude et le désir de s'éloigner des situations de tension et de prendre des loisirs. Si vous ne croyez pas qu'il s'agit là d'un instinct, essayez de vous imaginer comment vous pourriez survivre si vous n'aviez pas un mécanisme intérieur pour vous avertir quand vous êtes épuisé. Vous continueriez à travailler jusqu'à l'effondrement. Malheureusement, nombreuses sont les personnes qui n'ont pas tenu compte de cet instinct intérieur et se sont détruites elles-même en ce faisant. Vous serez beaucoup plus en accord avec votre besoin absolu de récréation et de détente si vous vous fiez à votre instinct quand vous sentez que vous êtes beaucoup trop exténué. Quoi que vous fassiez, votre instinct de détente demeurera en vous, même si vous le repoussez et n'en tenez pas compte.

L'esprit créateur

Beaucoup de gens, si on leur demandait de citer les besoins supérieurs des êtres humains, pourraient mentionner certains de ceux que j'ai indiqués, tels que l'amour ou le travail significatif, mais mon intuition me dit que peu d'entre eux penseraient à l'esprit créateur, principalement parce que la dichotomie créateur/non créateur est tellement répandue dans notre culture. Vous l'entendez constamment dans des phrases comme : « Jimmy a un esprit tellement créateur ; je parie qu'il deviendra artiste quand il sera grand. Je n'ai pas personnellement un esprit créateur. » Il n'y a pas loin, de cette façon de penser, à conclure que seuls existent quelques « génies créateurs » et à s'imaginer que la créativité se manifeste seulement sur les murs des musées, entre les couvertures des livres et ainsi de suite, et qu'il serait prétentieux et même insensé pour vous d'aspirer à avoir un esprit créateur. Comment la créativité pourrait-elle être un besoin humain universel quand tellement peu de gens sont équipés pour le satisfaire pour eux-mêmes?

Bien entendu, il n'en sera pas ainsi, car si tout le monde se mettait à se catégoriser lui-même comme n'ayant pas un esprit créateur, toute originalité cesserait d'exister et nous finirions par regarder des vieux films à perpétuité, par bâtir les immeubles toujours comme nous les bâtissons aujourd'hui par penser, parler, enseigner, faire toutes les choses que nous faisons de la même façon à jamais, avec comme conséquence que la race humaine s'ennuierait à en mourir dans les six mois.

Heureusement, du fait même que la créativité *est* un instinct aussi profondément enraciné, cela n'est pas prêt d'arriver, et si vous ouvrez vos yeux tout grands et observez autour de vous toutes les choses que les gens ont créées, des journaux d'aujourd'hui aux toboggans sur les terrains de jeux, du bâtiment des Nations-Unies à l'engin spatial Appolo, et tout ce qui a été créé par la main des hommes, vous serez stupéfait de la créativité des êtres humains. En fait, le contraire de la créativité est tout simplement l'imitation, de sorte que la seule manière dont vous pouvez *éviter* d'être créateur sera de toujours imiter servilement les autres — et à l'extrême, de suivre une autre personne en permanence et d'imiter tout ce qu'elle fait.

Vu d'un autre point de vue, l'opposé de l'esprit créateur est le caractère destructeur, qui détruit de façon absurde les choses les plus belles, bonnes et précieuses créées par les gens, ou agit de façon destructive dans les rapports humains. Afin d'éviter d'être d'un caractère destructeur, vous devez faire preuve de créativité dans vos propres pensées originales en ce qui vous concerne, vous et le monde entier, et pour mettre ce processus en branle, vous devez éviter d'imiter la façon de penser des gens autodestructeurs (et il n'est pas *question* d'imiter le processus de pensée des gens véritablement créateurs, car il n'existe pas de formule pour l'originalité). *Ainsi je considère que le fait d'éviter une imitation aveugle ou un conformisme irréfléchi constitue la clé pour que tous nous puissions satisfaire nos besoins de créativité et nous montrer à la hauteur de notre potentialité créatrice illimitée.*

La première chose que vous devez reconnaître en ce qui concerne votre créativité innée c'est qu'elle est l'expression de votre individualité, qui est à jamais présente comme votre ombre, et vous accompagne fidèlement partout. Elle se révèle de façon subtile même quand vous essayez de la renier; elle se précipite en avant quand instinctivement vous en avez besoin et vous n'avez aucune chance d'intervenir dans sa réponse, exactement comme quand vous ajoutez « automatiquement » les ingrédients nécessaires à votre soupe maison ou allez au secours de la victime d'un accident de voiture. Certaines personnes pourraient dire : « Ce n'est pas faire preuve d'esprit créateur, c'est juste de la bonne vieille ingéniosité américaine », mais alors je demanderais : « Pourquoi parlons-nous toujours de bonne vieille ingéniosité américaine et jamais de la bonne nouvelle créativité américaine ? L'ingéniosité est un *genre de créativité*; n'est-ce pas là-dessus que les inventeurs se fient, et ne dirions-nous pas, par exemple, que Thomas Édison avait un esprit créateur ? ».

La question est d'oublier à quel point l'ingéniosité et les autres talents, dont vous êtes tellement fier, sont différents de la créativité, car la distinction n'a pas de sens, sauf si vous avez besoin d'une explication de la raison pour laquelle pommes et oranges diffèrent. Concentrez-vous plutôt sur l'observation de toutes les activités dans votre existence dans lesquelles la créativité (contrairement à l'imitation) fait surface ou veut faire surface, et je pense que vous allez trouver ceci dans *toutes* vos activités. Tout ce que vous avez à faire pour la laisser émerger, peu importe l'endroit — en cuisinant, en jouant avec les enfants, en réparant la voiture, dans vos activités professionnelles, en faisant la décoration intérieure de votre maison ou en écrivant une lettre, dans absolument n'importe quoi, *à votre choix* — est de faire une courte pause et de vous poser cette question : « Dans quelle mesure ce que je fais en ce moment est-il une imitation irréfléchie ? Si je laisse mon imagination se débrider sur la manière dont ceci *pourrait* être mieux fait, de façon plus belle, et *décider plus tard* lesquelles de mes fantaisies sont pratiques, qui sait ce que je pourrais proposer ? ».

Telle est l'idée maîtresse de la créativité, ce qui en fait un instinct humain tellement vital : la fascination et le suspense de ne jamais savoir ce que votre esprit va proposer ensuite. Ce qui rend la créativité possible, c'est l'acceptation des offrandes de votre imagination comme vous acceptez les coquillages que vos yeux découvrent sur la plage. Sur certains, dans cette vaste mer de coquillages, vous allez juste jeter un coup d'œil rapide ; il y en a d'autres que vous allez vouloir ramasser et examiner pendant quelque temps ; d'autres que vous aurez plaisir à lancer aussi loin que vous le pouvez dans l'océan ; certains que vous ramènerez chez vous et conserverez pendant quelques semaines ; et enfin ceux que vous ferez polir pour en faire un collier, un cadre, et que vous garderez même pour toujours.

C'est exactement la manière dont les « écrivains à l'esprit créateur » travaillent. Ils ouvrent les portes de leur esprit aux suggestions de leur imagination. Parce qu'ils ont décidé de forger leurs pensées en ouvrages, leur esprit classe ensuite les suggestions pour des ouvrages bien déterminés, et qu'ils soient à leur table de travail ou à la pêche, sur le point de prendre l'autobus, ou même en plein sommeil, si leur imagination trouve un coquillage qui demande à être ramassé, il sera positionné, examiné à la lumière pendant quelques minutes, mémorisé, incorporé dans l'ouvrage.

Ce processus ne vous est pas inconnu. Vous faites la

même chose chaque fois que vous vous ouvrez aux possibilités créatrices, en tout. Réfléchissez un instant aux domaines de votre existence ou à ces choses que vous avez faites les considérant comme étant *extrêmement créatrices*, et demandez-vous si votre esprit n'a pas fonctionné exactement de cette façon.

Supposons que vous considériez vos talents culinaires comme hautement créateurs. Cela veut dire que vous ne vous contentez pas de vous servir d'un livre de cuisine, de préparer les même menus pendant des périodes complètes de deux semaines ou de faire tout ce qui indique une «imitation compulsive». Vous ne jetez pas non plus au hasard quelques saucisses, de la crème glacée, des cornichons, du jus de citron, des poivrons rouges, de la bière et des biscuits dans une casserole, pour les cuire dans le seul but de connaître le goût du mélange. Vous pouvez souvent faire appel à des recettes — les bons vieux plats préférés et même de nouveaux plats prometteurs — mais si vous le faites, les recettes recueillies par vous seront vraisemblablement griffonnées avec des variations et des substitutions que vous avez essayées précédemment, jusqu'à ce que la manière dont vous les préparez aujourd'hui soit une variation hautement originale de la paella, du boeuf Stroganoff, du poulet King Pan etc.

Plus vous avez essayé et goûté de recettes, plus vous en savez au sujet des ingrédients qui se complètent les uns les autres de quelle façon, et plus vous avez acquis de confiance en ce qui concerne l'improvisation. Par conséquent, quand vous *prenez la décision de* «cuisiner un plat» sans l'aide de recette et ouvrez toute grande votre imagination à des suggestions, vous pouvez passer en revue toute la variété d'ingrédients et d'épices que vous conservez dans la maison, faire un premier choix, commencer par ceux que vous voulez positivement utiliser, goûter la préparation et vous demander ce qu'il faut ajouter. Votre esprit fera alors de nouvelles suggestions, dont vous vous moquerez, probablement (non, vous ne mettez pas de crème avec le jus de citron à moins que vous ne vouliez de la crème caillée!) certaines dont vous sentirez l'odeur et la comparerez avec l'arôme actuel du plat, essayant un brin de quelque chose d'autre, passant en revue les inspirations, retenant celles que vous voulez essayer dans la préparation du plat, ajoutant les ingrédients dans les proportions voulues, cuisant les mets à point, goûtant une dernière fois et servant le plat à table.

Si les innombrables cuisiniers à travers les âges n'avaient pas fait appel à leur esprit créateur exactement de la même façon, si tous autant qu'ils sont n'avaient fait que suivre les premières recettes jamais écrites, aujourd'hui nous suivrions tous consciencieusement les instructions suivantes : «Prenez une antilope entière fraîchement tuée et grillez-la sur un feu bien chaud. »

Si vous avez pensé aux expériences de votre propre vie lors desquelles vous avez eu l'esprit le plus créateur, vous les avez probablement identifiées non seulement comme étant parmi les expériences les plus intenses de vivre-dans-le-présent de votre existence, mais aussi comme ayant produit ces actions ou interractions par lesquelles vous aimez que l'on se souvienne le plus de vous. Par ailleurs, les expériences où vous avez été le plus destructeur ont été celles par lesquelles vous aimeriez que l'on se souvienne le moins de vous, et celles où vous avez été le plus imitateur sont celles que vous avez déjà oubliées ou que cela ne vous ferait rien d'oublier.

Si vous reniez votre besoin supérieur fondamental de créativité et à la place, optez pour l'imitation et le conformisme, vous allez être un automate mais avec toute la dépression, l'angoisse, la frustration et le mépris de soi qui découlent de vos tentatives d'étouffer ce «génie créateur» en vous.

Par ailleurs, si vous suivez le conseil que j'ai donné au premier chapitre et essayez d'apprendre davantage sur la façon dont vous avez fonctionné autrefois *dans votre meilleure forme créatrice*, au lieu de vous attarder sur toutes les façons dont votre créativité a pu être étouffée et combien vous avez été malade dans le passé ; si vous observez et apprenez des autres qui sont dans leur meilleure forme créatrice ; et si vous vous décidez à libérer vos instincts créateurs *quand* ils vous suggèrent des idées originales, vous verrez que vous êtes à votre propre manière, aussi créateur que n'importe laquelle des personnes Sans-limites qui ont vécu sur cette planète.

La Justice

Pouvez-vous vous souvenir de la première fois où vous avez subi ce que vous considérez aujourd'hui comme une grande injustice, ou avez-vous vu quelqu'un d'autre en subir une? Peut-être quelqu'un a-t-il raconté un mensonge à votre sujet, à vos parents ou à votre maître, ce qui vous a valu une bonne fessée ou une heure de retenue après les classes. Peut-être la petite brute du voisinage a-t-elle battu votre meilleur ami, pour s'amuser. Peut-être votre père ne trouvait-il pas de travail parce qu'il était noir. Quoi qu'il en soit, jusqu'à quel point votre réaction était-elle instinctive? Combien de temps vous a-t-il fallu pour la ressentir? À quel point avez-vous éprouvé du dégoût? Avec quelle intensité désirez-vous redresser les torts?

Cela semble être une idée très populaire de nos jours, pour les gens de renier leur besoin instinctif de justice pour eux-mêmes et pour les autres, en disant : « Eh bien, le monde est injuste, et personne ne peut rien y changer. Observez toutes les injustices qui prennent place tous les jours, partout dans le monde! ». À partir de là, ils raisonneront vraisemblablement comme ceci, que ce soit en public ou non : « L'injustice est la règle du monde et je vais simplement me trouver désavantagé en essayant d'être plus juste que les autres. Je vais me faire voler et me faire marcher dessus sans arrêt. Je ne peux peut-être pas empêcher que l'on me vole ou me marche dessus à *l'occasion*, mais je serai à égalité avec tout le monde si je vole ou je marche sur les autres de la même façon que les autres le font avec moi. »

Telle est la logique dont se sert le mécanicien d'auto malhonnête quand il facture au directeur de la compagnie de prêt 500 dollars de réparations qui n'étaient pas nécessaires ou jamais effectuées, la même logique que le directeur sans scrupules de la compagnie de prêt utilise quand il approuve le prêt de 5 000 dollars accordé au mécanicien, sachant pertinemment bien que ce dernier n'a pas lu cette clause épineuse en petits caractères, qui lui donne le droit de saisir le garage du mécanicien. En vertu de cette logique, chacun décide qu'il a raison de prendre un peu plus de la poche du prochain client comme compensation pour ce que la personne précédente lui a fait, de faire subir à des innocents son propre ressentiment de l'injustice. Si vous décidez en outre que vous pouvez *vraiment aller de l'avant* et jouer à ce jeu compétitif de la vie en appliquant ses « *véritables règles* », et en volant les autres gens d'avance en prévision de ce qu'ils vous feraient très certainement s'ils le pouvaient, en volant un nombre de gens plus grand que ceux qui vous ont volé, vous finirez par perdre tout contact avec votre instinct fondamental de justice, et votre chaîne « emballée » de réactions paranoïdes agressives peut vous conduire à une illégalité et une criminalité totales ; à la fraude, au détournement de fonds, au cambriolage, ou pire.

Il est absolument vrai que le monde regorge d'injustices et qu'elles sont toutes instinctivement repoussantes pour la personne qui respecte son propre besoin de justice. Mais la personne Sans-limites, premièrement, ne reproche pas au monde d'être un nid d'injustices ; deuxièmement, elle n'acceptera pas que le monde contienne « naturellement » autant d'injustices et elle ne sera pas désavantagée si elle n'y participe pas et n'a pas « sa part » d'action ; troisièmement, elle ne croit pas que le monde *doive* être ainsi s'il y a suffisamment de gens qui décident qu'ils veulent le changer ; et quatrièmement, elle ne laisse pas son dégoût instinctif des injustices la bouleverser, la confondre ou la paralyser, car après la première réaction de choc devant la situation, son sens créateur de la justice va lui suggérer ce qu'elle peut ou ne peut pas faire à ce sujet. Si la réponse c'est qu'il y a *quelque chose à faire* (n'importe quoi), elle ne ménagera ni son temps, ni son énergie pour le faire afin de maudire le monde pour l'injustice qu'il contient mais elle ne maudira cependant ni le monde, ni elle-même, s'il n'y a rien à faire pour changer les choses.

La meilleure manière de perdre votre instinct inné de justice sera de penser que la justice est ce que les tribunaux, la police, votre patron ou toute autre personne d'autorité, dispensent. Car alors votre réaction sera : « S'ils appellent ça justice, il n'y a *donc pas* de véritable justice. » Mais les plus grands juristes, policiers et patrons du monde vous diront que la justice est quelque chose qu'ils *essayent d'obtenir* du mieux qu'ils peuvent dans leurs propres limites. Le plus grand ou le plus créateur des juristes du monde vous dira également que quand arrive le moment de prendre une décision, il n'y a pas et ne peut y avoir de plus haute autorité que leur propre conscience, informée comme elle est par leur propre expérience acquise en essayant de faire fonctionner la justice dans le passé. Autrement dit, ceux qui ont tellement pris à cœur l'appel de leur propre sens intérieur de la justice, qui ont consacré leur vie à la poursuite de la justice, sont les premiers à reconnaître que vous devez faire un retour à la source originale, votre besoin de justice instinctif d'enfant et à vos réactions vigoureuses à l'équité dans toute situation particulière.

Votre besoin de justice n'est pas un besoin exigeant que justice soit faite à vous comme aux autres tout le temps. Si c'était le cas, vous auriez raison de conclure que le monde est tel que personne ne doit s'attendre à voir son besoin de justice satisfait. C'est plutôt de votre part un besoin *de respecter votre propre sens de la justice*, de le cultiver et de lui faire exercer une pression dans les situations où vous pouvez dire à présent : «Que diable, la justice n'existe pas de toute façon, aussi je vais laisser les choses suivre leur cours. »

Par exemple, peut-être vous êtes-vous trouvé dans une situation similaire à celle à laquelle j'ai dû faire face, il y a quelques années, quand une erreur d'ordinateur du Service de la recette des finances me valut d'être facturé pour une petite somme d'argent dont je n'étais évidemment pas redevable. Après de nombreux appels téléphoniques et lettres, je réussis enfin à faire admettre aux fonctionnaires que c'était une erreur, mais ils semblaient simplement incapables d'empêcher l'ordinateur de m'envoyer des factures (ou peut-être n'arrivaient-ils pas à se décider à l'empêcher de le faire). Mon comptable, les fonctionnaires de la R.F., ma famille, mon avocat, me conseillèrent tous de payer la facture pour ce montant ridicule afin que l'ordinateur arrête de m'importuner, et d'oublier le tout. On m'avertit que si je contredisais la Recette des finances, je serais soumis à une vérification extrêmement sévère, lors de laquelle ils essaieraient de trouver un moyen pour que mon obstination me coûte plus d'argent à la longue, et certainement, de gonfler cette affaire hors de proportion.

Je suis sûr que quiconque d'autre dans une situation semblable en reconnaîtra l'injustice. La question cependant

393

c'est de décider si vous vous défendez ou si vous laissez tomber? Quelle est la solution qui vous donnera à la longue un sentiment de satisfaction : « Combattre une chose pareille se traduira pour moi par une perte de temps précieux », ou de déclarer : « défendre un principe et obtenir justice dans cette affaire est un des meilleurs emplois du temps que je puisse avoir, et j'en tirerai une profonde satisfaction si je gagne » ?

Je décidai de combattre. Je n'arrivais même pas à m'imaginer que je puisse m'avouer vaincu ; je n'aimais pas qu'on me dise d'abandonner ma position uniquement pour «faciliter» les choses pour tous, et je fis comprendre à mon comptable et à mon avocat que je ne les payais pas pour me conseiller de renoncer à mon propre besoin de justice, et que s'ils pensaient que c'était ça leur devoir, je ne tarderais pas à trouver un nouveau comptable et un nouvel avocat.

Après de nombreuses tribulations, quelqu'un à la Recette des finances redressa la situation avec l'ordinateur et j'eus enfin gain de cause. Finalement, la vérification suivante fut beaucoup plus sévère, mais aucune catastrophe ne se produisit. Comme je n'ignorais pas que je n'avais rien à cacher, j'accueillis sans crainte cet examen minutieux de mes activités. Je n'ai pas peur de passer sous la loupe, car je suis une personne honnête. Et je ne renonce pas à mes très importants principes, même si ces principes vont être onéreux pour moi. C'est le principe, et non l'argent, qui me guide. En outre, je ne considérais pas du tout cette affaire comme une perte de temps. En fait même, je trouvais tout ça bien stimulant.

Ce n'est qu'un tout petit exemple de satisfaction de votre besoin de justice, rien qui ressemble à la situation où le témoin d'un crime exceptionnel, par exemple, sait qu'une personne innocente est sur le point d'être déclarée coupable et doit décider qu'il va révéler la vérité bien que sa famille ou lui-même aient été menacés de représailles par le(s) coupable(s) — mais le *principe* demeure le même. Vous pouvez respecter votre sens de la justice ou vous pouvez essayer de ne pas en tenir compte ou de le réprimer. Mais, croyez-moi, si vous choisissez de ne pas le respecter, vous avez aussi décidé de ne pas vous respecter vous-même, et vous finirez bientôt par vous demander ce que votre existence vaut en réalité.

Pour l'être Sans-limites, il n'existe rien d'aussi central et important dans la vie que la poursuite de la justice. Il sera heureux de se consacrer à l'adoption d'une nouvelle loi interdisant la perpétration d'une injustice courante, ou de travailler inlassablement pour des causes comme les droits civiques, la réforme électorale, le désarmement nucléaire, les droits de l'homme, les droits de la femme ou toute autre cause, qui, d'après lui, peut apporter une plus grande justice, paix et harmonie au monde — non pas parce qu'il a l'illusion de pouvoir résoudre tous les problèmes du monde ou bannir l'injustice, mais simplement parce qu'il éprouve de la joie à satisfaire entièrement et fidèlement l'un de ses propres besoins les plus élevés comme être humain.

La vérité

Que vous en soyez conscient ou non, votre esprit fonctionne de façon originale et naturelle sur un principe fondamental qui est de vous présenter des vérités ayant rapport à toute situation dans laquelle vous vous trouvez. La « vérité » telle que votre propre esprit l'interprète ne signifie pas ne jamais commettre une erreur, ce qui est impossible, ni ne jamais mentir, ce qui est parfois inévitable. Cela signifie cependant de toujours fonctionner sur la base de vos meilleurs « renseignements et convictions ». Ce que votre esprit recherche sont des contradictions au sein du corps entier de votre pensée. C'est l'ordinateur le plus rapide et le plus minutieux qui soit (et bien davantage encore), et si vous le « laissez travailler » sur un problème donné, vous verrez la lumière verte de la « Vérité » (ou présumée telle), la lumière orange clignotante de la « Contradiction : résoudre l'illogisme », et la lumière rouge du « Faux » (ou « présumé faux »), clignotant devant vos yeux à une vitesse et avec une précision incompréhensibles.

Pour citer un exemple extrême, imaginez-vous que vous passez une semaine en compagnie des gens qui mentent à tout instant. « Où est le papier hygiénique ? » « Dans le placard. » « Je ne vois rien. » « C'est parce que j'ai menti. Il ne se trouve pas là. » « Eh bien, où se trouve-t-il ? » « Il est dans l'armoire. » « Je ne le vois pas. » « C'est parce que j'ai menti. Il n'est pas vraiment dans l'armoire. » « Alors, où est-il ? » « Nous n'avons pas de papier hygiénique. » « Vraiment ? » « Non, je mens. »

Vous pouvez rire aujourd'hui, mais après une semaine de ce traitement vous arriveriez certainement à la conclusion que vous n'êtes pas en compagnie d'êtres humains, et dans la vie réelle, il ne faut pas se trouver longtemps en compagnie de menteurs chroniques, de tricheurs ou d'imposteurs pour développer soi-même une méfiance chronique envers l'humanité, ou soi-même, qui aboutit finalement à la paranoïa, la dépression, l'apathie, la panique, Vous serez dans un état permanent de colère, incapable de communiquer avec quiconque, et très bientôt vous douterez même de vous-même. Si vous avez des contacts trop fréquents avec des menteurs, vous finirez par les détester, ainsi que vous-même ; votre propre santé se détériorera ; vous perdrez tout intérêt de vivre. Des gens qui ont passé de longues années dans des prisons vétustes, où ils se trouvaient au milieu de menteurs et de tricheurs, eurent énormément de difficultés à retrouver même un semblant de confiance dans les hommes ou encore en eux-mêmes. Le contact permanent avec ce genre d'activité agit exactement comme une bactérie non contrôlée, qui ronge lentement l'organisme jusqu'au point où ce dernier n'est plus capable de fonctionner. Oui, la vérité est absolument indispendable à la survie ; c'est un besoin supérieur instinctif.

Ainsi, la personne Sans-limites est en tout premier lieu une personne honnête. Elle affronte la malhonnêteté ; elle est au premier rang avec ses interactions, n'essayant jamais d'être évasive ou de duper une autre personne. Cette attitude honnête envers la vie provient de son attachement profond à la vérité et le besoin qu'elle en a, afin que nous puissions tous survivre. Qu'est-ce qui vous déplait chez autant de politiciens, de bureaucrates, de chefs d'entreprises ou de syndicalistes, de vendeurs qui ont du bagout, et ainsi de suite ? Le fait qu'ils semblent être malhonnêtes, et que la vérité est pour eux une chose insignifiante dans leurs rapports réguliers avec le public. Quand une institution arrive au point où toute vérité est abandonnée, alors le chaos en sera le résultat inévitable. Nos structures sociales tout comme les individus, ont besoin de la vérité pour survivre.

La personne Sans-limites recherche la vérité dans toutes ses entreprises. Le besoin de vérité est tellement puissant qu'elle se donnera beaucoup de mal pour la découvrir. Elle n'a pas la puissance pour motif ; elle est motivée par un besoin de vérité qui sert de pierre angulaire sur laquelle sa culture prospère. Même dans les conversations les plus insignifiantes, la personnes Sans-limites est peu disposée à renoncer à la vérité. Elle ne va pas inventer des excuses ou s'expliquer à la satisfaction des autres, car elle n'est pas disposée à transiger sur la vérité telle qu'elle la conçoit. La personne Sans-limites est satisfaite quand elle sait qu'elle est honnête envers elle-même et que ses motifs sont de faire éclater la vérité dans tous les domaines.

La personne Sans-limites respectera ses besoins instinctifs et ses aptitudes naturelles à chercher la vérité sur toute question qui la concerne. Elle admettra qu'elle va commettre des erreurs, mais elle n'acceptera pas que quiconque d'autre sache mieux qu'elle, instinctivement, comment doit se poursuivre sa propre recherche de la vérité. Le résultat de sa recherche de la vérité en toutes choses sera son *honnêteté fondamentale comme être humain*, car elle ne doit jamais se mentir à elle-même, elle ne doit jamais mentir à autrui (sauf quand la moralité fondamentale l'emporte sur l'instinct de ne pas mentir, comme par exemple quand vous dites à un voleur en puissance que vous n'avez pas d'argent, quand en fait vous l'avez caché dans une autre chambre). En somme la personne Sans-limites va libérer sa tendance naturelle à rechercher la vérité *par elle-même* en toutes choses.

La Beauté

Le besoin de la beauté est peut-être le plus dominant de tous vos besoins supérieurs, car il ceint tous les autres. L'individualité est belle. Il en est de même du respect de soi-même et des autres, et du sentiment d'appartenance au monde et à la race humaine ainsi que de l'affection et l'amour, du travail essentiel, de la récréation, la créativité, la justice, la vérité et même la beauté physique elle-même.

Nous sommes enclins à penser à la beauté dans un sens très étroit. Quand nous disons : «Elle est vraiment belle», nous nous limitons à commenter peut-être uniquement son apparence. Mais si nous disons bien davantage : qu'elle apporte de la beauté, de la grâce, de l'humour, de l'amour, du respect ou autre chose encore, dans sa propre vie comme celle des autres. De même, quand nous disons : «Quelle belle journée», nous voulons dire peut-être que le temps extérieur est ensoleillé et chaud. Mais si nous disons : «C'est une belle journée» parce qu'un magnifique orage vient juste de passer et que cela nous a inspiré à faire l'amour en beauté dans la grange à foin, nous voulons dire bien davantage : que cette journée a apporté de la beauté, la grâce, l'humour, l'amour, le respect, ou autre chose, dans notre existence.

Essayez donc de vous plonger dans un environnement répugnant pour une période prolongée. Enlevez toute la beauté dans votre vie et entourez-vous de choses hideuses et déplaisantes. Les résultats vont vous stupéfier. Vous découvrirez rapidement combien il est important d'avoir de la beauté et de l'appréciation pour l'élégance dans votre vie. Privé de toute beauté, vous deviendrez très vite insensible et indifférent à votre cadre. Vous deviendrez malveillant, colérique, bouleversé, plein de remords et même malade si on vous refuse tout accès à la beauté sur cette planète. Beaucoup de gens croient que la beauté est un luxe, et que l'on peut vivre sans elle très facilement, s'il le faut. Mais tel n'est pas le cas. Le besoin de beauté est exactement ça, un besoin, et s'il lui fait défaut, l'organisme souffre tout autant que si on lui refusait le sommeil ou un abri, même si les résultats de la carence prennent plus longtemps à se manifester. Observez les gens qui doivent vivre dans un des environnements les plus horribles qui soient, les taudis urbains où il y a très peu à voir comme beauté de l'environnement. Voyez l'effet que la simple présence dans ce genre d'atmosphère peut avoir sur ceux qui y demeurent pour des périodes prolongées. Les gens qui vivent dans un monde de rats, de verre brisé, de maladies, de malnutrition, de drogues, de prostitution, d'ordures dans les rues et de pauvreté partout, deviennent des gens qui abandonnent la partie. Ils perdent rapidement tout intérêt de vivre, com-

398

mencent à haïr, à se sentir persécutés, à devenir maladifs, et enfin à mourir bien avant leur temps.

Les gens ont besoin de beauté dans leur existence, même si ce n'est pour une autre raison que de se sentir positif envers leur monde. La musique, les peintures, les livres, les discussions d'un niveau élevé, le théâtre, les couchers du soleil, les fleurs, les animaux, les rivières, les visages souriants et l'air frais sont des nécessités absolues, si nous voulons avoir des gens en bonne santé et heureux d'être en vie. Une personne Sans-limites recherche la beauté et contribue à la mettre à la portée de tous. Tous les gens Sans-limites sont profondément engagés dans des tâches qui servent à transformer le monde en un endroit meilleur et plus beau pour les autres. Ils veulent que tout le monde soit en mesure d'apprécier la beauté. La beauté engendre l'espoir. Observez les réfugiés qui ont vécu dans les privations depuis leur jeune âge. Quand ils sont exposés à un concert ou à un pique-nique ou à quelque chose de beau pour la toute première fois, c'est comme si vous leur donniez directement une injection de bonheur. Cela leur réussit remarquablement ; ils le dégustent et l'absorbent. Un seul contact avec la beauté est suffisant pour leur donner un renouveau d'énergie et d'espoir pour des années. Ne vous y trompez pas, plus vous apprendrez à devenir un appréciateur de la beauté, *et à aider à la dispenser également aux autres*, plus vous travaillerez à devenir une personne Sans-limites, et satisferez aussi simultanément les instincts de votre besoin le plus élevé.

LES BESOINS SUPÉRIEURS ET INFÉRIEURS : METTRE LE TOUT EN PERSPECTIVE

Pratiquement tout ce que les gens Sans-limites font, ils le font pour satisfaire des besoins supérieurs. La recherche de la vérité, de la justice pour tous, de la beauté, de la perfection et de la bonté est au premier plan de leur existence. Ils ne sont pas intéressés par le pouvoir, le matérialisme ou l'exploitation pour eux-mêmes. Leurs besoins biologiques fondamentaux, tout en étant les mêmes que ceux des autres, sont essentiellement satisfaits par leur capacité à se développer comme organismes vivants dans leur environnement. La personne Sans-limites aime son corps, elle en prend bien soin et n'essaye pas toujours de faire des preuves avec son corps et ses prouesses physiques. Elle est en paix avec son corps, et c'est simplement une partie acceptée de son existence.

Ainsi l'individu Sans-limites est libre de s'occuper des valeurs supérieures. Il semble toujours en être conscient, et sa vie est consacrée à les chérir en lui-même, ainsi qu'à aider les autres à les apprécier. Il n'agit pas en exégète des valeurs supérieures, mais il semble être constitué de telle manière qu'il souffre physiquement si ses valeurs supérieures ne sont pas satisfaites. Il a besoin de vérité et il va la chercher. Il évite de se trouver avec des charlatans car il sait qu'il sera entraîné vers le bas par eux. Il évite la compagnie des menteurs, des voleurs et même des névrosés, car il veut transcender leur comportement dans sa propre vie ; il ne veut pas être affecté de façon négative par leur pathologie.

L'être Sans-limites n'a pas l'argent pour but comme les autres en général, car il ne travaille pas tant pour l'argent que pour la satisfaction intérieure qui provient du fait qu'il est au diapason avec ses objectifs supérieurs. Il est parfaitement disposé à sacrifier les gains financiers en faveur de l'exécution de la mission de sa vie. Il est presque obsédé par son désir de voir le monde devenir meilleur, et se comportera de façon que les gens ordinaires peuvent difficilement comprendre. Il quittera un emploi bien rémunéré s'il a le sentiment d'être compromis, sans jamais jeter un seul regard de regret en arrière. Il mettra sa vie en jeu, si nécessaire, afin de faire connaître aux autres son attitude envers la vérité et la bonté. La personne Sans-limites est fortement sous l'influence de ces besoins supérieurs et les considère comme la partie la plus importante de sa vie. Elle est passionnément engagée à améliorer la qualité de vie de ceux qui sont moins favorisés. Elle risquera des représailles en défendant la justice, et nombreux seront ceux qui ne comprendront jamais comment elle peut être aussi insensée et obsédée par ce qu'elle croit être juste. Elle s'enchaînera à une clôture pour protester contre l'injustice sociale — en fait, elle fera tout en son pouvoir pour redresser une injustice. Elle sera inconsciente du fait que beaucoup de gens la considèrent comme insensée. Elle sait ce qu'il y a à faire ; elle est en contact avec ses signaux intérieurs et personne ne la détournera de sa mission.

En résumé, tous nos besoins, de ceux qui sont essentiels à notre survie biologique à ceux qui rehaussent notre aptitude à vivre une existence Sans-limites, sont des *besoins* dans le véritable sens du mot. Privez une personne de vérité et elle deviendra aussi malade que si vous la priviez d'une nourriture suffisante. Il en est de même pour la beauté, la bonté, la justice, l'indépendance, le caractère exceptionnel et tous les autres besoins supérieurs. La personne Sans-limites, quelle que soit sa profession, ne peut pas fonctionner sans travailler en vue de ces objectifs pour elle-même et pour les autres. La personne Sans-limites fuira les valeurs extérieures si elle se sent opprimée par elles, et ni un salaire élevé, ni aucune autre compensation ne réussiront très longtemps à l'immobiliser.

Souvenez-vous, si la paix intérieure vous fait défaut et que vous avez le sentiment de n'aboutir à rien dans votre vie, cela n'a probablement rien à voir avec l'argent ou les besoins fondamentaux que l'argent peut satisfaire. Vous ressentez probablement un manque de vérité dans votre existence, un manque d'honnêteté envers vous-même. Votre angoisse et votre dépression, ou vos maladies, sont vraisemblablement le résultat de ne pas avoir satisfait vos propres besoins supérieurs. Travaillez activement à satisfaire ces besoins supérieurs (tous sans exception) et vous verrez que vous ressentirez un contentement jamais connu auparavant.

8/ Cultiver un sentiment de résolution et de compréhension

L'élément le plus important pour devenir une personne Sans-limites, en possession de tous ses moyens, est un sentiment de résolution dans votre vie! Je fais là une déclaration très sérieuse et pourtant, je la fais avec une appréciation sincère de l'importance pour vous de devenir une personne qui met le *sentiment de résolution* tout à fait en tête de votre liste d'engagements personnels. Sans un sentiment de résolution, votre existence sera vide, vous vous sentirez insatisfait, et quand ces sentiments atteindront un paroxysme vous commencerez à éprouver des frustations, de l'angoisse, de la dépression et d'autres symptômes qui sont une facette de l'existence extérieurement dirigée.

Pour beaucoup de gens, leurs sentiments de *résolution* sont très peu clairs parce qu'ils essayent de suivre une règle de vie qui leur a été imposée par d'autres individus qui manquent aussi du sentiment de mission personnelle. Les gens, dans leur grande majorité, s'enlisent dans leur train-train quotidien consistant à essayer de payer leurs factures, à élever leurs enfants, à faire la navette entre la maison et leur lieu de travail, à essayer d'économiser quelques dollars pour acheter davantage d'objets matériels, et en général à vivre le genre de vie extérieure qui les maintient en activité quoiqu'intérieurement insatisfait. Bien qu'il n'y ait rien de mal à gagner sa vie et à payer ses factures, quelque chose les concernant devient très désappointant et déprimant si les activités qui conduisent à ces résultats sont dénués de sens pour vous, l'être humain qui dépense les moments précieux de sa vie en comportements qui ne lui donnent pas un sentiment de contentement ni de paix intérieure. Un sentiment de résolution s'obtient en harmonisant votre propre programme quotidien de travail et de jeu avec un sentiment d'importance et de mission personnelle. Si vos choix dans la vie ne vous procurent pas ces sentiments personnels de paix et de contentement, vous devez alors réexaminer les raisons pour lesquelles vous avez choisi de vivre votre vie d'une façon qui vous permet seulement d'exister plutôt que de ressentir un sentiment de mission et de résolution.

Une personne n'a pas nécessairement besoin de changer de travail, de rompre des relations ou de faire quelque chose de draconien pour avoir un sentiment de résolution. L'ingrédient le plus important qui entre dans le sentiment de compréhension personnelle est l'*attitude* que vous avez à l'égard de tout ce que vous entreprenez. Mais si vous suivez simplement le train-train de votre existence, en vous acquittant de tâches que vous trouvez désagréables et en éprouvant un sentiment intérieur de néant, vous avez alors un immense vide à combler. Jusqu'à ce que vous commenciez à remplir ce vide, vous ne connaîtrez pas votre potentialité pour une existence Sans-limites. Ni aujourd'hui, ni jamais, à moins que vous soyez disposé à vous dire, et à joindre le geste à la parole : « Je vais me sentir comblé et profondément satisfait dans ma vie, car je le mérite. La vie est bien trop courte pour que je suive l'exemple des autres. Je serai le seul maître de ma vie, et si je commets des erreurs, ou si je passe par des épreuves, je suis alors prêt à payer le prix, mais au moins j'éprouverai un sentiment de contentement de moi-même, car j'aurai décidé la façon dont ma vie sera dirigée.» Ce genre de déclaration personnelle décisive est essentiel pour maintenir un sentiment de résolution dans votre vie.

Le sens de résolution est une chose très personnelle. Certaines personnes peuvent éprouver ce sentiment de compréhension et de mission en travaillant la terre, d'autres en écrivant, et d'autres encore en étant avec les membres de leur propre famille. Certaines personnes se réalisent en élevant leurs enfants, et elles sont complètement immergées dans tout ce que cette importante entreprise comporte. D'autres personnes encore se sentent vivre de façon excitante quand elles conduisent un train, exécutent une ordonnance ou s'occupent de la formation des pilotes de chasse. Le sentiment de résolution n'a rien à voir avec le fait de s'adapter parfaitement à une profession donnée. Le sentiment de résolution est principalement un produit intérieur. Il a sa source en vous et seul vous pouvez savoir si vous l'avez ou non. Je ne peux citer que mes propres expériences en conseillant des milliers de personnes. J'ai très tôt appris, comme thérapeute, que les plus grandes causes de sentiments et de comportements infructueux sont toutes liées à ce manque de sentiment de résolution dans la vie. Très peu de gens, parmi ceux que je connais, que ce soit des clients, des membres de la famille, des amis ou des connaissances, éprouvent un sentiment de résoluton et de mission dans leur vie.

Au chapitre 3, où j'ai décrit en détail les qualités nécessaires pour devenir une personne Sans-limites, j'ai fait allusion à mon propre sentiment de mission. J'ai réalisé que quand je pouvais convaincre les gens de cesser de penser à eux-mêmes de façon stéréotypée et, au lieu de cela, de se permettre la fantaisie de penser à ce qu'ils aimeraient vraiment faire, ils commençaient à parler de choses qui valent la peine et ont un sens pour eux.

Le côté triste dans ce petit exercice c'est que tant de gens refusent tout simplement de prendre les mesures qui les mèneraient à leurs propres sentiments de résolution. Ils se servent des mêmes échappatoires usées que j'ai entendues un nombre infini de fois de personnes qui refusaient de prendre des risques: «Je crains d'échouer», «Que faites-vous de mes responsabilités envers ma famille ?», «Je ne peux tout de même pas changer d'attitude maintenant, je suis trop âgé pour le faire», «C'est facile de faire des fantasmes, mais la réalité me dicte de gagner de l'argent pour payer mes factures. » Tous ces sentiments et d'autres du même genre, ne sont rien de plus que des excuses pour rester à la place où vous avez choisi d'être aujourd'hui.

Un sentiment de résolution peut s'acquérir en rejetant ce genre d'excuses intérieures et en faisant le serment de devenir la personne que vous désirez devenir. Le règlement de vos factures, vos responsabilités de famille et tout le reste se résoudront d'eux-mêmes si vous vous donnez la permission d'avoir un sentiment de résolution dans la vie. Si vous avez toujours été une personne responsable et consciencieuse qui paye ses factures, il est certain que vous n'allez pas renoncer à ces valeurs et devenir du jour au lendemain un ermite qui vit dans une caverne, dans le désert. Vous pouvez choisir de vous réaliser et d'être *responsable*, et de satisfaire toutes vos obligations de choix personnel, si vous êtes disposé à éliminer vos craintes de changement et d'échec qui sont les agents de dissuasion principaux qui vous empêchent de devenir votre propre personne Sans-limites. Si vous vous servez d'excuses ou argumentez que votre propre condition actuelle est une chose avec laquelle vous devez vivre en raison des décisions que vous avez prises plus tôt dans la vie, vous allez alors finir avec précisément ce que vous défendez : une vie d'obligations satisfaites, mais sans paix intérieure. Et, en ce qui me concerne, il n'y a rien de plus important que d'éprouver un sentiment de compréhension et de résolution envers vous-même comme être humain. Vous ne pouvez simplement pas renoncer à tout ça si vous voulez rester en bonne santé et vivre de façon créative.

L'importance d'éprouver un sentiment de compréhension ne sera jamais assez soulignée. Rien n'est plus important pour votre survie et votre stabilité émotionnelle. Le jour où votre vie devient dénuée de tout sens, vous êtes prédisposé à la dépression, aux maladies, à la tension et même à la mort. Je me souviens de nombreux exemples de gens qui, ayant dit : « Mon mari (ma femme) est ma raison de vivre ; il (elle) est tout ce que je possède ou que j'aime profondément », ont attrapé les mêmes symptômes de maladie et sont morts peu après la disparition de leur conjoint. *Le risque quand vous faites reposer votre propre sentiment de compréhension sur quelqu'un d'autre c'est que vous n'avez aucun contrôle sur votre propre destinée.* Si une autre personne donne un sens à votre existence et disparaît ensuite, votre vie n'a plus de but. Le sentiment de compréhension et de mission doit par définition venir de vous.

Beaucoup de gens sont littéralement maintenus en vie par leur sentiment de mission personnelle. Certaines personnes deviennent tellement absorbées par un projet qu'elles ne peuvent tout simplement pas se permettre de devenir malades ou de mourir. Aussitôt que le projet est terminé, et que le but qu'il s'était fixé dans la vie n'existe plus, l'individu acceptera de devenir malade et, souvent, la mort s'ensuivra. Victor Frankl, écrivant dans *Man's search for meaning*, décrit comment certains de ses compagnons internés dans un camp de concentration nazi perdirent littéralement la vie quand il perdirent leur sentiment de résolution et de compréhension. Un de ses compagnons d'infortune avait raconté au docteur Frankl, qu'il avait rêvé qu'il serait libéré du camp le 31 mars 1945. Ce rêve devint sa singulière raison de vivre, sa résolution pour rester en vie. Victor Frankl parle de la libération en ces termes :

> Le 29 mars, il devint subitement malade et eut beaucoup de fièvre. Le 30 mars, le jour où la guerre et ses souffrances devaient se terminer selon sa prophétie, il fut pris de délire et perdit conscience. Il mourut le 31 mars. Selon toutes les apparences extérieures, il était mort de typhus… La cause ultime du décès de mon ami était que la libération tant attendue n'eut pas lieu et sa déception fut profonde. Cela diminua brutalement la résistance de son corps contre l'infection latente du typhus. Sa foi dans l'avenir et sa volonté de vivre étant paralysées, son organisme fut vaincu par la maladie — et ainsi la voix de son rêve eut raison après tout.

Frankl parle très souvent de prisonniers qui mouraient dès qu'ils n'avaient plus un sentiment de résolution. Il estimait que sa propre survie était directment liée à sa résolution, qui était de raconter son histoire au reste de l'humanité. Il savait qu'il devait absolument survivre afin de s'acquitter de sa résolution personnelle. Cette *volonté* lui donna une énergie qu'il ne savait pas qu'il possédait encore.

Bien que son exemple soit dramatique, il sert à illustrer quelle puissance le sentiment de résolution peut assumer dans un être humain. Votre propre survie personnelle en termes de vie et de mort n'est peut-être pas en jeu, mais je peux vous garantir que votre stabilité émotionnelle, vos sentiments d'estime et de bonheur, conjointement avec votre sentiment de contentement, sont nettement liés au fait d'avoir un sentiment de valeur, de compréhension et de résolution dans votre propre vie. Et ce sentiment de résolution doit être quelque chose qui provient de l'intérieur, et non relié à une personne ou à une source extérieure à vous.

POURQUOI LA PLUPART DES GENS N'ONT PAS UN VÉRITABLE SENTIMENT DE RÉSOLUTION : «LE CENTIMÈTRE CRITIQUE»

Si vous pouvez concevoir que la vie a des frontières fixes entre la naissance et la mort, la distance totale entre ces deux points étant exactement d'un kilomètre, vous aurez une image visuelle de votre vie entière. Ce kilomètre est parcouru de nombreuses façons, mais à l'extrémité du kilomètre vous serez accueilli par la mort, comme tous les autres êtres humains qui ont vécu sur cette planète. Le kilomètre de votre vie équivaut à 1 000 mètres. Toute votre formation, votre expérience, vos buts et vos objectifs éducatifs sont conçus pour vous aider sur les 999 mètres et 99 centimètres de ce parcours. Il s'agit d'une tranche importance de votre vie, et les règles pour cette partie sont très, très différentes de celles pour le centimètre critique.

Dans la partie importante (999 mètres et 99 centimètres) du kilomètre de votre vie, les règles se rapportent à votre avancement, à votre esprit de compétition avec les autres, à gagner de l'argent, à élever une famille, à économiser pour l'avenir, à lutter, à une mobilité vers le haut, aux promotions, à recevoir une éducation, à connaître les ficelles et, en général, à maîtriser les techniques permettant de fonctionner dans notre culture orientée vers l'extérieur. Le dernier centimètre, cette fraction minuscule qui reste encore, représente un genre de réalité entièrement différent, où les règles sont totalement différentes. Le centimètre critique est un segment très important de votre vie, mais il est en fait ignoré par vos entraîneurs et par vous-même. Ce dernier centimètre représente votre *sentiment de résolution*, votre sentiment d'estime, d'existence et d'importance en tant qu'être humain, et avant tout la véritable raison de votre présence ici. Afin d'obtenir un sentiment de contentement sur ce centimètre critique, vous jouissez d'un jeu différent de directives, de règles qui ne s'appliquent simplement pas à la plus grande partie du kilomètre de votre vie.

Ce livre est écrit en totalité au sujet de ce dernier centimètre décisif, de la partie de votre existence qui est largement ignorée par vous et vos mentors. Dans ce centimètre critique, les règles sont intérieures, elles ne concernent pas la lutte ou la mobilité vers le haut ; elles concernent votre sentiment de respect de vous-même, plutôt que de jeter un regard par-dessus votre épaule à l'autre personne pour voir comment vous vous mesurez avec elle. Elles concernent le contentement personnel provenant de l'intérieur de vous-même et le fait de vous fier à vos signaux intérieurs, plutôt que d'accumuler des choses matérielles. Votre sens de résolution et de compréhension dans la vie qui conduit à la maîtrise du centimètre critique a été largement ignoré pour apprendre les règles de la plus grande partie. Mais la plus grande partie perd sa valeur presqu'en totalité à moins que vous ne puissiez déplacer l'importance de ces règles dans votre vie pour avoir réussi dans notre culture, à ces règles qui vont vous aider à vous sentir positif envers vous-même, tout en vous occupant de toutes ces choses dont notre culture extérieure nous accable quotidiennement.

Vous ne pouvez pas devenir compétent sur un sujet que vous méconnaissez. Et si vous esquivez les comportements et les processus de la pensée qui doivent vous conduire à ce sentiment de résolution, vous continuerez alors à vous complaire dans la principale tranche de votre vie, ce qui peut assurer votre « succès » extérieur mais vous laissera insatisfait. Il existe un lien inextricable entre le sentiment de résolution et le fait de devenir une personne Sans-limites, de prendre des risques, de poursuivre votre propre sentiment de contentement et de refuser d'être quelqu'un qui se comporte comme tout le monde. Si vous vous efforcez de vous conformer, de vous intégrer, de vous mesurer vous-même avec des normes extérieures ou de vous comporter de toute autre manière infructueuse, vous n'éprouverez jamais le sentiment de résolution qui est essentiel à votre propre condition SZE/Sans-limites. Vous agirez d'une façon qui vous permettra d'obtenir l'approbation de certains, vous aidera à avoir de l'avancement et peut-être même à devenir riche, mais vous ne réussirez pas à vous débarrasser de ce trouble intérieur avant que vous, en tant qu'être humain unique, n'ayez le sentiment d'être actif dans la mission de votre propre vie. Le centimètre critique est le segment le plus important du kilomètre de votre vie, et vous allez devoir maîtriser une série de règles entièrement différentes pour pouvoir vous sentir profondément satisfait en parcourant ce dernier centimètre.

Pourquoi croyez-vous que nous, dans le monde occidental, soyons tellement méfiants et mal informés au sujet du Zen, du Taoïsme, de la méditation transcendantale et de toutes les philosophies orientales? Parce que la tranche principale de notre existence n'a rien en commun avec ce que ces philosophies offrent. Nous ne possédons même pas les mots pour décrire certaines conditions qui sont considérées comme naturelles dans la conception Zen de la vie. Nous n'avons aucun terme pour désigner la concentration totale ou le comportement intense du vivre-le-moment-présent. Nous n'avons jamais eu besoin d'un mot pour décrire que notre esprit était complètement au repos sans intervention extérieure.

Il est difficile de décrire le concept du contentement total dans les langues de l'Occident, en grande partie parce que nous n'avons pas prêté attention à ces concepts dans notre désir hâtif, compétitif, de chaîne de montage, producteur d'ulcères et construction de souricières de meilleure qualité. Vous n'avez pratiquemment aucune formation dans le développement de votre propre sentiment de résolution et de paix. Vous avez reçu une formation orientée vers l'extérieur depuis tellement longtemps qu'il est difficile pour vous-même de penser en termes transcendants. Vous avez été conditionnés à réfléchir en termes locaux, dans des limites, plutôt que de façon globale et humaniste.

Pour ceux qui étaient en mesure d'articuler leur propre sentiment de résolution, l'objectif a toujours été atteint en se transcendant eux-mêmes, en s'étendant à toute l'humanité et en faisant de cette planète un endroit supérieur où tous peuvent vivre. Les sentiments que vous éprouvez en étant bon pour une autre personne, en faisant une différence dans le monde, en améliorant la qualité de toute vie — sont souvent ceux qui sont à l'origine du sentiment de résolution. En tant qu'individus, nous ne sommes pas très bons pour réaliser notre sentiment de résolution, car nous avons évité la véritable source de compréhension mais, par contre, nous nous sommes presque exclusivement concentrés sur la solution étroite, stricte et peu satisfaisante qui consiste à être extérieur et à s'adapter à un monde vivant sous pression et à un rythme accéléré.

À LA POURSUITE D'UN SENTIMENT DE RÉSOLUTION

La toute première chose que vous devez faire pour réaliser un sentiment de résolution dans votre existence c'est d'inverser les priorités du centimètre critique et celles des premiers 999 mètres et 99 centimètres. Il est temps que vous donniez la priorité à votre sentiment de résolution, l'objectif de la principale tranche de votre vie et que vous réduisiez toutes vos pensées et vos comportements extérieurs à un centimètre insignifiant quoique nécessaire de votre vie. Plus vous insistez personnellement sur les nouvelles règles, pour devenir une personne Sans-limites, avec tout ce que cela comporte, et plus vous éprouverez un véritable sentiment de mission et de compréhension concernant votre vie. Vous, et vous seul, faites l'expérience de votre moi intérieur. Personne ne peut pénétrer derrière vos yeux et être vous. Vous devez vous sentir bien à l'égard de vous-même et de ce que vous faites, sinon vous éprouverez ces sentiments démoralisants d'ennui, de routine et de vide qui résultent quand vous faites de la plus grande tranche de votre kilomètre de vie la partie extérieure et le centimètre qui reste le seul domaine de votre propre moi intérieur.

Très souvent, vous lisez l'histoire d'une personne qui a frôlé la mort et qui émerge avec une philosophie toute nouvelle de la vie. Il s'agit peut-être d'un cadre trop occupé qui a eu une crise cardiaque, ou d'une personne qui est sortie indemne d'un accident dans lequel elle s'est trouvée à un cheveu de la mort. Quand les gens ont des expériences de ce genre, ils changent presque toujours leur façon de vivre de façon à substituer ce vieux «centimètre critique» aux 999 mètres et 99 centimètres. Autrement dit, il faut un sérieux avertissement avant que les gens se tournent vers le sentiment de résolution et de compréhension, au cours de leur existence.

Ces gens ramenés à leurs sens abandonnent souvent le tourbillon de la vie derrière eux. La plupart du temps, ils cherchent un moyen de gagner leur vie qui soit moins pénible, et commencent à passer des moments d'une qualité supérieure auprès d'êtres aimés. Souvent, ils reconsacrent leur vie à des choses qui leur apporteront un sentiment de contentement, et ils décident de se détendre davantage, se réservant du temps pour jouir de la véritable beauté d'être vivant. Le fait d'avoir frôlé la mort constitue le catalyseur qui leur permet de revenir à leurs sens et de transformer leur propre vie en une aventure bien supérieure à ce qu'ils étaient précédemment disposés à accepter.

Vous n'avez cependant pas besoin d'avoir une alerte sérieuse pour commencer à développer un sentiment de résolution dans votre vie. Vous pouvez prendre la décision de vivre d'une façon sensée jour après jour pour la simple raison que vous serez plus heureux, plus efficace et, chose importante, un être humain satisfait. Cela se résume à vous donner à vous-même la permission de vivre votre propre vie de la façon qui vous procurera le maximum de contentement pour vous et ceux qui vous sont chers. Vous satisfaire de moins signifie avoir recours à la logique infructueuse que vous ne pouvez pas changer parce que vous avez investi autant de temps et d'efforts dans votre vieille façon de vivre. En réalité, vous n'avez même pas besoin de modifier votre style de vie pour donner plus de sens à votre existence. Tout ce qui est nécessaire c'est que vous fassiez le vœu à vous-même (et de l'accomplir par de nouveaux comportements) de vous assurer que vous changez personnellement d'attitude afin d'acquérir ce solide sentiment de résolution qui reste hors de la portée de pratiquement tous dans notre culture.

Si vous construisez une maison qui n'a pour fondation

qu'un seul système de support, et que ce support s'affaisse, toute la maison s'écroulera. La même chose est vraie pour vous! Si vous bâtissez toute votre vie autour d'une personne, d'une activité, d'un emploi ou d'un seul système de support, et que ce support en particulier vous fasse défaut, alors c'est vous qui vous écroulerez exactement comme la maison à système de support unique. Ce qu'il faut que vous fassiez pour vous sentir en sécurité c'est d'avoir la capacité pour changer de vitesses, de vous fier à vous-même et d'obtenir un sentiment de compréhension de différentes activités. Il serait vain de tenter d'acquérir tout votre sentiment de compréhension d'une seule personne ou d'une seule activité. La personne Sans-limites est un être qui peut se sentir vivante de façon créatrice dans pratiquement n'importe quelle situation. Elle n'a nul besoin de se retrancher en territoire familier ou de faire uniquement des choses qu'elle est habituée de faire. Elle n'a pas besoin d'être en compagnie de ses amis intimes pour se sentir satisfaite. Tout ce qu'un être humain est capable de faire constitue une source potentielle de résolution et de contentement humains, à condition qu'il sache comment inverser ces vieilles façons de penser qui l'enferment dans un style de vie peu satisfaisant.

Vous pouvez éprouver un sentiment de contentement en passant quelques moments avec votre enfant dans la salle de séjour, ou vous pouvez considérer ce temps comme une occasion de ressentir de l'ennui, étant aliéné et distant. C'est toujours votre choix. Vous pouvez découvrir des miracles partout, ou vous pouvez les chercher sans fin. Abraham Maslow a écrit un jour ces mots au sujet des miracles: «*Chercher ailleurs des miracles c'est pour moi un signe certain d'ignorance que tout est miraculeux.* » Le fait d'apprendre cette vérité fondamentale est au cœur même de cette transformation en une personne qui a un sentiment de résolution et de compréhension. Quand vous cessez vos recherches et votre penchant à placer le sens de votre vie dans des gens ou des événements en-dehors de vous-mêmes, et observez plutôt le monde avec de nouveaux yeux— c'est-à-dire avec des yeux qui vous permettent d'avoir une résolution dans *toutes vos activités*— vous aurez franchi le premier pas vers un véritable sentiment de résolution pour vous-même.

ACCEPTER LE CHANGEMENT COMME UN MODE DE VIE

La plupart des gens craignent les changements. Ils restent au même endroit non pas parce qu'ils ne sauraient comment fonctionner, mais parce qu'ils sont intimidés par le processus du changement lui-même. Néanmoins, vous pouvez être absolument certain d'une chose : vous, comme tous les autres, ne resterez jamais le même. Le changement est l'étoffe même de la vie. Si nous n'étions pas sujets à changement, nous resterions tous exactement tels que nous sommes. Il n'y aurait ni croissance, ni vie, ni mort, rien, si le changement n'était pas incorporé dans la structure même de l'humanité. Que vous l'aimiez ou non, le changement fait partie de vous dans une très forte mesure. Si vous voulez éprouver ce sentiment évasif de résolution dans votre vie, vous devrez apprendre à être très à l'aise avec l'ensemble du concept de changement et à l'accueillir plutôt que de le craindre.

Le fait d'apprendre à accueillir le changement peut être un nouveau pas de géant dans votre vie. Il est vrai que vous êtes progressivement plus à l'aise avec votre propre environnement, et vous savez à quoi vous attendre chaque jour. Vous éprouvez un genre de sécurité extérieure. Mais quand cette prévisibilité commence à trop faire partie de votre vie, elle crée ce sentiment de vide qui découle du manque de résolution qui affaiblit tellement votre propre contentement. C'est en arrivant au point où vous disposez d'une bonne dose de prévisibilité et de stabilité avec une capacité incorporée pour la nouveauté et le changement, que vous avez atteint l'endroit où un sentiment de résolution commencera à s'emparer de vous. Le fait de vous permettre à vous-même d'essayer de nouvelles expériences, de prendre des risques et, plus important encore, de faire les choses que *vous* considérez comme importantes, sans vous soucier de ce que les autres pensent, donnera de plus en plus de sens à votre vie quotidienne.

Notre monde est un endroit qui change rapidement, et

414

exige des êtres qui ne se sentent pas menacés par le changement. Beaucoup d'emplois tenus par les gens aujourd'hui n'existaient pas dix ans auparavant. Ce dont nous avons besoin sont des êtres humains qui peuvent se déplacer, qui sont à l'aise face à l'inconnu et qui sont prêts à tout essayer, si nous voulons que ce monde fonctionne à un niveau où il peut satisfaire les besoins de tous ses habitants.

Vous faites partie de ce monde qui évolue rapidement. Vous n'êtes pas isolé de nous tous qui y vivons; vous faites partie intégrante du processus de changement. En fait, même pendant que vous êtes assis et lisez ce livre, vous êtes en train de changer. Vos cellules se déplacent, vous changez d'aspect tous les jours, vous avez des attitudes qui diffèrent de celles que vous aviez quelques années auparavant. Vous portez une coiffure différente; des habits d'une coupe dont vous vous moquiez il n'y a pas longtemps, aujourd'hui vous les portez fièrement comme vos vêtements préférés. Vous vous permettez d'assister à des réceptions que vous considériez autrefois comme frivoles, et vous parlez en vous servant d'un vocabulaire différent de celui que vous utilisiez précédemment dans votre vie.

Demain, vous serez encore différent. Vous porterez des styles différents, vous vous servirez de nouveaux mots à la mode, vous assisterez à d'autres réceptions, vous soutiendrez d'autres opinions politiques, et ainsi de suite. Une fois que vous aurez reconnu que le changement est la condition inévitable de l'être humain, vous aurez beaucoup plus tendance à l'accueillir dans les domaines importants de votre propre vie personnelle. Si vous pouvez vous habituer à l'idée que le changement est merveilleux plutôt que quelque chose à éviter, vous serez en bonne voie vers des comportements nouveaux, excitants et qui acceptent les risques, qui donneront un sens à votre vie avant même que vous l'ayez reconnu.

Fréquemment des gens viennent me voir parce qu'ils s'inquiètent à mon sujet, prononçant des phrases typiques comme celles-ci: «Wayne, j'espère que vous ne changerez jamais maintenant que vous êtes bien connu.» «Ne vous laissez pas changer par la renommée, Wayne.» «Vous n'êtes plus la personne que j'ai connue autrefois; vous aviez l'habitude de

415

venir me voir, mais maintenant que vous êtes devenu une célébrité vous ne le faites plus. » Ce sont là des gens qui expriment une opinion concernant la crainte du changement. Naturellement les gens changent, et ils ne vont pas faire les mêmes choses qu'ils ont faites autrefois. Il est certain que nul ne reste exactement tel qu'il était. Au lieu d'avoir peur de ce changement, je lui fais bon accueil. Tout en espérant de ne pas devenir quelqu'un de vaniteux, trop grand pour ses culottes, ou tout autre stéréotype que les gens pourraient appliquer à un auteur à succès (ou à un peintre ou un musicien), je ne suis pas non plus intéressé à rester exactement tel que j'étais.

Beverly Sills, chanteuse d'opéra bien connue, porte un bijou sur lequel sont gravées les initiales « I.D.T.A. ». Quand les gens lui posent des questions sur celles de ses activités qui constituent un changement, telles que de quitter le scène de l'opéra pour faire de la production, elle montre à ses critiques l'inscription qui se traduit comme ceci « J'ai déjà fait ça ». Pour une personne extrêmement active, d'avoir déjà fait quelque chose est une raison suffisante pur continuer d'avancer. Plutôt que de répéter sans cesse ce qu'elle a déjà maîtrisé et vécu, la personne qui éprouve un sentiment de résolution continue de progresser vers un nouveau territoire inexploré. Ce genre d'empressement à tolérer et même à accueillir chaleureusement le changement vous donnera la certitude que vous aurez un sentiment renouvelé de résolution presque tous les jours de votre vie.

Les gens autoritaires se sentent menacés par le changement. Les gens Sans-limites lui font bon accueil! C'est la différence entre le fait d'être capable de fonctionner efficacement dans pratiquement toutes les situations et d'être bouleversé et paralysé dès qu'une issue est incertaine. Pour pouvoir se sentir à l'aise en cas de changement, il faut d'abord commencer par se sentir à l'aise avec soi-même. Quand vous commencez à être en paix avec vous-même, vous vous sentez de moins en moins menacé par les nouvelles circonstances, du fait que vous vous fiez à vous-même pour affronter tout ce qui est nouveau. C'est la personne insécurisée qui évite le changement, doutant toujours d'elle-même et se demandant si elle saurait faire face à toute situation nouvelle qui se présente. Il est certes plus facile de se cantonner au familier, où le territoire a déjà été exploré, et de savoir exactement à quoi s'attendre à tout moment.

Être une personne Sans-limites signifie être disposée à devenir un aventurier, à essayer de nouveaux comportements, à rencontrer de nouvelles gens, à explorer l'inconnu et à être non seulement à l'aise dans un environnement en évolution, mais de fait à se réjouir devant le mystérieux et l'inconnu — à prendre grand plaisir à visiter de nouveaux lieux, à être enthousiasmé à l'idée de se trouver en nouveau territoire inconnu. Les gens Sans-limites sont constamment à la recherche de nouveaux défis. Ils ne veulent pas que les choses demeurent stagnantes. Ils sont disposés à changer d'emplois sans être intérieurement effrayés que les choses pourraient ne pas s'arranger. La personne Sans-limites semble, d'une façon ou d'une autre, avoir une confiance intérieure dans sa capacité à faire face à n'importe quelle situation, et croire qu'il n'y a aucune vertu spéciale à maintenir le statu quo.

Une personne Sans-limites montre qu'elle est à l'aise en présence du changement non seulement en accueillant avec plaisir tout nouvel environnement différent, mais aussi en acceptant de s'y adapter. Elle ne s'accroche pas à de vieilles croyances quand elles n'ont plus cours ou ne sont plus utiles. Une personne Sans-limites n'est pas intéressée à rester la même toute sa vie. Elle ne se sent pas menacée à l'idée qu'aujourd'hui elle pense de façon totalement différente d'hier. La personne Sans-limites est parfaitement disposée à admettre que les vieilles valeurs et attitudes ne soient plus valables. Ces vieilles idées peuvent être abandonnées à jamais dès qu'elles deviennent inutiles. La personne Sans-limites a l'aptitude inhérente à se dire tout simplement qu'un changement d'opinions est devenu nécessaire, et elle n'éprouve aucun remords à savoir que les vieilles attitudes ont perdu leur utilité.

Du fait même que les gens extrêmement actifs sont toujours occupés à explorer de nouveaux territoires et à errer dans l'inconnu, ils sont constamment en contact avec de nouvelles idées et attitudes. Quand ils abordent quelqu'un de nouveau, ils le font avec un esprit ouvert, n'ayant rien de particulier à perdre ou gagner, voyant seulement le nouveau pour ce qu'il est. Ce manque de préjugés fait qu'ils accueillent le changement avec plaisir, car par l'entremise du changement, ils sont constamment en contact avec la nouveauté et l'innovation. De même la personne qui a un esprit fermé résiste au changement car ce dernier constitue une menace pour ces mêmes choses. Vous verrez souvent les gens SZE/Sans-limites travailler en vue d'une réforme, alors que les gens autoritaires cherchent à s'accrocher à ce qui est vieux, même si le vieux et le familier n'ont plus cours. Vous verrez beaucoup de gens, qui ont peur du changement, voter contre l'introduction de nouvelles machines dans une usine parce qu'ils ne les comprennent pas, voter contre les principes révolutionnaires parce qu'ils ne sont pas sûrs de pouvoir faire face à ce qui est nouveau, et même continuent résolument à effectuer des tâches de l'ancienne façon qui est dans une large mesure infructueuse, simplement parce que c'est tout ce qu'ils savent et qu'ils sont trop pusillanimes pour le faire d'une nouvelle façon.

La personne Sans-limites acceptera les risques qui vont de pair avec le changement, surtout le changement social, et alors que beaucoup s'opposeront à lui dans les débuts, le résultat final sera que la plupart des gens changeront éventuellement d'attitude. Les pratiques établies d'aujourd'hui, telles que les costumes de bain au lieu des plus beaux atours à la plage, les droits légaux pour les pauvres, le droit de vote, l'éducation universelle, les droits civiques, les voyages aériens, les communications par satellite et presque toutes les autres pratiques considérées par nous comme normales, étaient autrefois tenues pour radicales et menaçantes. La raison pour laquelle nous avons accepté ces pratiques c'est parce que quelqu'un qui était à l'aise devant le changement, qui désirait voir le monde s'améliorer et qui se sentait intérieurement suffisamment en sécurité pour se hasarder en terrain inexploré, était disposé à prendre des risques et à être enthousiasmé par l'innovation.

Si vous voulez davantage d'attitudes intérieures Sans-limites, alors vous devez être disposé à travailler afin d'être plus à l'aise devant le changement dans votre vie. Essayez donc quelques-uns de ces comportements pour vous aider à atteindre votre but plus rapidement.

Faites quelque chose que vous n'avez jamais fait auparavant. Ne l'évaluez pas, ne l'analysez pas à l'excès, ne vous demandez même pas pourquoi, voyez simplement si vous pouvez faire quelque chose de nouveau et être à l'aise en ce faisant. Essayez de manoeuvrer tout seul un bateau à voile — si vous ne l'avez jamais fait. Essayez de courir deux kilomètres sans vous arrêter. Visitez la Bourse, escaladez une montagne, mangez de la pieuvre, faites l'amour dans votre voiture, ou faites n'importe quoi de nouveau. Essayez le changement pour savoir si vous l'aimez. Si vous vous abstenez, vous serez en sécurité mais peu satisfait, et vous ne serez pas capable de faire face aux véritables changements importants qui vous attendent, que vous soyez prêt ou non.

Ne manquez pas de parler à un étranger aujourd'hui même. Voyez si vous pouvez passer quelques minutes en compagnie de cette personne, un petit moment seulement de votre temps. En vous rendant accessible à de nouvelles personnes même si ce n'est que pour quelques minutes, vous allez acquérir une expérience précieuse à vous débarrasser de certaines de vos craintes mal fondées concernant l'inconnu. J'ai pris l'habitude dans ma vie de faire la connaissance d'au moins une nouvelle personne tous les jours. Au restaurant, j'échange quelques mots avec une serveuse aimable ou un autre client pendant quelques instants et m'efforce de leur être toujours accessible. Il est toujours plus facile de rester indifférent envers les étrangers, mais si vous acceptez de leur consacrer quelques minutes, si vous leur donnez un peu de vous-même et apprenez quelque chose à leur sujet, c'est presque toujours une expérience enrichissante.

Renoncez à défendre les choses comme elles ont toujours été, vous y compris. Les bons vieux jours sont révolus ; ceux-ci sont à présent les bons vieux jours. En vous raccrochant aux vieilles croyances et en persistant à vous répéter à vous-même et aux autres comment étaient les choses dans le passé, vous vous privez seulement de la jouissance du présent, et vous devenez beaucoup plus récalcitrant aux changements. Carl Sandburg écrivit ces lignes concernant les bons vieux jours :

«Parfois des hommes qui se rapprochent de la fin de leurs jours disent, 'Il y avait des géants à cette époque'.» N'attendez-pas pour vivre de vous trouver à l'issue de votre vie.

Acceptez le changement comme une chose inévitable, même s'il vous déplaît. Rien ne demeure immuable sur notre planète perpétuellement en mouvement. De nouvelles idées, attitudes, coutumes et valeurs ne sont pas l'indice que le monde se désagrège; ce sont là les ingrédients de ce qui rend la vie tellement sensationnelle. Les changements auront lieu quoi que vous en pensiez, alors pourquoi ne pas devenir une personne qui accepte de subir ces changements dans les meilleures conditions possibles plutôt que de les combattre tous les jours de votre vie? Plus vous prenez l'habitude de jouir de l'inconnu, de vous intéresser à l'étrange et de prendre des risques, plus votre existence s'enrichira. L'ennui découle de l'uniformité et de la monotonie. Le sentiment de résolution et de mission provient du nouveau et du différent et de l'acceptation du changement. À vous de faire le choix!

L'IMPORTANCE DE L'ESPOIR ET DE LA CONFIANCE

Dans le film tiré du merveilleux livre dont le titre était *A Man Called Intreprid,* des officiers nazis interrogent une jeune femme qui a été capturée comme espionne des Alliés pendant la Seconde guerre mondiale. L'un des officiers allemands, qui tente de convaincre l'espionne qu'elle n'a absolument aucune chance de s'évader et qu'elle devrait collaborer afin de s'éviter à elle-même beaucoup de souffrances inutiles, se sert de ces mots pour la dissuader de s'obstiner dans son refus de parler : «Sans espoir, nous devenons des créatures déformées et infirmes.» Mais elle s'est donnée comme mission la protection de ses camarades espions et, par conséquent, elle garde le silence et l'espoir.

Quand vous perdez tout espoir et commencez à vous voir pris au piège des circonstances, vous devenez rapidement déformé et infirme intérieurement. Vous commencez à être déprimé, comme si on vous avait emprisonné dans le cadre de votre existence, et plus vous restez dans cet état, plus il devient suffocant. Finalement, quand tout espoir est perdu, vous commencez à vous désagréger, d'abord mentalement et ensuite physiquement. Mais pensez au mot «espoir». C'est purement un processus mental, que vous pouvez bannir de votre vie ou accueillir comme faisant régulièrement partie de vous-même. Bien que je vous encourage à devenir une personne qui vit dans le présent, vous pouvez quand même jouir de ces moments présents en vous sentant positif et plein d'espoir envers vous-même. Vous pouvez vous considérer comme capable de vous évader de tous les pièges imposés volontairement, et cet exercice de l'espoir ressenti donnera plus de sens à vos moments présents.

Éprouver de l'espoir pour vous-même équivaut à dire que vous avez confiance en vous-même. Les deux sont nécessaires pour avoir l'un et l'autre. L'espoir équivaut à la croyance que vous pouvez vous servir de votre propre énergie créatrice pour améliorer la qualité de votre vie. La confiance vous est nécessaire pour y parvenir et la confiance provient seulement du comportement et non pas en désirant ou en méditant quoi que ce soit. L'espoir est la partie mentale, la confiance la partie du comportement, et vous devez commencer avec l'idée que rien n'est désespéré. Quelles que soient les circonstances, vous pouvez quand même décider de penser avec espoir, et cela vous aidera à opter pour des comportements confiants. Des prisonniers de guerre qui ont survécu affirment l'importance de l'empressement à toujours penser avec espoir. William Niehous, qui a été délivré après un emprisonnement de plus de trois ans dans la jungle vénézuélienne où il était gardé captif par des insurgés dans les conditions les plus primitives, attribua sa survie au fait qu'il ne perdit jamais espoir et vécut au jour le jour.

L'espoir ne dépend que de vous et vous l'aurez une fois que vous aurez décidé de vous fier à vous-même et de ne jamais vous diminuer comme être humain unique et important. Vous allez acquérir l'espoir parce que vous avez décidé de le faire. Un point, c'est tout! Il n'existe pas de formule magique. Il n'existe pas de méthode secrète pour l'acquérir. Vous prenez simplement la décision que vous n'allez pas être vaincu par quoi que ce soit d'extérieur à vous — que vous acceptez la responsabilité de changer votre vie si elle n'est pas satisfaisante, et que vous allez le faire en dépit des risques que cela comporte. Quand vous mettez à exécution votre résolution par un comportement qui est de votre propre choix significatif, vous ferez les choses qui vous mèneront à un sentiment de résolution et de compréhension. Les choses elles-mêmes sont différentes pour chacun, et vous découvrirez qu'elles le sont aussi pour vous en expérimentant plutôt qu'en vous plaignant et en étant inactif. Votre voisin pourrait se sentir profondément satisfait d'être berger, votre sœur pourrait éprouver de la satisfaction à gérer sa propre librairie, vos parents pourraient aimer voyager, votre frère pourrait être profondément satisfait de travailler comme avoué — faisant des recherches sur un cas particulièrement fascinant — et toutes ces choses pourraient totalement manquer d'attrait pour vous. Mais vous trouverez votre activité dès que vous cesserez de la chercher et vous vous donnerez la liberté d'essayer de nouvelles choses. Elle ne découlera pas d'une seule activité ; elle se trouvera là dès que vous vous donnerez la possibilité d'expérimenter, de prendre des risques, d'avoir de l'espoir et de ne jamais craindre votre propre succès. L'attitude qui consiste à craindre votre propre succès est un des plus grands obstacles à l'acquisition du sentiment de mission d'une vie et de compréhension.

NE PAS CRAINDRE
VOTRE PROPRE GRANDEUR

Beaucoup de gens craignent leur propre potentialité et, par conséquent, transigent pour beaucoup moins que ce qui est satisfaisant et important pour eux. Ils sont disposés à accepter d'être médiocres, car ils ne semblent pas pouvoir rassembler le sentiment intérieur de fierté et de résolution qui leur permettrait d'être supérieurs. Abraham Maslow appela cela le syndrôme du « Qui ? Moi ? ».

Si vous demandez à un enfant s'il deviendra un être humain supérieur, souvent il répondra, « Qui ? Moi ? ». Quand je parle à des jeunes gens qui ont choisi la médecine, le droit, ou l'architecture, ou toute autre profession, je leur demande s'ils deviendront des êtres supérieurs et à quel point. Serez-vous le médecin qui fera cette découverte sensationnelle qu'est le remède du cancer? Serez-vous cet avocat qui combattra pour une justice égale devant la Cour suprême? Établirez-vous les plans du plus important nouvel immeuble du monde? Allez-vous mettre fin à la famine sur cette planète? Serez-vous vous l'être supérieur que vous pouvez devenir dans un certain domaine choisi? La réponse est presque toujours, «Je désire juste gagner ma vie; je n'ai pas l'intention de changer le monde.»

C'est cette attitude qui vous empêche d'avoir un sentiment de résolution. Si vous gagnez tout juste assez pour vivre en faisant ce que vous faites, en allant au travail parce qu'il faut travailler, il ne vous faudra pas longtemps avant que vous ne vous sentiez vide en vous-même et manquiez de résolution dans votre vie. Si ce n'est pas vous qui allez résoudre la crise de l'énergie, découvrir le remède du cancer, débarrasser le monde de la famine, supprimer l'injustice et, en général, contribuer à la guérison de nos innombrables plaies sociales, qui est-ce qui le fera sinon? Je vais vous le dire. Ce seront ces gens qui ont un sens de résolution dans leur vie. Ce seront les gens qui ont transcendé leur propre moi, leur propre besoin de «s'adapter», et sont allés au-delà de ce que la plupart des gens envisagent dans leur vie. Ces gens qui se vouent à faire une différence, à faire en sorte que leur propre vie et celles des autres autour d'eux fonctionnent sur un plan élevé, seront des personnes dynamiques qui ont un sentiment de compréhension dans leur vie. Ils sont actifs, engagés, enthousiasmés et dévoués à leur tâche. En outre, ils fonctionnent sous le contrôle de leurs signaux intérieurs, se fiant à eux-mêmes et dirigeant leur vie dans une perspective d'importance plutôt que d'indifférence et de routine. Ce sont là les gens Sans-limites dont j'ai parlé tout au long de ce livre.

Vous pouvez opter de faire partie du problème social ou d'être une personne qui résout les problèmes. Cela ne tient qu'à vous. Vous pouvez limiter votre perception, vous abstenir d'avoir une image de grandeur de vous-même et choisir la route la plus «sûre» qui consiste juste à gagner votre vie — et je vous garantis que vous ne connaîtrez jamais ce sentiment de résolution auquel vous aspirez aussi désespérément. Vous n'avez pas besoin d'être un réformateur social pour vous sentir pleinement satisfait ; vous devez avoir un sentiment intérieur qui vous pousse à faire des choses qui importent vraiment. Et si elles «importent vraiment» cela se traduit par votre propre sentiment de contentement à faire de ce monde un meilleur endroit pour au moins une autre personne, sinon pour un grand nombre également.

Nous avons tous une certaine grandeur potentielle en nous-mêmes. La plupart d'entre nous ne nous permettons jamais d'y penser. Cela devient menaçant que d'être incité à prendre des risques et de devenir un être qui agit plutôt qu'un être qui parle. En conséquence, vous voyez des gens qui fuient leur propre grandeur. Vous observez d'innombrables défenses, ainsi que de simples «se résigner à moins». Plus vous avez tendance à «vous résigner à moins», plus vous vous permettez d'esquiver ce sentiment de résolution auquel tout ce chapitre — en fait même, le livre entier — est consacré pour vous aider à le réaliser. Les gens regardent les êtres humains qui ont atteint la grandeur et s'émerveillent de leur supériorité. Ils considèrent un Léonard de Vinci, un Copernic, un Alexandre le Grand, une Jeanne d'Arc, un Socrate, un Lincoln, un Jonas Salk et une Madame Curie comme des personnes surhumaines. Ce que nous avons tendance à oublier c'est que Socrate et Léonard de Vinci ont dû affronter les mêmes pensées, doutes, angoisses et craintes que vous-même, sauf qu'ils étaient, eux, réalisateurs. Ils ont transcendé leur propre attitude de «Qui? Moi?» et ils ont plutôt opté pour l'activisme — d'agir plutôt que de critiquer. Et, finalement, ils ont été idolâtrés.

Il serait utile que vous vous imaginiez être Socrate, que vous étudiiez sa philosophie en tant qu'être humain et que vous soyez disposé à prendre les risques que comporte une opposition à la tradition. Les temps ont changé, mais votre humanité est la même que celle de Socrate ou de tout autre être humain qui a accompli quelque chose avant vous. La solution à votre propre manque de résolution est de vous permettre à vous-même de ressentir et de penser en termes de votre propre grandeur personnelle.

Quels sont vos sentiments quand vous êtes en compagnie de gens que vous considérez comme supérieurs? Est-ce que vous ne vous sentez pas à la hauteur des circonstances quand vous êtes avec eux? Tremblez-vous à l'idée d'avoir une confontration avec un grand penseur? Ce genre d'attitude n'est pas rare quand les gens «moyens» sont en contact avec les grands réalisateurs. Mais, une fois de plus, nous retournons à l'image que vous avez de vous-même, à la manière dont vous choisissez de vous voir vous-même. Si vous vous comparez à un génie et que vous vous considérez inférieur, ne vous permettant jamais de penser en termes transcendants, vous resterez alors toujours médiocre à vos propres yeux. C'est un cercle vicieux : tout sentiment de médiocrité personnelle qui vous paralyse est aussi l'ingrédient qui vous empêche d'éprouver un sentiment de résolution dans votre propre vie.

Pensez grand. Imaginez que vous êtes un être supérieur et sensationnel, et vous vous donnerez la permission d'éprouver un sentiment de résolution qui a pu vous échapper jusqu'à présent. Si vous fuyez votre propre grandeur et optez pour la routine et le sentiment que vous êtes une personne incompétente, vous craignez alors vraiment votre propre perfection comme être humain. J'ai discuté plus haut de la dynamique de vous permettre de vous sentir *parfait* et d'être quand même capable de vous *développer*. Cela s'applique ici également. Toutes vos humiliations personnelles, votre sentiment de médiocrité, votre empressement à «vous résigner» à ce que vous êtes devenu — voilà les éléments de votre sentiment général de manque de véritable résolution dans votre vie. Afin de vous débarrasser de ces sentiments et de surpasser vos propres rêves de grandeur, vous devez soigneusement réfléchir à la façon dont vous envisagez personnellement l'ensemble de la vie, y compris la vôtre, sur cette planète.

CONSIDÉRER TOUTE VIE COMME SACRÉE

Avoir un sentiment de résolution signifie se sentir résolu à l'égard de toute la vie. L'individu qui pense et se comporte d'une manière Sans-limites, croit fermement dans le caractère sacré de toutes choses vivantes. La plus importante qualité de la vie est la valeur de la vie elle-même, et les gens Sans-limites trouvent qu'il est extrêmement pénible de voir n'importe quel homme ou animal traité avec un manque total de respect. Il est considéré que chaque être humain a une valeur intrinsèque, et par conséquent, vous verrez rarement des gens SZE/Sans-limites se conduire de façon grossière ou critique envers quelqu'un. Si vous observez les gens SZE, vous ne les verrez jamais parler cruellement aux autres. Ils ne se conduisent pas en juges et ils ne passent pas leur temps à surveiller les autres afin d'avoir des commérages savoureux à colporter.

Au contraire, un individu SZE/Sans-limites échange habituellement des idées. Il ne se concentre pas sur ce que ses voisins font, et il ne sait presque jamais ce qu'ils portent, achètent, consomment et ainsi de suite. Il croit fermement que les gens ont de la dignité et méritent notre respect, et par conséquent, il attend des autres qu'ils le traitent avec la même dignité et importance, parce que c'est ainsi qu'il se considère et qu'il réalise son propre sentiment de résolution. En raison de son intense participation à la réalisation des objectifs de sa vie, c'est typiquement une personne très occupée — toujours active et enthousiaste concernant les événements de sa vie.

Vous verrez que les gens sont soutenus par leurs contacts avec les personnes Sans-limites, qui semblent avoir des qualités très spéciales qui attirent les autres vers elles. Elles sont recherchées parce qu'elles pensent, et par conséquent, les autres personnes ont tendance à leur faire fête, leur donnant souvent des attributs de sainteté et les traitant comme des gens très spéciaux. Ce sont des gens qui stimulent car leur vie est un exemple, et leur grande estime pour la vie déteint sur ceux qui ont tendance à faire preuve de moins de bonté. Parce que les gens SZE/Sans-limites ne sont tout simplement pas intéressés à être mesquins, ceux qui les entourent adoptent rapidement un comportement plus intelligent et plus humain.

Les individus SZE/Sans-limites traitent chacun avec une attention spéciale, et après avoir passé quelque temps en compagnie de ce genre de personnes, vous les quitterez en vous sentant très spécial et unique vous-même. Ces êtres éprouvent du plaisir à se conduire de façon exceptionnelle et ils traitent les autres comme s'ils étaient sans égal, non pas parce qu'ils sont flatteurs mais parce qu'ils perçoivent vraiment la qualité unique dans chaque personne qu'ils rencontrent. Les gens savent que d'autres dans le monde essayent d'obliger chacun à se conformer et à être comme les autres, aussi ils combattent pour agir en individus dans tout ce qu'ils font. Ils se refusent à être conformistes uniquement pour bien s'entendre, et ils sont prêts à endurer l'indignation des autres parce qu'ils ont choisi de penser et d'agir comme des individus.

Par conséquent, ils respectent naturellement la dignité individuelle de chacun. Ils ne jugent pas les gens sur des qualités superficielles, et ils ne traitent personne de mauvais parce qu'un individu a pu mal se conduire. Ils sont rapides à pardonner à ceux qui ont tiré la leçon de leurs erreurs, ne gardant pas rancune, et ils sont facilement capables de donner aux autres une deuxième chance. Le poète américain E.E. Cummings écrivit ce petit poème qui résume combien la personne SZE/Sans-limites considère qu'il est important d'être un individu et de résister à tous les efforts pour s'adapter simplement par souci de se conformer :

> de n'être personne mais vous-même
> dans un monde qui fait
> de son mieux jour et nuit pour
> faire de vous comme tout le monde
> signifie combattre le plus dur
> des combats qu'un
> être humain puisse
> mener et ne jamais
> cesser de se battre

Les gens SZE/Sans-limites ne seront pas des marionnettes dans une assistance qui se conduit comme tout le monde. Ils ne peuvent être persuadés de voter en bloc ou de suivre le troupeau. Ils ont beaucoup trop de respect pour eux-mêmes pour donner l'impression d'appartenir à l'une ou l'autre catégorie artificielle. Ils ne sont ni pour la direction, ni pour l'ouvrier, mais pour l'humanité, et ils expriment leurs opinions sur n'importe quel sujet selon leurs véritables sentiments, non pas selon les sentiments qu'ils sont censés éprouver. C'est par eux-mêmes qu'ils réfléchissent à toutes les questions et ils refusent d'être traités comme les fractions d'un ensemble. Ils votent selon leur conscience et respectent ceux qui en font autant.

N'essayez pas de compartimenter une personne SZE; juste quand vous croyez que vous êtes arrivé à la comprendre elle s'empressera de se comporter d'une manière totalement inattendue. Mais si vous voulez être son émule, voici plusieurs façon de commencer.

Faites attention à ce que vous dites quand vous êtes en compagnie. Évitez dans la mesure du possible d'émettre des opinions négatives, et ne succombez pas à la tentation d'être critique et méchant. Rayez de votre vocabulaire les expressions destinées à dénigrer et souvenez-vous de ne pas vous faire croire que vous êtes un être supérieur en vous servant des autres d'une façon humiliante.

Quand vous voyez vos amis et vos connaissances adopter un comportement consistant à parler d'une manière offensante des autres, attirez gentiment leur attention sur ce qu'ils font et refusez simplement de participer à ce jeu. En apprenant aux autres que cela ne vous intéresse pas de vous concentrer sur ce que les gens font ou ne font pas, et en vous abstenant de vous servir de sarcasmes vous-même, vous vous aiderez à devenir plus pleinement humain, tout en aidant simultanément les autres à modifier leur propre comportement négatif.

Exercez-vous à respecter tout ce qui est vivant, et à avoir autant de révérence pour la vie d'autrui que vous en avez pour la vôtre. Si vous voyez l'une ou l'autre créature qui a besoin de secours, prenez le temps de lui venir en aide. Il ne vous faudra pas longtemps pour réaliser à quel point vous vous sentez mieux d'être une personne qui protège la vie au lieu de la détruire. Le respect de la vie peut s'étendre à tout le royaume animal. Nous sommes tous ici ensemble, et quand nous nous aidons les uns les autres à devenir plus indépendants et à rester plus sainement vivants *je crois que nous remplissons en premier lieu un des buts principaux de notre présence ici — c'est à dire notre mission dans la vie. Quand vous aurez adopté l'attitude que la vie est sacrée, vous vous sentirez réellement plus résolu, et par conséquent, plus heureux et satisfait comme être humain.*

LE SENTIMENT ULTIME D'UNE MISSION

Les gens Sans-limites sont différents de presque tout le monde dans la mesure où ils sont engagés dans une cause personnelle qui transcende véritablement le moi. Ce genre d'engagement vigoureux est difficile à comprendre pour la moyenne des gens. Ce que cela signifie c'est que vous êtes capable de vous enthousiasmer pour ce que vous faites, de vous sentir totalement engagé dans votre mission ici sur terre et de sentir au fond de vous-même que vous *faites vraiment la différence*. Ce sentiment de mission satisfait un besoin intérieur et produit une arrogance presque créatrice en ce qui concerne l'importance de ce que vous êtes et pourquoi vous fonctionnez comme vous le faites.

En m'entretenant avec des gens qui éprouvaient un sentiment de mission et de résolution dans la vie, j'ai découvert que pratiquement tous obtenaient ce sentiment intérieur de satisfaction en faisant quelque chose pour les autres. Si vous vous comportez d'une façon qui peut aider à améliorer la qualité de vie de quelqu'un d'autre, quel que soit son niveau, cela constituera votre plus grande source de contentement et la façon la plus sûre de vous faire éprouver un plus grand sentiment de mission. En parlant aux gens qui avaient changé de carrière tard dans la vie, j'ai constaté que ceux qui de la vente (par exemple) d'assurance étaient passés à l'orientation des jeunes ayant des problèmes, exprimaient un fort sentiment de mission. (Naturellement, une personne peut commencer à vendre de l'assurance tard dans la vie et éprouver ce même sentiment de mission.) Et quand je leur ai demandé pourquoi ils se sentaient différents, leur réponse était presque toujours, « J'ai le sentiment, à présent, de faire œuvre utile ».

D'être saisi par un sentiment de mission dans votre vie, c'est comme si vous découvriez votre destinée sans avoir fait de recherche massive. C'est rare qu'une personne découvre ce sentiment de mission dans l'isolement total. Vous l'éprouverez plutôt quand vous vous consacrez à des tâches, des idées et des comportements précis qui rendent service aux autres. Remarquez comme ce chaud sentiment spécial d'être apprécié vous envahit quand vous apprenez que ce que vous avez fait a été utile à un autre être humain — le sentiment que votre colonne vertébrale vibre d'un frémissement de satisfaction personnelle quand vous savez que vous faites des choses qui sont appréciées par quelqu'un d'autre.

Je ressens ce feu chaque fois que je reçois une lettre d'un lecteur qui a été touché par quelque chose que j'ai écrit. Je sais que ma mission suit la trajectoire prévue quand les gens me disent qu'ils ont changé pour le mieux après m'avoir entendu lors d'une causerie ou avoir lu un article que j'ai eu tant de peine à mettre au point. Je parle d'un point de vue très personnel quand je vous dis que ma mission dans la vie s'accomplit d'une façon très précise quand je sais que j'ai fait toute la différence dans la vie d'un autre être humain. Cela signifie pour moi aider les autres à atteindre leur propre sentiment de vérité, de beauté et de justice. Quand ils le ressentent, je le ressens également. Et malgré le fait que je ne crois pas vraiment avoir besoin de cette adulation ou approbation, parce que je continuerais à écrire et à travailler même sans cela, je sais aussi que j'aime l'idée d'apporter une aide aux autres. Quand cela m'arrive, je me sens bien mieux qu'à d'autres moments de ma vie.

À beaucoup de points de vue, mon travail est en dehors de moi. Mon ego n'en est pas solidaire. Je suis conscient que ce que je fais a une très grande importance et je m'y consacre de tout cœur, mais je n'ai pas personnellement le sentiment de devoir le faire pour être positif envers moi-même. C'est presque comme si je m'étais transcendé moi-même et que j'avais pris la liberté d'aller de l'avant pour faire ce que j'aime faire ; je peux me ranger de côté et observer les résultats. Je n'ai pas le sentiment de devoir le faire pour justifier mon existence ; en réalité, c'est exactement l'opposé. Mon existence se justifie par le fait même que je dis qu'elle est, et je crois sincèrement qu'il en est ainsi, quelle que soit l'opinion des autres à ce sujet. Par conséquent, je suis libre de fonctionner inlassablement sans rien avoir à prouver. Quand j'atteins ce stade où je suis capable de faire simplement ce que je fais, et de bien le faire, sans me juger, je réalise que je fonctionne à mon niveau le plus élevé. En vous transcendant vous-même et en ayant la mission de votre vie en dehors de vous-même, vous êtes très capable de vous mouvoir sans ingérence de la part des autres ou de vous-même.

À mesure que vous vous rapprocherez de cette faculté de voir votre travail ou votre comportement comme une chose en dehors de vous-même et que vous êtes l'instrument qui le transmet au monde, vous considérerez votre travail comme inextricablement lié à des valeurs de plus en plus élevées. Vous constaterez que vous travaillez plus pour la valeur d'être quelqu'un qui apporte sa contribution que pour la rémunération reçue, bien que vous accepterez aussi avec plaisir votre rétribution financière. Vous éprouverez une sorte d'excitation à poursuivre la vérité en vous-même et à la partager avec les autres. Vous serez motivé par vos valeurs supérieures. Vous aimerez ce que vous faites pour des raisons transcendantes.

Voilà à quoi correspond le sentiment de mission. Et vous pouvez sans attendre acquérir ce sentiment de résolution si vous commencez à vous regarder, vous et votre vie, avec de nouveaux yeux. Vous pourriez vouloir assumer quelques-uns de ces comportements et changements d'attitude particuliers si vous êtes vraiment intéressé à vous sentir résolu chaque jour. Il n'y a rien de bien magique à cela. Vous prenez simplement la décision que ce jour, *aujourd'hui*, sera celui où vous vous comporterez avec plus de résolution. Que vous ne serez pas artificiel, ni avec vous-même, ni avec les autres, et que vous consulterez votre propre voix intérieure pour décider ce que vous allez faire de votre vie. Essayez, pour changer, quelques-uns de ces comportements et voyez s'ils vous conduisent à des sentiments de résolution et de compréhension plus intenses dans votre vie.

QUELQUES STRATÉGIES PERSONNELLES POUR ACQUÉRIR UN SENTIMENT DE RÉSOLUTION ET D'HONNÊTETÉ

Il est certain que le sentiment de résolution n'est pas quelque chose que vous allez éprouver de façon automatique uni-

quement parce que vous essayez quelques nouvelles stratégies. Le développement d'un sentiment de résolution et de
compréhenson découle d'une attitude générale qui est elle-
même le résultat d'être vous-même, de consulter vos signaux
intérieurs, d'être enthousiaste au sujet de votre travail et de
votre comportement de façon Sans-limites, ainsi que je l'ai
expliqué tout au long de ce livre. Vous pouvez avoir un sentiment de résolution si vous modifiez certains comportements et
adoptez une attitude intérieure d'estime et d'importance personnelles. Alors que vous allez finalement acquérir ce merveilleux sentiment de résolution en faisant l'effort nécessaire pour
devenir davantage une personne Sans-limites, voici quelques
techniques qui vous aideront à accélérer le processus :

Souvenez-vous que vous pouvez gagner votre vie de différentes façons, qu'il n'est pas nécessaire de garder le même
emploi ou la même carrière simplement parce que vous avez
beaucoup de temps investi dans ce que vous faites à l'heure
actuelle. Donnez-vous la permission d'être n'importe quoi, et
d'entrer dans de nouveaux domaines en ce qui a trait à vos
prises de décisions professionnelles. N'acceptez pas la
croyance absurde qu'il est professionnellement immature de
changer d'emploi ou de carrière à mi-chemin de votre vie. Il
serait insensé et névrosé de continuer à faire des choses qui ne
vous apportent aucune satisfaction quand vous avez tant d'autres options qui vous sont accessibles. Continuez à vous souvenir que toute chose à laquelle vous portez intérêt est un
moyen éventuel de gagner votre vie et aussi de vous sentir
extrêmement engagé dans votre travail. Si vous avez du plaisir
à faire quelque chose, mais que d'autres vous considèrent
comme immature ou irresponsable, vous allez devoir ne pas
tenir compte de leurs protestations pour conserver un sentiment de mission et de résolution. Vous ne pouvez pas toujours être raisonnable et plaire à tout le monde si vous voulez
bien vous sentir dans votre peau ; vous devez prendre des risques, des risques qui vous mènent à votre propre sentiment
de résolution. Acceptez ces risques et invitez les membres de
votre famille à se joindre à vous, plutôt que d'éprouver du res-

432

sentiment à leur égard en les considérant comme des obstacles.

Soyez enthousiaste à propos de tout ce que vous choisissez d'entreprendre. Quand vous abordez un problème ou que vous vous occupez d'une tâche personnelle avec une certaine dose d'enthousiasme pour votre travail et vous-même, vous vous sentez plus résolu dans ce que vous faites, et dans votre vie en général. Les gens enthousiastes sont ceux qui ont une attitude de plaisir et d'excitation à l'égard de la vie ; ils considèrent la vie comme un défi, et ils ne sont pas découragés de devoir faire les mêmes choses à maintes reprises. Ils acceptent le fait qu'ils ont fait un choix, alors ils se consacrent à ce choix avec zèle. En adoptant une attitude appropriée envers toute tâche, peu importe à quel point vous la jugez déplaisante, cela peut donner un sens au temps que vous lui consacrez. J'ai passé beaucoup d'après-midi agréables à faire des choses que les autres considèrent comme ennuyeuses et monotones. Faire un bref compte rendu de chapitre peut être très excitant vu dans sa propre perspective. De même, le nettoyage de ma maison devient un plaisir en proportion directe de ma jouissance des résultats. Je peux me sentir parfaitement bien en faisant du baby-sitting ou en restant éveillé toute la nuit devant ma machine à écrire pour respecter une date limite. Il en est ainsi non pas parce que je suis un être spécial, mais parce que j'ai choisi d'être véritablement enthousiaste dans ma vie. Et mon *temps* est la monnaie précieuse de ma vie, que j'apprécie immensément.

Soyez naturel et confiant. Abstenez-vous de devenir une personne qui doit absolument impressionner tout le monde. Apprenez à vous maîtriser quand vous êtes sur le point soit de vous vanter ou de faire le charlatan. Agissez de façon aussi naturelle que vous l'êtes en vous-même. Si vous voulez pleurer dans un endroit où d'autres choisissent de refouler leurs larmes, laissez-vous aller. De la même façon, si vous désirez rire bruyamment, habituez-vous à le faire et vous verrez que votre naturel est contagieux. Plus vous vous exercez à être simplement vous-même, plus vous êtes susceptible de vous sentir résolu et important dans votre vie. Quand vous prenez de grands airs ou agissez anormalement, vous perdez votre sentiment de résolution, dans une large mesure parce qu'en vous-même vous ne vous aimez pas, vous n'éprouverez jamais un véritable sentiment de résolution dans votre vie. Vous devez être en paix avec vous-même avant que vous ne puissiez sortir ce moi dans le monde pour être productif et utile. Quand vous vous sentez bien en vous-même et que vous agissez par conséquent de façon naturelle, vous allez sortir un moi digne dans le monde, et c'est alors que vous éprouverez un sentiment de résolution — alors que vous êtes simplement vous-même, sans défense ou manque de naturel.

Soyez une personne occupée. Les gens qui sont actifs sont souvent beaucoup plus en paix avec eux-mêmes que ceux qui sont inactifs et inertes. Quand vous avez beaucoup d'intérêts divers et de choses à faire, et que vous équilibrez les périodes de détente et de défi pour vous-même, vous vous sentez beaucoup plus utile et passionné de vivre. Plus vous accomplissez sans souffrir du «mal de la précipitation», plus vous voulez en faire. Les gens qui savent faire beaucoup de choses sont beaucoup plus enclins à être satisfaits que ceux qui ont de sérieuses limites dans leur vie.

Permettez-vous d'être guidé par vos valeurs supérieures. Une personne Sans-limites se distingue facilement de la moyenne des gens en ce sens qu'elle vit et est motivée par ces valeurs supérieures que j'ai mentionnées tout au long de ce livre. Cherchez votre propre vérité, poursuivez la beauté et la justice dans votre monde. Demandez à être traité avec dignité, et exigez la bonté plutôt que d'accepter le mal dans votre vie. Plus vous fonctionnez de l'intérieur, sur la base de ces valeurs qui transcendent toutes les autres, plus votre vie aura de sens pour vous. Souvenez-vous qu'une absence de vérité, de beauté, de justice et de dignité est aussi nuisible qu'un manque d'oxygène et de nourriture ; cela prendra juste un peu plus longtemps avant que la maladie ne s'installe et ne se déclare.

434

Décidez par vous-même ce que vous aimez vraiment dans la vie. Poursuivez ensuite activement cet amour, plutôt que de vous efforcer de vous adapter dans un moule qui vous laisse un sentiment de vide. Vous avez le droit d'aimer tout ce que vous choisissez d'aimer, et aucune activité n'est meilleure qu'une autre activité à moins que vous ne décidiez qu'il en soit ainsi.

Devenez une personne dynamique dans votre vie, et freinez votre penchant à critiquer les autres personnes dynamiques. Plus vous transcendez votre vieille tendance à parler des gens avec malveillance, et plus vous utilisez ce temps à être une personne dynamique dans *n'importe* quelle activité, plus vous serez susceptible d'éprouver un véritable sentiment de résolution. Les commérages au sujet des autres vous laissent généralement un sentiment de honte, et c'est là le genre de sentiment que vous devrez extirper totalement de votre vie si vous voulez pouvoir agir avec résolution.

Permettez-vous d'avoir quelque chose de sacré dans votre vie. Votre famille, votre amant, votre religion, votre sentiment d'être une personne qui dit la vérité, votre amour pour les arts, ou quoi que vous considériez véritablement comme sacré, est merveilleusement utile pour bâtir votre propre sentiment que certaines personnes et idées sont sacrées, vous avez aussi tendance à agir de façon merveilleuse à leur égard. Plus vous éprouverez ce genre de sentiment envers les choses et les gens importants dans votre vie, plus vous vous sentirez résolu en agissant sous l'impulsion de ce sentiment du sacré. En considérant les gens et certaines choses comme précieux, vous vous permettez par inadvertance de fonctionner à un niveau supérieur et, naturellement, plus le niveau de vos actions est élevé dans votre vie, plus votre vie sera significative et importante.

Cultivez des amitiés qui ont de l'importance pour vous. Permettez-vous d'avoir des relations confidentielles avec quelqu'un. Que cette amitié soit sacrée et honnête, et vous vous sentirez entièrement libre avec quelqu'un auquel vous vous fiez véritablement. Ce genre de relations peut devenir un trésor pour vous à mesure que vous développez votre propre sentiment de résolution dans la vie. Ne vous contentez pas de déclarer que vous aimez cette personne, prouvez-le par votre comportement. Quand vous connaissez une personne importante avec laquelle vous pouvez partager votre existence, une personne qui à votre connaissance ne vous jugera jamais, et avec laquelle vous pouvez être absolument franc et honnête, vous attacherez une grande valeur au temps que vous passez en compagnie de cette personne. Avoir des moments à conserver précieusement et à apprécier aux niveaux SZE les plus élevés, accroissent votre sentiment de résolution.

Soyez davantage conscient du besoin de croissance dans votre vie. Tâchez de ne pas tenir compte des imperfections dans votre vie et demandez-vous plutôt ce que vous aimeriez devenir. Souvenez-vous de ce que j'ai dit plus tôt : «Vous n'avez pas besoin d'être malade pour aller mieux.» Soyez davantage une personne qui fait des choix de croissance, et acceptez l'idée d'avoir des défauts. Ces défauts n'ont pas besoin d'être la source de votre motivation. Vous ne devez pas nécessairement vous baser sur vos défauts pour décider où vous aimeriez être. Vous pouvez vous accepter là où vous vous trouvez, mais vous devez faire un effort continu chaque jour en vue de votre croissance. Plus vous ferez des choix de croissance, plus vous éprouverez un sentiment de résolution.

Voyez combien de vos défenses vous pouvez honnêtement identifier. Si vous n'êtes pas loyal envers vous-même, vous ne réaliserez jamais un sentiment de résolution dans votre vie. Admettez-le quand vous êtes cupide, prétentieux, plein de préjugés, arrogant, critique ou même stupide. Mettez-le sur le compte du manque d'expérience, mais n'oubliez pas d'y remédier la fois suivante. Tout changement commence par une admission en vous-même que vous êtes sur la défensive. Une fois que vous l'aurez reconnu, même si vous éprouvez quelque difficulté à vous changer sur-le-champ, le processus même de l'admission est un énorme pas vers l'honnêteté envers soi-même. Et si vous êtes vraiment honnête envers vous-même, vous éprouverez de bien meilleurs sentiments dans votre vie, et vous pourrez rapidement acquérir ce sentiment insaisissable de résolution que tant de gens ne connaîtront jamais dans leur vie.

Souvenez-vous que vous ne pouvez pas échouer en étant vous-même. Essayez d'obtenir tout ce que vous voulez avec une anticipation totale pour faire face à tout échec. Même si vous échouez à certaines activités — et, naturellement, vous ne pourrez jamais apprendre à fond des techniques humaines sans que vous ayez d'abord connu l'échec — vous ne pouvez pas échouer comme être humain à être vous-même, car vous êtes complet pendant que vous vivez chaque moment. Apprenez à accepter une certaine mesure d'échec et à cesser de vous évaluer comme un échec simplement parce que vous n'avez pas réussi dans une certaine activité.

Discernez les véritables problèmes de la vie. Essayez de vous débarrasser des menus propos afin de déterminer plutôt votre propre position sur les valeurs humaines supérieures. Vous réaliserez que vous vous sentez beaucoup plus important si dans vos conversations vous traitez de sujets qui peuvent changer beaucoup de choses dans le monde. Bien qu'à certains moments vous voudrez agir comme un enfant, légèrement, cela n'exclut pas que vous soyez conscient des valeurs supérieures dans notre culture. Quand vous avez conscience de ces valeurs et de leur signification pour vous, et que vous les partagez avec vos confidents, vous êtes susceptible de travailler en même temps à un programme d'autoamélioration pour vous-même. Si vous ne tenez pas compte des problèmes clefs et demeurez ignorant de ces valeurs et de ces préoccupations supérieures qui sont vitales pour l'humanité, vous considérerez comme négligeable votre propre contribution au monde. Combien de fois n'avez-vous pas entendu des gens dire qu'ils ne comptaient vraiment pas, qu'ils n'étaient que des comparses, et ainsi de suite? Ce genre de sentiment mène droit à l'immobilisme et à l'esquive dans la vie. Cela vous empêche d'éprouver un sentiment de résolution, car il est évident qu'un sentiment de résolution est impossible quand vous vous sentez impuissant. Considérez-vous comme une personne qui peut changer le monde, qui est informée et qui compte vraiment, et vous manifesterez également un sentiment intérieur de résolution.

Essayez de transcender la localisation dans votre vie. Si vous avez le sentiment de n'appartenir qu'à un fragment minuscule de l'humanité et que vous vous limitez à ce fragment, vous finirez aussi par vous sentir négligeable. Devenez une personne globale. Considérez toute l'humanité comme vos frères et sœurs. Si les gens meurent de faim au Pakistan, une partie de vous souffre de la faim également. Et quand vous vous sentez global, vous avez beaucoup plus tendance à vouloir intervenir pour changer les choses, plutôt que de réserver vos réactions à vos propres préoccupations secondaires locales. Le chômage, la prostitution, l'usage de stupéfiants, la pauvreté — voilà des sujets de préoccupation valables aussi bien en Ohio qu'en Indonésie. Le fait est que nous occupons tous ensemble cette planète fragile, et de penser grand plutôt que petit vous aidera à éprouver davantage un sentiment de résolution dans votre vie. Cela vous motivera aussi à y remédier si vous adoptez *leur* problème comme *le vôtre.*

Ne vous contentez pas d'être moins que ce que vous pouvez devenir. Vous êtes aussi sensationnel que tous les autres êtres humains qui ont vécu ici avant vous. Ne craignez pas votre propre grandeur. Souvenez-vous que vous pouvez devenir tout ce que vous choisissez d'être et que la grandeur est à votre portée si vous désirez vraiment l'acquérir. Votre grandeur n'est pas tributaire de ce que les autres disent : c'est essentiellement un phénomène intérieur. Tous les problèmes exceptionnels auxquels cette terre fait face devront être résolus par des êtres exceptionnels. Au fait, qu'est-ce qui vous empêche d'être l'un d'entre eux ? Si ce n'est pas vous, qui alors ? Si chacun refile la responsabilité aux autres, les problèmes ne seront jamais résolus. Si vous prenez une part active et ressentez votre importance, vous allez acquérir comme avantage inattendu, un sentiment de résolution.

Informez-vous amplement à votre propre sujet. En vous informant honnêtement à votre propre sujet auprès de ceux qui ont de l'importance dans votre vie, vous supprimerez en grande partie les possibilités de malentendu dans vos relations. Soyez disposé à écouter ce que quelqu'un d'autre a à vous dire, sans défendre votre point de vue. Plus vous allez acquérir une connaissance de vous-même, moins vous aurez à vous poser de questions à votre propre sujet. Vous réaliserez rapidement qu'il est très facile d'avoir accès à des informations vous concernant, et vous n'aurez plus à conjecturer tout le temps. Je sais que je ne perds jamais de temps à me demander ce que les gens pensent de moi. Si je veux le savoir, je demande tout simplement. De cette façon, j'obtiens les informations dont j'ai besoin, et j'ai également le sentiment de mieux me connaître. Plus vous êtes conscient de vous-même, plus vous éprouverez de sentiment de résolution envers votre vie.

NEUF QUESTIONS POUR VOUS AIDER À ACCÉDER À L'HONNÊTETÉ ENVERS VOUS-MÊME.

Posez-vous ces questions et faites un effort pour y répondre honnêtement sans avoir à jouer un jeu avec vous-même. Vous aurez peut-être quelque difficulté à répondre à chacune de ces questions sans faire référence à ce que vous croyiez être vrai à votre propre sujet jusqu'à ce jour, mais si vous pouvez surseoir à votre passé et simplement réagir, plus particulièrement avec quelqu'un que vous connaissez et aimez, vous pourrez acquérir un contrôle précis sur votre aptitude à être totalement honnête.

1. *Quels changements apporteriez-vous à votre vie si vous saviez que vous n'avez plus que six mois à vivre?* La réponse à cette question sera une révélation pour vous et vous aidera à devenir plus sincère et honnête avec vous-même. Si vous faites des changements très radicaux, c'est que vous ne vivez pas votre vie actuelle avec une intégrité personnelle absolue. Le fait est que, comparé à l'éternité, vous n'avez que très peu de

temps à vivre. Même si vous avez encore cinquante ans ou plus d'existence devant vous, cela n'équivaut toujours qu'à quelques secondes de l'éternité. Penser sur six mois est utile en ce sens que cela vous donne assez de temps pour faire des choses qui sont importantes pour vous et ce n'est pas une durée trop courte pour qu'elle arrive à terme le temps de cligner les yeux. Si vous vous dites que, si vous n'aviez que six mois de votre vie à vivre, vous changeriez beaucoup de choses, je vous suggère alors que vous feriez bien de faire ces changements dès à présent.

Rappelez-vous que vous êtes en phase terminale. Si vous changez d'emploi, de relations, de lieu de résidence, d'amis, de style de vie, de façon de communiquer avec les vôtres, ou autre chose, alors pourquoi ne pas le faire pendant que vous le pouvez encore? Si vous n'êtes pas actuellement en train de faire exactement les choses que vous feriez si vous n'aviez que quelques mois à vivre, vous menez alors une existence mensongère et vos résultats sur l'échelle de l'honnêteté — personnelle — totale, sont très bas. Vous ne pouvez pas avoir un sentiment de résolution et de compréhension dans votre vie si vous êtes à la traîne des événements plutôt que de vivre comme vous l'auriez vraiment aimé. Quelle que soit la manière dont vous le justifiez à vos yeux, vous manquez toujours d'un sentiment de résolution si vous changez radicalement votre style de vie dans l'adversité. Car, en vérité, étant donné la perspective de l'éternité, vous n'avez de toute façon que quelques mois à vivre, et les gens qui « attendent jusqu'à plus tard » jouent leur avenir. Ne jouez pas avec votre vie — vivez pleinement!

2. *Avec qui partageriez-vous votre existence si vous pouviez vivre avec n'importe qui dans le monde?* Supposons pour un instant que vous n'ayez aucune obligation légale de rester avec votre famille immédiate, en admettant que vous en ayez une, et que vous ne connaissiez aucune raison vous empêchant de vivre légalement avec une personne en dehors de votre famille immédiate. En pareil cas, avec qui choisiriez-vous de vivre? Quelles sont ces personnes que vous préférez dans le monde? Êtes-vous en leur compagnie aussi souvent

que vous l'auriez souhaité? Ce que je veux dire est ceci : si vous avez dans votre vie des rapports (de famille ou autres) qui vous obligent à vous trouver là où vous êtes plutôt que d'y être parce que vous le désirez sincèrement, vous devriez alors vous demander pourquoi vous faites ce genre de choix malhonnête.

Vos amis intimes sont-ils vraiment ceux dont vous appréciez la compagnie? Vos liens sentimentaux sont-ils fondés sur un amour mutuel ou est-ce plutôt par obligation que vous les maintenez? Je suis convaincu que vous pouvez transformer la plupart des rapports fondés sur l'obligation en liaisons par choix en vous permettant à vous-même, et aux autres qui sont importants pour vous, d'avoir la liberté d'être ce que vous choisissez pour vous-même. Il n'est pas nécessaire d'établir vos rapports intimes sur une relation qui manque à ce point de dignité : le devoir, mais d'être de préférence totalement honnête en vous demandant si ces rapports sont ce que vous (et eux) souhaitez vraiment qu'ils soient. Si la réponse est négative, vous pouvez alors décider soit d'améliorer tous vos rapports afin qu'ils deviennent ce que tous deux vous désirez vraiment qu'ils soient, ou y couper court et vous contenter de fréquenter des gens dont vous appréciez la compagnie.

Thomas Hobbes a dit jadis : « L'obligation équivaut à un esclavage, et rien n'est plus haïssable que l'esclavage.» Si vous partagez votre vie avec les gens uniquement par obligation, vous faites alors preuve d'un manque total d'honnêteté personnelle, et vous avez opté pour une sorte d'esclavage. Alors que vous pouvez justifier vos choix en vous représentant comme une bonne personne responsable, en réalité, vous déshumanisez votre propre sentiment de résolution et de compréhension en étant constamment rendu conscient de votre incapacité à choisir ce que vous voulez vraiment pour vous-même. Par ailleurs, qui parmi ceux que vous fréquentez apprécierait de savoir que vous le faites par obligation et non par choix personnel? Aimeriez-vous avoir à vos côtés une personne si vous saviez qu'il ou elle s'y trouve à contre cœur et uniquement par obligation ? Tous les rapports fondés exclusivement sur l'obligation manquent de dignité.

3. *Où choisiriez-vous de vivre si vous pouviez vivre n'importe où dans le monde?* Admettons que vous n'ayez aucune obligation à vivre là où vous avez vécu jusqu'à présent. Où choisiriez-vous de vivre? Opteriez-vous pour le quartier, la ville, l'état, le pays, l'hémisphère où vous vivez actuellement? Si vous résidez dans un endroit parce que vous y avez toujours vécu et pour nulle autre raison, vous ne faites alors pas preuve d'une honnêteté personnelle totale. Vous avez peut-être l'impression qu'il vous est impossible de partir, parce que vos racines sont beaucoup trop profondes là où vous demeurez à l'heure actuelle, mais la majeure partie de ce genre de logique provient de la crainte de se lancer dans de nouvelles activités et de la résignation à demeurer là où vous êtes en raison de la facilité, de la sécurité et du manque d'inquiétude que cette solution vous offre.

Rien ne peut vous empêcher de vivre à votre endroit de prédilection. C'est aussi simple que ça. Vous ne pouvez être cloué sur place par votre passé, mais vous pourriez avoir à participer activement à ce que vous désirez vraiment obtenir pour vous-même. La peur du changement, d'aller vivre dans de nouveaux endroits, de mettre vos possibilités à l'épreuve dans tout endroit qui vous attire personnellement, provient uniquement de votre manque d'honnêteté envers vous-même. Bien que vous soyez libre de défendre votre apathie et de vous dire qu'il vous est impossible de faire un tel changement à ce stade-ci de votre vie, il n'en demeure pas moins vrai que vous aimeriez être ailleurs et que vous choisissez de rester où vous êtes, quelle qu'en soit la raison (à moins que vous ne soyez en prison), et alors vous ne vivez pas votre vie dans une perspective *totalement* honnête, même si vous soutenez le contraire.

4. *Combien d'heures de sommeil croyez-vous que vous auriez si vous n'aviez pas de montre ou le moyen de mesurer votre temps de sommeil?* Allez-vous au lit à «l'heure du coucher»? Vous réveillez-vous à l'heure prévue? Vous mettez-vous au lit en pensant que si vous n'avez pas vos huit heures de sommeil, vous allez être vraiment fatigué le lendemain? Accordez-vous la petite fantaisie suivante pour un moment.

442

Imaginez-vous que vous n'avez pas de montre, et que vous n'avez aucun moyen de vérifier vos heures de sommeil. Supposez que quelqu'un d'autre mesure la durée de votre sommeil mais à votre insu. Combien d'heures par jour croyez-vous que vous dormez? Croyez-vous que vous iriez au lit à la même heure si vous ne saviez pas que « l'heure du coucher » est arrivée? Imaginez-vous que vous vivez sous terre dans une casemate où vous n'avez aucune idée s'il fait jour ou nuit, et que vous pouvez dormir quand l'envie vous prend.

La plupart des gens règlent leur sommeil au moyen d'éléments extérieurs comme les montres et les calendriers plutôt que d'après leur besoin véritable de sommeil. Une grande partie de votre sommeil est causée par une réaction à ce que vous avez appris plutôt que par un besoin naturel ou un besoin physiologique. Vous dormiriez très vraisemblablement beaucoup moins si votre vie était remplie d'expériences excitantes, semblables à des missions, et si vous ne teniez pas compte de l'heure à laquelle vous êtes allé au lit et du temps passé à dormir. Un individu totalement honnête est honnête en tout, y compris pourquoi il dort quand il le fait et s'il le fait en raison de l'ennui qu'il éprouve, d'activités déplaisantes ou par habitude. Plus vous vous accordez de temps pour rester éveillé et vivant, et plus vous dirigez les affaires naturelles de votre vie selon un choix plutôt que par habitude ou attente craintive, plus vous serez susceptible d'avoir une évaluation profondément honnête de vous-même. De nombreuses études ont révélé que les gens occupés ne tiennent pas compte du temps et sont enthousiasmés par la vie, ils pensent moins à dormir, la fatigue est une chose qu'ils connaissent rarement, et ils sont plus résolus comme êtres humains.

5.   *Combien, et quand, mangeriez-vous si les heures de repas n'existaient pas?* Supposez que vous ne puissiez manger que quand vous avez faim, et alors seulement jusqu'à ce que vous soyez rassasié. Pensez-vous que vous auriez les mêmes habitudes de table? Beaucoup de gens mangent parce qu'ils craignent d'avoir faim dans quelques heures. Les gens mangent aussi parce que la montre le leur dit et non pas en consultant leur propre montre intérieure de la faim. Une honnêté

totale consiste entre autres à prendre vos propres décisions quant à l'heure de repas et à ce que vous allez manger sur la base de vos propres besoins plutôt que par la volonté de quelque horaire imposé extérieurement. Plus vous vous fiez à vous-même pour avoir un bon jugement personnel et permettez aussi à d'autres de faire la même chose, plus vous êtes susceptible d'acquérir un sentiment de foi et de confiance en vous-même.

Les enfants développent un sens très aigu de nutrition appropriée si on se fie à eux pour contrôler leurs propres habitudes d'alimentation. Plus vous vous permettez à vous-même, et à ceux que vous aimez, d'avoir une confiance personnelle, plus vous bâtirez un sentiment puissant d'intégrité personnelle. Ceci s'applique pratiquement à tout dans la vie, mais c'est plus particulièrement vrai pour l'alimentation. J'ai vu des parents forcer littéralement leurs enfants à manger, ils faisaient de l'heure du repas un champ de bataille, forçant à avaler chaque bouchée de légume contre une promesse de quelque récompense. Le processus d'une saine alimentation, qui est en vérité un processus très naturel, peut se transformer en un cauchemar si vous ne vous fiez pas à vous-même et à vos proches. Vous ne devez pas vraiment manger parce que c'est l'heure du repas, ou parce que tout le monde en fait autant, ou parce que vous aurez faim dans quelques heures si vous ne le faites pas. Vous pouvez manger convenablement quand vous en avez envie, et vous n'avez pas besoin de suivre un horaire à moins que vous n'ayez pas le genre de foi en vous-même permettant de passer des jugements appropriés concernant votre propre santé.

6. *Que feriez-vous si l'argent n'existait pas?* Imaginez-vous simplement que vous êtes capable de faire tout ce que vous avez envie. Oubliez la question de gagner votre vie, et demandez-vous simplement ce que vous feriez si, sur le plan de la récompense financière, cela importait peu. Si vous luttez toute une vie pour faire un travail qui n'a aucune signification pour vous et que vous le justifiez en disant que vous devez le faire parce qu'il vous procure l'argent nécessaire pour payer vos factures, vous optez alors pour une certaine malhonnêteté

personnelle envers vous-même. Vous donnez plus d'importance à l'argent qu'à votre propre sentiment de résolution, et aussi longtemps que vous maintiendrez la priorité dans cet ordre vous *manquerez toujours de résolution et d'honnêteté totale envers vous-même.*

La plupart des gens ne viennent jamais entièrement à bout de l'idée que l'argent puisse vous poursuivre au lieu que ce soit le contraire. Vous pouvez être pleinement satisfait dans votre vie, à faire des choses qui vous procurent du plaisir et un sentiment de résolution, et l'argent viendra à vous en sommes assez élévées pour que vous demeuriez responsable et à l'abri des dettes. Mais si vous vous convainquez que vous ne serez jamais capable de faire les choses que vous aimeriez vraiment faire parce que vous vous briserez financièrement le cou et finirez au bien-être social, vous poursuivrez alors le syndrome de la chasse à l'argent qui est son propre cul-de-sac psychologique. Le travail que vous aimeriez vraiment faire est également une des principales possibilités pour gagner votre vie. Il existe un marché pour tout ce qui se trouve sur cette planète, avec ses milliards d'êtres humains pour bénéficier de vos propres entreprises pleinement satisfaisantes. La question est de savoir si vous pouvez être assez honnête envers vous-même pour prendre le risque de résolution, plutôt que de courir après l'argent qui va vous garantir un sentiment de sécurité extérieure. Il n'existe pas de remplacement pour la prise de risques dans ce domaine. Si vous choisissez d'éviter les risques, vous pouvez assumer l'attitude que Jackson Browne chante dans «The pretender» avec ces mots «Je vais être un heureux idiot et lutter pour la soumission légale. »

7. *Quel âge auriez-vous si vous ne connaissiez pas votre âge?* Mettons que vous ne connaissez pas votre date de naissance et que vous n'avez aucun moyen de le savoir, quel âge estimez-vous que vous avez? Pensez-vous que vous seriez uniquement capable de faire certaines choses typiques de votre âge et, par conséquent, devriez exclure un grand nombre d'activités de la vie en raison de votre âge? Les jeunes gens sont-ils censés se comporter d'une certaine façon et les gens plus âgés d'une toute autre façon? Si vous pensez en sté-

réotypes d'âge, vous n'êtes pas entièrement honnête envers vous-même. Vous pouvez vraiment faire tout ce qu'il vous plaît de faire, même si personne dans votre groupe d'âge en particulier n'approuve ce que vous faites. En fait, une personne totalement honnête envers elle-même ne pense même pas en termes de groupe d'âge.

Vous êtes aussi vieux que vous décidez de l'être, et toutes les restrictions basées sur l'âge sont dans une forte mesure imposées à vous-même. Vous pouvez vous balancer sur une balançoire, aller danser dans une discothèque, écouter avec plaisir Laurence Welk ou sucer votre pouce, si vous le désirez vraiment. Si vous ne connaissiez pas votre âge, vous l'estimeriez dans une forte mesure en fonction de votre attitude envers la vie. Vous pouvez vous considérer jeune et ardent même si vous avez vécu trois quarts de siècle ; vous ne sauriez pas la différence si vous n'aviez pas eu quelque document extérieur, tel qu'un certificat de naissance ou autres mémentos, pour vous tenir au courant. La personne entièrement honnête et résolue ne laisse pas son âge s'immiscer dans les choix qu'elle fait dans la vie. Elle se comporte conformément à ce qui semble être juste pour elle, plutôt que par ce qu'elle est censée faire à un âge particulier de sa vie. Certaines personnes se laissent traumatiser par les anniversaires de naissance — trente, quarante, cinquante, soixante ans... D'autres qui sont beaucoup plus honnêtes envers eux-mêmes ne s'arrêtent pas à ces frontières artificielles et continuent à être ce qu'ils ont choisi d'être pour eux-mêmes, sans prendre en considération leur âge.

8. *Quel genre de personnalité adopteriez-vous si vous commenciez aujourd'hui?* Imaginez-vous que vous êtes une personne qui peut choisir la personnalité qu'elle désire. Que choisiriez-vous pour vous-même? Seriez-vous plus assuré, moins timide, plus ouvert, moins coupable, plus stable, plus amusant, plus accessible, moins crédule? Si vous n'avez pas le genre de personnalité que vous auriez aimé avoir, vous avez choisi de ne pas être entièrement honnête envers vous-même. Vous avez la capacité de changer tout ce qui ne vous plait pas en vous-même, à condition que vous preniez la décision.

Naturellement, la décision devra être suivie d'un dur labeur, mais ce qui importe c'est que toute décision sera prise par vous. Votre personnalité sera ce que vous lui aurez permis de devenir. Si vous attendez l'occasion de choisir une toute nouvelle personnalité pour changer vos caractéristiques, c'est que vous n'avez pas compris que ce choix vous est offert dès maintenant. Personne ne vous force à rester timide, nerveux, sans assurance ou crédule. C'est vous qui faites ces choix dans la vie, et vous pouvez les «défaire» si vous le désirez vraiment. L'individu totalement honnête comprend qu'il est responsable de sa propre personnalité et il ne reproche à personne d'autre ce qu'il est, même s'il se rend compte que certaines de ses précédentes expériences dans la vie ont contribué à ce qu'il est devenu aujourd'hui. L'honnêteté totale élimine les reproches! Elle signifie que vous ne défendez pas votre manque d'aptitude et d'empressement à être ce que vous aimeriez être en reprochant à d'autres ce que vous êtes aujourd'hui. Le fait demeure que vous pouvez choisir le genre de personnalité que vous voulez avoir.

9. *Comment vous décririez-vous si vous n'aviez pas la possibilité de vous servir d'étiquettes?* Supposons que quelqu'un vous ait demandé de vous définir vous-même, mais qu'il vous ait défendu d'utiliser les étiquettes traditionnelles dont les gens se servent à outrance. Supposons que vous ne puissiez mentionner ni votre âge, ni où vous habitez, ni ce que vous étudiez à l'école, ni le groupe ethnique auquel vous appartenez, ni les emplois que vous avez tenus, ni votre situation de famille, ni votre situation économique, ni votre état civil, ni la couleur de vos cheveux, ni votre taille, ni même votre nom. À la place, supposons que vous ayez à décrire exactement le genre d'être humain que vous êtes. Seriez-vous capable de le faire?

Pourriez-vous parler de vous-même sans avoir recours aux étiquettes traditionnelles dont les gens se servent fréquemment comme un masque pour dissimuler ce qu'ils sont véritablement? Seriez-vous en mesure de parler ouvertement de vos sentiments comme être humain? De votre sentiment personnel de résolution et de compréhension dans la vie? Sauriez-vous décrire vos susceptibilités, vos angoisses, vos défenses et vos désirs? Pourriez-vous parler franchement de votre aptitude à donner et à recevoir de l'amour? À contribuer et à laisser l'empreinte de vos propres pieds ici sur cette planète? Si vous devez avoir recours à des étiquettes et vous décrire comme si vous remplissiez un curriculum vitae ou un formulaire de demande d'emploi, il est alors possible que votre sentiment d'honnêteté personnelle et de résolution soit lié à des choses et des réalisations en dehors de vous-même. Vous pouvez vous considérer comme un état statistique plutôt qu'un être humain spécial, et cette image même peut être en fait la réalité que vous avez choisie pour vous-même. Une honnêteté totale exige que vous soyez capable de vous identifier vous-même et votre humanité unique. Elle signifie de pouvoir répondre à la question « Qui suis-je? » sans avoir à se servir d'étiquettes stéréotypes et d'informations statistiques.

Ces neuf questions hypothétiques vous aideront à avoir un véritable contrôle sur ce que vous êtes comme être humain. Une honnêteté totale envers vous-même joue un grand rôle dans votre aptitude à avoir une vue claire sur votre sentiment de résolution. Être honnête avec soi-même n'a rien à voir avec le nombre de mensonges que vous racontez dans une journée mais c'est en relation avec la façon dont vous vous connaissez vraiment et à quel point vous êtes disposé à admettre l'existence de vos défenses et de vos défauts — jusqu'à quel point vous êtes capable de regarder dans un miroir, de faire face à vous-même et de vous voir tel que vous êtes. La forme la plus basse de duperie de soi-même est de prétendre puis de prétendre qu'on ne prétend pas. Si vous racontez aux autres des mensonges sur vous-même, c'est une chose, et cela peut même réussir un certain temps, mais si vous vous dupez vous-même, ce sentiment de résolution et de compréhension qui peut littéralement changer votre vie en quelque chose de véritablement digne d'intérêt, vous fera défaut.

Un véritable sentiment de résolution dans la vie n'a rien en commun avec la question que vous vous posez sur ce que vous devriez faire chaque jour. Par contre, il vous permet de vivre honnêtement vos jours à la façon dont vous croyez devoir les vivre. Les gens me demandent toujours : « Comment puis-je déterminer ce que je veux vraiment ? ». La réponse échappe à la plupart des gens parce qu'ils veulent courir après le succès plutôt que de connaître le succès selon leurs propres sentiments intérieurs de résolution. Bien que cela puisse paraître évasif et même métaphysique, je pense que Nietzsche a fourni la meilleure réponse à ces personnes en quête d'explications : «Celui qui a un *pourquoi* pour lequel vivre peut supporter pratiquement n'importe quel *comment*. » Ce n'est pas ce que vous choisissez de faire qui vous apportera une honnêteté totale ; c'est de savoir que ce *pourquoi* vous le faites s'accorde avec vos propres sentiments de valeur envers vous-même. Il est infiniment important pour vous d'éprouver ce sentiment de mission dans votre vie si vous voulez devenir une personne Sans-limites.

9 / *Gagner à cent pour cent du temps*

Une personne Sans-limites est un gagnant à cent pour cent du temps. Pour devenir un gagnant à temps plein, vous devez accepter l'idée que nous n'avons pas besoin de perdants pour avoir des gagnants. Notre culture est imprégnée de l'idée de créer des gagnants par la route extérieure ; c'est-à-dire, dans un monde extérieur nous devons vaincre quelqu'un d'autre ou atteindre un objectif extérieur pour pouvoir être désigné comme gagnant. Mais une personne SZE/Sans-limites ne fonctionne pas selon ce système qui constitue un piège dans lequel la plupart des gens se font prendre sans espoir. *Pour une personne Sans-limites, gagner est un processus intérieur :* c'est l'aptitude à penser que vous êtes gagnant (car vous fonctionnez sur des signaux intérieurs) dans pratiquement toutes les situations de la vie. Il n'est pas nécessaire de vaincre quelqu'un d'autre pour devenir un gagnant si votre valeur propre est mesurée d'après une échelle intérieure et non extérieure. Si vous devez battre votre adversaire pour être un gagnant, vous permettez alors à cet adversaire de décider comment vous allez vous considérer en tant qu'être humain. La personne dirigée de l'intérieur refuse catégoriquement de s'étiqueter elle-même comme un perdant uniquement parce que quelqu'un d'autre a de plus grands talents qu'elle à n'importe quel moment.

La personne Sans-limites a une prise solide sur la réalité de gagner et de perdre. Le fait est qu'aucune personne n'est meilleure qu'une autre, plus de quelques minutes, n'importe quel jour. Il est possible que le champion du monde dans n'importe quel domaine, puisse à n'importe quel moment, être surpassé par beaucoup d'autres dans le monde. Si vous acceptez cette réalité, vous commencez aussi à comprendre que si nous nous servons de la définition extérieure de gagner et de perdre (c'est-à-dire que vous devez vaincre une autre personne pour être un gagnant, et si vous ne le faites pas vous êtes perdant), alors nous sommes tous des perdants tous les jours de notre vie. Ce genre de dichotomie perdre/gagner doit être transcendé si vous voulez devenir une personne Sans-limites et cesser de vous considérer comme un perdant.

N'oubliant pas que votre attitude intérieure est toujours une question de choix personnel pour vous, vous pouvez commencer à développer une philosophie de gagnant au sujet de tout ce que vous êtes sans nullement vous leurrer. La première mesure à prendre pour développer votre attitude de gagnant-à-cent-pour-cent-du-temps est de renoncer à l'idée que vous pouvez simplement étiqueter les gens de gagnants et de perdants lors de concours déterminés. Au contraire, l'attitude de gagnant total est celle qui vous permet de toujours penser à vous-même comme un gagnant tout en vous réservant la possibilité de croître. Vous n'avez pas à vous flageller vous-même simplement parce qu'un jour vous avez rencontré un adversaire qui avait plus de talent que vous. Vous n'avez pas besoin de vous critiquer vous-même parce que vous n'avez pas réussi à atteindre un but. Vous n'avez pas à observer l'autre personne pour établir des comparaisons et vous servir de ces comparaisons pour mesurer votre propre valeur personnelle.

La question c'est que tout ce que vous faites dans la vie vous donne l'occasion de vous considérer comme un gagnant. Vous pouvez apprendre de chacune de vos expériences, et quand vous vous servez de votre expérience de la vie pour vous donner à vous-même un motif pour croître plutôt que comme la preuve de vos défauts, vous n'êtes pas loin de devenir un gagnant à cent-pour-cent. Gagner est vraiment une attitude, alors que vaincre un adversaire est une chose à laquelle vous réussirez certains jours et échouerez à d'autres. Disons-le encore une fois, personne ne peut vaincre les autres tout le temps. Ceci est simplement impossible sur une planète avec des milliards de gens. Mais n'importe qui peut être un gagnant quelle que soit son activité, et a aussi l'aptitude pour devenir encore plus compétent dans n'importe quelle activité, s'il a sa propre attitude intérieure réglée de façon à se considérer comme un gagnant. Ce que vous devez faire de toute urgence c'est de vous sortir de cette tendance infructueuse qui est tellement répandue dans notre culture, attitude qui affirme que gagner est la conséquence de vaincre des perdants.

L'ABSURDITÉ D'AVOIR DES GAGNANTS AUX DÉPENS DES PERDANTS

Notre culture fait très grand cas de l'obligation de gagner aux dépens des perdants. Dans le monde des affaires, ce jeu s'appelle la mobilité vers le haut et consiste à se méfier de l'autre personne qui brigue le poste que vous voulez décrocher. Dans les sports, les jeunes gens sont nourris de force de la philosophie qui consiste à vouloir gagner à tout prix, et la personne qui ne gagne pas se considère comme un perdant. Les écoles, par la grande importance qu'elles accordent aux notes et aux résultats d'examen, étiquettent les étudiants en gagnants et en perdants. Des livres ont été écrits sur la façon de devenir un gagnant, comment surpasser l'autre personne, comment devenir le «numéro un», comment déjouer votre adversaire, et de nombreux autres sujets qui se concentrent sur le concept extérieur d'être un gagnant.

La personne Sans-limites fonctionne sur des signaux intérieurs, ainsi que je l'ai mentionné dans plusieurs sections de ce livre. Pour une personne qui est organisée sur des principes intérieurs, l'idée d'avoir à vaincre quelqu'un d'autre, ou de se comparer à quelqu'un d'autre, est une contradiction de termes. Par conséquent, la personne Sans-limites s'analyse elle-même pour savoir si elle est gagnante ou non dans la vie. Pour une personne SZE/Sans-limites, gagner n'a rien à voir avec vaincre, surpasser, comparer, la mobilité vers le haut, la compétition ou tout autre moyen extérieur d'évaluation de soi. La personne SZE/Sans-limites comprend combien il est vain de se servir de quelqu'un d'autre comme indice pour mesurer son propre statut. Ainsi, il peut entreprendre n'importe quelle activité et sortir gagnant de l'expérience. Ceci est vrai car c'est l'individu, plutôt qu'un critère extérieur, qui détermine s'il est gagnant ou non. Ainsi, gagner à cent pour cent du temps est fondé sur le fait d'apprendre comment avoir une attitude de gagnant à propos de tout ce que vous entreprenez dans la vie, plutôt que de vous évaluer vous-même sur vos performances extérieures.

Vous devrez accorder toute votre attention à l'idée de ne jamais vous considérer comme un perdant si vous avez réellement l'intention de devenir une personne Sans-limites. Quand nous utilisons l'une des quelconques normes de comparaison ou de performance, chaque personne sur cette planète est alors un perdant pratiquement tout le temps. Pour quelle raison décideriez-vous de vous étiqueter vous-même d'une manière négative et désapprobatrice et de vous évaluer en fonction de la façon dont vous vous comparez aux autres ? Vous êtes une personne unique sur cette terre. Vous savez qu'aucun autre être humain ne vous ressemble, ne pense, n'agit ou ne se sent exactement comme vous. Ceci étant la vérité, comment pouvez-vous alors être un perdant simplement parce que vous ne répondez pas à une certaine norme standardisée dont les autres gens sont censés se servir comme guide de comparaison ?

Il n'y a pas de perdants dans la vie quand vous êtes une personne Sans-limites. Il y a des gens avec différents talents, aptitudes, intérêts et instincts. Certaines personnes choisissent d'être en compétition avec les autres, mais ceci ne signifie pas, quand vous marquez moins de points ou lancez la balle vers un autre joueur sur le terrain au lieu de marquer un but, que vous soyez un perdant. En réalité, vous avez lancé la balle à un autre joueur et vous avez été renvoyé, vous avez lancé la balle par-dessus le filet moins souvent que votre adversaire. Vous déciderez peut-être de vous entraîner davantage pour devenir plus efficace au hockey ou au football, mais il est inutile de vous étiqueter vous-même perdant pendant la période intérimaire d'entraînement. Après tout, quand vous perdez un match, qu'avez-vous perdu en réalité ? Absolument rien. Votre vie suit son cours ; vous avez toujours ces valeurs et ces besoins supérieurs, le désir de créer votre propre vérité, et tout le reste qui fait de vous une personne qui fonctionne pleinement. Vous avez ce jour-là en particulier marqué moins de points que votre adversaire. Un point, c'est tout!

C'est la même chose quand vous vous fixez un objectif et ne réussissez pas à l'atteindre. Vous n'êtes pas un raté comme individu uniquement parce que vous n'avez pas atteint votre objectif; vous devez simplement en tirer la leçon et passer à de nouveaux objectifs. Vous ne pouvez pas apprendre sans connaître des échecs. Toute personne qui a obtenu un certain succès dans la vie a d'abord échoué bon nombre de fois. Mais vous ne devez jamais vous juger *vous-même* comme un raté, quand cela se produit. Du moment que vous vous considérez comme un raté, vous êtes aussi prêt à vous traiter vous-même de façon négative. Quand c'est le cas, vous êtes alors condamné à croire que vous êtes un perdant dans la vie et c'est une absurdité! Tout ce processus qui consiste à vous cataloguer comme un perdant empêche votre croissance; et pour une personne SZE, le but même de la vie est de fonctionner à partir d'une position où la croissance est possible. On demanda un jour à Thomas Edison quel sentiment il éprouvait d'avoir échoué après quelque vingt-cinq mille vaines tentatives d'inventer un accumulateur. Sa réponse est importante pour nous tous. « Échec? Je n'ai pas du tout échoué. Je connais à présent vingt-cinq mille façons de *ne pas* fabriquer un accumulateur. »

Tout ce qui peut empêcher votre croissance ne vaut pas la peine d'être défendu, et vous considérer comme un perdant exerce un très grand effet de dissuasion sur votre aptitude à faire des choix de croissance. *Donc, votre aptitude à être un gagnant à cent pour cent du temps est basée sur l'abandon de l'idée que de perdre à n'importe quoi équivaut à être un perdant.* Vous ne pourrez jamais rien inventer si vous vous considérez comme un perdant uniquement parce que vous n'avez pas encore réussi.

Ce n'est pas simplement un jeu que je vous demande de jouer avec vous-même, et encore moins une invitation à vous leurrer vous-même pour que vous vous appeliez un gagnant quand vous n'en êtes pas un. Je vous demande de changer

455

radicalement dans votre esprit le concept de gagner et de perdre, de transcender cette dichotomie perverse et de penser en fonction du besoin de devenir ce que vous choisissez d'être, plutôt que de vous juger par rapport à une norme extérieure. Tout ce que vous décidez de faire peut être entrepris avec une attitude de gagnant. Je veux dire tout! Vous n'avez jamais plus besoin de vous considérer comme un perdant, quels que soient votre intelligence, vos aptitudes, votre violon d'Ingres, vos talents ou autre chose. Être apte à se consulter soi-même à partir d'une position de respect est ce qui distingue vraiment les gagnants de ceux qui se considèrent comme des perdants.

La réalité nous dit qu'il n'existe rien de tel qu'un numéro un. Il y a toujours une autre équipe, un autre individu, un autre objectif au-delà de notre niveau actuel. Le kilomètre en quatre minutes était une barrière que nous considérions comme infranchissable, il y a à peine vingt-cinq ans, et aujourd'hui nous parlons du kilomètre en trois minutes pour l'avenir. Et-ce que tous les gens qui ont couru le kilomètre en quatre minutes, quelques années auparavant, sont aujourd'hui des perdants? Aucun être humain ne devrait jamais se considérer comme un perdant, et tout comportement qui tend à convaincre les autres que ce sont des perdants est infructueux pour tous les intéressés.

L'espoir, et non la déception, est la clé de l'amélioration. La collaboration, et non la compétition, accroît le niveau de performance dans la plupart des entreprises humaines. La fierté intérieure plutôt que la flagellation de soi est la clé du succès intérieur comme du succès extérieur. D'être détendu, en paix avec soi-même, confiant, neutre du point de vue émotionnel, libéré de contraintes, voici les clés d'une performance réussie dans pratiquement tout. Passer une épreuve, jouer un match de football décisif, faire un discours, n'importe quoi qui soit considéré comme générateur de tension, doit être entrepris dans un esprit de paix intérieure. Et tous ces hurlements, admonestations, agacements, cajoleries, punitions ou dérision vont généralement produire plus de tension, et par conséquent, plus «d'échecs» sous pression.

Plus vous serez en paix avec vous-même, et plus vous vous donnerez la permission de jouir simplement de toute

456

activité, plus vous serez susceptible de fonctionner à un niveau supérieur ; et, naturellement, avec ce genre d'attitude intérieure, vous n'allez jamais vous abaisser au point de vous cataloguer vous-même, ou tout autre être humain, d'un nom aussi peu digne que «perdant».

LA FAÇON DE DEVENIR UN GAGNANT À CENT POUR CENT

Devenir un gagnant à temps plein dans la vie comporte un processus qui demande que vous transcendiez vos façons normales de fonctionner. Avant ce jour, vous étiez conditionné à penser en dichotomies et à vous servir de la technique de l'étiquetage pour vous décrire vous-même. Autrement dit, on vous avait appris à compartimenter pour remplacer la pensée. À l'école, on vous encourageait à séparer les noms, les faits, les idées et les problèmes en catégories bien précises. On vous persuadait de retenir des données et de les restituer. On vous enseignait qu'il y a les bonnes et les mauvaises réponses à tout ce qui se produit dans la vie. Si vos réponses à un problème étaient bonnes, vous étiez récompensé, si elles étaient *mauvaises*, vous étiez pénalisé.

Par conséquent, on vous apprenait à éviter le genre de pensées que j'ai préconisées tout au long de ce livre. Vous appreniez rarement que penser intérieurement constituait un ingrédient précieux dans votre vie. Et on vous disait même exactement le contraire : obtenez les faits exacts et omettez de penser par vous-même ; la vie est partagée en bien et en mal, et votre tâche est de rechercher le bien et d'éviter le mal.

On vous disait qu'un poème ne pouvait être interprété que d'une certaine façon, ou qu'Ernest Hemingway avait une idée bien précise en tête lorsqu'il écrivit ses romans, et que votre objectif consistait à découvrir ses intentions cachées. Dans chaque sujet appris, on vous a dit de trouver la réponse qui plairait le plus à l'autorité supérieure, d'obtenir les notes appropriées pour votre dossier, et d'oublier vos propres pensées concernant toutes choses. S'éduquer signifiait se conformer, se bien conduire, apprendre par cœur, passer des examens, oublier puis bachoter une dernière fois pour l'examen final, et enfin, oublier tout à jamais. Ce genre de méthode inflexible pour apprendre était appliquée dans pratiquement toutes les expériences de votre vie.

On vous a enseigné que la vie a des gagnants et des perdants, que quand vous jouez au baseball sur le terrain de jeux, l'équipe gagnante est celle qui totalise le plus de buts. Vous avez commencé à penser comme gagnant une personne qui marque des buts, ou des points dans toutes sortes d'activités extérieures. Vous avez été réprimandé par vos entraîneurs qui vous ont dit que vous n'aviez pas d'intégrité en manquant un jeu ou en jouant mal comparé à d'autres. Vous avez été accoutumé à être un superréalisateur et à ne jamais vous permettre le luxe de jouir simplement d'une activité ; à la place, on vous a dit de toujours *faire de votre mieux* dans tout ce que vous faites, même si ce genre de mentalité conduit aux ulcères, à la dépression et aux remords.

Vous n'avez pas été encouragé à tout simplement *faire*, à jouir, à poursuivre vos propres vérités. Au lieu de cela, votre éducation s'est concentrée sur les systèmes extérieurs de récompense tels que les notes à l'école, les activités compétitives et apprendre la manière de gagner de l'argent afin de pouvoir être heureux. Pratiquement toute votre éducation a été conçue pour vous apprendre à vous compartimenter et à utiliser des éléments extérieurs de validation pour déterminer à quel point vous êtes méritoire et important comme être humain.

Pour gagner à cent pour cent du temps, vous devrez faire des changements dramatiques dans votre vie, des changements basés exclusivement sur le bon sens et la poursuite de vos propres valeurs supérieures. Il est évident que faire de votre mieux tout ce que vous faites, tout le temps, vous épuisera et vous empêchera d'atteindre l'excellence dans n'importe quel domaine de votre vie. Vous savez que vous ne pouvez pas être meilleur que tous les autres, alors pourquoi vous servir de quelqu'un d'autre comme indice de votre propre valeur ou aptitude ? Vous savez que dans toute activité compétitive, si vous marquez les points, même les individus les plus talentueux dans un domaine donné doivent perdre presque aussi souvent qu'ils gagnent.

Pourquoi, alors, une personne devrait-elle se considérer comme une perdante quand elle se trouve devant l'inévitable ? Vous ne pouvez simplement pas vaincre chacun tout le temps, et si cela est vrai pourquoi ne pas l'admettre et diriger votre vie avec une motivation intérieure plutôt qu'extérieure ? Vous savez que rien dans la vie n'est entièrement une chose plutôt qu'une autre, que chaque problème a plusieurs solutions possibles, et que rien n'est jamais résolu en y apposant simplement une étiquette. Vous savez que tous les êtres humains ont de la dignité et de la valeur, quelles que soient les erreurs qu'ils commettent, et pourtant ces idées qui ont beaucoup de bon sens ont été oubliées par beaucoup de gens alors qu'ils tentent infatigablement de gagner, étiquetant aussi bien eux-mêmes que les autres de perdants presque tous les jours de leur vie.

Ce livre vous parle de la nouvelle façon de vous considérer vous-même et toutes vos activités. Votre moi gagnant à cent pour cent du temps pourra être réalisé quand vous aurez adopté (1) de *nouvelles pensées*, menant à (2) *de nouveaux sentiments*, et en terminant avec (3) *de nouveaux comportements*. Chaque fois que vous voudrez changer quelque chose vous concernant, vous devrez passer par ces trois phases si vous désirez que ce changement fasse définitivement partie de votre nouveau moi Sans-limites. Cela fonctionne comme :

1. PENSER comme un gagnant cent pour cent du temps

Vous êtes responsable des pensées que vous avez en tête. Vous avez la capacité de penser tout ce que vous voulez, et pratiquement toutes vos attitudes et vos comportements infructueux trouvent leur origine dans la manière dont vous choisissez de penser. Vos pensées sont votre propre responsabilité très personnelle, et dès que vous aurez accepté cela comme faisant fondamentalement partie de votre humanité totale, vous serez en bonne voie de changer toutes les choses qui vous déplaisent en vous. Les émotions n'existent pas juste par hasard. Les actions ne se produisent pas tout simplement. Tous vos sentiments et vos comportements sont précédés par un processus mental appelé pensées, et personne ne peut vous obliger à penser quelque chose que vous ne voulez pas penser. Votre coin de liberté, même si d'autres vous manipulent ou même vous emprisonnent, c'est votre aptitude à choisir les pensées qui meublent votre propre esprit. Et une fois que vous aurez compris que vos émotions et vos comportements découlent directement de vos pensées, vous comprendrez aussi que la façon d'attaquer tout problème personnel est d'attaquer les pensées qui soutiennent vos émotions négatives et vos comportements infructueux.

Vous savez que vous contrôlez vos pensées et que si vous voulez vraiment devenir une personne Sans-limites, votre tâche consistera surtout à apprendre comment penser d'une façon différente de ce que vous vous êtes efforcé de faire jusque-là. Les attitudes ne sont rien d'autre que des pensées, et rappelez-vous que vous pouvez choisir n'importe quelle attitude que vous aimeriez avoir, dans pratiquement toutes les circonstances, ce sera le premier pas vers le style de vie de gagnant à cent pour cent que je suis en train de vous présenter.

Votre aptitude à devenir un gagnant à temps plein dépend entièrement de votre détermination à vouloir penser comme un gagnant et à effacer toute image de perdant que vous pourriez porter en vous d'une période précédente de votre vie. Penser comme un gagnant ne veut pas toujours dire d'avoir à vaincre quelqu'un d'autre. Cela signifie être capable de se développer à partir d'une situation où vous n'avez pas réussi à atteindre votre objectif. Cela comprend le fait de ne pas exiger la perfection de vous-même dans chaque chose que vous faites, mais plutôt de penser à vous-même comme parfait et donc capable de vous développer. Cela signifie que vous vous rappeliez que la perfection n'est pas immuable ; cela signifie que vous êtes capable de vous développer. Penser comme un gagnant signifie ne pas vous en prendre à vous-même, rejeter de votre esprit toute pensée de désaveu de vous-même. Cela consiste à vous débarrasser de toute tendance à vous évaluer par rapport à d'autres, et à vous donner la permission d'être la personne unique que vous êtes.

Toutes les pensées qui contribuent à vous considérer vous-même comme un perdant sont plus faciles à chasser quand vous les voyez comme des choix. Une fois que vous aurez assumé la responsabilité de vos pensées perdantes, vous pourrez alors les convertir en pensées gagnantes. Si vous jouez un match de tennis contre un sérieux adversaire et que ce soit lui le vainqueur, vous n'êtes un perdant que si vous le pensez vraiment. À vrai dire, chacune des défaites que vous subissez devrait contribuer à tremper votre caractère et à améliorer votre jeu. Vous pouvez quitter le court en vous disant que vous avez appris quelque chose aujourd'hui, que vous savez à présent quels sont les points faibles que vous devez travailler, que vous avez eu une expérience vraiment fantastique en vous mesurant avec un joueur d'un tel calibre. Vous avez aussi la possibilité de faire exactement le contraire. Vous pouvez faire la moue et lancer votre raquette, vous mettre en colère contre vous-même, vous qualifier d'incapable et vous laisser obséder parce que vous avez perdu. Quel que soit votre choix, la réalité ne changera pas de ce qu'elle est. Vous n'avez pas lancé la balle par-dessus le filet et dans le court adverse aussi souvent que votre adversaire, et ce fait demeurera inchangé pour tous les matches que vous aurez perdus. Mais la manière dont vous pensez, comment vous considérez votre défaite et la façon dont vous décidez de placer l'événement dans un contexte raisonnable de votre vie, sont tous des choix qui vous incombent. Un gagnant conséquent sait que vous vous développez autant à partir des défaites que des victoires et que rien dans la vie ne vaut la peine de se rendre malheureux pour lui.

2. SE SENTIR comme un gagnant cent pour cent du temps.

Si vos sentiments proviennent directement de vos pensées, et que vous savez que vous pouvez sélectionner vos pensées, il va sans dire que vous pouvez également décider la manière dont vous allez vous sentir. Les émotions ne constituent pas de grands secrets. Ce sont les résultats physiologiques de vos pensées, et il n'y a rien d'automatique à décider à quel point vous serez émotif. Toute émotion qui est fonctionnelle, qui vous est utile, qui est agréable et que vous aimeriez faire durer — est à votre portée et accessible. Il est absurde de

461

prétendre que vous ne pouvez rien changer à la façon dont vous vous sentez, que nos émotions nous arrivent tout simplement et que nous ne les contrôlons pas, que nous ne pouvons vraiment rien faire si nous sommes émotifs.

Une personne Sans-limites peut être très émotive, mais ce n'est pas quelqu'un qui sera paralysé par ses émotions. Apprendre à canaliser ses émotions et en assumer la responsabilité, plutôt que de reprocher à quelque mystérieux «inconscient» ou à une expérience très ancienne d'être la source de vos émotions d'aujourd'hui, est le moyen de réaliser une autonomie et une liberté personnelles dans votre vie. Considérer la colère comme un choix plutôt que comme une réaction qui vous arrive sans plus, vous donne l'occasion d'agir à ce sujet quand cela vous paralyse, vous ou les autres. Si vous vous résignez simplement à l'idée que vous ne pouvez rien faire pour vous changer et que vos émotions sont là par hasard, il est alors évident que vous serez incapable de faire quoi que ce soit pour les changer quand il y aura intrusion dans votre vie. Il y a quelque chose de très sensé dans le fait d'endosser la responsabilité de ce que vous allez ressentir plutôt que de le laisser à la chance ou à un système génétique basé sur la distribution des traits émotionnels au hasard.

Un gagnant à cent pour cent du temps est une personne qui choisit de travailler à ne pas se sentir déprimé, traumatisé, en colère, coupable, inutilement craintif, exclu ou angoissé en réaction à des problèmes et à des expériences de sa vie. Lors d'une rencontre entre vous et un adversaire, votre état émotif déterminera jusqu'à quel point vous serez efficace. Plus vous serez crispé, plus vous ferez de cette rencontre une question de vie ou de mort, plus vous vous mettrez en colère contre vous-même, et moins vous aurez la chance de sortir de l'expérience avec la victoire.

Ces réactions émotives qui conduisent à la paralysie proviennent directement de la façon dont vous pensez en ce moment. Quand vous vous soumettez à une tension émotionnelle ou que vous revivez un épisode de votre passé, quand vous vous mettez en colère contre vous-même ou votre adversaire, et que vous vous crispez sous l'effet de menaces mentales, vous choisissez alors de vous *sentir* comme un perdant. Plus vous serez tendu en raison des pensées qui vous trottent par la tête, plus vous serez susceptible d'aller de mal en pis, jusqu'au moment ultime où vous deviendrez tellement angoissé que vous abandonnerez tout espoir à votre propre sujet.

Le même genre de réaction émotionnelle peut se produire quand vous passez un examen à l'école, ou quand vous vous présentez pour une entrevue en vue d'un emploi, ou toute autre épreuve qu'il vous est dur de subir. Plus vous manquerez de naturel — plus vous penserez à vous-même en termes de renoncement, et plus vous serez enclin à vous évaluer vous-même au moment de l'activité — plus vous serez susceptible de choisir des émotions négatives qui gêneront votre progrès et vous empêcheront d'être efficace. En outre, si vous vous donnez des notes sur la qualité de ce que vous avez fait, au lieu de vous concentrer sur ce que vous pouvez en apprendre, vous retournerez droit au point où vous vous considériez perdant et, ensuite, vous vous *sentirez* comme un perdant.

Il est possible de se sentir comme un gagnant tout le temps dans les pires circonstances, ou dans les situations les plus désespérées. Votre réaction émotionnelle devant toutes les activités de la vie, et toutes vos occupations individuelles, dépend entièrement de vous et de la façon dont vous décidez d'y faire face. La personne SZE/Sans-limites semble comprendre combien le fait de se sentir mal et déprimé constitue une perte de ces précieux moments qui lui restent à vivre dans cette vie, et ainsi aucune situation ne lui semble valoir la peine de souffrir le martyre. La méthode Sans-limites est *d'entreprendre* quelque chose pour résoudre un problème, alors que de s'asseoir à ne rien faire en se lamentant constitue la tactique infructueuse. Quand vous êtes occupé à agir, et non à réfléchir et à évaluer sans cesse votre performance, particulièrement en comparaison avec d'autres, vous êtes trop pris par la vie pour avoir des réactions émotionnelles négatives. Les gens qui sont apathiques, paresseux ou sybarites sont généralement ceux qui ont du temps pour se condamner mentalement et s'apitoyer sur eux-mêmes et ainsi, aboutir aux réactions émotionnelles négatives. Le gagnant à cent pour cent est tellement enthousiasmé par l'action, et par sa capacité de jouir du moment présent, qu'il ne dispose pas de temps pour avoir une mentalité de perdant. De la détermination, oui! Exprimer rapidement et sans peine ses frustations, oui! Mais se complaire dans la fange des remords, de la colère, de la dépression, jamais, pour un gagnant à cent pour cent du temps.

3. SE COMPORTER comme un gagnant cent pour cent du temps.

Votre comportement de gagnant à cent pour cent rentrera naturellement dans l'ordre une fois que vous serez convaincu que vous pouvez effectivement changer votre façon de penser et acquérir une philosophie complète de gagnant, en étant celui qui détermine seul ce que vous allez penser. Vous aurez alors accepté l'idée que vos émotions ne vont pas nécessairement constituer une barrière à vos propres objectifs Sans-limites, car vous pouvez aussi être le directeur de vos propres sentiments. Vous commencerez automatiquement à agir pour projeter une image de gagnant à cent pour cent. Vous vous détendrez, cesserez de tenter l'impossible, permettrez à votre corps de faire ce qu'il sait le mieux faire en vertu de votre expérience et de votre apprentissage, et vous émergerez gagnant de chacune de vos rencontres dans la vie.

L'unique préoccupation de notre culture se résume à être compétitif, à vaincre l'adversaire, à se concentrer sur l'extérieur. Il est évident que cette façon de gagner est impossible à cent pour cent du temps, vu que personne ne sera supérieur à tous les autres tout le temps. En fait, rechercher à tout prix ce genre de victoire, vous permettra de devenir un gagnant à peine cinq pour cent du temps. Quand vous passez votre temps à regarder par-dessus votre épaule pour voir comment votre voisin se débrouille et évaluer si vous êtes gagnant, ou si vous avez besoin d'une autre personne avec qui vous comparer, à vaincre ou même à surpasser, vous vous reposez sur l'extérieur pour pouvoir gagner. Dans ces conditions, vous sortirez rarement vainqueur. Vous allez passer presque tout votre précieux temps à donner la chasse à l'autre individu, et vous serez un «perdant par définition» presque tout le temps.

Vous pouvez vous comporter en vue de gagner à plein temps dans pratiquement toutes les expériences et les activités

464

de votre vie, vous pouvez alors sortir gagnant de situations où la plupart des autres choisissent la folie. En outre, votre attitude devient rapidement contagieuse et déborde dans tous les domaines. Quand vous commencez à apprécier la vie, par exemple, vous devenez une personne qui comprend que l'adversité peut servir de base à votre développement. Ainsi quand vous passez par une période particulièrement difficile (vérification des comptes, revenus insuffisants, maladie, mort dans la famille) ou même par des difficultés moins sérieuses (embouteillages de la circulation ou de longues files d'attente dans les magasins), votre aptitude à apprécier chaque moment et à le vivre pleinement vous permet de transcender l'attitude de perdant qui a été précédemment la raison pour laquelle vous étiez paralysé et bouleversé pendant des périodes prolongées. Si vous commencez à rechercher quelque chose de favorable dans les situations difficiles plutôt que de laisser les circonstances vous vaincre, avant longtemps, même dans les jeux entrêmement difficiles et compétitifs ou dans votre emploi, vous chercherez quelque chose à apprendre plutôt qu'une raison de vous plaindre. Vous commencerez à assumer des risques et à essayer de nouveaux comportements que vous évitiez précédemment, car vous ne craignez plus d'être un perdant. Les récompenses pour avoir adopté une attitude de gagnant se réduisent essentiellement à une seule : la condition Sans-limites que j'ai décrite tout au long de ce livre.

Quelques exemples de la façon dont un gagnant à cent pour cent se comporte, sont illustrés dans les situations typiques suivantes de la vie quotidienne :

Au travail. Vous n'avez pas besoin de donner dans le piège de la mobilité vers le haut. En fait, moins vous vous préoccuperez de recevoir de l'avancement, plus vous serez susceptible de fonctionner efficacement dans le présent, et ironiquement, meilleures seront vos chances d'être promu. Les gens qui se contentent de faire leur travail, qui prennent plaisir à ce qu'ils font et vivent au jour le jour sont les plus susceptibles d'être productifs et d'être choisis pour de l'avancement. Plus vous serez humaniste envers les autres et vous-même, plus votre chance augmentera de devenir un chef. Mais en vous évertuant constamment à avancer, à vous mettre en valeur, et à vous impatienter sur votre promotion dans l'avenir, vous ne ferez jamais preuve de l'attitude de gagnant d'une personne SZE.

J'ai eu de nombreuses entrevues dans ma vie pour des emplois. Lors de chacune de ces entrevues, mon attitude a été : « Si je suis simplement moi-même, sans jouer la comédie, et en montrant que je peux effectivement survivre sans cet emploi, alors je pourrai donner une image exacte de la façon dont je désire qu'ils me voient. » Moins je me préoccupais d'impressionner les personnes qui me faisaient passer mon entrevue, plus j'étais capable d'être simplement moi-même. J'en suis toujours sorti vainqueur, même quand je n'obtenais pas le travail. Quand je pense à ces emplois que j'ai « presque » décrochés, je me rends compte qu'ils ne me convenaient pas ni à cette époque, ni maintenant. À chaque entrevue, j'ai appris quelque chose de très important et j'ai toujours quitté l'entrevue en me sentant gagnant. Pourquoi ? Parce que je n'avais pas besoin d'un travail en particulier pour me sentir bien dans ma peau. Je considérais l'expérience comme précieuse ; je m'étais mis à l'épreuve dans une situation tendue, et j'étais sorti grandi de l'expérience.

Vous pouvez vous considérer comme gagnant dans chaque interaction que vous avez avec vos patrons ou vos camarades de travail. Vous pouvez aborder l'un de vos supérieurs avec la certitude que vous êtes une personne formidable et quelle que soit l'issue de l'entrevue. Vous pouvez quitter l'entrevue ayant appris la manière d'être plus efficace lors de futures interactions, et en gardant votre dignité intacte parce que vous ne l'avez pas mise en cause en premier lieu. Vous pouvez considérer votre travail comme un choix que vous avez fait. Si vous le faites aujourd'hui encore, vous en éprouverez alors du plaisir et vous vous développerez à partir de ce choix professionnel — *aujourd'hui.*

Quand vous ne voudrez plus continuer dans cette voie, si vous êtes disposé à prendre les risques que comporte tout nouveau choix professionnel, vous pouvez vous développer dans un contexte professionnel entièrement différent. L'attitude du gagnant à cent pour cent du temps au travail consiste pour vous à ne pas placer votre propre valeur personnelle ou sentiment de résolution dans le moule extérieur de l'exécution de votre travail, mais plutôt de fonctionner grâce à une perspective d'appréciation intérieure. Quand vous inversez le processus qui consiste à prouver votre valeur à partir de votre travail, vous mettez fin à la notion « d'avoir besoin » d'un travail en particulier. Une fois que vous avez mis fin à ce *besoin*, vous êtes libre de le faire par choix. Si vous êtes assez honnête avec vous-même pour admettre que vous n'êtes plus satisfait par votre travail, et que vous avez chassé ce *besoin*, vous serez capable de faire tout ce que vous choisissez de faire et de gagner votre vie. L'ingrédient-clef d'une attitude Sans-limites est votre aptitude à attaquer tout problème ou toute tâche dans la perspective de vous actualiser. La personne créatrice se consacre entièrement à son travail plutôt que d'exécuter simplement des tâches pour un salaire. Si vous ne vous consacrez pas entièrement à ce que vous faites, alors commencez à le faire avec l'attitude de quelqu'un capable d'apprendre et de se développer jour après jour.

Dans vos rapports personnels. Vous pouvez avoir une approche de gagnant à cent pour cent du temps dans tous vos rapports personnels si vous décidez de devenir davantage une personne Sans-limites dans ce domaine. Cela implique d'oublier votre passé avec les vôtres et de les accepter aujourd'hui tels qu'ils sont. Cela signifie se débarrasser de ces manipulateurs pour qu'ils deviennent plus semblables à vous, et de les accepter peu à peu. Cela sous-entend des efforts constants dans vos rapports.

Les rapports entre gagnants sont viables parce que chaque personne dans l'alliance est disposée à accepter l'autre personne sur les apparences, et que chacun se traite d'un point de vue appréciateur. Si vous appréciez simplement votre époux (se), vos enfants, vos amis ou vos connaissances pour ce qu'ils sont, vous ne serez jamais plus perdant en amour. Vous ne pouvez pas perdre quand vous appréciez et bénéficiez simplement d'une telle relation. Quand je suis sur le point de dire quelque chose de peu aimable ou de me plaindre à ma fille, je me dis aussitôt : « Veux-tu vraiment que nos rapports reposent sur des querelles sans importance et de l'hostilité ? Si tu l'apprécies vraiment, tu ne grossiras pas démesurément ces petits différends. » Une fois que je me suis rappelé qu'il s'agit là d'un être humain digne et important qui a ses propres sentiments, et que je ne peux pas vraiment lui ôter sa dignité, je trouve généralement un moyen plus efficace et productif de lui faire connaître mes sujets de plainte.

En fait, quand je m'efforce vraiment de ne pas être excessivement critique, offensant, récriminateur ou quoi que ce soit qui puisse introduire de l'hostilité dans certaines relations, je mets généralement fin à ce comportement. Ou bien, si quelqu'un que j'aime est odieux, plutôt que d'entamer une longue lutte au sujet du comportement qui me déplait, je lui fais tout simplement part de mon point de vue et je me tiens ensuite à l'écart de toute explosion possible. Avec une période d'apaisement, pratiquement tous les différends humains peuvent être réglés de façon gagnante.

En vous efforçant d'éliminer les brandons de discorde dans une relation, et en cultivant un sentiment puissant d'appréciation de la valeur de l'autre personne, vos rapports peuvent également être gagnants à cent pour cent. Dans une unité saine, vous n'avez pas les mêmes vieilles disputes familiales. Vous pouvez supprimer toutes ces discordes en adoptant une attitude de gagnant envers toutes les personnes qui vous sont importantes. Bien sûr, vous n'allez jamais avoir un accord total sur tout, mais un désaccord ne signifie pas que vous devez être désagréable.

Dans les activités scolaires. Si vos raisons pour vous éduquer sont extérieures et non intérieures, vous serez toujours à la poursuite des notes, du cours facile, de l'approbation du professeur et des hautes mentions d'examen. L'individu qui est gagnant tout le temps est celui qui sait que d'être éduqué est entièrement une question intérieure ; apprendre simplement pour la joie pure que cela vous procure vous rapproche de votre propre vérité, de la beauté, d'une appréciation de la vie, voilà des raisons suffisantes pour rechercher la connaissance. Si vous êtes immunisé contre les pressions que les autres exercent sur vous pour que vous fassiez des études, et si vous voulez vous éduquer parce que tel est votre propre désir, vous aurez le contrôle du processus qui fera de vous un gagnant à temps plein dans vos études.

Ces notes n'ont pratiquement aucune valeur, même si un grand nombre de gens essayent de vous convaincre qu'elles sont indispensables. En vérité, vous allez progresser et jouir de la vie en fonction de ce que vous êtes capable de faire quand vous vous trouvez là-bas dans le monde, plutôt que sur la base des notes inscrites dans votre bulletin. Quand il s'agit d'excellence, les bulletins de notes de votre jeunesse ne sont rien d'autre que des insignes de mérite : vous devez soit les produire soit céder la place à quelqu'un d'autre qui donnera satisfaction. Lors de mes nombreux passages à la télévision ou de mes multiples conférences devant les auditoires du monde entier, je n'ai jamais rencontré d'hôtes ou d'hommes d'affaires qui m'aient demandé quelles notes j'ai obtenues en psychologie. Les gens ne s'en inquiètent pas ou, s'ils le font, ils devraient s'en abstenir. *Vous êtes parvenu là où vous vous trouvez en raison de la confiance que vous avez en vousmême et de ce que vous faites, non pas de ce que vous avez fait pour obtenir un diplôme.* Du fait que beaucoup de jeunes gens se considèrent comme des perdants quand ils ont de mauvais bulletins, il est important pour eux de comprendre que leur valeur n'a rien à voir avec leurs bulletins — qu'ils peuvent quitter un cours avec des notes au-dessous de la moyenne et être malgré ça des gagnants, s'ils pensent en termes de Sans-limites. Vous apprenez à propos de tout ce que vous faites dans la vie. Parfois, d'autres personnes vous évalueront d'une façon critique, et parfois vous ne serez pas en tête, mais si vous êtes satisfait d'avoir retiré de cette expérience une parcelle de valeur, vous êtes alors un gagnant.

Dans les compétitions sportives. Dans notre culture, c'est dans les sports que la mentalité gagnant/perdant est la plus évidente. J'ai parlé de cette attitude dans d'autres sections de ce livre, et vous savez à présent que je souscris à l'idée d'aborder la question des compétitions sportives dans des perspectives de divertissement, de paix intérieure et de plaisir. Il est vrai qu'il est important d'avoir l'esprit de compétition dans les concours d'athlétisme, mais il n'est pas nécessaire de projeter une image de «perdant» en ce qui vous concerne, quand vous affrontez un adversaire qui vous est supérieur. De participer aux concours pour vous-même, pour améliorer vos techniques, pour réussir à un niveau qui vous satisfasse, pour être détendu et libre de toute tension et pour arrêter les comparaisons incessantes avec d'autres, peut faire de vous un gagnant à cent pour cent du temps dans toute compétition sportive. Si vous êtes un gagnant intérieur, avec une forte emprise sur vous-même et la raison de votre participation, alors d'une façon ironique, vous allez émerger avec davantage de victoires que si vous poussez, luttez, exigez, vous fâchez et vous crispez. La personne détendue, remplie d'une paix intérieure qui laisse son corps simplement fonctionner de la façon dont il l'a entraîné à le faire, est le genre d'athlète qui est vainqueur non seulement dans le domaine de la compétition sportive, mais dans tous les domaines de la vie.

Toutes ces catégories, ainsi que d'autres dont il a été question dans ce livre, telles que la parenté, les rapports sexuels, les voyages, les violons d'Ingres, les exercices de gestion et ainsi de suite, donnent naissance à des situations dans lesquelles vous pouvez être gagnant à cent pour cent. Si vous affrontez ces rencontres avec une certaine connaissance de vous-même et une confiance intérieure, vous ne pouvez pas émerger perdant, quoi que les autres puissent vous dire. Vous pouvez lire dans la presse que vous êtes un «perdant» ou entendre tous vos amis vous traiter de «perdant», mais en vérité vous ne serez jamais un perdant à moins que vous ne décidiez de vous considérer comme tel. Et ce que vous choisissez comme étiquette pour vous-même dépend entièrement de vous. Apprendre à ne pas tenir compte des opinions et des critiques des autres, et à consulter ses propres signaux intérieurs, se trouve au cœur même du phénomène d'être un gagnant à cent pour cent. Personne ne saura jamais convaincre un tel individu qu'il est perdant. Il peut commettre des erreurs ; il peut paraître insensé ; il peut être complètement battu lors de n'importe quelle tentative ; il est possible qu'il ne vende jamais plus un autre livre ou ne figure plus sur une liste de best-sellers ou ne gagne plus un sou de sa vie. Mais il n'en demeurera pas moins un gagnant car il a choisi de se considérer comme tel. Et chaque erreur qu'il commet n'est qu'un autre outil pour lui permettre de se tailler un avenir encore meilleur. Avec ce genre d'attitude il ne pourra jamais être un perdant en ce qui le concerne, et voilà en quoi consiste cette façon de vivre Sans-limites : d'être un gagnant à vos propres yeux.

J'ai parlé très longuement des gens Sans-limites, des gens normaux, des gens névrosés ou inefficaces dans ce livre. Je sais qu'être davantage une personne Sans-limites signifie être capable de transcender les genres d'attitudes et de comportements typiques dont beaucoup d'autres sont prêts à se contenter. Il y a une manière *d'aller au-delà* que les gens Sans-limites choisissent, que la plupart des autres n'envisagent même pas. Si vous projetez à présent d'aller au-delà de vos limites, ou de penser différemment, cela vous donnera un véritable sentiment de résolution et de compréhension dans la vie, alors, j'aurai atteint le but que je me suis fixé en écrivant ce livre. Apprendre à transcender votre moi *typique* que vous avez accepté jusqu'à présent, et à devenir votre propre point de comparaison, c'est un réel progrès.

Comme gagnant à temps plein, vous devez vous voir vous-même comme une fin plutôt que comme un moyen d'arriver à une fin. Considérez-vous vous-même comme une personne entière, complète, comme quelqu'un qui a une valeur intrinsèque simplement parce que vous existez, plutôt que d'avoir à vous prouver à vous-même que vous ne prenez de la valeur que par des réalisations et des acquisitions. Bien que vous puissiez certainement vous développer et devenir quelqu'un de différent si vous le voulez, vous pouvez néanmoins vous considérer comme entier et estimable tel que vous êtes. Ce n'est pas une contradiction que d'être capable de se développer et de changer dans l'avenir et pourtant d'être entier et parfait maintenant.

En outre, vous pouvez considérer les autres tels qu'ils sont, et non tels qu'ils « devraient » être. Au lieu de rappeler constamment aux autres ce qu'ils devraient devenir, efforcez-vous de les voir positivement maintenant.

Votre capacité à être une personne Sans-limites et à aller au-delà même de vos espoirs les plus audacieux, est entièrement entre vos mains. Je crois cela aussi profondément et aussi sincèrement que tout ce que j'ai jamais écrit ou dit. Il s'agit simplement de savoir si vous êtes disposé à faire ce choix de croissance plus souvent que le choix stérile ou même normal de suivre la routine.

J'ai tout mis entre les pages de ce livre. Je ne peux rien y ajouter. La seule lecture n'est pas suffisante pour que cela se produise ; cela vous servira seulement de guide. Ce que je peux vous garantir c'est que vous ressentirez une plus grande paix intérieure personnelle et un profond contentement humain si vous optez pour les choix Sans-limites que j'ai décrits tout au long de ce livre. Si vous relevez le défi, faites-le aujourd'hui et si vous voyez d'autres rechercher leur propre statut Sans-limites, faites comme Diogène quand il demanda à Alexandre le Grand : « Ôtez-vous de mon soleil. »

Appendice

De névrosé à Sans-limites Tableau des attitudes et des comportements

Vous trouverez ci-dessous un tableau qui peut vous aider à vérifier vos propres attitudes et comportements selon les différences entre les personnes névrosées, «normales» et SZE/Sans-limites telles que je les conçois. Ce tableau a été établi à partir de mes propres observations sur la manière dont les gens réagissent face au même monde. D'abord, à quel point les gens pensent et se comportent de façon névrosée ou chroniquement malheureuse, et pourquoi leur propre attitude stérile les rend misérables la plupart du temps. Ensuite, ce que les gens «normaux» ou «moyens» pensent des mêmes problèmes de la vie, et pourquoi leur attitude mène rarement au bonheur ou au contentement véritable. Et enfin, comment la personne SZE considère les mêmes problèmes de la vie pendant la transition vers une vie totalement Sans-limites, autant que je sais projeter ces attitudes Sans-limites en ce moment.

J'aimerais souligner que même si j'ai fait figurer trente-sept articles sur ce tableau, qui ont tous rapport à des thèmes traités tout au long du livre, le choix des articles a été fortement arbitraire : j'aurais pu en mentionner trois ou 3700. J'espère qu'à mesure que vous lirez ce tableau, vous verrez comment vous pensez et vous vous comportez dans les trois catégories (ou, plus vraisemblablement, vous trouverez des aspects de vous-même dans toutes les catégories) et déciderez par vous-même si vous allez adopter l'attitude SZE/Sans-limites. En outre, je crois que vous penserez de façon créative au sujet de votre propre philosophie de la vie, que vous deviendrez plus sensible à vos propres attitudes et comportements dans toutes les situations vécues, que vous établirez votre propre «tableau» indiquant comment vous voulez convertir vos attitudes «névrosées» ou «normales» envers la vie en perspective Sans-limites, et poursuivrez en recréant votre vie sur votre propre conception originale.

Souvenez-vous : le mieux que les «experts en la matière», qu'ils soient psychiatres ou politiciens, puissent faire pour vous c'est de vous conduire vers une condition normale ou moyenne selon les règles acceptées, à «vous adapter» aux normes de la société établie telle *qu'ils* la perçoivent. Pour aller au-delà de la «normalité», vous devez agir par vos propres moyens, vous fier à vos propres signaux intérieurs et cultiver votre créativité naturelle, votre amour inhérent de la vie. Vous devez pénétrer dans le «paradis défendu» du libre arbitre et de la pensée originale illimités, ne laissant aucun prétendu ange d'autoritarisme vous barrer le passage ou vous contester le droit d'entrer.

DE NÉVROSÉ À SANS-LIMITES : TABLEAU DES ATTITUDES ET DES COMPORTEMENTS

Panique	Apathie	Lutte	Adaptation	Maîtrise
NÉVROSÉ		«NORMAL»		DE SZE À SANS-LIMITES
1. *Craint et évite l'inconnu*; se cantonne dans le familier, et intimidé par un cadre nouveau. Bouleversé par n'importe quel *changement*; se défend pour ne pas changer lui-même.		Accepte l'inconnu, mais ne le recherche pas. Peut s'adapter aux changements à mesure qu'ils se présentent, mais en général n'en prendra pas l'initiative. Effort positif minime pour se changer lui-même.		Recherche l'inconnu et aime ce qui est mystérieux. Accueille bien le changement et fera des expériences avec presque tout dans la vie. «La beauté de la vie réside dans ses changements.»
2. *Rejet de soi-même*; en public ou en privé, trouve beaucoup de choses en lui-même qui lui déplaisent; se sent peu attrayant, peu intelligent, «au-dessous de la moyenne». Se méfie de lui-même et des autres; a très peu le sentiment d'appartenance.		S'accepte lui-même presque à tous égards, mais avec plus de résignation que de «s'intégrer» presque aussi bien que les autres, se trouve là «où il est à sa place».		Profondément satisfait; est animé d'un grand enthousiasme, sans regrets, ni restrictions. N'a ni le temps, ni le besoin d'être vaniteux. Éprouve un sentiment puissant d'appartenance au monde et à l'humanité.
3. *Fréquemment paralysé par une colère irrationnelle*, incapable de se dominer ou de «réfléchir normalement» dans de nombreuses situations; caractérisé par des accès amers qui sont déplaisants pour tout le monde.		Est souvent en colère, mais ne se laisse généralement pas dominer par ce sentiment. Peut exprimer sa colère ou sa déception et trouve habituellement une façon rationnelle de s'occuper de la cause; cause rarement des désagréments véritables.		Éprouve parfois de la colère, surtout en cas d'injustice, mais se laisse mobiliser plutôt qu'immobiliser; «garde son sang-froid» tout en luttant pour une solution créative et constructive; un plaisir que de travailler avec lui.

Panique	Apathie	Lutte	Adaptation	Maîtrise
NÉVROSÉ		«NORMAL»		DE SZE À SANS-LIMITES
4. *Motivé extérieurement* dans pratiquement tout ; mesure constamment la valeur des gens exprimée en « symboles de prestige » de toutes sortes. Opinions hautement dominées par les *signes extérieurs*.		Conscient de certaines motivations intérieures, mais néanmoins essentiellement motivé, influencé par des récompenses extérieures. Outrepassera parfois les signaux extérieurs en faveur de sa propre conscience ou de ses désirs. Veut « s'intégrer ».		Pleinement conscient du système de récompenses et de signaux extérieurs ; lui accorde autant de respect que ses signaux intérieurs lui disent que cela mérite, tout en poursuivant sa propre destinée individuelle selon ses propres lumières intérieures, les meilleures.
5. *Un mécontent chronique* des conditions de sa propre vie et de l'état du monde ; se sert des autres essentiellement pour s'épancher auprès d'eux. Préfère se plaindre de quelque chose plutôt que d'en être satisfait ou de le changer.		Trouve beaucoup de choses dont il peut se plaindre, mais se plaint rarement ou ne s'appesantit pas là-dessus très longtemps ; peut habituellement discuter avec les autres pour résoudre les problèmes. Ne cherche pas spécialement des situations dont il peut se plaindre.		Ne voit rien dans la vie dont il doit se plaindre sauf lorsqu'il peut s'adresser à ceux qui ont la possibilité de résoudre le problème. Ne se « plaint » pas à lui-même ; peut *partager* ses plaintes avec d'autres pour obtenir leur appui. Un réalisateur, non un critique.
6. *Ne se sent pas aimé, apprécié ou respecté* par les autres et leur reproche leur insensibilité à son égard ; ne rentre jamais en lui-même pour se demander combien d'amour, d'appréciation ou de respect il donne vraiment aux autres.		Se sent habituellement aimé et respecté dans une certaine mesure par sa famille ou son cercle spécial d'amis, quelque peu aliéné du reste de l'humanité ; peut donner de l'amour et du respect jusqu'à en certain point à son « groupe intime » ; sera anéanti s'il est rejeté.		Admet que l'amour et le respect viennent à la personne qui les cultive ; *est* sincèrement aimé et respecté par tous ceux qui peuvent lui retourner sa franchise originale à leur égard ; ne s'inquiète pas que les autres puissent le « rejeter ».

476

7. *S'inquiète constamment de sa performance* dans toutes les sphères de la vie. Devient déprimé quand les autres jugent que sa performance au travail, au lit, etc. est pauvre. Met sur le même pied valeur et travail, argent et acquisitions.	Éprouve «la mesure normale» d'angoisse concernant la performance dans la plupart des sphères de la vie, avec quelques sphères spéciales de sensibilité (travail, sexe, sports, etc.). Capable d'accepter parfois une «pauvre performance» mais sérieusement bouleversé à d'autres moments. Se sent pris au piège du besoin d'acquérir des choses et de l'argent.	N'a aucune «angoisse de performance»; se rend compte qu'il y a autant à apprendre d'un «échec» que d'un «succès»; se soucie peu comment les autres ou les normes extérieures évaluent sa performance; sait que le fait de s'inquiéter inhibe seulement sa «performance». Peu concerné par les acquisitions.
8. *Montre des signes de désœuvrement* dans la vie; trouve que le travail, les relations, etc. ont très peu de sens ou de signification. Trouve que la vie est une lutte constante; est fréquemment au bord de la panique concernant la survie même quand objectivement en «sécurité».	Trouve résolution et signification dans certaines sphères de la vie, mais incapable d'intégrer toutes les sphères dans un tout unifié et significatif; luttant fréquemment dans une sphère ou dans l'autre, bien qu'en apparence en sécurité dans l'ensemble.	Fait preuve d'un fort sentiment de résolution dans la plupart ou toutes les sphères de la vie. Sa vue holistique du monde lui permet de voir un sens partout. N'erre jamais sans but ou ne lutte jamais en vain. Un sentiment de sécurité inébranlable provient d'un sentiment intérieur de valeur propre.
9. Motivé presque exclusivement par le besoin de satisfaire les besoins animaux fondamentaux et les espoirs extérieurs. Peu ou *pas de respect pour ses besoins supérieurs* ou ceux des autres.	Principalement motivé par les besoins animaux et les récompenses et les signaux extérieurs, mais capable de respecter certains besoins supérieurs pour lui-même et les autres et de les satisfaire avec un certain succès.	Essentiellement motivé par les valeurs et les besoins humains supérieurs; reconnaît les besoins animaux, fondamentaux comme critiques, mais les satisfait sans difficulté. Recherche vérité, beauté, justice et paix toujours au premier plan.

Panique	Apathie	Lutte	Adaptation	Maîtrise
NÉVROSÉ		«NORMAL»		DE SZE À SANS-LIMITES
10. *Éprouve un sentiment puissant de propriété* à l'égard de sa famille, ses amis et sa communauté. Les considère comme une propriété qu'il a toujours peur de perdre. Souvent l'objet d'une jalousie intense et irraisonnable.		A des opinions arrêtées sur la manière dont les autres devraient se comporter et peut être ravagé par la jalousie dans certaines situations. Facilement bouleversé quand déçu en amour.		Aucun sentiment de propriété envers les autres ou les choses avec lesquels il est associé ; reconnaît que la meilleure manière de perdre quelque chose est d'essayer de la retenir trop étroitement ; pratiquement immunisé contre la jalousie sous toutes ses formes.
11. *Un penseur dichotome de façon compulsive.* Peut rarement voir les deux aspects d'un problème ; prend parti pour un côté et s'y attache obstinément. Étiquette et oublie la plupart des gens, des choses et des idées. Fréquemment bouleversé par les autres qu'il a étiquetés.		Un penseur dichotome à beaucoup de points de vue, mais peut être raisonnable pour certaines questions si on l'aborde délicatement ; bouleversé à l'occasion par d'autres qu'il a étiquetés ; a généralement des préjugés spéciaux (anti-minoritaires, etc.) et une intolérance des situations vagues ou peu claires.		Se sert rarement de dichotomies, sauf pour des buts précis et avec des réserves ; voit d'abord les entiers derrière elles ; comprend la vérité dans ce qui semble opposé. Prend une attitude coopérante envers les tenants et les aboutissants d'un problème ; n'est jamais bouleversé par les étiquettes que les gens lui attribuent à lui ou aux autres.

478

12. Constamment *inquiet concernant le passé et l'avenir*. S'appesantit souvent sur les injustices du passé et «le bon vieux temps»; imagine le futur, généralement avec angoisse pour ce que cet avenir réserve, établit beaucoup de plans pour éviter «le pire».	S'appesantit parfois sur le passé; est très pris par l'anticipation sur le futur, avec parfois de l'angoisse mais prétendant habituellement que les «choses s'amélioreront sensiblement quand...»; est rarement paralysé par les regrets, mais est aussi rarement capable de vivre entièrement dans le présent.	Voit le passé purement en fonction de ce qu'il lui a appris concernant la manière de vivre dans le présent, et dans le futur exclusivement comme d'autres moments présents à vivre pleinement quand (et si) ils sont là. Prévoit pour l'avenir, seulement dans la mesure où c'est nécessaire pour la réalisation des projets personnels. Vit exclusivement et pleinement dans le moment présent.
13. Hautement *critique du comportement «immature»* des autres comme de lui-même; régit sa vie par des normes sévères et superficielles de maturité: rapide à condamner un comportement spontané comme «enfantin»; bouleversé par «l'immaturité» de chacun à tout âge; incapable de laisser les enfants être des enfants.	Assez inflexible au sujet d'un comportement «mûr», pondéré ou vieux jeu pour lui-même dans de nombreuses circonstances; ne tolère un comportement d'enfant que de la part des enfants qui «n'en ont pas perdu l'habitude». Désapprouve souvent le comportement «immature», mais est rarement bouleversé ou courroucé pour cette raison.	Refuse d'essayer d'étiqueter son comportement ou celui des autres comme «mûr» ou «immature»; décide le genre de croissance qu'il désire poursuivre pour lui-même et laisse les autres en faire autant; apprécie un comportement d'enfant chez les gens de tous âges et le cultive en lui-même.
14. *Ne connaît pas de paroxysmes émotionnels* ou de moments intenses à vivre maintenant. Incapable de rejeter les signes extérieurs de l'anticipation sur le futur et l'angoisse de la performance; incapable de véritables accès de «vivacité naturelle»; se sent émotionnellement «à plat» ou «très bas» la plupart du temps.	Connaît parfois des paroxysmes émotionnels, mais se demande pourquoi ils ne sont pas plus intenses ou fréquents, pourquoi la vie est si souvent terne et monotone; accepte généralement que «la vie est ainsi faite», sans se demander ce qu'il peut faire pour vivre «plus intensément» plus souvent.	Capable de transformer pratiquement toutes les activités «en expériences intenses», car il en a fait une partie essentielle de sa vie, transcende l'anticipation sur le futur et l'angoisse de la performance, et réfléchit de façon créatrice sur la manière de vivre «plus intensément maintenant.»

Panique	Apathie	Lutte	Adaptation	Maîtrise
NÉVROSÉ		«NORMAL»		DE SZE À SANS-LIMITES
15. Éprouve et souvent exprime de la *répugnance pour les fonctions animales de base*; peut considérer les odeurs corporelles naturelles, le sexe, etc. comme dégoûtants, les exercices comme ennuyeux, n'accepte pas le vieillissement comme un processus naturel, mais en éprouve du ressentiment et refuse de l'admettre ou le cache.		Éprouve une certaine honte envers les fonctions animales de base, mais garde généralement ce sentiment pour lui-même et s'en accommode discrètement, «comme le prix qu'il faut payer quand on est animal», fera des exercices, surtout pour les récompenses extérieures; le vieillissement le rend amer, mais il sait qu'il ne peut l'arrêter.		Aime sa nature animale de base, est impressionné de voir la beauté avec laquelle son corps fonctionne. Répond immédiatement à tous ses besoins; fait des exercices uniquement pour le plaisir physique. Considère le vieillissement comme un moyen universel de vie et de croissance; ne cache jamais ou ne nie son âge.
16. *Hypocondriaque* : A constamment peur de toutes sortes de maladies, en définitive de la mort; peut souvent se plaindre de douleurs et de maux mystérieux, étant dans un sérieux état de dépendance à l'égard des médecins et des pilules ; la pensée ne lui vient pas qu'il pourrait se guérir lui-même : ses plaintes incessantes au sujet de ses infirmités peuvent finir par dominer sa vie.		Accepte généralement une «santé normale» sans inquiétude excessive, n'éprouvant «la crainte de la mort» qu'à l'occasion, pour une raison toute traditionnelle; mais a toujours une sérieuse dépendance à l'égard des médecins et des pilules pour «se soulager» quand il n'est pas bien, et ignore ce qu'il doit faire pour promouvoir sa «supersanté».		Recherche la «supersanté» physique en se fiant au minimum aux médecins et aux pilules, sachant qu'il a en son pouvoir de se protéger et de se fortifier lui-même ; ne craint la mort que quand la menace est réelle et immédiate, mais alors se fie à ses instincts animaux et à son corps pour parer à la menace.

17. *Se sent coupable* la plupart du temps, surtout dans les discussions familiales, quand aucun jugement n'est vraiment passé; susceptible d'être manipulé par d'autres en raison de sa culpabilité irrationnelle; essaie d'engendrer un sentiment de culpabilité, à son tour, chez les autres; se préoccupe constamment de savoir «qui est vraiment coupable».	*Se sent coupable* pour des comportements précis, mais ne se sent pas «jugé» tout le temps; accessible parfois à la manipulation par la «culpabilité communicative» des autres; extrêmement préoccupé de savoir «qui est coupable» mais généralement capable de pardonner et d'oublier.	Se sent coupable uniquement quand sa conscience lui dit qu'il a fait quelque chose de mal; répond immédiatement à l'appel de sa conscience pour rectifier la situation et supprimer le sentiment de culpabilité; ne manipule jamais les autres en se servant de la culpabilité et ne leur permet pas de s'en servir pour le manipuler lui; ne tient pas à savoir qui est coupable, mais seulement à redresser la situation.
18. *A une très forte dépendance* envers sa famille, ses amis, son travail et les organisations auxquelles il appartient. S'accroche très fort et timidement à eux parce que son ego dépend beaucoup d'eux; peut se «désagréger» si l'un ou l'autre des rapports de dépendance se brise; réprime ses propres besoins d'indépendance.	*A une très forte dépendance* à l'égard de sa famille et de ses amis pour une identité, mais ressent aussi le besoin d'indépendance personnelle (comme dans la «révolte adolescente typique»). Trop de dépendances dans sa vie lui déplaisent; aimerait davantage d'indépendance, mais est rarement disposé à prendre les risques pour l'obtenir.	A résolu la dichotomie de dépendance/indépendance en un concept d'*interdépendance*; ne dépend de personne pour sa propre identité ou valeur propre, mais apprécie la manière dont les gens dépendent les uns des autres dans ce monde pour agir comme des êtres humains indépendants et compatissants.
19. *Impute sa tristesse aux autres* ou à la «société»; attribue la responsabilité de ses défauts à ses parents, à ses patrons, à sa famille, etc. Se met en colère et sur la défensive quand les autres le confrontent avec ce qu'il peut faire lui-même à ce sujet. N'est pas intéressé par les solutions aux problèmes, seulement à faire des reproches.	Impute rarement à des personnes précises ses propres erreurs, mais considère qu'il a perdu le contrôle de la majeure partie de sa vie, et peut reprocher au monde d'être comme il est. Perd souvent du temps à faire des reproches aux autres qu'il voit «en faute» dans des situations déterminées au lieu de rechercher la bonne solution.	Ne perd jamais de temps à reprocher aux autres ses propres erreurs ou les malheurs du monde. Se rend compte que tout ce qui est important pour lui dans la vie est sous son contrôle; peut critiquer les actions des autres et les siennes, mais au lieu de faire des reproches personnels (ou générer de la culpabilité), se consacre à redresser les torts.

Panique	Apathie	Lutte	Adaptation	Maîtrise
NÉVROSÉ		«NORMAL»		DE SZE À SANS-LIMITES
20. Sans *humour* dans la plupart des situations. Peut raconter des «blagues en conserve» ou essayer de forcer l'humour (rit bruyamment à ses propres plaisanteries) de temps à autre, mais jamais quand il s'agit de quelque chose de «très sérieux» pour lui : généralement ses croyances autoritaires, sa recherche de standing, etc. Incapable d'apprécier l'humour spontané, désapprouve dans la plupart des cas.		Généralement capable d'apprécier une bonne plaisanterie à un moment «approprié» (à la pause-café, etc) mais souvent aux dépens de ceux qui font l'objet des commérages, rarement de lui-même ou en rapport avec ce qui est «très sérieux» pour lui; peut apprécier et pratiquer de l'humour spontané uniquement dans des circonstances choisies.		Reconnaît que le sens de l'humour est vital à tous les aspects de la vie ; que cela ne comporte pas toujours de rire ou d'être drôle, mais reflète une acceptation globale de la vie avec toutes ses bizarreries ; aime une bonne plaisanterie dont il est l'auteur ou l'objet ; se moquera de lui-même tout d'abord ; aime l'humour spontané dans toutes les situations de la vie.
21. Très particulier *en ce qui concerne les valeurs et l'identification de soi*; très souvent excessivement chauvin en ce qui concerne sa famille, ses voisins, ses amis intimes ou ses plus prestigieuses connaissances, son restaurant favori, sa marque de pneus, ou autres. Se sent mis en demeure de défendre ces valeurs locales à tout prix ; se sent très personnellement menacé quand elles sont mises en question.		Un certain chauvinisme local, mais plus enclin au patriotisme et au nationalisme comme valeurs fondamentales; moins menacé par les changements locaux ou la mise en question des choses «proches de chez soi»; éprouve une certaine inquiétude globale pour les problèmes humains, mais toujours essentiellement motivé par un chauvinisme local et national plus que par un véritable amour de l'humanité.		Totalement global et humaniste en ce qui concerne les valeurs et l'identification de soi; apte à tirer de la fierté des réalisations locales véritables quand elles contribuent au bien de l'humanité, mais tout aussi capable de s'opposer au chauvinisme local et national en cas contraire. Rejette toutes formes d'ethnocentrisme pour mettre la «grande image» d'abord et se voir comme «un être humain» par-dessus tout.

22. *Orienté vers la comparaison.* Conscient en tout temps de ce que les autres font et de la manière dont il se compare (ou rivalise) avec eux dans toutes les sphères de la vie ; bouleversé quand les autres se comparent favorablement à lui par des normes extérieures ; peut dénigrer les réalisations des autres pour monter les siennes en épingle, même en devenant un tricheur ou un imposteur.

Accepte la comparaison et la concurrence comme des « réalités de la vie » mais rarement comme des questions de vie ou de mort ; peut souvent « souffrir des comparaisons » avec d'autres dans des domaines sensibles (travail, rapports amoureux), mais généralement ne s'écartera pas de son chemin pour se comparer défavorablement avec d'autres ; pratique le jeu de la comparaison/concurrence aussi équitablement qu'il peut.

Rejette totalement le jeu de la comparaison/concurrence. Est généralement tellement absorbé par ce qu'il fait maintenant qu'il ne remarque pas ce que les autres font, sauf quand ils travaillent ou jouent avec lui. Prend plaisir aux succès des autres comme d'autres contributions au bonheur de l'humanité maintenant.

---

23. *Craint les* *échecs* ; évite les activités où il manque de compétences ou d'expérience ; se met en colère avec lui-même ou d'autres quand il échoue dans quelque chose ; incapable d'apprendre de ses échecs ; essaye souvent de cacher ou de nier ses échecs ; peut ridiculiser les autres pour leurs échecs.

N'aime pas les échecs ; travaille dur pour réussir en tout ; exige que les autres membres de la famille accordent la même importance au succès ; tolère habituellement les échecs comme le prix du succès ; capable d'essayer de nouvelles choses ; « Si la première fois vous ne réussissez pas, persévérez encore ; ne soyez pas un lâcheur ! »

Rejette la dichotomie des succès/échecs ; accepte l'échec comme faisant partie du processus de l'apprentissage ; disposé à essayer presque tout ce qui l'intéresse ; aucune contrainte à réussir (se mettre sur les rangs) dans tout ce qu'il entreprend ; le « succès » vient naturellement par la réalisation de projets dans la vie et la pratique de choses qu'il lui tiennent à cœur.

483

Panique	Apathie	Lutte	Adaptation	Maîtrise
	NÉVROSÉ		«NORMAL»	DE SZE À SANS-LIMITES
24.	Enclin au culte des héros. Cite les gens célèbres avec lesquels il s'identifie et qu'il considère exceptionnels, vit indirectement à travers eux; le laissent tomber»; raisonneur avec les autres en ce qui concerne la grandeur de ses héros, se met en colère quand les autres ne partagent pas sa vénération et la mettent en doute.		A des héros, peut les vénérer jusqu'à un certain point, mais les accepte comme ayant les mêmes faiblesses humaines; particulièrement enclin à considérer les «grands personnages de l'histoire» comme des héros (Georges Washington etc.); s'identifie lui-même à «tout ce qu'ils représentent»; peut être sur la défensive en ce qui le concerne, mais rarement au point d'éprouver une colère paralysante.	N'a pas de héros précis. Reconnaît que pour chaque héros célèbre, il y a des millions de héros méconnus; voit un héros dans chaque personne; admire et apprend de l'exemple de ceux qui ont fait progresser des causes humanistes, mais trop occupé à faire sa propre contribution pour vivre indirectement à travers quiconque.
25.	Conformiste en tout; constamment inquiet pour savoir s'il agit «correctement» conformément à la majorité ou aux «autorités»; consulte constamment les guides de l'étiquette, les colonnes de conseils, etc. et observe les personnes qui «donnent le ton». Obéira aux règles et aux règlements les plus mesquins sans réfléchir et exige que les autres en fassent autant.		Obéit à la plupart des règles culturelles et se conforme à la plupart des coutumes; cherche à «s'intégrer», mais s'accorde à lui-même une certaine individualité; conformiste surtout dans les «grandes choses» telles que le choix d'une carrière, les opinions politiques, où habiter. Capable de ne pas tenir compte des règles et des règlements mesquins quand ils sont franchement ridicules.	N'accorde aucune valeur positive au conformisme en soi ou pour des récompenses ou approbation extérieures, ni au non-conformisme en tant que tel. S'il lui arrive de se conformer, tant mieux. Sinon c'est tout aussi bien. Refuse tout conformisme aveugle essentiellement dans les «grandes choses»; contournera les règles et les coutumes mesquines aussi facilement que possible; contestera et combattra pour changer les règles ou les coutumes vraiment destructives.

26. Craint d'être seul; *rejette son propre besoin* et celui des autres pour de *l'intimité*, des moments seul avec soi-même; dépend constamment d'une rétro-action extérieure pour un «sentiment de réalité»; craint que les autres essayent de se cacher de lui (ou de lui cacher des choses) quand ils veulent seulement se trouver seuls; envahit fréquemment l'intimité des autres.	Préfère habituellement ne pas être seul, mais est capable d'apprécier quelques «moments d'intimité»; sujet à des «dépressions» s'il est laissé seul trop longtemps; respecte le besoin d'intimité des autres dans la plupart des cas, mais s'inquiète ou s'étonne au sujet de ceux qui désirent rester seuls «trop longtemps»; peut désirer secrètement davantage d'intimité.	Aussi heureux seul qu'il l'est en compagnie; insiste sur son droit à l'intimité et sur celui des autres; sa vie est une alternance productive de temps seul et de temps-en-compagnie de sa propre initiative; ignore tout de la «dépression due à la solitude» car il est en paix avec lui-même et peut toujours être en compagnie de gens, s'il le désire.
27. *Malhonnête avec lui-même.* Est constamment agité parce qu'il essaye de prétendre qu'il est ce qu'il n'est pas; ne peut pas admettre ses propres erreurs; à la place, il oppose des justifications et des excuses. Ses signaux intérieurs sont presque totalement bloqués. Peut mener à une malhonnêteté massive envers les autres.	Se leurre lui-même ou bloque ses signaux intérieurs de nombreuses façons; a des «prétentions» mesquines, mais il ne prétend pas être radicalement différent de ce qu'il est; peut généralement admettre ses propres erreurs, mais avec des excuses ou des justifications; ses signaux intérieurs sont assez puissants pour empêcher une sérieuse malhonnêteté avec les autres.	En harmonie étroite avec ses signaux intérieurs qui avertissent de toute malhonnêteté; fait avant tout la paix avec sa conscience; se reprend chaque fois qu'il est sur le point d'être prétentieux ou d'assumer une fausse identité; admet facilement ses propres erreurs, avec un sens de l'humour mais sans excuses ni justifications; a une approche pure, d'enfant, envers les autres.

Panique	Apathie	Lutte	Adaptation	Maîtrise
NÉVROSÉ		*«NORMAL»*		*DE SZE À SANS-LIMITES*
28. *Manque de créativité* dans ses attitudes envers la vie : se considère « dénué d'esprit créateur » ; ne donne jamais un débouché au génie créateur qui l'habite. Imite les autres dans pratiquement tout ; éprouve un ressentiment secret contre leur domination sur lui ; est intimidé par les gens vraiment créatifs ou les styles de vie non conventionnels.		Exerce la créativité, ou les expressions d'individualisme, seulement dans des circonstances choisies et limitées ; trouve un débouché très limité pour sa créativité au travail (où il pouvait être découragé) ou dans des relations clefs, ou des situations familiales, mais peut trouver des débouchés dans des « distractions », des violons d'Ingres, et en « dehors des heures ».		Laisse sa propre imagination créative se débrider dans toute situation particulière ; aborde tout dans la vie d'un point de vue créatif ; n'imite les autres que quand il ne trouve pas une meilleure façon de faire les choses : applique ses impulsions créatives avant tout dans sa profession et ses rapports interpersonnels clefs.
29. Intellectuellement inactif, souvent anti-intellectuel ; croit que l'instruction se « termine » avec l'éducation scolaire ; réprime toute curiosité intellectuelle naturelle et soupçonne ou envie ceux qui satisfont la leur ; fournit des explications superficielles ou « en conserve » sur « ce qu'il pense » ; se met en colère quand les autres « l'embarrassent » avec des renseignements dont il n'avait pas connaissance.		Motivé intellectuellement de façon très limitée. Peut satisfaire quelques sphères de curiosité, surtout à ses heures perdues (le « mordu » d'histoire, l'horticulteur ou le météorologue amateur), mais appliquera rarement tous ses pouvoirs intellectuels et toute sa curiosité aux problèmes et aux promesses centraux de la vie. Intéressé dans l'éducation surtout pour son avancement propre ou un succès extérieur.		Motivé intellectuellement par sa curiosité et ses instincts naturels à rechercher la vérité pour lui-même dans toutes les situations possibles de la vie. Reconnaît que toute éducation, scolaire ou non, est essentiellement une auto-instruction ; capable d'appliquer ses possibilités intellectuelles surtout pour aller droit au cœur des problèmes concernant la vie de l'humanité.

30. Un planificateur compulsif, mal à l'aise sans un programme concret pour tout et en colère ou de mauvaise humeur quand tous les programmes ne sont pas respectés scrupuleusement. Passe plus de temps à s'inquiéter au sujet « du prochain programme » que de jouir de toute occasion ; peut à peine attendre le moment de s'inquiéter du prochain programme.	Souvent préoccupé par la « régularité » dans la vie (les repas, le coucher, l'amour) et préférant avoir un plan concret dans la plupart des cas, mais capable de jouir d'une certaine mesure de spontanéité, montrant rarement une inquiétude excessive pour les plans et les programmes, mais toujours « réglementé avec excès » dans la vie.	Établit tous les plans au fur et à mesure des besoins dans des situations concrètes, au moment présent ; honore ses engagements à un niveau qu'il sait pouvoir contrôler ; préfère de ne pas avoir de « plan » si possible pour laisser la place à la spontanéité.
31. Se contente d'être suiveur et ne sera jamais un véritable chef. Peut atteindre des « postes de cérémonie » attribués par une société autoritaire, mais ne suit jamais ses propres impulsions en émettant de nouvelles idées ou en mettant au défi les autorités. Le rejet constant de son besoin de « se diriger lui-même » et le ressentiment secret contre sa condition de « suiveur » créent un conflit et une paralysie intérieurs.	Essentiellement un suiveur, mais capable d'exercer des qualités de chef véritable dans certaines sphères de la vie, et réagit à ses propres impulsions intérieures quand des questions profondes de conscience ou de véritables explosions d'inspiration sont en cause. Rejette fréquemment son besoin de se diriger lui-même, et éprouve un certain ressentiment contre un destin, qu'il considère comme étant principalement celui d'un suiveur.	Ne reconnaît ni « chefs » ni « suiveurs » dans le monde, sauf là où les gens choisissent de s'étiqueter eux-mêmes comme des « suiveurs ». Suis ses propres « lumières » intérieures en toutes choses ; est inspiré quand les autres s'accordent à dire qu'il a raison et veulent travailler avec lui, mais ne veut pas de disciples irréfléchis, seulement des co-équipiers qui sont aussi disposés que lui à se diriger eux-mêmes.

Panique	Apathie	Lutte	Adaptation	Maîtrise
NÉVROSÉ		«NORMAL»		DE SZE À SANS-LIMITES
32. *Obsédé par l'argent*, aussi fortuné soit-il; est constamment préoccupé par la survie, la sécurité à long terme ou devenir riche comme la seule preuve «objective» de sa valeur; acceptera ou gardera un travail qu'il déteste s'il est bien rémunéré; rarement capable de jouir de l'argent qu'il possède; est généralement avare; méprise les pauvres (même s'il est pauvre) et admire les très riches. Est secrètement irrité de sa dépendance envers l'argent; conflit intérieur.		Susceptible d'être exagérément préoccupé par l'argent même s'il en a suffisamment mais davantage pour le confort matériel et «l'indépendance» qu'il peut procurer que pour l'argent lui-même; mesure rarement la valeur propre essentiellement par l'argent; aimerait être riche, mais n'est pas disposé à accepter un travail qui lui répugne pour l'être; capable de jouir de l'argent qu'il a, se sentant toutefois coupable de le dépenser; peut être assez généreux. Conflits fréquents au sujet de l'argent.		Ne s'intéresse pas à l'argent en soi. Fait un travail qui a du sens pour lui, règle son style de vie de façon à vivre heureux avec l'argent qu'il gagne; ne mesure jamais la valeur de quelqu'un par ce qu'il gagne ou possède; s'il devient riche, ce sera «par accident» en faisant son travail; jouit de toutes les expériences qu'elles coûtent ou non de l'argent; dépense l'argent sans sentiment de culpabilité (jamais de façon inconsidérée); très généreux envers ceux dans le besoin; aucun conflit.
33. Pratiquement *incapable de détente* ou de récréation; les considère comme «sans intérêt», une perte «de temps précieux». Par conséquent, soumis à l'angoisse et à la tension corporelle. Un esprit de compétition excessif et très tendu dans les jeux à un point tel qu'il ne peut pas en jouir; gâchent ses vacances en s'inquiétant au sujet de détails insignifiants ou d'horaires, du travail laissé inachevé; incapable de se détendre.		Néglige ses besoins de détente et de récréation, mais les satisfait suffisamment pour rester «sain d'esprit». Atteint rarement la détente complète en raison de ses préoccupations; considère que la récréation est un luxe qui prend la seconde place après les choses plus importantes. («Attends jusqu'aux vacances».) Éprouve plus ou moins de plaisir pendant les jeux et les vacances; se détend peu fréquemment.		Cultive les arts de la détente et de la récréation qu'il considère essentiels au bonheur, à la créativité et à vivre maintenant, étant à l'aise en toute circonstance. Expert dans la détente complète et régulière, que ce soit en pratiquant le yoga, la méditation ou d'autres méthodes découvertes ou inventées par lui. Considère les jeux comme une récréation pure; prend des «vacances» plusieurs fois par jour, sait comment jouir de toutes ses vacances, jamais «crispé» ni soumis à la tension nerveuse.

34. *Insensible à la beauté* ; des idées très étroites et inflexibles de ce que c'est, de l'endroit où la trouver (couchers de soleil, modèles) ; voit la laideur partout (« Cette maison au bout de la rue est hideuse ; elle a besoin de peinture ») juge la beauté des gens sur l'apparence ou le standing et trouve la plupart des gens laids ; la répression du besoin de voir la beauté dans le monde mène à un caractère terne et « grincheux ».

Des idées assez ordinaires sur ce qu'est la beauté et où la trouver ; un usage fréquent du mot « beau » indique une réaction aux besoins supérieurs, mais qu'on pense très peu à élargir la « vue conventionnelle » d'où de nombreux « angles morts » dans la manière de voir ou de créer la beauté. La beauté est jugée d'après des normes culturelles extérieures acceptables.

Pour commencer, considère que le monde entier est beau et merveilleux ; aucune limite dans la variété de la beauté, aucune frontière dans la manière ou l'endroit où la découvrir. « Un sourire d'enfant peut éclipser tout coucher du soleil. » « Cette maison en ruines au bout de la rue ferait une excellente photo si je la prenais du côté où poussent les lilas. » « Tous les gens sont intrinsèquement beaux, même si leurs actions ou leurs créations ne le sont pas parfois. » Satisfait constamment un instinct grandissant de beauté dans la vie.

35. *Considère qu'il « n'a pas le choix »* sur la manière dont sa vie se déroule ; résigné à l'idée que la vie est prédéterminée, « c'est une question de chance » ; un fataliste qui considère souvent les choses ou les gens (lui y compris) comme « sans espoir », et qui aura des dépressions et des désespoirs profonds à moins qu'il ne se tienne occupé à la recherche de sujets spécifiques.

Voit la majeure partie de la vie comme prédéterminée par des choses extérieures comme la race, la classe sociale, l'éducation et la chance, mais considère que les gens peuvent « s'améliorer eux-mêmes » par une ambition personnelle intense et en faisant les « bons choix, en jouant les jeux du succès » de la société. Une croyance limitée dans le choix personnel le protège d'un profond désespoir.

Considère chaque moment de la vie comme un choix personnel libre ; rejette les causes extérieures susceptibles de limiter ce qu'il peut devenir ; ne tient pas compte de « l'ambition » et des « choix appropriés » tels qu'ils sont définis par les autres, quand il s'agit de faire ses propres choix personnels ; croit dans un libre arbitre illimité.

Panique	Apathie	Lutte	Adaptation	Maîtrise
NÉVROSÉ		«NORMAL.»		DE SZE À SANS-LIMITES
36. *A très peu de respect pour la vie* ou pour l'ensemble de l'humanité. Croit que la plupart des vies humaines sont sans valeur (ne valent pas la peine d'être vécues), comme celles des peuples qui meurent de faim à l'autre bout du globe; accepte la guerre et la violence comme étant dans la nature des espèces; ne se soucie que de la vie de ses plus proches; peut être paranoïde avec l'idée que les autres se soucient aussi peu de sa vie que lui de la leur.		*A un respect fondamental pour toute vie humaine, mais* le concentre étroitement sur ceux qui sont ses plus proches; accepte l'idée que certaines gens en proie à la famine à l'autre bout de monde feraient beaucoup mieux de mourir; espère que la guerre et la violence pourront être éliminées un jour, mais est pessimiste; accepte la compétition entre les peuples et les nations pour les ressources du monde inévitable, comme d'ailleurs les famines, les fléaux, etc.; espère que les siens seront épargnés.		Considère toute vie comme sacrée, toutes les vies humaines comme ayant intrinsèquement une valeur égale. Le dévouement qu'il témoigne chaque jour à ses proches se reflète dans son intérêt pour tous les gens et le bien-être de la race. Croit que la guerre, la violence, les famines et les fléaux peuvent être éliminés si tel est le choix de l'humanité, et consacre sa vie à l'amélioration de la vie de chacun et à mettre fin à l'injustice.
37. *Combat toujours la vie.* A le sentiment de toujours lutter à contrecourant, jamais capable de s'arrêter et de reprendre son souffle, toujours sur le point d'être emporté ou de s'enfoncer dans les courants contraires; constamment agité intérieurement (que ce soit dissimulé ou non); dominé par des cycles de panique, d'apathie et d'adaptation.		Ne combat pas souvent la vie jusqu'au point de panique, mais considère que c'est une lutte à contrecourant la plupart du temps, et n'est pas sûr jusqu'à quel point il désire vraiment prendre des risques pour explorer tout ce territoire inconnu; préfère plutôt patauger dans une eau peu profonde ou s'asseoir sur la rive quand l'heure de la lutte est passée; cycles d'apathie, d'adaptation et de maîtrise.		Nage avec le courant; se sent porté par lui; navigue avec maîtrise dans les flots tumultueux, apprécie la beauté en constante évolution du monde dans lequel il vit; apprécie les moments calmes à flâner le long des rives et à se reposer ou à explorer la région sauvage qui l'entoure. Réfléchit, se comporte et vif comme un être maître de soi.

490

Imprimé au Canada

METROLITHO
Sherbrooke (Québec)